謝伯陽 編纂

全明散曲

任半塘敬題

（增補版）

（六）

齊魯書社

馮夢龍

馮夢龍，字猶龍，一字耳猶，亦字子猶，號墨憨子、顧曲散人、姑蘇詞奴、詹詹外史、浮白主人、墨憨齋主人，别署龍子猶，南直隸長洲（今江蘇蘇州）人。兄夢桂善畫，弟夢熊工詩，時稱「吴下三馮」。崇禎三年（一六三〇）貢生。七年官福建壽寧知縣。清兵渡江，參加抗清活動，不久感憤而死。著有春秋衡庫、春秋大全、七樂齋稿、宛轉歌、皇明大儒王陽明出身靖難録，及雙雄記、萬事足傳奇。輯有話本集喻世明言、警世通言、醒世恒言，世稱「三言」。編有曲集太霞新奏、黄鶯兒、童癡一弄（掛枝兒）、童癡二弄（山歌）。增補小説新平妖傳、新列國志。另纂有筆記小説情史、智囊、古今譚概、太平廣記鈔等。改編傳奇有新灌園、女丈夫、酒家傭。楚江情、量江記、夢磊記、精忠旗、灑雪堂，風流夢、邯鄲記、人獸關、永團圓，三報恩、殺狗記等十四種，通稱墨憨齋定本傳奇。尚訂有曲譜墨憨齋新譜、墨憨詞譜等。生於明萬曆二年（一五七四），卒於清順治三年（一六四六），年七十三。

小令

【南仙吕桂枝香】

譜掛枝兒詞

簾兒低掛。覷着那人簷下立。聲高喚丫鬟。故意兒兜説話。要你聰明人自思。聰明人自思。你緣何驚訝。顛倒把街頭急跨。蠢冤家。我倒不怕人瞧破。你男兒膽恁薄。

（太霞新奏）

【南仙吕月雲高】

代贈青衣

柳營花陣。學他繡毬滚。顛倒着青樓譜。消不起真幫襯。濟楚青衣。一般兒勝紅粉。人愛的是名兒美。我愛的是情兒順。須知萬紫千紅都是春。難道除却巫山不是雲。

（太霞新奏）

【南南吕一江風】

譜掛枝兒詞

恨冤家。寫着他名兒掛。對着窗兒罵。怪貓兒。錯認鵲兒。抓碎紛紛。就打也全不怕。你心虧做事差。貓兒也恨他。我不合錯把貓兒打。（太霞新奏）

【南商調梧蓼金羅】

客枕偶成

〔梧葉兒〕有口誰同語。寂寞向空房。微火逗銀釭。〔水紅花〕偶推窗。又被寒風掀帳。謾把新篘〔二〕澆悶。消盡我舊鋒芒。只索沉醉獨眠床也囉。〔柳搖金〕千思萬想。枕冷衾涼。好夢難成。只聽得一更更漏聲凄愴。〔皂羅袍〕二更纔罷。三更正長。四更捱過。五更怎當。鼓槌兒都打在我心頭上。（太霞新奏）

此調俗名金井水紅花，蔣氏舊譜作金水梧桐花皂羅，俱誤。今依詞隱新譜改正。

【南仙吕入雙調玉抱肚】

贈　書

你便一日間千遍書來。我心中也不嫌聒絮。書頻頻書寄。止不過叙寒温别無甚奇。呵原非要緊好東西。爲甚一日無他便淚垂。（太霞新奏）

【南仙吕入雙調江兒水】

偶　述

郎莫開船者。西風又大了些。不如依舊還奴舍。郎要東西和奴説。郎身若冷奴身熱。且受用而今這一夜。明日風和。便去也奴心安帖。（太霞新奏）

【掛枝兒】

杜康哥。我把你做恩人叫。虧殺你造下酒。成就了多少相交。三杯落肚其實妙。春興虧你發。春愁虧你消。生澀澀要去的冤家也。虧你弄醉留住了。（馮夢龍掛枝兒）

送　別

據你説。燒窯人。教我怎麽不氣。磚兒厚。瓦兒薄。既是一様泥。把他做磚我做瓦。未爲無意。便道頭頂着我。到與你擋風雨。那脚踹的喫什麽虧。頭頂的是虚空也。脚踹是着實的。（馮夢龍掛枝兒）

竹夫人

湯婆子本是個耐歲寒的情性。一謎裏熱心腸和你温存。繡幃中錦被裏多曾幫襯。虧我伴過了三冬冷。你又别娶了竹夫人。你兩個貼肉的相親也。就放我在脚跟頭。你也還不肯。（馮夢龍掛枝兒）

竹夫人。你是伶俐的。體爲湯婆悶。湯婆子。你是老成的。也莫怪竹夫人。你兩人各自去行時運。冷時節便用湯婆子。熱時節便是竹夫人。你也還不肯。我與你派定休争也。各自耐着心兒等。（馮夢龍掛枝兒）

掛枝兒

簾下的掛枝兒委的奇妙。或新興或改舊。費盡推敲。嬌滴滴好喉嚨唱出多波俏。那個唱得完這一本。賞你個大元寶。嘖嘖。好一本新詞也。可惜知音的人兒少。（馮夢龍掛枝兒）

套數

情僊曲

某夜，視友人召僊，而有王花舍者至，云：吴之金閶里人，與黃生遇春善，年十五夭死，因寫黃生所贈詞四語，今曲中四想殺您句是也。已便求去，曰吾兄俟吾於門，恐失約。叩之則遇春亦死。死復相從，亦大奇矣哉。語云：人不靈而鬼靈。余謂鬼不靈而情靈。古有三不朽，以今觀之，情又其一矣。無情而人，寧有情而鬼，但恐死無知耳。如有知，生人所不得遂之情，遂之於鬼，吾猶謂情鬼，賢於情人也。且人生而情死非人，人死而情生非鬼。夫花舍小豎子，生未嘗越金閶數武，而仗此情靈，得偕所歡以逍遥吴越之間，而享僊壇香火之奉，與生人相應答不爽，花舍爲不朽矣。鬼能如是乎哉。名之曰情僊也亦宜。

【南仙吕二犯傍粧臺】小書生。龐兒齊整。從幼更聰明。雙親愛惜我如花朵。把花舍做乳中名。○既願我生身譬如花易長。又願我他日攀花上玉京。○愧非國瑞。頗傳寧馨。○不道空花暫現少收成。

【醉歸花月渡】嘆桃花也犯在男兒命。做楊花飄蕩惹絲縈。只爲向煖葵花戀多晴。將我心花萬種牽纏定。○真誠。要比黄花久長霜吐英。蓮花並頭一同枯與榮。○桂馥蘭馨。肯學那萍花但浮梗。誰想只幾陣催花雨。斷送得嬌花冷。○如今箇魂斷殘花蜀帝聲。好一似江面浮花滅浪形。

【皂袍公子】懊恨風流花性。儘摇風動月。意態縱横。貪花的空有惜花情。遇春來翻惹傷春病。○闔閭城。黄昏片月。慘淡鬼門燈。

【解三醒】爲情濃每懷耿耿。被情癡引去魂靈。猶記得淋漓裙練詞新警。齊唱箇解三醒。他道想殺您鴛鴦錦被寒同宿。想殺您孔雀春屏晝共憑。說到情深境。任千官萬壽。都化做春冰。

【解羅歌】又道想殺您楚水巫山青眼斷。想殺您拜佛祈神白首盟。一椿椿一句句都是真光景。誰箇是假惺惺。○想是前生夫婦。做了今生弟兄。似此今生恩愛。未審來生可能。不愁命短只願雙魂並。○春難久。花易零。但能同死勝同生。分明是花重放。春再更。黄泉相見笑相迎。

【感亭秋】免卻了人間口舌譏共評。又没箇尊長苦相繩。便是鐵臉閻羅也把情魂敬[三]。一任我驂鸞跨鶴同馳騁。形雖化。神自清。喜到僊壇淨。

【尾聲】托乩神把衷腸罄。非關花舍不留停。怎撇下兄長的孤魂在門外等。（太霞新奏）

事奇，序奇，詞又奇，同時咏歌其事者甚多。

送友訪妓

王生冬，名姝也。與余友無涯氏，一見成契，將有久要，而冬迫於家釁，比再訪已鬻爲越中蘇小矣。無涯氏固多情種，察其家傒姓，並其門巷，識之。刻日治裝，將訪之六橋花柳中，詞以送之。

【南中吕顔子樂】心事好難説。不見了青樓豪俠。懷珠藏璧。一似半途遭劫。○傷嗟。路柳和根拔了。隔牆花又向别處移接。○自不合把風流味惹。惹下些甜頭正美。難便割絶。

【錦纏道】自差迭。錦前程當初已設。只指望慢寧帖。又誰知一火兒早分吴越。想殺您喜孜孜咲容兩靨。想殺您的溜溜聲弄鶯舌。可喜瞥見便親切。耳根邊向多嬌私謝。情懷正火熱。誰限定五更一夜。似郵亭俄頃易離別。

【普天樂】武陵溪通還竭。楚臺烟興還滅。西陵畔油壁車輪折。俏同心散卻花結。風塵尚且。怪前人甚福。把香盜玉竊。

【古輪臺】腳空跌。鴛鴦未寫合歡牒。雙星早遇分離刼。見了些花樓月榭。舞女歌兒。越想我昔時風月。敢是神眷仙姝。前緣宿業。一宵相許暫和協。教我難摹怎寫。到不如不遇時節。早知三生緣分。百年姻契。一朝抛捨。何惜盡囊篋。從今去。藍田玉杵也空説。

【尾聲】侯門如海終須躡。討得三分枝共葉。挵向花柳六橋覓遍者。（太霞新奏）

蔣氏舊譜載東野翠烟消一曲，題曰好事近，實則泣顔回也。詞隱新譜亦云，詳查舊板戲曲，皆以泣顔回爲好事近，可見好事近特後人惡泣顔回之名而更之者耳。風月兩無功一曲，原犯普天樂、刷子序者，而時本單刻泣顔回，不着二犯字。亦猶新篁池閣之混刻爲梁州序，而不知犯賀新郎。糠和米之混刻爲孝順歌，而不知犯江兒水也。詞隱乃欲以風月兩無功名好事近，謬矣。墨憨齋新譜定名爲顔子樂，今從之。

擬贈戒指

【南中吕粉孩兒】普天下害相思猶恨少。筭鴛鴦會上。只我兩人先到。這恩情似酒和蜜調。剁不開釃漆濃膠。待學他解珮留情。將何物相贈纔好。

【紅芍藥】[三]重重想。想了幾箇昏朝。儘粧奩翻到周遭。但錦繡珍珠任郎要。算不得記心之表。端詳。表記兒表奴情分高。要才郎記奴在懷抱。費奴心萬遍躊躇。也只圖百歲諧老。

【兩休休】齊紈扇體制風騷。秋來耐可輕拋。香囊上欲繡個同心。還慮着色減香消。鮫綃。題首相思新詩稿。怕溜脱在街坊人亂瞧。汗衫兒鈕釦難遮。玉簪子又不堅牢。

【耍孩兒】[四]是件東西都不妙。只這金戒指十分重。奴指上自小藏嬌。將他。綰上你一箇相思套。只當奴共你相攜抱。纏出手多光耀。

【大影戲】抹臉呵將你容顏拂照。抓癢呵似奴手親抑搔。下棋呵叮噹的子同敲。撫瑶琴遍把絲弦遶。品玉簫按伊腔調。就攏着兩袖。暗暗的也摸過千遭。被裏温存。貼肉相交。

【會河陽】要戒你人前把奴戲嘲。戒你談人誇己口譊譊。戒你自今莫要貪杯。再休賭博。勿又惹閒花草。戒你不怕羞。常引逗裙釵笑。戒你不怕羞。常賣弄渾身俏。

【孩兒燈】念小物雖非至寶。這其間意味有許多深奧。房空夜悄。房空夜悄。全憑這戒指相招。○如膠。牢牢繫好。拋戒指如將我拋。

【攤破地錦花】鳳鸞交。還只恨相逢少。埋怨路遥。翻欣羡戒指同螂。不信恩情。只把指上頻瞧。勝投桃。抵多少報瓊瑶。

【尾聲】山盟雜海誓嘈。都不似這戒指今番表記好。則怕我這没拘管的魂兒隨着戒指飄。（太霞新奏）

先敘謀贈之意，次言他物皆不足贈，而後及戒指；又先言戒指好處，而後詳敘所以贈戒指之意，是一篇有家數文字。此倣拜月亭匆匆離皇朝心不穩一套作，而中多兩休休、大影戲、孩兒燈三曲。兩休休人多不習，不知荆漁釵家燈首四句，即犯此調也。

幔亭主人評云：此套散曲絶無，選調既新美，下字又穩叶，詞復兼當行本色之妙，信可傳也。墨憨齋新譜云：攤破地錦花，據彩樓記「那時窮不了咱和你」，「那時」只二字。拜月亭「繡鞋兒」三字，「鞋」字，乃襯字也。板仍該點在兒字上，而下用截板。時俗于繡字上添腰板，姑兩存，以俟知音者。

怨離詞〔五〕爲侯慧卿

【南南吕繡帶兒】離情慘何曾慣者。特受這個磨折。終不然我做代缺的情郎。你做過路的妻妾。批頰。早知這般冤倩誰肯惹。被人罵做後生無籍。青樓裏。少甚調風和弄月。直恁蠢魂靈依依戀着傳舍。

【前腔換頭】作業。千般樣牽腸掛肚。怎做得順水浪一瀉。没見了軟欵趨承。再休提伶俐幫帖。悲咽。偶將飛燕閒問也。你想不想舊時王謝。心兒裏。知伊冷熱。只奈何得少年郎清清捱着長夜。

【太師引】他去時節。也無牽扯。那其間酥麻我半截。自没箇隻字見傷犯也。何曾敢眼角差撇。薔薇花臭味終向野。越説起薄情難赦。不信你自看做尋常狹邪。把絶調的琵琶輕易埋滅。

【前腔】幾番中熱。難輕捨。又收拾心狂計劣。譬説道昭君和番去。那漢官家也只索拋卸。姻緣離合都是天判寫。天若肯容人移借。便唱箇諸天大喏。算天道無知怎識得苦離别。

【三學士】忽地思量圖苟且。少磨勒恁樣豪俠。謾道書中自有千鍾粟。比着商人終是睬。將此情訴知賢姐姐。從別後我消瘦些。

【前腔】這歇案的相思無了絶。怎當得大半世鬱結。畢竟書中那有顔如玉。我空向窗前讀五車。將此情訴知賢姐姐。從別後你可也消瘦些。（太霞新奏）

静嘯齋評云：子猶自失慧卿，遂絶青樓之好，有怨離詩三十首，同社知者甚多，總名曰鬱陶集。如此曲直是至情迫出，絶無一相思套語，至今讀之，猶可令人下淚。

爲董遐周贈薛彦升有序〔六〕

苕溪董遐周來遊吴下，偶與歌筵，愛薛生，密與訂晤舟次。夜半而生冒雪赴約，情可知已。一別三載，遐周念之不釋，物色良久，忽相遇於武陵，突而弁矣。丰姿不減，余目擊其握手唏嘘之狀，因爲詞述之。

【南南吕繡帶引】風流性歡山笑海。堪憐俏的身材。當場喜殺兒郎。深閨妬殺裙釵。緣該。○歌殘舞罷把餘歡買。肯分地坐兒做一塊。情偷送。密約暗喈。愁殺人孤舟雪夜把更捱。

【懶針綫】繡被香籠早安排。似到還非幾浪猜。更深雪重悄寒崖。○多應他弱體愁尷尬。宰負了子猷思戴。夢驚回舟動聲微咳。合唤名兒做薛夜來。相憐愛。把貂裘擁護。我親手温腮。

【醉宜春】舒懷。渾忘量窄。取醇醪痛飲。捹醉陽臺。春生繡帳。似梅花雪裏香開。心哀。他衝寒來到恁癡騃。○這恩德猶如天大。縱有分甘割袖。此情無賽。

【瑣窗繡】自當時植下根荄。指望效紅飛雙鼠諧。忍教他隨行逐隊。玉韞香埋。縱使銅山盡銷。儂情不改。誓不學那棄魚無賴。○又誰知妬花風忒歹。又誰知杜鵑聲更歹。

【大節高】從别後言斷音乖。等閒間便隔一二載。錦營花陣曾去尋歡快。○蜂蝶寨。鶯燕窩。鴛鴦派。風雲隨例青樓態。虚脾争似真心耐。想雪夜孤舟是何人。越教掛卻相思債。

【浣溪帽】他便做柳絮飛。我怎把浮萍待。謾勞人踏破鐵鞋。向歌雲停處探丰采。多管瘦損潘容在天一涯。○他心中料也渾無奈。得再諧。恰便似從天賚。

【東甌蓮】吴宫信。共越朝來。驀地相逢真怪哉。依稀總非風神在。舊日歡還再。百般心話兩人皆。○止不住未開言。一雙雙情眼淚盈頰。

【尾聲】佛面前通誠拜。新歡舊好儘摩揣。那個虧心天降災。（太霞新奏）

春閨[七]

【南南吕針線箱】萬斛愁滿懷堆垂。終日的長眠短卧。看嬌鶯乳燕銜花過。悄不覺繡簾穿破。嫩紅香斷送在雕欄外。九十日春光昨夜多。愁城大。悶房頭空鎖着怨柳顰蛾。

【紅衫兒換頭】我爲你遭躧跐。受多少人閒嗑。想當初有甚嘍囉。只爲我一語差訛。惹教唆。做下了平地風波。把人來結果。你把我做敗蕊殘柯。更尋花摘朵。

【太師引換頭】相思闖破重門鎖。夢魂兒天涯任過。你雖做無情喬木。怕難辭有意絲蘿。若情懷一樣熱似火。怕甚麼傍人顛簸。還是你心波尚活。又添個做媒的學了蕭何。

【醉太平換頭】蹉跎。花情柳思。做半床春病。一枕沉疴。追思往事。真個是夢裏南柯。嫦娥。終宵淒冷伴娑婆。除卻你便當數我。孤眠獨坐。人間天上。共成寂寞。

【三學士】數尺紅綃雙足裹。驀忽的線斷絲磨。浮生已信霜前艸。薄命誰憐燭底蛾。十箇指尖都掐破。春歸矣不見他。

【大迓鼓犯】佳期。無奈何。洛陽逢我。花謝偏多。酒杯難遣相思妥。藥餌能驅離恨魔。○衫兒污。別來珠淚。比似江河。

【尾聲】春風枉向窗前過。吹不去愁懷一裹。權把一曲相思當泣歌。（太霞新奏）

墨憨齋自記云：原稿多失韻落調。余止愛其「相思闖破重門鎖」，翻舊詩餘語，頗趣。又「做媒的學了蕭何」，及「嫦娥，朝朝暮暮別離多，除却你便當數我」數句，不忍捨，遂爲竄改。再詳嫦娥似不可言別離，豈以升少沉多故耶。然終未妥，復改「終宵淒冷伴娑婆」句，蓋俗傳月中有娑婆樹故也。

怨　夢〔八〕

【南南吕大勝樂】活冤家難遣心窩。似金枷和玉鎖。恩幸義寡我也丢得過。直恁的費吟哦。又不是傾城傾國無覓處。祇不過爲雨爲雲直甚麽。〔合〕此恨終沒結果。則索高擎慧劍。斬斷情魔。

【前腔】便比你做賽瓊花獨一無多。被攀折須不可。假如你在花前月下難忘我。也只是空記念怎騰那。明知是有團有散官筵席。反害了無夜無明久病痾。〔合前〕

【不是路】夢裏差訛。化做鴛鴦做一窠。知他是。人間天上鬼婆婆。笑呵呵。霎時相問還相賀。虧殺你跳出清洪萬丈波。情如火。一場歡喜天來大。被鳥聲啼破。鳥聲啼破。

【掉角兒序】眼兒前恍惚婆娑。舌兒尖淋漓香唾。肩兒上愁擔還挑。意兒中愛河重墮。想他柳如芽。花似朵。影難拿。風難縛。鬧市張羅。〔合〕當初會少。如今夢多。惱殺人。魂來魄往。可奈他何。

【前腔】誓今生決不念他。又誰知夢中提我。喜相逢白日難求。惡相思夜間怎躲。恨他去無踪。來無影。慣嬿㦤。頻跌蹉。瞌睡哥哥。〔合前〕

【尾聲】冤家做事多顛簸。常把芳魂來料我。索性畫個真兒供養他。（太霞新奏）

有懷

【南商調集賢賓】相思一日十二時。那一刻不相思。問往事相思誰可似。演將來有千叚情詞。任你伶牙俐齒。說不透我胸中一二。衫淚漬。從別後到今不次。

【前腔】魂驚夢語不自支。倩文章壓倒相思。想遍文章無一字。寫出來依舊是情詞。筆墨硯紙。你何須逼人如是。便博箇金共紫。比相思也不償些子。

【黃鶯兒】一對意孜孜。算天天也不慈。忍教兩下爲情死。木華有枝。鳥雄有嶋。老天生我何生爾。惱還嗤。不因藕斷。怎顯得兩牽絲。

【簇御林】雖則是風月寨。雲水司。有歡娛有怨咨。從無歡怨能如此。自不解希奇事。兩人兒。心堅似鐵。誰做箇石中磁。

【尾聲】乍相逢如天賜。些時不見又相思。合喚你是箇慣治風魔女教師。（太霞新奏）

子猶諸曲，絶無文彩，然有一字過人曰「真」。

誓妓

【南商調集賢賓】盟山誓海誰亂謅。似敗約鴻溝。東掩西遮空費手。弄得箇兩邊僝僽。章臺問柳。李王孫如何傳授。真出醜。塞不住笊籬多口。

【黃鶯兒】風雨棹孤舟。病懨懨爲甚留。只爲臂間未解青絲扣。把歌樓舞樓。翻做花仇酒仇。少年場羞落他人後。請伊收。雙行急淚。别向有情流。

【簇御林】從今去。一筆勾。瑞香花各有頭。姻緣限滿三合湊。便相見不似當初厚。免躊躇。隨伊即溜。做不得滿江兜。

【尾聲】熱心腸閒窮究。强因親到底是暫綢繆。拚箇謝卻青樓不去走。（太霞新奏）

閨怨

【南商調山坡羊】捲楊花拿不住你情性。走山隈度不準你行徑。海中針望不見鐵心。破青銅照不出團圓慶。當初箇兩目成。恐人心不志誠。把星月指定指定爲媒證。那星月爲媒也如畫餅。難憑。這牽牛是甚星。難平。這嫦娥有甚明。

【五更轉】嘆命艱。遭薄倖。這奇寃没處伸〔九〕。難吞難吐好似喉中鯁。羡殺成雙。回頭顧影。重重想。轉轉羞。懨懨病。平時見你見你多聰穎。到此糊塗。甘做虧心頭領。

【御林鶯】虧心漢甘負盟。你歡娱不管人淚零。便純鋼打不出你心腸硬。○淒涼味盡經。相思害已成。一身疼痛無人省。怪成精。冬天燥熱。夏月冷如冰。

【琥珀貓兒墜】相逢有日。訴你也心疼。難道你掩耳摇頭不願聽。但相逢未卜此生。能消停。倒不如斷送區區。早脱愁城。

【尾聲】生前不得歡相並。使到鬼門關也要和伊索命。不放你短行寃家獨自寧。（太霞新奏）

端二憶別有序

五月端二日，即去年失慧卿之日也。日遠日疏，即欲如去年之別，亦不可得，傷心哉。行吟小齋，忽成商調，安得大喉嚨人，順風唱入玉耳耶。噫！年年有端二，歲歲無慧卿。何必人言愁，我始欲愁也。

【南商調黃鶯兒】端午煖融天。算離人恰一年。相思四季都嘗遍。榴花又妍。龍舟又喧。別時光景重能辨。慘無言。日疏日遠。新恨與舊愁連。【集鶯兒】隔年宛似隔世懸。想萬愛千憐。眉草裙花曾婉戀。半模糊夢裏姻緣。情深分淺。襻不上嬌嬌美眷。○謝家園。桃花人面。教我詩向阿誰傳。【玉鶯兒】想紅樓別院。剪新羅成衣試穿。昨朝便起端陽晏。偏咱懶赴遊舡。三年艾怎醫愁病痊。五色絲歲歲添別怨。○怪窗前。誰懸繡虎。又早唬醒我睡魔纏。【簇林鶯】[一〇]蒲休剪。黍莫煎。這些時不下咽。書齋强自閒消遣。偶閱本離騷傳。○弔屈原。天不可問。我偏要問天。天。【貓兒逐黃鶯】巧妻村漢。多少苦埋冤。偏是才子佳人不兩全。年年此日淚漣漣。○好羞顏。單相思萬萬。不值半文錢。

【尾聲】知卿此際歡和怨。我自愁腸不耐煎。只怕來歲今朝想更顛。（太霞新奏）

此套曲可名滿林鶯。

劍嘯閣評云：句句是端二，句句是週年，而一段真情鬱勃，絶不見使事之迹，是白描高手。

代妓贈友〔二〕

馮貞玉一郎所歡，李生將委身焉，托余詞道意。

【南商調金絡索】曾叨金屋光。自小章臺養。學得青謳。聲繞芙蓉帳。連環輕解開。○做野鴛鴦。惆悵東風没主張。抵多少夢回王謝堂前燕。○抵多少魂逐臨邛弦上凰。無名網。○背人深處儘思量。○正是舊恨難忘。新恨難降。亂滚滚桃花浪。

【前腔】劉郎續阮郎。濮上兼梁上。風月場頭。自把年華誑。流光似水花。眼前忙。滋味青樓也算嘗。也有箇千金難買燈前笑。也有箇一面能牽去後腸。空勞攘。離亭羞贈舊時香。這是前世餘殃。今世承當。折罰在平康巷。

【前腔】五陵裘馬狂。七步才華廣。那富貴風流。浪宕終難仰。當時遇可人。在金閶。海水難將升斗量。俊眸慗妾非紅拂。俠骨多君似李郎。把真情講。十年脂粉付滄浪。却不道柳折須長。花採須芳。這緊慢教人望。

【前腔】春郊女伴將。月夜遊人訪。怯舞辭歌。覥面渾如强。孤燈夜永時。自傍徨。覓得甜桃懶去嚐。情癡妾似離魂女。負義君非李十郎。頻來往。相思病種入膏肓。只怕今日西廂。明日東墻。早晚無的當。（太霞新奏）

宛轉歌原注云：譜所載末云，「一聲聲叫得淒涼，愁鎖在眉尖上」，本只二句，即琵琶記「空争着閒是閒非，祇落得垂雙淚」，亦二句也。唱者卻增「偏要争閒是閒非」句，陋甚。而時曲「只見片片桃花，陣陣楊花」；浣紗記「那時節異國飄零，音信難憑」，俱用三句，不知何據。譜分注寄生子，而寄生子本調竟缺。今從俗三句，終爲未安，尚須查正。

金閶紀遇有序〔三〕

白氏爲花館名家，而來姬尤後來之最秀，東山許元燮則其破瓜之交也。元燮作金閶紀遇傳，自詫奇緣；余譜爲新詞，傳諸好事。來姬字掌珍，蓋元燮所贈云。珠性圓走，而掌又有翻覆之義，元燮慎守寶矣。佳人再難得，其勿效章臺柳往事哉。

【南雙調錦堂月】花滿金庭。春深玉柱。誰争五湖煙景。生長繁華。風流少年馳騁。○攬蘇臺西苧餘香。咏銅雀東風司令。頻追省。休得要秋到傷春。老來索鏡。

【二犯晝錦堂】寂靜。凈几明牕。翻今閱古。別有酒狂詩興。天上人間。除非草木無情。○鳳尾草也解榮枯。連理木偏能齊整。○倘有藍橋幸玉杵。價豈辭高等。

【集賢賓】偶然花鳥來使星。問秦淮柳色誰青。屈指尋常桃與杏。但無雙不產金陵。自有煙花首領。論小字夜來厮稱。他是個靈秀稟。就是珠十斛也買不出這娉婷。

【集賢聽黃鶯】盈盈。二七方待齡。似豆蔻香凝。妙舞清歌都絕頂。更步打場中超乘。琴棋井井。凡百技諸般佳品。○小妖精。豪門巨室。歡喜竟何曾。

【黃鶯兒】金屋久聞名。信還疑喜又驚。白家蠻素剛同姓。泛扁舟幾程。歷煙波幾汀。恨金閶不比天涯近。到蓬瀛。閒花怎惹。許自有飛瓊。

【黃鶯帶一封】我是黃卷課青燈。暫偷閒訪玉京。奈娘行做出喬行徑。眼兒望得盲。脚兒站得疼。等閒的未許通殷聘。○鏡中形。谷中聲。三復關雎心未平。

【一封書】終宵自飲冰。把虔誠感巨靈。重來到錦營。覩光輝百倍榮。畫閣深深頻致請。萬喚千呼不肯行。似蘭馨。似珠明。捧出雕盤真水晶。

【一封羅】羞答答臉赧〔三〕。俏低頭倚畫屏。梨花一枝春帶雨。縱飛燕新粧不恁爭。○金釵十二。端詳可憎。青樓十二。供他使令。從前春夢到此安排定。

【皂羅袍】珍重娘行伸敬。這姻緣天大。怎教我造次應承。他是玉皇殿上校書丞。怕書生福淺難僥倖。欲行還住。可喜肴馨酒清。欲留還去。可憐好事未成。把佳期來日從容訂。

【羅袍歌】〔一四〕意馬心猿紛競。悔登時靦腆。推調紅繩。倚閭人望得眼睜睜。一封書怎敢違尊命。○留無計。恨轉增。長條攀折已無憑。人難再。城可傾。翻衾覆枕鬭心兵。

【甘州歌】高唐神有靈。借巫雲一片。教他野渡舟橫。十分不穩。穩的是憶思勞症。魂顛夢倒神未寧。忽聽得雨驟風狂鬧五更。○披衣起。合掌聽。千聲方便謝神明。想是明河瀉。洛水升。後天降下美前程。

【甘州解酲】青鴉喜笑迎。儘東山屐齒。忘卻伶俜。時來心肯。不惜買花錢贈。傾囊聊表釵鈿情。肆席重陳山海盟。○雙雙並。對氤氳使者。禮拜通誠。

【解三酲】唱一曲今宵歡慶。把前身認做鶯鶯。畫堂中萬福聲相應。杯到處已酩酊。今日裏花燭洞房把嬌客稱。賽過那玉殿臚傳〔一五〕金榜登。魂消臢。看不盡温柔窈窕。向燈下停睛。

【解酲姐姐】只爲兒女情長憐夜短。縱有歌舞如雲無暇評。惜花人耳畔私央倩。一句句已謹領。正蘭湯試浴看他雲髻傾。又早攢簇蛾眉愁未經。○妾薄命。一點在素綃君親證。墮落風塵忒煞輕。

【好姐姐】宛轉。鴛鴦交頸。有的是惜玉憐香權柄。霎時到手。勸君聊住停。昏還醒。千金不換須臾頃。魂遶陽臺第幾層。

【姐姐帶撥棹】自慙。這麗質怎勝。從此後心腸難硬。俺和伊情分。一似海樣盈。○甚日得雙鸞共乘。願今朝天慢晴。願天天且莫明。

【撥棹入僥僥】早聽得疏鐘遠寺鳴。見窗隙微光枕畔呈。淚斑兒兀自熒熒。淚斑兒兀自熒熒。○只見他星眼朦朧餘羞態。又見他鬢縱橫倍可矜。

【僥僥令】風流原有種。今日總輸卿。一任風波休輕散。須記著賀新郎第一聲。

【尾聲】貪花採得花中聖。五湖年少不虛生。唤作明珠掌上擎。（太霞新奏）

硯齋主人評云：凡紀事之詞，全要節次清楚，而過脈絶無痕迹，如太史公伯夷屈原等傳。以事實議論相御而行，其敍事又須明顯，使人一覽而知方妙，此是子猶勝場。雙調健捷激裊，蓋如文章家之以筋力勝，而不欲其以浮靡見長者也。聲音之道，可想見焉。本調名目有限，詞亦如之，不能備美。中如子猶先生金閶紀遇一套，似亦賣弄家私，而無由破格鋪排者；如以尋常章法律之，殊非作者之意，而亦非選者之心矣。嶺樵附識。

柬帖兒[二六]

【南雙調鎖南枝】曾留下。柬帖兒。千思萬愛彼一時。恨不得把全副肝花。嘔向這幾個鴛鴦字。就是鐵人見。心也慈。害相思。都爲此。

【前腔換頭】將他謹藏笥。不許他人瞯我私。每遇悶時開看。只當一度相逢。一度歡娛事。强婚帖。賽誓詞。再不消費第二張紙。

【前腔】燭流淚。蠶掛絲。只道恩情到底長似玆。誰知久見人心。漸漸不如始。雖柬帖。時有之。比當初。渾不似。

【前腔換頭】當初血瀝瀝幾行字。如今虛飄飄一片詞。他的話比先前加美。細勘真情。百分無一二。一場好。枉被嗤。情願抱當初柬帖兒死。（太霞新奏）

按古曲鎖南枝第四句六個字，又有換頭。琵琶記兒夫去不見還一套，乃正體也。子猶此套可以爲法。

青樓怨有序

余友東山劉某，與白小樊相善也。已而相違，頃偕余往，道六年別意，淚與聲落；匆匆訂密約而去，去則復不相聞。每瞯小樊，未嘗不哽咽也。世果有李十郎乎，爲寫此詞。

【南仙呂入雙調步步嬌】蕭索秋風秋葉舞。想遍悲秋賦。流光轉盼徂。把燕約鶯期。置在何所。搔首悔當初。没來由便把真情訴。

【桂花徧南枝】我是真思真慕。捱朝捱暮。隨他冷口譏嘲。兀自熱心回護。到如今可疑。到如今可疑。眼見六年辜負。○有甚弱水炎山故把行人阻。影也無。風也無。待向夢中尋夢還無。

【柳摇金】曲房朱户。香奩懶鋪。風月興全疏。行雨空懷楚。遊魂欲繞吴。何幸相如醒痞。再訪舊當壚。聽他訴出衷情。果是原非特故。甘來苦盡。似草偃重甦。今夜裏慢敍歡情。先將愁數。

【園林好】不道是鸞交久孤。不道是魚書久逋。不道是桃園重渡。更不道便登途。更不道又萍浮。

【江兒水】不做美的天方曉。不知心的舟又促。眼睁睁無計留交甫。把近來愁續上當年簿。爲暫時歡送上無窮路。喜則喜東風分付。還愁薄命紅顏。經不起從前擔誤。

【玉交枝】收羅歌舞。待雙雙飛鳴即都。甘爲淡飯荆釵婦。不羡他豔抹濃塗。洞庭湖道深。好做淚眼圖。莫釐峰高殺。只當憂愁堵。咬屑牙傷殘口朱。耐黄昏磨穿繡襦。

【玉抱肚】想人情朝露。自當時拚成敗局。爲甚的故劍重求。多應是活念難枯。從今死守漸臺符。良夜迢迢倍揣摩。

【玉山供】語言吞吐。向人前精神强扶。不禁支露尾藏頭。没遮欄蝶唤蜂呼。○忙中醉裏。猛可的名兒錯呼。論不得人譏侮。怎支吾。酒筵將散日將晡。

【三學士】業債生憎甚日了除。使多少問卜青蚨。終朝望斷無魚雁。及至傳來話總虚。一片熱心渾不悟。還依舊是薄倖夫。

【解三酲】受盡他幾年孤苦。博得我一夜歡娱。自那日叮嚀送别羞回步。眉皺了未曾舒。枉殺我朝來禮佛頻撮土。枉殺我暮夜逢人倩寄書。愁無措。論相思滋味。堪做雍巫。

【川撥棹】難憑據。算前程已矣乎。寸心兒怎寄飛奴。寸心兒那寄飛奴。拂雲箋先將淚污。等他時癡殺奴。撇他時痛殺奴。

【僥僥令】只愁同草腐。待飛去少雙鳧。密約在新秋秋將老。每日把瘦容顔問小姑。

【尾聲】陽臺遍把襄王募。一見拚將身命殂。也落得個烈性稱呼。（太霞新奏）

子猶又作雙雄記，以白小樊爲黄素娘，劉生爲劉雙，卒以感動劉生爲小樊脱籍。孰謂文人三寸管無靈也。

長恨曲有序

予友某之婦不得于姑，因有緑衣之嘆。吁嗟，令吾儕中得司馬賦才，豈長門回車，不可蘄於臭味者，爲作長恨曲一套，匪文也，聊以爲嗚也。

【南仙吕入雙調步步嬌】寂寞空閨春欲暮。愁緒堆成堵。日居與月諸。可惜好景芳年。棄擲如土。死别已吞聲。今朝更不比生離苦。

【山坡羊】眼睁睁説不出的情素。旋摇摇拿不定的頭路。苦哀哀没出豁的怨嗟。昏沈沈没了期的思和慕。形影孤。煢煢似楚俘。浮萍大海也有相逢所。咫尺無緣如異區。當初。似雙珠常韞匵。如今個生疏。做孤鴻獨自伏。

【五更轉】論秦晋。應看覷。到如今做越與吴。牽牛織女把作參商數。那些個白首爲期。青眸相顧。尋思那。十二行。少甚金釵婦。入門各把蛾眉妬。誰向齲齒叢中。把泣隅情訴。

【園林好】羡東風南枝自曝。嘆流水落花浪逐。懊恨看司花相負。端的是認何辜。端的是怎支吾。

【江兒水】細草連天緑。春萬斛。紛紛白亂梅林霧。樹樹紅迷桃源浦。絲絲青映章臺路。多少遊人題賦。偏有幽谷孤芳。空老在白雲深處。

【玉交枝】蜂歌蝶舞。鬧烘烘隔牆似呼。相將閃去愁人户。没來由掛起珊瑚。想花神未必把蜂蝶拘。被封姨吹送東鄰圃。那廂兒春光似鋪。這廂兒春光似無。

【玉抱肚】愁秧千畝。待消除何年運鋤。錦鸞凰不下秦樓。野鴛鴦誤殺羅敷。誰云河廣一刀無。空向長門望子夫。

【玉山供】不禁淒楚。暗吞聲柔腸半枯。問茶湯也不似當初〔一七〕。論晨昏也只索糊塗。○濃花媚柳。到此都成愁譜。庭院蒼苔護。鏡模糊。雲鬟撩亂減芳膚。

【三學士】鬼病懨懨誰與撫。捱多少冷席寒爐。寄青絲不見高力士。待買賦于今司馬無。十日九宵和衣度。回文句在枕上摹。

【解三酲】儂不比傳香賈午。伊不比短行秋胡。須記得牽紅笑逐金蓮步。合歡帳飲醍醐。不記得燈前幾番含羞解繡裾。不記得一枕啼痕初夢巫。伊休誤。不記得小名兒作念。背地低呼。

【川撥棹】聽盡金龍注。漫躊躇枉嘆吁。罵伊是薄倖之徒。料伊非薄倖之徒。莫將伊名兒便污。斷頭香宿世逋。斷頭香宿世逋。

【川撥棹犯】一縷燈烟裊繡幗。又早三唱鷄聲促曉烏。看紗窗花影蕭疏。看紗窗花影蕭疏。擁孤衾依然故吾。○吟就了白頭誰俫保。羨殺那緑衣人夢未甦。

【僥僥令】使君自有婦。渺渺獨愁予。嘆畫虎不成真堪笑。到不如混春秋一蟪蛄。

【尾聲】賦成紈扇和愁付。問黄泉誓詞緣故。男子漢休得要含糊。（太霞新奏）

别思改俞君宣作〔一八〕

【南仙吕入雙調步步嬌】緑鬢朱唇鵝黄頰。宛眉天然治。單綃整亦斜。笑疊清波。檀暈微微靨。常喜不知愁。輕風團攏腰盈捻。

【園林好】走長安看花意切。向秦樓先來問月。剛遇個氤氲使者。姻緣簿快將揭。喜名姓並行列。

【忒忒令】想赤繩冥中早結。卸征鞍且消亭者。假推渴病。把瓊漿求借。因此上打并兩情熱。不用搗玄霜。尋玉杵。一霎地就也。

【江兒水】看他愐憪纖腰趄。燭火引盼斜。雛鶯羽弱驚寒怯。豆蔻含胎丁香結。新枝好瓣寬心折。須把美滿工夫慢且。費盡温存。甫得個香腮偎貼。

【金段子】交情正美。又遇功名劫。歡歌正好。又把行囊挈。只因兩意愜。忍將恩愛撇。○當他相逢豫問何時别。别時又問來時節。旦暮爲期。兀自聲聲哽咽。

【五供枝】離愁萬疊。滿載回來意似癡呆。如何消受盡。方寸亂如掣。○有傍人偶提我的情頓熱。若無人提起心逾切。怕人提心頭似跌。待不提肝腸寸截。

【玉抱肚】難抛難捨。愛河中甘心永涉。奈教人顛倒神魂。半些時不放停歇。黄昏獨坐更淒切。無餤疏燈多事月。

【僥僥令】兩情相湊洽。攬做沉江月。不暗不明空中結。無底無邊流怎絶。

【尾聲】把美前程都付鴛鴦牒。只要我兩人緣分環無缺。畢取今生來生還再也。（太霞新奏）

君宣料，子猶調，合之雙美。

贈童子居福緣代作

【南仙呂入雙調江頭金桂】自嘆我蹉跎半老。把花月票盡銷。真個是看花無語。對月忘嘲。數年來束彩毫。○那裏是技癢思猱。妄顰輕笑。自是明珠在掌。一見魂銷。這温柔少年在何處討。○他身材小巧。衣衫佶倬。恰垂髫。授色雙眸俊。藏春片語嬌。

【姐姐插海棠】悄把。乖乖低叫。何名姓更何生肖。○他笑嘻嘻答應。一一供招。年十五幼字福緣。居爲姓梁溪生小。真通竅。這宿世冤家姓名都好。

【玉山供】宜居祆廟。療相思焰騰騰免燒。更宜居繡被簾籠。又宜居玉笋斑僚。○應把銅山相勞。儘行處金丸落鳥。便把前魚比總難拋。迷魂一世半丢桃。

【玉枝帶六幺】想福緣分曉。兩般全纔得上交。○福多緣少枉心焦。雖會面路如遥。有緣無福魂空吊。有緣無福也魂空吊。

【撥棹入江水】緣若到。更三生福分饒。共伊家同拜青霄。共伊家同拜青霄。敢一例看做青衣小曹。○與你兒汝相交。恰似加一道風流官誥。

【園林帶僥僥】我衷腸伊應諒着。你中情我也三分料着。合一個青銅相照。○只待討個東君真消息。便學做鳩兒借鵲巢。

【尾聲】十年情種芽重報。這小名兒一似心窩中嵌寶。盼不得暮暮朝朝。（太霞新奏）

春思改舊曲

【南羽調勝如花】從他去春又更。愁積層巒疊嶺。空辜負繡幄銀屏。和那鸞衾獸鼎。剛供養一身愁病。〔合〕羡殺人雙雙鳥鳴。哄殺人吱吱鵲聲。月影花形。總添人孤另。鼓不起踏春遊興。小窗兒鎮日常扃。小窗兒鎮日常扃。

【前腔】合歡果同蒂生。翻做浮萍斷梗。縱然你別下新茶。也難道全忘舊茗。怎下得恁般行徑。〔合前〕

【三段子】相思已經。見春來倍覺可增。悶懷巳盈。見春歸似覺又增。幾回强把衷腸硬。衷腸已被愁纏定。空對柔條惜舊鶯。奴年少。奴年少。朱顔易零。寄書征鴻難倩。天長一樣箋。欲言難罄。拚一個癡心。終身耐等。

【滴溜子】春光老。春光老。明年再榮。奴年少。奴年少。朱顔易零。寄書征鴻難倩。天長一樣箋。欲言難罄。拚一個癡心。終身耐等。

【尾聲】但堅持奴節行。做箇澄潭徹底清。留取貞心愧薄情。（太霞新奏）

原稿兼真文韻，且調多不叶，此可謂點金手矣。

南北雙調合套

曲名閨怨〔一九〕

【新水令北】銷金帳裡峭寒添。駡玉郎絮叨叨千遍。小桃紅人不見。空辜負賞花天。薄倖綿綿。對着這滿庭芳自消遣。

【步步嬌南】步步嬌獨自行來。倦傍粧臺。漸覺鬆金釧。哭相思苦萬千。一封書寫不盡羅江怨。月兒高明又圓。把桂枝香夜夜在星前獻。

【折桂令北】告穹蒼擲落金錢。催〔二〇〕拍多情。早整歸鞭。愁覷那玉交枝上黄鶯兒對對。粉蝶翩翩。止不住落〔二一〕梅風吹散了殘紅萬點。收拾去園林好光景無邊。上小樓前。玉女傳言。且喜那寄生草緑軟鋪茵。又早見庭前柳亂舞飄綿。

【江兒水南】望斷江兒水。不見夜行船。二郎神何日歸庭院。石榴花噴火真堪羡。沾美酒獨自和誰勸。他與十弟兄們歡忭。不憶多嬌。在何處排歌設宴。

【雁兒落帶得勝令北】我爲他被六娘子苦自嫌。我爲他三學士無心戀。我爲他一枝花懶去簪。我爲他八寶粧心偏倦。我爲他鬢鬆鬆懶畫眉。我爲他漿水令何曾嚥。我爲他五更轉雙垂淚。我爲他羅帳裡坐無眠。天天。若得他十二時重相見。人月團也麽圓。辛一腔山坡羊答謝天。

【僥僥令南】梧葉兒初墜。江頭金桂鮮。珊瑚枕上誰爲伴。可惜了象牙床閒半邊。象牙床閒半邊〔二〕。

【收江南北】呀。似這雙紅綉鞋跌綻呵。越加上玉抱〔三〕肚悶懨懨。俺只見桂山秋月下雕簷。鴈兒落處韻哀喧。雙聲子可憐。做就了紅衲襖少箇便人傳。

【園林好南】花心動對誰可言。意難忘衷腸萬千。憔悴了玉芙蓉嬌面。哭皇天不見憐。哭皇天不見憐。

【沽美酒帶太平令北】〔四〕駐雲飛佈滿天。刮地風緊漫旋。似梨花兒雪片撲相連。一剪梅開了正鮮妍。俺只見金衣公子設華筵。唱一曲梁州序笑聲喧。醉扶歸去把皂羅袍濕遍。我呵瑣窻寒悄然。病纏。剔銀燈慘然。淚漣。呀。盼佳期把一對玉環敲斷。

【清江引南】望吾鄉不辭途路遠。一江風回來便。雙勸酒數盃。沉醉東風院。那時節惜奴嬌情意轉。（群音類選）

複出

小令

【南商調黄鶯兒】

弦管動離聲。

萬錦清音題作「惜別」，注馮猶龍撰。惟已見楊夫人詞曲，疑誤。兹已輯於黄峨卷中，不重出。

套數

咏雨

【南商調二郎神】芭蕉裏。聽一點點南窗欲斷魂。

萬錦清音題「咏雨」，注龍子猶撰。吴歈萃雅、南音三籟、古今奏雅俱作陳大聲。兹已輯於陳鐸卷中，不重録。

〔一〕「篘」，原作「謅」。
〔二〕「敬」，原作「矜」。
〔三〕原注：「與南吕紅芍藥不同。」
〔四〕原注：「與北曲要孩兒絶不同。」
〔五〕吴騷合編、萬錦清音題同太霞新奏，俱注龍子猶撰。
〔六〕吴騷合編題同，注龍子猶撰。
〔七〕吴騷合編題同，注改史叔考作。
〔八〕吴騷合編題同，注龍子猶撰。
〔九〕「伸」，原作「聲」。
〔一〇〕曲牌原作【羽林鶯】，南詞新譜作【簇林鶯】又一體。
〔一一〕吴騷合編題作「寄别」，注龍子猶撰。
〔一二〕吴騷合編題同，注龍子猶撰。南詞新譜録解醒姐姐、姐姐帶撥棹二曲，署名馮猶龍作。
〔一三〕「赧」，原作「赬」。
〔一四〕【羅袍歌】原作【皂羅袍】，自注「後六句排歌」。

〔一五〕「臚傳」，原作「爐傳」。

〔一六〕吴騷合編題作「題束」，注龍子猶撰。

〔一七〕「初」，原作「時」。

〔一八〕俞作題爲「小翩十九調」，首調【山坡裹羊】。

〔一九〕群音類選題作「曲牌名」。昔昔鹽題作「牌名製景」，樂府争奇無題，俱不注撰人。詞林白雪無題，署名文徵明作。萬錦清音題作「曲名閨怨」，注馮猶龍著。未知孰是，兹姑以之屬夢龍。曲文據類選録之。

〔二〇〕「催」，原作「摧」。

〔二一〕「落」，原作「蠟」。

〔二二〕此句原不疊，兹據昔昔鹽。

〔二三〕「抱」，原作「胞」。

〔二四〕曲牌原僅書沽美酒，兹據律補正。

馬佶人

馬佶人，字吉甫，一字更生，又字亘生，號斐堂，別署擷芳主人，南直隸吴縣（今江蘇蘇州）人。約崇禎中前後在世。工曲，有餐霞館傳奇五種：十錦塘、白鶴圖、借東風、荷花蕩、梅花樓。新傳奇品稱其詞如「五陵少年，白眼調人」。

套數

經年感悼

【北雙調新水令】説甚麽相思一日九迴腸。則俺一年來幾曾有片時兒撇漾。眉峰剛倦□。心□又追慌。淚灑千行。淚血千行。哎喲您那狠蒼穹忍拆散這鴛鴦兩。

【落梅風】驀忽驚春到。梅花自主張。全不管斷腸人半些兒疼癢。儘逗着李桃們争廝放。可知俺遇芳晨倍加的惆悵。

【錦上花】紫姹紅嫣。共誰賡唱。玉削香寒。還同誰嘆賞。便一刻兒千金。難買韶光。祇惹下些無端。蜂喧蝶嚷。

【清江引】悶無聊日佇立河橋望。早則見薰風颺。驚開比目魚。散作分頭浪。先室呵怎得似洛神的湧來波面上。

【甜水令】好和您静坐□颸。閒携茗椀。清吸荷香。一任景炎長。再泛論神仙。微譚風雅。細究宫商。猛回思笑宋玉妄賦高唐。

【折桂令】□最苦無踰荀倩神傷。恰好的膠漆相投。忽變做琴瑟分張。驀聽得雨聲疎。蕉心悒怏。風韵改橘意悽凉。驚教俺一似鶴去遼陽。雁隻瀟湘。杳杳茫茫。怎能勾那去鶴重回。不争差隻雁還雙。

【水仙子】這時節牢廝守休教放。不異織女重逢牛也郎。攬雲衣垂玉筯□憐相傍。廣佳馥眠月光。管着那悲成歡慰的想。還則怕依然兒夢蝶。睡覺來兀未熟黄粱。枉没痴魂駘蕩。

【雁兒落】轉盼的又早見雪意忙。凍得來獨宿人偏没樣。恰纔是十月小春天。怎現出這百種孤寒相。

【得勝令】未到晚剛將雙脚兒蹜蹜伴空牀。不争半枕兒漣漣衰淚淌。惱殺是誰鼓兒鼕鼕徹夜響。頻掩着兩耳兒蚩蚩將夢訪。魂渺渺知伊那廂。慘離離没路根尋上。痛咽咽暗傷。愁脉脉歷三冬總一般兒酸情况。

【意不盡】悼則悼您在窮泉。感則感俺在窮鄉。蒼天呵若得似那琬娘的真一會價魂還。可不包穩這老仙才再百年價歡暢。（萬錦清音）

閒窗憶舊

【南黄鍾畫眉序】氤月泛瑶觴。陡見佳人錦砌傍。似芙蓉出水。澹映秋光。不争伊粉艷香嬌。頓使我目迷心蕩。殷勤種的連枝長。願百年並蒂雙雙。

【黄鶯兒】並蒂正雙雙。又何期天各方。一魚半雁尚且艱來往。我離愁慣嘗。你離愁怎當。甚花容偏耐得這愁磨障。細思量。爾軀爾筮。落得費推詳。

【集賢賓】推詳。枉費難盡講。獨憎天道茫茫。没福分書生既不颺。却不該授我情腸。無些主張。漫把這情根剷創。真冤枉。好花枝雨祟風殃。

【琥珀猫兒墜】風殃雨祟。輾轉爲卿傷。卿合知雲鬢亦霜。可憐玉貌箇中戕。慚惶。枉辨鬚眉。無異掛裳。

【尾聲】掛裳舉事翻豪爽。何物男兒忒少剛。是必縮地昇天還和伊做一雙。（萬錦清音）

陸應暘

字伯生，號樵子、江左樵子。南直隸青浦（今上海）人。少補縣學生員，被斥後絶意仕進，以詩學聞名。黄洪憲、申時行等均「折節交之」，王世貞對他亦有稱譽。著有笏溪草堂集，及小説樵史通俗演義。編有太平山房詩選、唐詩選等。約生於明隆慶與萬曆改元之際，卒於清順治末。

小令

【掛枝兒】

聽初更鼓正敲心兒懊惱。想當初開夜宴何等奢豪。進羊羔斟美酒笙歌聒噪。如今寂寥。荒店裏只好醉村醪。又怕酒淡愁濃也。怎把愁腸掃。（樵史通俗演義）

二更時輾轉愁夢兒難就。想當初睡牙床錦繡衾裯。如今蘆爲幃土爲炕寒風入牖。壁穿寒月冷。檐淺夜蛩愁。可憐滿枕凄涼也。重起沿房走。（樵史通俗演義）

夜將中鼓咚咚更籌三下。夢才成還驚覺無限嗟呀。想當初勢傾朝誰人不怕。九卿稱

晚輩。宰相謁私衙。如今勢去時衰也。零落如飄瓦。（樵史通俗演義）

城樓上鼓四敲星移斗轉。思量起當日裏蟒玉朝天。如今別龍樓辭鳳闕棲棲孤館。雞聲茅店月。月影草橋煙。真个目斷長途也。一望一回遠。（樵史通俗演義）

鬧攘攘人催起五更天氣。正寒冬風凜冽霜拂征衣。更何人效殷勤寒温彼此。隨行的是寒月影。幺喝的是馬聲嘶。似這般樣荒涼也。真個不如死。（樵史通俗演義）

喜蛛兒忽地在營前掛。昨夜銀缸燈結蕊。今朝喜鵲叫喳喳。粉墻上畫的又是成雙卦。思君可爲配。隨地即爲家。若還前世的姻緣也。悔守了連宵寡。（樵史通俗演義）

【北雙調水仙子】

一聲鼓角一聲愁。一點烽煙一點憂。淮山江水天邊月。催劫急局難收。嘆將軍振旅淹留。忠輔心間事。奸臣臉上羞。并蹙眉頭。（樵史通俗演義）

【北仙吕寄生草】

你也休囉。我也莫放刁。弘光走了咱誰靠。廣德州城破不相饒。馬丞相夜奔安吉道。方總兵兵馬亂紛紛。咱馬兵隨後也慌忙到。（樵史通俗演義）

你也休囉。我也不放刁。黄得功刎了明無靠。劫粮的劉孔昭海中逃。賣君的劉良佐千秋笑。權奸自古少忠臣。傍州例請君瞧也須知道。（樵史通俗演義）

套數

洩箋

【南商調二郎神】秋氣潑。偏是離人愁思多。這小月風吹寒滿閣。玎冬檐馬。撩人偏奈他何。更窗縫零星紙相搕。没緊慢征鴻頻過。誰孤似我。待上碧海青天悔無靈藥。

【前腔換頭】猛可。往事潛評。舊遊打合。那佳月容容春似昨。燈花隱謎。一天情在眉窩。蝶使蜂媒未猜覺。敢則是侮弄卻靈祠香火。因此上風勢惡。把家奴呵與牧羊龍女一般差撥。

【囀林鶯】詩箋燈下詳玩索。墨花金粉輕涴。點筆含情多細作。如今那未嫁文君。真已是瓜葛。倒是相如作麽。拾江華。先漱文園渴。還怕夢難那。魂飄月露，風雨又急来過。

【前腔】宵長秋冷睡未着。好尋兒夫笑語閑科。你看半户風燈吹小瞌。煤花如黛輕點

袖衫羅。花箋一抹。敢爲秋思無聊而作。細觀摩。絲絲點點。一印板并無他。（樵史通俗演義）

按：此套曲未全，小説於末曲後有「唱到此處，還有【啄木公子】二只，【哭相思】一支未唱」之語。

歐陽陰惟

歐陽陰惟，字玉甫，廬陵（今江西吉安）人。生平不詳。

套數

題坐隱奉贈無無居士

【南中吕好事近】人境結精廬。種當門垂柳扶疏。喧忘車馬。高士此中容與。庭除。障日參天嘉樹。分明是大隱之居。堪圖澄湖緑嶼。映帶着芝房月榭。煙道雲區。

【泣顔回】羞與世沉浮。日涉滄州成趣。親人魚鳥。當窗兢躍歡呼。胸羅萬古。但揮毫倒峽詞源富。酒酣時慣讀離騷。月明中閑注陰符。

【榴花泣】春來秋去容易歲華徂。邯鄲道是危途。笑他每機關用盡鬢毛枯。空孤負玉兔金烏。塵心未刬歎。何從問向長生路。你一龕中養得惺惺。片言間且證無無。

【石榴花】俗緣割斷何必用昆吾。持半偈坐跏趺。興來林下覓潛夫。展楸枰石室歡娱。記東山當年將墅賭。仰風流尚然如故。因此上舍繁華愛瀟踈。友麋鹿狎鷗鳧。

【普天樂】未着先君能悟。對壘時君無負。羡靈光默識河圖。豈尋常掩襲機謀。縱橫自如。任旁觀頃刻柯爛樵夫。

【古輪臺】利名虛。幻如蕉鹿夢回餘。倩誰重喚莊周。起與談玄素。常記他至樂逍遥。謾隨趁牛馬相呼。爾管押江山。差牌風月。詩囊棋局酒葫蘆。向松蘿深處。脱形骸散誕無拘。臨池灑翰。分泉煮茗。開籠放鶴。清賞勝仙都。斜陽暮。殘局對冰壺。

【餘音】橘中歲月優游度。只恐望繫蒼生未可孤。你須學雲岫無心自卷舒。（坐隱先生集）

張曼倩

生平不詳。

小令

【北中呂朝天子】

高士逃名於棋率此奉贈

杯兒中影蛇。枕兒上夢蝶。枉使肝腸熱。光陰快似下坡車。莫負閑風月。楚漢雌雄。隋唐優劣。這盤棋空打劫。識時務是俊傑。善藏名是大俠。你自有不朽千秋業。（坐隱先生集）

【南中呂駐馬聽】

過昌湖觀無如對奕

湖上尋盟。隔竹遥聞落子聲。羡你相逢國手。雅嗇玄風。淘瀉凡情。比灌花洗竹有餘清。似狎鷗群鹿無争兢。任意縱横。想青龍入夢常操勝。（坐隱先生集）

孫胤伽

孫胤伽，又名孫允伽，字唐卿，一字伏生，號生洲居士。南直隸（今江蘇）常熟人。明藏書家，與汪廷訥唱和交游。著有豔雪齋集、談觚、玉臺外史。

小令

【北正宮醉太平】

題坐隱贈昌朝詞盟

青山故友。彩筆千秋。達人悟徹此生浮。肯虛名浪收。抱琴就向松風奏。攜枰展向筠房鬭。引觴醉向月陂謳。續東山勝游。（坐隱先生集）

【南仙吕傍粧臺】

無如丈已得棋中三昧而著作更稱大家奉贈二闋

天地一閒人。紅塵不上白綸巾。遲鄰翁開竹户。移短榻就花陰。棋聲已博東山墅。詩思還添北海尊。驚風雨。泣鬼神。清時且樹墨池勛。（坐隱先生集）

新曲儼瓊瑶。只宜度入紫鸞簫。緑尊前頻唱和。紅燭下慢推敲。詞稱黄絹難爲巧。韻比陽春似□調。你是煙霞主。風月豪。一聲歌發壯懷銷。（坐隱先生集）

朱慶㮽

生平不詳。

小令

【南中吕駐雲飛】

寄懷坐隱先生二闋

遥憶松蘿。欲和高人白雪歌。無奈關河闊。難逐鱗鴻過。嗏。你塵夢破南柯。橘中尋樂。聞道棲頭。夜夜來笙鶴。緑字丹書授碧阿。（坐隱先生集）

三徑徜徉。不是談棋即舉觴。閑處游情爽。醉裏吟魂暢。嗏。笑傲水雲鄉。襟懷跌宕。海闊天空。盡自容踈放。無事山中日月長。（坐隱先生集）

胡仁廣

生平不詳。

小令

【南中呂駐雲飛】

同無如社兄花下小酌

才比春葩。一段閒情寄水涯。但坐山林下。愛聽漁樵話。嗏。花底寂無嘩。繁香堪把。片片殘紅。吹落黄金斝。劇飲渾如吸紫霞。（坐隱先生集）

同無如堤上小步

徙倚長堤。緑浪寒摇蘿薜衣。畫舫中流檥。白鷺沖風起。嗏。春色正芳菲。花開如綺。步入湖心。面面山光翠。落日淹留一局棋。（坐隱先生集）

劉　然

生平不詳。

小　令

【南商調黄鶯兒】

仝一手談頗得神解

寄興一盤棋。論饒人不是癡。敲殘江月閑遊戲。但能解頤。何勞用機。河圖理數從君契。着前知。得心應手。若個敢相持。（坐隱先生集）

李　樸

李樸，字繼白，陝西朝邑（今屬陝西大荔縣）人。萬曆二十九年（一六〇一）進士，授彰德府推官，入爲户部郎中。疏請破姦黨録遺賢，謫州同知，自後黨人益用事，遂以京察落職。天啟初起用，官參議，卒。有調刁集、雪亭集。

小　令

【南中吕駐雲飛】

登華嶽四首

漢中蕭太史年伯作此效顰也

五嶽獨雄。繼目雲霄插翠屏。萬壑奔流送。怪石紛蘿徑。嗏。飛泉漱玉鳴。山空籟靜。日燦金蓮。仙掌峰頭弄。雲浄煙消暮色横。（調刁集）

少憩玉泉。把酒相留深洞前。瀑布寒濤濺。峰頂□霞爛。嗏。石牀擬醉眠。清幽堪

戀。一片野心。笑與白雲伴。自在羲皇大古間。（調刁集）

攜手登高。白日當空照。絶巘寒猶峭。嗏。細雨灑松濤。詩朋謝朓。吟弄嬉遊。一覽發狂叫。暫息人間萬事勞。（調刁集）

返轡山陬。獨上金天白帝樓。户外三峰秀。古木千章鬬。嗏。人世幾千秋。青山依舊。莫惜芳樽。拚醉消春晝。且與赤松結伴遊。（調刁集）

【南中吕駐馬聽】二首

潞水開倉。百萬緹綺鬧曉光。只見那曙燈燦燦。宿霧蒙蒙。衆語唧唧。出神没鬼未成行。如龍如虎皆兵象。于橐于囊。于橐于囊。折衝千里廟堂之上。（調刁集）

顛倒衣裳。爲憶量沙宵夜忙。猶見那靈虬傳箭。銀漢横空。斜月穿窗。忘身誰惜鬢如霜。憂國惟喜軍容壯。六師張皇。六師張皇。士得宿飽寧辭勞鞅。（調刁集）

李文燭

李文燭，字晦卿，號夢覺道人，南直隸（今江蘇）丹徒人。有鴛簪合傳奇及黄白鏡小説，散曲見所著幻影第六回。

小令

【南中吕駐雲飛】

金剪携將。剪出春羅三寸長。艷色將人幌。巧手令人賞。嗏。何日得成雙。鴛鴦兩兩。行雨行雲。對浴清波上。沾惹金蓮瓣裏香。

俞彦

俞彦，字仲茅，一字容自、柳下老人，應天府上元（今南京）人。萬曆二十九年（一六〇一）進士。授兵部主事，歷光禄少卿，以事謫夷陵知州，官至南兵部主事。彦長於詞，尤工小令。有俞少卿集二十卷，阮大鋮爲其作序。

小令

【南仙吕入雙調玉抱肚】

章台吊古

渚宫非故。望章華迷煙亂蕪。舞宫衣人去何年。問靈襄舊事模糊。楚天雲盡晚峰孤。曾見腰肢似楊柳無。（俞少卿集）

爰　園

清溪故里。對鐘陵雲連翠微。漫誇他拳石爲山。更周遭一水漣漪。柳塍花塢夕陽遲。家在橫塘獨掩扉。（俞少卿集）

山　居

亂峰千頃。猛調簧花梢嫩鶯。夢驚回午漏窗紗。醃霏微一縷煙凝。此間無物可關情。閑看蜂衙和蟻兵。（俞少卿集）

秋　思

月明如晝。靄空庭香濛翠幽。倩天邊何處歸鴻。譜離弦待入涼州。閨中莫道不曾愁。老盡芙蓉還並頭。（俞少卿集）

病起止酒

繁華銷減。只這病軀兒年年自諳。業風頭颼盡寒灰。大槐宮莫更呢喃。故侯初罷醉

鄉銜。昨日維摩許小參。（俞少卿集）

詠柳

翠雲烘染。護晴絲重重畫簷。舞高樓待學纖腰。惹樓中情緒懨懨。六橋花月賞曾兼。怕陌上清明風雨嫌。（俞少卿集）

詠燕

年光先占。乍飛來餘寒較添。巧窺人花底朱扉。逞輕軀柳外雕簷。畫樓三月伴湘簾。忍不繫紅絲一縷纖。用盼盼事（俞少卿集）

曉閨

繡窗頻掩。爐陰篝芙蓉帳忺。攬閑愁被剩衾餘。逗情腸眼上眉尖。釧金香暖玉葱纖。爲怯東風不捲簾。（俞少卿集）

晚閨

晚風篩閃。巧穿窗羅帷自掀。錦重池花撒銀床。繡垂旌蒜壓瓊簾。麝煤莫待冷香奩。

怕惜玉人歸手自添。（俞少卿集）

【南仙吕入雙調玉嬌枝】

過鹿門山感龐孟兩君子櫽括浩然夜歸鹿門歌

青山綿衍。是龐公棲遲地偏。襄陽繼隱心何遠。偶乘舟沙際迴旋。漁梁渡頭争渡喧。鳴鐘山寺人歸晏。闇江村明月樹煙。敞巖扉松迴徑轉。（俞少卿集）

客有經年不歸者戲填閨情調之

年光偷眼。枕頻欹梨雲夢寒。膽瓶梅一夜紅芳散。又香銷漏永更殘。青樓有人悲影單。紫騮無計將春挽。草萋迷王孫路難。景凄其閨中帶緩。（俞少卿集）

園池夜泛

畫船蘭槳。繞拳山迴環未央。誤遊魚已作江湖想。更夜深人在瀟湘。青天月明荷露香。穿雲入峽聊相倣。似歸風留仙帶長。似乘槎遊仙惚恍。（俞少卿集）

【南正宫玉芙蓉】

賦得歸去來詞

柴桑舊尹家。三徑無多大。喜歸來日涉趣有煙霞。偶然親戚耽情話。醉欲眠時去亦佳。聊乘化。倦飛還暮鴉。待秋來綻東籬把酒對黄花。（俞少卿集）

【北仙吕憶王孫】

本題

王孫蹤跡慣天涯。草緑春歸不憶家。晚風和月到窗紗。惜年華。飛絮游絲共落花。（俞少卿集）

春閨

曉來春睡未醒憽。報導郎歸便整容。窗外那堪薜荔風。恨添濃。此後何須入夢中。（俞少卿集）

俞宛綸

俞宛綸，字君宣，南直隸長洲（今江蘇蘇州）人。萬曆四十一年（一六一三）進士，嘗官西安令。風流文采，掩映一時，爲臺憲所劾。罷官後，以著述自娱。工書，詩詞樂府均有名。有自娱集十卷、詩餘一卷及挑燈集異等。生於萬曆四年（一五七六），卒於萬曆四十六年（一六一八），年四十三。

小令

【南商調十二紅】

病難勝酒愁無奈。便是酒能勝病悶難開。你我容顏心坎迸成塊。人在魂不在。如醉如獃。從前愛逐件揣。把往事小嫌猜。巧爲愁城解。那日他閑言閑語。都是我自起禍胎。那日我受嗔受罵。正是他好心怨埋。思量此際越添懷。夢回驚痛。呀。你在何處去來。忽時還夢。呀。元來你在風前揾腮。這冤愆是我前生買得。今誰賣。見柳聞鶯。你的音容渾在。兩人心縫血粘來。花印雙鈐蓋。由人笑。笑我騃。絲腸斷

處怎生乖。從來瘦。瘦轉柴。尚餘殘骨爲誰捱。風燈慘。月猿哀。（自娱集）

【南雜調鬧十八】

江行紀春

〔醉公子〕春睡。睡不去濤聲夜起。〔僥僥令〕睡不去光透斜櫺琉璃碎。睡不去丁鬬響墖鈴微。睡不去牢牢小犬江邨裏。〔五更轉〕憑念誰在溟濛際。〔月雲高〕徹夜愁無寐。睫眼天明矣。〔孝順歌〕只見初日浮天。萬山酣翠。〔皂羅袍〕翠灑萬山堆裏。輕鷗貼水面儇飛。曉霞潑潑點人衣。新來燕子沙中語。〔玉交枝〕忍不住有所思兮。〔啄木鸝〕有所思兮天一隅。〔劉潑帽〕滿眼添心緒。〔甘州歌〕山如帶夾柳堤。猗猗輕浪拍桃溪。叢香隊遶岸圍。行行人向曲江歸。〔好姐姐〕堪笑。風檣萬里。利名催不問馮夷。〔青歌兒〕擊節中流爲甚的。煙波釣艇今有幾。〔五供養〕掛征帆何日休期。〔嘉慶子〕莫到江心補漏〔醉扶歸〕一天細劈雲如絮。一江淡浸月如盂。停橈呼酒尋春睡。

遲。莫向南津問渡迷。〔川撥棹〕歎招魂那見魂歸。歎招魂那見魂歸。感鴟夷還須子皮。〔玉交枝〕我且借落江城五月梅。與行人共醉三春水。〔皂羅袍〕湘娥環髻。流鶯亂啼。江蘆逗柑。晴風細吹。從來青山不與興亡事。〔香柳娘〕問陽臺宓妃。問陽臺宓妃。鮫人織淚。琵琶可濕青衫袂。〔江兒水〕鄭郎合浦珠還未。秋蘭肯結湘神佩。陌上尋花。歌向大江東去。（自娱集）

【北雙調二犯江兒水】

小二四調有序

嘗云：西子良美，不遇鴟夷，老于若耶，未必若此彰著。即西子不然，下此如容歌滿舞，風調可觀，不得樂天，豈至今譽其名。張浄琬以掌中舞也。孫荆玉以反腰也。張麗英以奇光也。李新聲以傑識也。是以不得人，而事名亦不朽，悲哉！小二不敢望西子，亦乏諸人之妖冶殊慧，然豈多遜容滿乎？語云：後世知來由，小二其已矣。紅顏以沈淪老，何異以骨血腥健兒。爲四調紀之。

門前車馬。鬧嚷嚷門前車馬。春風拂楚娃。只消他低回几側。滿座韶華。揭羅衫蜂蝶下。姣冶比春花。花容輸與他。面帶微霞。鬢遶驚鴉。你是洞天人肯向東風嫁。丹荑嫩芽。紀芳年丹荑嫩芽。千金爲價。一笑裏千金爲價。不是有緣的幾見他眉語度過窗紗。（自娛集）

凌波微步。望縹緲凌波微步。嬌春上綺羅。怪的是愁容半捹。害了多少風魔。用萬千心博一顧。新月引珠歌。顔酡濇小蛾。錦簇英鋪。玉液瓊敷。汗流香點薔薇露。情城愛河。占人間情城愛河。悶愁無數。惹人心悶愁無數。争要把箇姓名兒放你心窩。（自娛集）

年當桃李。正妖嬈年當桃李。凝粧厭整齊。一任鬢鬆蟬翅。亂著春衣。似鏡湖人在圖畫裏。纖玉掩眉低。翩躚乳燕飛。不近聞思。如遶荼蘼。原來是麝成肌蘭成氣。柔枝半頺。傍春花柔枝半頺。危闌徙倚。趁微風危闌徙倚。少年家不知愁緒笑聽黃鸝。（自娛集）

陌花如繡。恣春遊陌花如繡。行行體欲浮。恨錦泥拴逗。烟霧籠囚。柏梁臺空回首。歌舞買離憂。蛙池養玉虯。淚灑丹榴。香罷衣篝。百重關在南湘後。蜻蜓自由。住狂風蜻蜓自由。新鸑喜偶。放歸巢新鸑喜偶。枉支頤看盡了閒雲度去墻頭。（自娛集）

【南南吕懶畫眉】

侯小雙十調有序(一)

時過幼于曲水草堂，與小雙諸姬環膝徵歌，結纕鬭草，呼博齒，弄意錢。破蝨留長日之談，催花浹清夜之飲。醒則高絙舞輪，醉則乞寒潑胡。如是者經歲，雙忽以家變放棄，異鄉流離飄泊竟失所之。予爲悲感，遂不能時過幼于。嗣後幼于及難，景升遠旅。胡姬黄土，陸姬空門。曲水赤波，草堂白地。詩酒去爲春夢，歌舞飛作綵雲。而草堂之風流盡矣！然去者知在人間，死者知在地下。獨雙如墜雨飄風，蹤沈影滅。訂後期而無從，感泉下而莫必，爲之灑涕而賦此。

花從檻外感容輝。柳向朱闌憶翠眉。春風寂寞想羅衣。凄凄蝶魄空成隊。也似多情怨別離。（自娱集）

燈前月下與牀頭。歷盡黄昏幾樣愁。癡心望斷石家樓。懊儂歌在人非舊。嬴得處處河橋日日秋。（自娱集）

畫中春色影中梅。景物相期未有期。剛那燭殘明滅解衣時。沉沉萬轉生縈繫。豈但一日離腸作九迴。（自娱集）

俺這裏時聞喚起語關關。他那裏日聽催歸曉夢殘。醒時如醉坐如眠。白雲風送應難轉。帶我心情去不還。（自娱集）

水流千里落花隨。花想家園水不歸。思君沈困暫求推。意中人鎖人中意。不甚相依不願離。（自娱集）

隨風繫帶不堪留。寺壁生塵怕紀遊。兩行朱字憶笠篌。天涯月底闌干後。少女時花兩地愁。（自娱集）

道你玉姿飄散作塵飛。便是飛塵有飛到時。一身骯髒化寒灰。成灰猶是吾身體。今你何處成灰何處飛。（自娱集）

喳喳鵲噪破南柯。無數衷腸説未多。你名爲喜鵲作哀烏。相逢一夢猶擔誤。知道今夜朦朧甚睡魔。（自娱集）

紅顔自恨付君身。君恨紅顔倍勝人。紅顔自古命如君。君顔不比尋常勝。可知不比尋常薄命人。（自娱集）

我心隨你遍天涯音移。你在我心中不暫離。癡心到處惹相思。怕眼前提起雙名字。摘下並蒂花枝剩一枝。（自娱集）

【南商調黃鶯兒】

懷人四曲有序

有女以懷人致疾，竟不復起，垂革，人問何遺言，女曰：無有。微作吁嗟，泣下數行而絶。友人爲作黃鸎四曲收其淚，索和于予。一送別，一秋懷，一閨恨，一永訣。

送　別

分手漾輕舟。弄柔衫挽淚留。叮嚀不語心相授。江烟半收。蘭橈半浮。纖眉却共波紋皺。望悠悠。水連天處。人在絮雲兜。（自娱集）

秋　懷

人去獨憑樓。鎖温香簾不鈎。畫屏曲曲涼何驟。怪梧葉解秋。殘缺樹頭放。月光一綫西牕漏。意如綢。燈花報喜。夢裏定還舟。（自娱集）

閨恨

無計遣心頭。酒無靈意欲丢。奈意兒丢去眉還逗。春水解憂。又被寒雲凍。寸腸已斷愁難又。歎雙眸。盡收湘水。付與恨俱流。（自娱集）

永訣

鬼病苦相讐。骨孱孱露翠裯。薄情何德堪消受。生前且休。朱顔且丢。誰言駿骨千金售。任漂游。招魂誰賦。莫向晚江頭。（自娱集）

【南商調黄鶯兒】

鐵馬鬬簷低。趁餘香薰舊衣。一行陌草籠烟翠。斑簾半垂。鑲屏半圍。金衣對語雙聲脆。碧巍巍。晚雲來去。人坐畫樓西。（自娱集）

【南仙吕入雙調五玉枝】

〔五供養〕離愁萬疊。滿載回來意似癡呆。如何消受盡。方寸亂如掣。〔玉交枝〕有旁人偶

提我的情頓熱。若無人提起心逾切。怕人提心頭似鐵。待不提肝腸寸截。（南詞新譜）

【南仙吕入雙調金段子】

别思

〔四塊金〕交情正美。又遇功名劫。歡歌正好。又把行囊挈。只因兩意愜。忍將恩愛撇。〔三段子〕怎當他相逢。豫問何時别。别時又問來時節。旦暮爲期兀自聲聲哽咽。（南詞新譜）

套數

黄必顯偉然男子矣！然弱年奇麗，非人間所有。後來之秀，復得小徐。予嘗言：得一小二，天下可廢郎童，得一小徐，天下可廢女子。或謂過贊。小二不知壓下，小二更無足述，益令小徐擅場矣。此曲蓋爲小徐作也。曲成示一友人，友人云：惜未甚工艷，不能爲受者生色。予曰：取其不類讚女子者。友以爲然。

【南仙吕入雙調四朝元】粉郎姣麗。雲絲覆額時。羡新鶯脆語。社燕嬌飛。香膩匀肌理。把花容廝比。那花容怎比。堪憐處酒暈雙頤。歌斂輕眉。不解粧喬。亂排偎媚。嗔喜都風味。嗏。抹殺那侍屏姬。小小青衣。偏勝着綀裹溪女。睡眼覷迷離。櫻桃笑語微。他是採芳花使。害多少愁愁悶悶。玉樓人意。玉樓人意。

【前腔】春風搖曳。花間擲果歸。看游蜂成隊。粉蝶相隨。記年華三五初交歲。問春情知未。料知情還未。瘦腰如病。不爲幽思。輭怯輕風。非關憔悴。怕擔不起風流字。嗏。休放過少年時。荳蔻含胎。難得東君有主。縱未許卜花期。先把閒情繫柳絲。滿懷心緒。低低偲偲。欲言還住。欲言還住。

【前腔】非桃非李。粧成別樣姿。怪天公何事。變作男兒。是男兒越覺憐人意。把千愁付你。費千愁爲你。何必弓鞋。自是凌波。不待蘭膏。自饒香膩。不畫山横翠。嗏。莫説有情癡。看滿座瓊英。也爲你紛紛墜。寒月入羅衣。嫦娥也愛玉肌。促花開連夜。莫老却潛潛等等。弄珠游女。弄珠游女。

【前腔】紅芳初蕋。東風好護持。怪的是游絲拴繫。俗子呼盧。嫩柔條偏惹催花雨。願伊家須記。囑伊家牢記。休得破顔容易。不是千金。切休賣與。莫愛閒調戲。嗏。占盡了可憐姿。料半世花星。不出身宮裏。巧語妬黄鸝。高歌誤落梅。怕魂勾春睡。快將青瑣。重門深閉。重門深閉。

【尾聲】願爲君影相依倚。豈忍把風情月思。到鬻老花殘又付誰。元詞四朝元不用尾聲，止荆釵記有。（自娱集）

孟珠十二調[三]

【南仙吕入雙調步步嬌】記得文無當年贈。闌干倚遍無人省。驀然兩度春。月暗燈明。總是人孤另。橋上共銷魂。至今可已都銷盡。

【山坡羊】看好花容提起你當年風韻。看瘦花枝又提起你年來疾病。媚人天舉目傷心。到不如困人天儘日如沉冥。苦黄昏。無聊自遣尋。欲將酒解酒解相思恨。若可解的相思定不是相思十分。十分。縱飲千杯醉不成。十分。便爛醉如泥暗自惺。

【忒忒令】笑癡心無端愁恨。料伊家衷腸無準。果然無準。苦思伊則甚。只怕你意兒真。我情兒冷。使你到做了閑愁恨。

【香羅帶】別時聞雁聲。別時到今。偶看雁影心暗驚。又記風前攜手荼蘼下也。到今日依舊西風緊。比似你寒窗和雨空淅零。争如飛向天涯也。與我輕揭羅幃探故人。

【鬬寶蟾】淒冷。漫自尋追省。悔輕别不道恁般難忍。未臨行相期青鳥頻頻。如今。怕重提舊姓名。怕傳聞病害侵。枉睜睜。到不如斷絶鴻音安穩。

【玉芙蓉】支吾强笑吟。有恨惟吞飲。看寒雲依依。戀月氤氳。難道天宮也有此淒涼景。明寫出人間離怨情。天工手。縱天工手寫離腸怎不差半分。看來就是我離腸影。

【香遍滿】柯頭葉盡。空林昏靄沾翠衿。只見山頭一帶排愁陣。高高起暮雲。茫茫隔遠情。果是雲山隔遠情。難道無處雲山盡。

【醉扶歸】意兒中好似你刻刻相隨定。乍思量恍見你笑臉謝殷勤。乍丢開恍見你帶淚將咱問。把别來淒楚舊精神。都化做了當年會合初行徑。

【江兒水】淺薄緣和分。深沉義與恩。子規懸樹聲還飲。因緣越假情越真。蜘蛛臨絶思難盡。莫道如常蘋梗。既道情真。便不是花叢蝶陣。

【玉交枝】解人牀枕。夢兒中穩穩相親。容顔誰道無憑準。管不得曉來添個傷心。左右把日夜離愁付與君。説甚冤家重别人初醒。雖不如鸞膠再整。猶强似支頤暗忖。

【嘉慶子】不怨東風催莜零。不怨湘江阻客情。怨只怨此日逢君。怨只怨此日逢君。一日良緣累一生。爲新人有故人。爲投情有斷情。

【僥僥令】無言常自警。若使負多情。冤債一生誰擔任。豈但是青樓薄倖名。

【尾聲】㈢幾回恨把蒼天問。不恨使世上有情人薄命。恨使命薄離人偏有情。（自娱集）

傅靈修五調有序[四]

修童名壽，字秋英，又自號無雙。善琴、善書、善歌，蕭散自放。交不濫與，情亦寡合。日以風塵爲恨，欲得一才致人，畢其終身。偶出側理，索一言爲品題。予曰：子喜歌，即以歌贈。疾書五調示修。修躍然曰：吾生平無知己，此詞吾知己也。

【南商調二郎神】春時候。看滿院繁紅爭鬭。第一當場人在否。小名兒壽。字秋英又喚靈修。架上圖書爲素友。愛琴歌也不拘手口。笑纏頭。他是個女中裘馬風流。

【集賢賓】癡中浪謔狂後酒。意闌珊不會綢繆。道是無情原是有。到情來又却還如舊。芳桃媚柳。怎抵他數枝梅瘦。親伊久。纔見得粉污膏臭。污，平聲臭音。朽，去聲。

【金衣公子】懶去整衣篝。護殘香煖素幬。傷心淡月窗櫺透。杯間自羞。人前暗愁。聰明願付聰明手。謝牀頭。解人魂夢。常不在青樓。

【啄木鸝】幽閒態。性格柔。舉舉朝霞天上有。不枉他自號無雙。偏人間果是難儔。字學歐顏常帶柳。口不通文文在口。一片閒情誰處投。徒倚盼東流。

【琥珀貓兒墜】畫屏春靄。簾不上金鈎。怕野外迷蜂强逗留。雖是眼前笑語事心頭。何由。比做得梁間。燕子悠悠。

【尾聲】〔五〕問前生玉杵還靈否。迅速風光不可留。莫待鸎老春歸人自醜。（自娱集）

小翩十九調有序〔六〕

翩又字蕋玉，年少清麗，穎慧過人，破瓜未遠，當月始通。母氏亦昔年名流，言王謝指之也。既別，翩讀書攝山，念翩不已。曾把禪機銷此病，破除纔盡又重生。作十九調。

【南商調山坡裏羊】輕飄飄駕東風的桂檝。急瀏瀏渡津口的桃葉。閙喧喧長安看花。疾忙忙探問秦樓月。豈料我。仙緣夙世結。遇芝田有女來姑射。滿徑香霏徘徊花榭。幽絶。疑是文蕭家侍妾。清絶。却是章臺柳乍折。

【步步嬌】温馴性子鵞黄頰。宛約天然冶。單綃整亦斜。玉齒笙簧。輕巧調百舌。舉止舊家法。見了風流。燕子思王謝。

【醉扶歸】愛他情眸一笑波紋疊。愛他無時睡足海棠怯。愛他兩腮檀暈微微靨。喜容常帶不知愁。輕風團攏腰盈捻。

【園林好】正遇了氤氳使者。快將我因緣簿〔七〕揭。他則説你兩人深謝。喜名字並行列。該緣分這時合。

【月雲高】銀鞍忙卸。春風逗馬也。我只爲消殘渴。忍不住將瓊漿借。誰望多情。把漿兒先待者。他一盞玄霜味。反惹得我心羹熱。因此共把湘靈蘭佩結。再指江湄盟誓設。

【江兒水】看他靦覸纖肢趄。燭光引盼斜。雛鸎羽弱驚寒怯。荳蔻含胎丁香結。新枝好瓣寬心折。須把美滿工夫漫且。喜鳥道鴻溝恰。方始霞侵月瀉。

【三段子】交情正愜。恨巫雲終歸楚峽。歡歌正叶。襯花眠終爲夢蝶。怎當他相逢豫問何時別。別時又問來時節。旦暮相期。猶啞聲嗚咽。

【皂羅袍】非忍舍連宵懽愛。奈從來無不散筵設。杜鵑聲飲淚成血。蜘蛛命盡絲難絕。披衣欲起。幾番捱脫。把渾身摩遍。雙彎緊折。捧住了粉腮膩臉相偎貼。

【節節高】衾温衣冷怯。竟相撇。猶將袂口牢牢掣。神飛越。把淚遮。心如裂。若道丈夫有淚非關别。必然不是傷心别。站看行箱促馬裝。一鞍載取愁盈轍。

【玉交枝】離愁滿轍。載回來消停受些。便時時消受消不竭。按心頭不住如跌。怕有人提起情更熱。又怕無人提起心加切。提不提總肝腸寸結。提不提總肝腸寸絕。

【玉抱肚】肝腸寸絕。酒無靈飯成哽噎。奈教人顛倒神魂。語言間半是差迭。離人對景總淒切。無餤踈燈多事月。

【嘉慶子】分付兒童遠睡些。分付牀頭緊閉些。怕癡魂不鎖心機。怕癡魂不鎖心機。向夢兒中適然漏泄。只落得夢難成無漏泄。

【僥僥令】兩情相凑洽。攪做沉江月。不暗不明空中結。無底無邊流怎絶。

【香柳娘】信前冤宿業。信前冤宿業。把我心窩防設。片時不肯容人活。笑無明無夜。笑無明無夜。一團團兩魂結。忙碌碌無休歇。縱千般計法。縱千般計法。化水鋸成屑。只在我膏盲住也。

【好姐姐】無端。柯頭鬬葉。伴悄悄疎鐘到徹。沉沉墨墨。度過了無限劫。禪燈滅。蒲團坐遣塵心絶。忽見他泣向神前先訴説。

【減字憶多嬌】訴我心意劣。把情愛割。身外功名直恁切。忍使一綫柔腸做了鋼鍊鐵。

【減字鬬黑麻】我聽説罷忙把旃檀碎躡。聽説罷再把楞嚴扯裂。比似他情欵欵。意怯怯。輭玉温香也。認做如蛇似蝎。

【減字歸朝歡】從今後。從今後。把前程聽者。恩愛河安心永涉。從今後。從今後。風情罪業。永無年將牢籠擺脱。

【尾聲】管教我兩人緣分環無缺。今生重整鴛鴦牒。待取來生還再也。（自娱集）

陳家暎桃十三曲有序

暎桃，其小倩也，故不能作絲蘿。而陳君則既已心許，許不得，遂致有生死合離之故。予所不忍聞者，予不忍聞陳君忍言乎？故不能自言，而屬詞于予。

【南南呂香遍滿】燈前今夜。把十年簿兒還再揭。往事如冰心倍熱。非非干他意劣。幾番暗自嗟。都是我輕拚舍。

【前腔】剪蘭薰麝。眉梢眼梢常帶斜。滿腹温存口禁齧。酒杯斟滿些。衣篝罩煖些。一時意轉切。引起我前冤業。

【梧桐樹】一歌清唱闋。兩度濃雲合。分付從今。再休把衾兒疊。戲伸小指和他說。暎水桃枝。可肯秋蘭纕佩結。他垂頭靦腆無回答。欲吐還吞只把身軀扭捏。

【前腔】中心難自泄。暗裏深深謝。未必孃行。恁地能賢哲。衷腸怎好和君說。說不願丫頭。願做官人的侍妾。他堅牢望我情真切　豈想風波果應了他心料者。

【浣溪沙】我意堅。他意決。正花開猛雨摧折。平陽水湧湘江闊。白地雲封蜀道絶。臨到別。手捧著衫兒理衣摺。恨中情畢竟難說。

【前腔】心火燒。假做鐵。把恩情頓碎成屑。剛刀一綫真難割。薄片風中飄去雪。他雙淚血。罵道好甜言騙人法。把袖兒揜伊嘴臉羞殺。

【劉潑帽】音絶。我倩託溝中葉。他低頭傳語悲咽。道從今罷了休閑聒。承賜玦。已抹了鴛鴦牒。

【前腔】没法。怎得紅線能飛脱。我堂堂男子柔怯。不能自作黄衫客。那時節。管甚麽閑唇舌。

【秋夜月】情苦意渴。反悔那嬌歌夜。似垂死啼鵑餘音徹。燈油既盡餘光燁。我道似久熱。卻誰知快滅。

【前腔】不久死别。你死了翻安貼。死去無知情都撇。我身未死難收煞。既是永訣。留一邊怎活。

【東甌令】孱弱態。清俊頰。裝不盡當初恩愛車。只那風吹不亂垂肩髮。直恁的絲絲潔。至今絲絲把我心腸結。腸斷了意難絶。

【前腔】今生事。往世業。可是前世根由今蹔合。還是根由未了來生接。又補却今生缺。生前猶自輕離别。還説甚後生劫。

【金蓮子】魂夢越。十年心事歸鵑鴂。空自向枕頭邊悶咽。怎能把淚窩中。一珠兒彈去滴泉穴。

【尾聲】他心心只望同歡悦。因此聲聲唱箇拜星月。誰想月證星媒俱浪説。（自娱集）

〔一〕詞林逸響題作「閨怨」，無第六、八首。

〔二〕此曲太霞新奏録沈則平改俞君宣作，題作「寄情」。

〔三〕曲牌原奪，兹補。

〔四〕太霞新奏題目同，彩筆情辭題作「贈傅靈修」，詞林逸響、古今奏雅題爲「贈女郎」，俱注俞君宣撰。

〔五〕曲牌原奪，兹補

〔六〕彩筆情辭題作「贈妓小翩」，注俞君宣改删。太霞新奏〔步步嬌〕「别思」套，注龍子猶改俞君宣。

〔七〕「簿」，原作「薄」，今正。

張以誠

張以誠，字君一，號瀛海，南直隸華亭（今上海松江）人。萬曆二十九年（一六〇一）進士第一，官翰林院修撰。有毛詩微言。生於萬曆四年（一五七六），卒於萬曆四十三年（一六一五），年僅四十。

套數

【南正宫素帶兒】無聊賴。倚遍欄杆意渺茫。一似魚中綸鈎纏仗。慇懃。望阮郎。銷盡金猊篆縷香。他心諒。携雲握雨。訂在何方。

【昇平樂】休望。天涯咫尺。爲海深潭府。山樣巍牆。蜂情蝶思。自覺不便輕狂。思量。探花須近上林傍。方可恣紅酣緑釀。且姑寧耐。不勞神女。夢迫襄王。

【素帶兒換頭】春風。入夢長。難禁斷腸。相思處這些病早在膏肓。喬才。意來降。豈知恤孤鳴獨舞凰。當相諒。香銷玉減。寢廢飡忘。

【昇平樂】行藏。書生拘檢。這偎香倚玉。豈曾經慣。你是奇珍異寶。可深秘翠幃珠幌。端詳。孤燈權自伴昏黄。待他那月兒幾望。香温玉潤。此時消却。風魔災障。

【尾聲】朱鉛冷落心期謊。莫把精神暗裡傷。管取兩下相思債盡償。（樂府先春）

宛瑜子

宛瑜子，即周之標，字君建，別稱梯月主人、來虹閣主人。南直隸長洲（今江蘇蘇州）人。活動於萬曆、天啓間，與馮夢龍等吴門曲家交善。精音律，參與校閲南詞新譜。著有吴姬百媚。輯有樂府珊珊集、吴歈萃雅等。

小令

【南仙吕入雙調沉醉東風】

馮月貞字幼蘭號湘皇蘇州人

想當初鸞笙鳳簧。到如今幽閒相傍。也只是花星天上。也只是花星天上。名兒越旺。女郎家誰如湘皇。狀元非誑。君家忖量。這丰標一時少雙。（吴姬百媚）

【南雙調鎖南枝】

馮　桂　貞字佩芷號仙仙蘇州人

名家輩。盡入林。空留小鳥枝上鳴。烟鎖雀臺深。雲封鶯樹冷。今後馮佩芷。只好耳内聞。若是要重逢。除他娘再孕。（吳姬百媚）

【南仙吕入雙調江兒水】

馮　伴諱素貞字天然蘇州人

月下疎梅影。風前弱柳枝。櫻桃雨後偏奇異。飛瓊誤落風塵裏。雙成偶謫烟花地。遍數三吳只你。還堪羨酒渴吞江。更會曲了無曲意。（吳姬百媚）

【南仙吕入雙調沉醉東風】

馮　伴

闗心事你須自思。天上種如何落地。瓊花館舊名兒。瓊花館舊名兒。令人遥憶。應道是三吴無對。緑梅有的。瓊花罕稀。兩番評凡人怎知。（吴姬百媚）

【南中吕駐馬聽】

馮　娟

家世秦樓。不比尋常仕女流。真個是陽春白雪。響遏行雲。一曲纏頭。休提春筍與雙鈎。只這明眸皓齒誰能偶。天付風流。好似楊花飛捲。暮春時候。（吴姬百媚）

【南仙吕月雲高】

張毓秀號小翩南京人

〔月兒高〕春風初覺。閒亭亂芳草。見蛺蝶雙雙戲。枝兒向誰靠。隊隊狂蜂。心裏鈎魂了。纔被輕輕採。回頭有人抱。〔渡江雲〕。雖則是平日風流應自招。畢竟是桃花分內遭。（吳姬百媚）

〔月兒高〕驀然一見。姻緣分非淺。又不曾慇懃問。難道便想戀。誰料娘行。心和意兒軟。雖不把身兒許。可保你心不變。〔渡江雲〕雖則是兩地相思各自眠。畢竟是霎時難上難。（吳姬百媚）

【南仙吕入雙調步步嬌】

人面桃花真堪羨。偏惹游蜂戀。多情處處牽。珠淚横拋。令人腸斷。座上態千般。更兼他音韻隨風轉。（吳姬百媚）

【南仙吕桂枝香】

梁　輕　雲字小翩蘇州人

態兒清瘦。靈犀常透。度詞兒白雪堪稱。聲嬝嬝繞梁非謬。秦樓罕儔。秦樓罕儔。陽臺尋偶。芳名已久。笑相留。若得輕雲去。依然明月鈎。（吳姬百媚）

【南商調黄鶯兒】

白　素　秋號佩六舊壇白家義女

數載共交游。歎韶光似水流。只今花貌原如舊。逢人肯搊。當場肯謳。風流不落他人後。謾追求。曹交相遇。止到膝邊頭。（吳姬百媚）

【南南吕紅衲襖】

周　閏字雙翠鎮江人

你本是江上的嬌生養。你本是鬧口的俏女娘。却來花叢中鬬艷粧。却來月影下争喬樣。一種温柔態使我狂。一副窈窕軀使我忙。假饒是品致兒更得幽閒也。便想閏一個更兒與你相偎傍。（吴姬百媚）

【南仙吕入雙調玉交枝】

李　玉字紫燕號輕紅蘇州人

嬌娥堪愛。正春時花心自開。有日才子遇名娃。各把情兒躭待。休言落葉滿蒼苔。休言殘莖遺簾外。休教他柔枝折哉。休教他輕紅褪哉。（吴姬百媚）

【南南吕懶畫眉】

顧　小　乙字飄翠蘇州人

風流心性本天生。一到青樓薄有名。明眸皓齒度彬彬。假饒脱却烟花陣。終是幽閨伴月人。（吴姬百媚）

【南仙吕皂羅袍】

曹　小　乙字文如揚州人

行到百花深處。見此花香艷。偏使人迷。含時香氣浸膚肌。開時艷色侵眉宇。可憐非草。却與草齊。開餘還謝。恩沾燕泥。一聲聲腸斷風塵裏。（吴姬百媚）

【南南吕懶畫眉】

段　葵字映雪號雪娥揚州人

無端逐逐向姑蘇。回首瓊花有也無。芳年只索且蹉跎。休言嫁作商人婦。儘自門前車馬多。（吴姬百媚）

【南仙吕桂枝香】

王　京字緑瑶號瓊瓊蘇州人

高情無賽。芳容堪愛。飲千鍾尚自歡呼。遲半晌還相耽待。量如滄海。量如滄海。端的衖中難再。緑瑶名在。果奇才。不斷文君與相如酒渴哉。（吴姬百媚）

【南南吕懶畫眉】

沈乙 字停雲綽號韃婆蘇州人

娘行瞥見使人疑。何事妖妍似往時。酒逢知己透重圍。香銷一縷風生趣。真個是幾度追隨幾度癡。（吴姬百媚）

【南仙吕入雙調玉交枝】

曹愛 諱倩可號佩環揚州人

佳人堪愛。似海棠花剛剛蘂開。幽姿何幸重相會。仿佛弱娥常在。風流更兼心性乖。天生嫩色真無賽。休教他風塵暗埋。須教他春心頓回。（吴姬百媚）

【南仙吕入雙調江兒水】

李　嬌字雲如號如如揚州人

對此應知態。風流恨轉多。多情却被多情誤。臉兒帶笑當行貨。口兒逞辯争先户。

一轉秋波。覷我高着腔兒。那許傍人屬和。（吴姬百媚）

【南南吕懶畫眉】

馬　寧字安哥號鏡玉蘇州人

娘行自是輩中豪。宫樣梳粧賽阿嬌。有姬聰慧可承祧。只愁歲老花零落。因此結識個人兒防後遭。（吴姬百媚）

【南中呂駐馬聽】

侯　雙字兩哥號翩翩蘇州人

生長侯門。恨殺桃腮畫不成。應是天工嫉妬。人意多乖。才貌難匀。休言絲管日紛紛。這遏雲絶調真堪敬。灑落多情。頻遮檀口。半掩朱唇。（吴姬百媚）

【南仙吕皂羅袍】

蔣　四字翠珠金陵人

看他倒人懷抱。似風吹棣葉。漫向窗敲。瀟瀟有韻比芭蕉。依依多態令人鬧。千鍾不醉。逢人肯嘲。醉來尤妙。逢人肯挑。聯芳姊妹誰不道。（吴姬百媚）

【南雙調鎖南枝】

胡　昭 字闇如號昭哥蘇州人

年方妙。二十春。胸襟灑落句語清。眉目頗峥嶸。追隨儘高興。休誇是。閬苑人。論平康。數丰韻。（吴姬百媚）

【南仙吕入雙調步步嬌】

項　玉 字小乙揚州人

生來偏覓知心侶。常得知心許。知心醉裏偎。真個知心。千鍾不醉。音信寄知心。難道知心不把音書寄。（吴姬百媚）

【南南吕香柳娘】

孫二（字雲儀號葵卿南京人）

正青春二八。正青春二八。姿容婉媚。新聲偏引喉間氣。是秦樓妙姬。是秦樓妙姬。小字喚雲儀。葵卿號無比。這娃兒出奇。這娃兒出奇。一旦遇相知。定魂煞你。（吴姬百媚）

【南南吕宜春令】

徐壽（字貞素號長庚江右人）

徐家壽。壽幾齡。號長庚應非小庚。看他貌如傅粉。打扮娉婷還覺嫩。北腔兒高調堪欽。步徐徐行來真俊。只恨。氣韵粗疎。敗人清興。（吴姬百媚）

【南仙呂入雙調步步嬌】

楊　文號佩馥蘇州人

從來不肯逢人意。那得人稱許。丹心應自知。偶步塵凡。與名姬爲侶。相對令人癡。常疑環珮聲聲細。（吴姬百媚）

【南仙呂一封書】

王　存字洛仙號小洛揚州人

王家妓洛仙。貌娉婷使我憐。伊行傍水邊。喜門前車馬喧。雖無江左風流客。儘有天涯倜儻賢。且留連。漫周旋。何羨區區嫁狀元。（吴姬百媚）

【南仙吕入雙調玉抱肚】

金　如字式卿綽號凹面金蘇州人

桃塢名妓。論瑶琴當今罕稀。况兼他品致幽閒。遇才人烹茶獻之。舟中不赴獨家居。所恨生來貌不奇。（吴姬百媚）

【南仙吕入雙調沉醉東風】

盧　嬌字弱哥號小娥蘇州人

想當年名兒噪時。端只爲歌喉嬌媚。喜得他有情癡。喜得他有情癡。逢人留意。真個是相知徧地。楊花果奇。這名須自思。再十年怕東風送伊。（吴姬百媚）

【南商調黄鶯兒】

馬　小　鳳字鳳兒蘇州人

一種富家腔。帶濃粧倚短牆。南來北往人争望。良家不良。娼家不娼。娘行端的喬模樣。細推詳。安哥何幸。得此胖王嫱。（吴姬百媚）

【南南吕懶畫眉】

沈　瓊字小玉號瓊玖蘇州人

風流跌宕使人疑。莫道伊行尚待時。秋波一轉態十迴。小鬼頭兒偏多趣。一曲飛聲我也癡。（吴姬百媚）

套數

南北雙調合套

馮　伴

【新水令北】問君家何不唱繁花。却唱那緑梅無價。性兒高不比海棠柔。骨兒瘦不比碧桃花。因甚稱嘉。敢是傲霜開先春嫁。問

【步步嬌南】你今何必多驚訝。他自有真聲價。歡情不肯賒。不遇知音。斷不相假。雪月是知音。只恐雪消花落斜陽下。答

【折桂令北】你既道花落雪消。况這夕陽。又早斜了。這時候怎比夭桃。海棠枝非復前宵。縱有那吞天口海量滔滔。只好把豪興相驕。却竟把名標温柔鄉。試問卿卿。恐怕你不耐兒曹。問

【江兒水南】聽説罷真堪笑。我也不笑伊。只是塵凡怎得知仙侶。他生來不解迷花計。聰明偏自耽書史。静裏淡如處子。便到喧時。也只是幽閒舉止。答

【雁兒落帶得勝令北】你説他静時節不愛喧。你説他喧時節依然静。却怎得乍相逢似

故知。却怎得久相交如新幸。俺這里自思還自忖。逭籌兒偏清興。王狀元反讓他。馮榜眼也不如您。堪欽。就是蔣探花却道不須論。無也麽憑。你須是實說來吾再審。實說來吾再審。問

【僥僥令南】這話分明說與伊。須記得月來時。一種香風勾人意。便是泥人兒在雲霧裏。泥人兒在雲霧裏。答

【收江南北】呀。早知道這般樣品致呵誰待要戀繁花。你看那花開花謝幾人家。說來猶恐生嗟訝。端的是不如不見他。只恐得一聲啼鳥一枝花。問

【園林好南】免嗟訝我有話兒。他豈是閒條野枝。應自向金屋貯矣。惟願取早脱離。惟願取早脱離。答

【沽美酒帶太平令北】匪君言我怎知。匪君言我怎知。不枉了盛名兒。只爲世眼無珠不識渠。埋没也多時矣。君應是碧眼僧碧眼僧纔收奇玉。俺如今心兒想伊。俺如今夢兒夢伊。我呵還只是早起晚些。親伊。傍伊。呀。幾時得共成連理。問者自答

【尾聲南】名花傾國真無比。怎得伴伊到底。便做個蛺蝶兒也飛共你。（吴姬百媚）

按：一韻到底乃散曲組套之原則，套曲中轉韻一般多爲他曲竄入或數曲拼湊之作，此類情

況多見於無名氏作品。但明散曲中亦偶有换韻情況，如許樂善之【鶯啼序】「皇都溽暑正炎天」套和施紹莘之【二犯江兒水】「旅懷」套，均屬特例；本套以人物問答形式多次轉韻，也屬罕見。

馮　娟 字素雲號幼白蘇州人

【南商調梧桐樹】風流偏惹愁。人舊愁不舊。枕冷衾寒。夢裏誰相候。牛郎意自堅。織女心先逗。只是光景無多時。去時難又。幽窗小閣甘消受。

【東甌令】如凝恨。似帶羞。端爲傷春非病酒。鶯啼燕語愁時候。只落得人兒瘦。香清地冷致偏悠。羞煞老青樓。

【大勝樂】青樓事一旦都休。問伊行心耐否。猛然淚濕青衫袖。眉間恨惱中州。瑶琴罷却求鸞奏。可正是紅葉誰人寄御溝。陽臺境杳。恍玉人相對。似無若有。

【解三酲】愛煞他纖纖玉手。愛煞他相携汗漫游。愛煞他羅衫半卸含香扣。愛煞他眉葉如鈎。愛煞他鬢邊小小飛珠繡。愛煞他百寶奇珍絡臂韝。還窮究。就花間一曲。占斷風流。

【尾聲】萬千佳難描就。况綉幃不易結綢繆。敢乞詞人再和酬。（吴姬百媚）

馮　壽 諱字澄字翩鴻吴江人

【南仙吕入雙調步步嬌】嫩容一似春初曉。步步迷芳草。烟雲滿鬢毛。兩眼含情。金蓮稱小。端的是女多嬌。可憐流落風塵早。

【江兒水】你莫恃知名早。須知花不牢。經春花草怕隆冬。到隆冬雖有花和草。凄凄雨雪誰憑弔。况且花容易老。今日燈前。明日夕陽古道。

【玉交枝】吾言休笑。惜花心寧獨這遭。從來好花不到老。頻頻惱人懷抱。狂蜂浪蝶戀花嬌。歌鶯舞燕催花落。未三十輕紅褪了。過三十春風罷了。

【尾聲】人人共説翩鴻妙。端的湘皇有靠。只怕你半路出家直到老。（吴姬百媚）

馬　觀 諱文玉字舜英號幼蘭崑山人

【南仙吕入雙調園林好】出身時良家可依。没來由良人相背。却做了青樓生計。真個是奈何伊。只落得自唧悲。詠原起

【江兒水】若論聰明性。誰似伊。淡中一筆千峰起。新詩縱匪周文比。偶然出得驚人

句。更喜棋能知勢。佳茗相招。羞殺人間俗妓。咏技藝

【玉交枝】月兒高者。携素手忙來看者。空中應有嫦娥者。幼蘭豈肯去者。一杯一曲一琴者。一香一茗一棋者。到三更還不睡者。到朝來各自散也。咏情趣

【尾聲】從來妓品誰高也。端的幼蘭可也。莫謂塵中無識者。（吴姬百媚）

劉　蔻諱翩字含香號幼湘蘇州人

【南黄鍾啄木兒】骨兒媚。神亦清。氣韻瀟疎出語匀。休説他幽艷心情。只聽他唱出新聲。輕敲檀板展朱唇。忙梳雲鬢場前渾。眼見得勾引三吴諸俊英。

【琥珀貓兒墜】看他霜肌雪骨。轉眼令花愁。妖氣漫漫暗斗牛。等閒嬌怯若含羞。悠悠。莫負青春。萍跡空流。

【前腔】果然窈窕。月閉與花羞。何日逢郎作好逑。迎新送舊豈良謀。休休。須趁青春。莫漫飄流。

【尾聲】劉翩姓字傳流久。不比尋常花柳。試問養的孩兒今在否。（吴姬百媚）

按：此套從次曲起由庚青韻轉爲尤侯韻，亦不合規範。

馮　金字南哥號紅玉蘇州人

【南仙吕入雙調步步嬌】行行珠淚青衫濕。恨殺風兒急。吹來行院西。游子多情。紛紛相識。相識久相抛。只落得暗中自省愁如織。

【江兒水】愁病相兼日。腰肢較褪些。風流越覺龐兒別。淚眼紅時如害熱。逢人只把相思說。撿祗從來奇絶。文質彬彬。真個是一天風月。

【川撥棹】想從良原未决。到如今越興發。使當年静處閨中。使當年静處閨中。怎博得歡娱時節。好衣服穿不疊。好東西且用些。

【尾聲】人生萬事都空也。何必南哥是金穴。只怕浪蕩心兒没間歇。（吴姬百媚）

金　湘字鶩洛號招卿松江人

【南雙調鎖南枝】腰肢瘦。怯舞衣。迎風一曲真罕稀。舉手叩因依。回頭生百媚。相見晚。險失伊。只看半含羞。使我心如醉。

【前腔】卿多病。我藥伊。東西獻笑暫且稀。覓得幾知心。空齋俏對你。若用銀一兩。請陪酒一回。只怕這般熬。要斷送矣。

【尾聲】眼前人知心幾。風流罪過你細思。要奉娘親也須顧自己。（吴姬百媚）

沈　如

諱玄字飄蕊本姓朱字鎖兒原籍海寧人今從松陵移居姑蘇

【南商調梧桐樹】人兒不解愁。歲老人依舊。柳媚花嬌。正是他時候。相看不忍拋。頻向眉間逗。意興翩翩。人去人還。又只怕柳風花雨難禁受。

【解三酲】見他時依然處女。到如今偏地相思。青樓有聲應自貴。妖妍態世間稀。從良心事今已矣。又聽娘行迎送規。真名妓。使當年一鞍一馬。豈有今日。

【尾聲】佳人命薄多如此。偏你非關命裏。也只是浪蕩心兒不自主。（吴姬百媚）

張　美

字麗娥南京人

【南仙吕入雙調步步嬌】杭州有個人如玉。却在蘇州住。蘇州共景伊。笑殺杭州。無人識子。今又向杭州。豈不是佳人命薄隨風去。

【江兒水】只道是杭州女。原來是舊院的。南來北往無棲止。蘇州誰不追思你。無端撇却出頭地。笑你見識差矣。好似西子滅吴。畢竟是范家娘子。

【川撥棹】咱何意。念佳人心似迷。倘當時好事周旋。倘當時好事周旋。到如今更當怎的。碧沉沉烟霧裡。望錢塘隔萬里。

【尾】從今不解相思味。只索把音書問你。既慣杭州誰教到這裡。（吴姬百媚）

馮 瑩號無埃蘇州人

【北般涉調耍孩兒】則我將花容細細描。只是他香腮分外嬌。嬌滴滴倒在人懷抱。鶯聲燕語嬌無比。況兼那柳眉兒眼上標。一聲聲如嬌鳥。假便是芙蓉院裏。那有這樣妖嬈。

【幺篇】我心中愛你嬌。只恐乍相逢别樣喬。算來怎得花星照。風流隊裏如伊少。風流隊裏如伊少。便是那薄倖人兒見你牢。如今一家兒將伊靠。靠着你量如滄海。只落得酒客常招。

【幺篇】他酒量非關酒。從來興自高。風情那辨白和皂。有人相約江頭等。有人相約江頭等。不見他來淚兩抛。駡冤家相奚落。假饒是有時重見。不怕你不斷送荒郊。（吴姬百媚）

項 美諱瓊號如玉揚州人

【北仙吕點絳唇】風流名妓。臉兒嬌媚。身材稱。行步遲遲。愛煞癡不醉。

【南南吕一江風】好嬌羞。一種天然美。况且多聰慧。唱詞兒。教得三遭。便自般般會。迎新送舊的。迎新送舊的。空嗟事已非。眼見得一家數口只有伊爲最。

【尾聲】落花須信隨流水。流水落花的對。只怕花水浸淫一朝斷送你。（吴姬百媚）

按：本套僅以北南各一曲及尾聲而成一套，爲本書中少見，故不作南北合套處理，録其原始形式於此。

秋日爲馮喜生賦[二]

爰有名姝，青樓之奇。恍子都之少女，類楊氏之小姨。顔不醺而滯酒，膏若沐而凝脂。數着殘棋韵，全飄千纖指。幾聲長笛音，偏寓乎迷思。妬殺江皋之珮，羞看洛浦之襦。醉眼迷離，疑是海棠初睡；新粧蕩漾，俄驚梅蕋纔舒。貌傾城國，名壓埧篪。雲雨高唐，擬作傷秋之侶；東風無主，又爲牆外之枝。已締盟于冀北之將軍，應自托于雀臺之仙子。芳踪難遇，再晤何時。漫對景而心騷，聊走筆以成辭。庶不至玉掩而香埋，空令人三復而遐思。

【南南吕梁州新郎】胭脂微暈。明霞迴照。仿佛姿容絶肖。妖妍種種。飛仙謫降丹霄。不數那吴宫蓮曲。出塞琵琶。洛浦鳴璫好。他在朱門華屋裡。逞丰標。雲雨高唐暮暮朝。〔賀新郎尾〕堪嘆處。塵緣到。雪衣娘去空凝眺。章臺暗。柳絲搖。

【前腔】芳容如昨。幽懷偏好。殢殺王孫芳草。等閒一笑。千金半刻難消。說甚麽凌波羅襪。楚苑纖腰。一筆都勾倒。往來無俗客。盡英豪。多少詞人帶月敲。堪羨處。名架噪。不知是那一點花星照。聲價似。泰山高。

【前腔頭換】粧成就幾度魂銷。靚粧時丰姿尤妙。更新粧如畫。眉黛輕描。說不盡六朝金粉。三楚精神。八寶粧成巧。饒君心似雪。也難熬。一見應如烈火燒。幽窗下。棊聲小。醉來口角微成調。誰道是。鳳城遥。

【前腔】羡娘行興趣雄豪。算秦樓如卿絶少。更貲輕情重。義比雲高。况羡他量欺邀月。俠類偷蕭。名壓蘇卿小。十年今始識。那多嬌。遂訂當年靈右交。相偎處。緣非少。探喉一石憐同調。膠與漆。意堅牢。

【節節高】英姿溷草茅。世爭嘲。惟卿具目先分曉。恩波掉。慾海抛。塵緣了。却向千層波裡回頭早。當初墮落一丸泥。今朝跳出連城寶。

【前腔】青樓没下稍。等萍飄。看下塲頭結果知分曉。朱顔老。緑鬢彫。紅塵惱。落花枝上鶯啼早。君不見海棠一夜被風吹。紅英滿地無人掃。

【尾聲】黄粱一夢君今覺。銅雀春深鎖二喬。莫向東風悵寂寥。（吴騷二集）

懷王矯如[三]

【南商調鶯啼序】月殘一似殘燈。正戚戚清清。影孤孤斗室寒生。宛然鬼病相侵。盼維揚咫尺天涯。怕萍跡一時不定。心中自忖。早難道佳耗無憑。

【集賢賓】露香紅剪花落輕。俺有甚心情。怨府愁城誰砌成。便望到人兒相並。還愁燈燼。辜負了鴛衾鳳枕。况獨自等。聽門外漏添人静。

【黄鶯兒】擔盡這虚名。想當年倚畫屏。到今魂夢成孤零。鐘鳴幾聲。葉落數聲。可憐此夜愁難聽。海山盟。兩邊牽掛。瘦骨難[三]支撑。

【琥珀貓兒墜】少花老月。腸斷正三更。月轉花藏冬暮景。你擔寂寞我飄零。傷情。料依樣相思。織也難成。

【尾聲】不餐茶飯閒生病。硬西風吹人忒緊。縱好夢成時醒來虚半枕。（詞林逸響）

空閨感夢

【南商調二郎神】春情蕩[四]。□□出萬千凄涼。只這兩目□華空費想。鶯嬌花懶。偏逗引斷人腸[五]便媚水明山争侍旁[六]。人不見中心惆悵。空凝望。楚[七]襄王逕赴高唐。

【金衣公子】携手共相將。漸蘭房春意長。温存不改前模樣。香沾繡框。紅留海棠。儘嬌羞顫颸的魂飄蕩。正情狂。晨鴉驚起。却依舊守空床。

【琥珀貓兒墜】雨收雲斂。殘月尚紗牕。已覺東方日漸光。風流片刻黑甜鄉。傍徨。[八]反添做愁。淚雨[九]千行。

【尾聲】薄情只爲把心偏向。好夢依然有散場。這下春魂不自防。（萬錦清音）

〔一〕彩筆情辭題作「贈馮喜生」，注宛瑜子撰。
〔二〕此曲亦見樂府珊珊集，題作「懷舊」。詞林逸響又題作「冬夜懷舊」。
〔三〕「難」字原奪，兹補。
〔四〕「蕩」字原奪，兹補。
〔五〕此句原奪「逗、斷人」三字，兹補。
〔六〕「旁」字原奪，兹補。
〔七〕「楚」字原奪，兹補。
〔八〕「徬徨」原作「愫惶」，兹改。
〔九〕「雨」，原作「兩」，兹改。

呼文如

呼文如，小字祖，萬曆間湖廣江夏（今湖北武漢）營妓。善琴，能寫蘭，且知詩詞，與其姊舉齊名。後歸麻城丘謙之（齊雲），兩相酬唱，有遥集編。

小令

【南仙吕皂羅袍】

四時詞

早是燈兒時節。見燕兒作壘。對對欹斜。榆錢兒買不得春風夜。楊花兒故意飛殘雪。門兒重掩。燈兒半滅。人兒不見。病兒怎説。腰兒掩過裙兒摺。（名媛詩緯雅集）

早是鶯兒時候。見蓮花兒出水。瓣瓣風流。心兒慾火畏紅榴。鼻兒酸涕過梅豆。門兒重掩。簾兒半鈎。人兒不見。病兒怎瘳。扇兒摺疊眉兒皺。（名媛詩緯雅集）

早是雁兒天氣。見露珠兒奪暑。點點侵衣。針兒七夕把腸刺。砧兒萬户敲肝碎。門

兒重掩。帳兒半垂。人兒不見。病兒怎支。書兒難寫心兒事。（名媛詩緯雅集）

早是雪兒飄粉。見梅兒瀟灑。蕊蕊争春。夢兒凍死也離魂。氣兒呵殺全無影。門兒重掩。被兒半薰。人兒不見。病兒怎禁。屏兒靠熱牀兒冷。（名媛詩緯雅集）

端淑曰：刻骨尖酸之句，四聲檀板，舊腔中得未曾有。

按：此曲亦見朱孟震游宦餘談，并有序文：

呼姬者，武昌妓也。字文如，小字祖。謙之罷官過黄州，以丘宗伯召，佐謙之酒，因屬意焉。謙之歸西陵，姬追送五十里，因訂絲蘿之約。自後七年壬午，姬以事觸父怒，聞有他意，夜三鼓，買舟下亭州就謙之，償前約。明日，以書報其父，遂成禮如夫人。其彈琴爲謙之壽，詩云：「手中無物侑銜杯，彈得瑶琴一曲梅。白雪千秋同步死，主人原自郢中材。」樓中閉門詩曰：「莫問天台落日愁，桃花片片水悠悠。寒窗一閉秦簫月，惹得人呼燕子樓。」

黄方胤

黄方胤，原名方儒，一作方蔭、方印，字醒狂，號醒狂散人，生卒年不詳，金陵（今江蘇南京）人。出身世家，擅詞曲。有陌花軒小集，散曲集曲巷詞餘，已佚。

【掛枝兒】

是　非

俏冤家。進門來緣何不坐。曉得你心兒裏有些怪我。這場冤屈有天來大。幫襯我的少。攛掇你的多。你須自立定主意三分也。休得一帆風怪着我。（馮夢龍掛枝兒）

【跨調山坡羊】

進門來尋我風流罪犯。怎知我心兒没一些破綻。三條路兒打中間徑走。你不見有神靈知見。好笑你耳官罷軟。輕信人言。你不記得曾參殺人。不記得顔回竊飯。常言道舌頭底下壓死人來也。呵。不明白的冤家。如同不下雨的天。天天。你説出話來

旁人也是膽寒。天天。你壞了我的清名。壞不得我赤膽忠肝。（馮夢龍掛枝兒）

按：此曲馮夢龍雖未明確作者，但從馮氏按語的上下文内容，尚不能排除作者是黄方胤的可能，故並録於此。

李元實

金沙人，生平不詳。與馮夢龍交往。

【掛枝兒】

骰子

骰子兒。我愛你清奇骨格。向人前。全仗你指點提攜。緣何上手便輕抛棄。你道我渾身多點污。誰知你背面有差池。你若不撇下了我無情也。我賭着性命兒輸與你。

（馮夢龍掛枝兒）

丘田叔

楚人，生平不詳，與馮夢龍交遊。

【掛枝兒】

送　別三首

據我説。你與燒窯的不必心焦躁。磚兒厚。瓦兒薄。都是你兩個自招。厚待薄待我原無他道。那磚兒自塊塊方正平實的好。那瓦兒一片片反覆又蹊蹺。難道到教我厚那蹺蹊的人兒也。把穩實的來薄了。（馮夢龍掛枝兒）

聽説罷。燒窯人愈加要氣。磚兒瓦兒總都是泥。作好作惡也難容恕。把磚兒做平實了。把瓦兒做蹺蹊。你既做出個平實蹺蹊也。厚薄只得由着你。（馮夢龍掛枝兒）

燒窯人聽多時。向前施禮。笑你個忒多心。也忒多疑。厚薄偏正我原無意。但磚體兒不得不平正。那瓦體兒又不得不蹺蹊。若曉道不得不平正蹺蹊也。又何必怨厚他薄着你。（馮夢龍掛枝兒）

白石山主人

生平不詳，與馮夢龍交往。

【掛枝兒】

送　別

再勸伊。休把燒窯的氣。磚做厚。瓦做薄。誰不道是一樣泥。厚與他。薄與你。我自有個主意。頂戴你幾番風水。虧你遮蓋了。踹定他不許人將他丟打你。我雖和你薄相處情長也。他厚殺也趕不上你。（馮夢龍掛枝兒）

米仲詔

生平不詳。與馮夢龍交往。

【掛枝兒】

打

幾番的要打你。莫當是戲。咬咬牙。我真個打。不敢欺。纔待打。不由我又沉吟了一會。打輕了你。你又不怕我。打重了。我又捨不得你。罷罷罷。寃家也。不如不打你。（馮夢龍掛枝兒）

馮喜生

明代名妓，與馮夢龍交善，宛瑜子亦有曲贈。

【掛枝兒】

送別

勸君家。休把那燒窯的氣。磚兒厚。瓦兒薄。總是一樣泥。瓦兒反比磚兒貴。磚兒在地下踹。瓦兒頭頂着你。腳踹的是他人也。頭頂的還是你。（馮夢龍掛枝兒）

馮夢龍云：後一篇，名妓馮喜生所傳也。喜美容止，善諧謔，與余稱好友。將適人之前一夕，招余話別。夜半，余且去，問喜曰：子尚有不了語否？喜曰：兒猶記打草竿及吴歌各一，所未語若者獨此耳。因爲余歌之。打草竿即此……

按：【掛枝兒】「送別」，馮夢龍、白石山主人、丘田叔均有唱和，分別見各卷。

凌濛初

凌濛初，字玄房，號初成、稚成，亦名凌波，又號波厈，别署即空觀主人，浙江烏程（今吴興）人。崇禎七年（一六三四）以貢生授上海縣丞，歷徐州判。少壯時，纍困場屋，專以刻書著作爲事，凡善本見稱之即空觀本，即凌所刊行。與吴載伯善，時稱「吴凌」。著有國門集、鷄講齋詩文、譚曲雜劄、曲律，及雜劇虬髯翁正本扶餘國、識英雄紅拂莽擇配、宋公明鬧元宵、劉伯倫、禰正平、穴地報仇、顛倒姻緣、驀忽姻緣，傳奇合劍記、雪荷記、喬合衫襟記，短篇小説集初刻拍案驚奇、二刻拍案驚奇，評選南曲集南音三籟等。生於萬曆八年（一五八〇），卒於崇禎十七年（一六四四），年六十五。

小令

【南商調黄鶯兒】

無辱又無榮。論文章是弟兄。鼓聲到此如春夢。高才命窮。庸才運通。廪生到此便宜貢。且從容。一邊站立。看别個賞花紅。（初刻拍案驚奇）

露滴野塘秋。下簾籠不上鈎。徒勞明月牙窗牖。鴛衾遠丢。孤身遠遊。浮槎怎得到陽臺右。漫凝眸。空臨皓魄。人不在月中留。（初刻拍案驚奇）

花下手閑敲。出楸枰兩下交。争先布擺妝圈套。單敲這着。雙關那着。聲遲思入風雲巧。笑山樵。從交柯爛。誰識這根苗。（二刻拍案驚奇）

【北商調醋葫蘆】

詠衆婦

衆嬌娘黯自傷。命途乖遭魍魎。雖然也顛鸞倒鳳喜非常。覷形容不由心内慌。總不過匆匆完帳。須不是桃花洞裡劉老郎。（初刻拍案驚奇）

夜光珠世所稀。未登盤墜淤泥。清光到底不差池。笑妖人枉勞色自迷。有一日天開日霽。只怕得便宜翻做了落便宜。（初刻拍案驚奇）

兩情人各一舟。總春心不自由。只落得雙飛蝴蝶夢莊周。活冤家猶然不聚頭。又不知幾時消受。抵多少眼穿腸斷爲牽牛。（二刻拍案驚奇）

【南南吕一剪梅】

同年同日又同窗。不似鸞凰。誰似鸞凰。石榴樹下事匆忙。驚散鴛鴦。拆散鴛鴦。○一年不到讀書堂。教不思量。怎不思量。朝朝暮暮只燒香。有分成雙。願早成雙。（初刻拍案驚奇）

【畣調山坡羊】

那風月場那個不愛。只是自有了嬌妻也落得個自在。又何須終日去亂走胡行。反把個貼肉的人兒送別人還債。你要把別家的一手擎來。誰知在家的把你雙手托開。果然是羅的倒先羅了。你曾見他那門兒安在。割貓兒尾拌着貓飯來。也落得與人用了些不疼的家財。乖乖。這樣貪花只算得折本消災。乖乖。這場交易不做得公道生涯。（初刻拍案驚奇）

這小秀才有些兒怪樣。走到羅幃忽現了本相。本是個嚳宮裏折桂的郎君。改換了章台内司花的主將。金蘭契只覺得肉味馨香。筆硯交果然是有筆如槍。皺眉頭忍着疼受的是良朋針砭。趁胸懷揉着竅顯出那知心酣暢。用一番切切偲偲來也。哎呀分明

是遠方來樂意洋洋。思量。一耀一羅是聯句的篇章。慌忙。爲雲爲雨還錯認了龍陽。（二刻拍案驚奇）

【北正宫滚繡毬】

是誰人碾就瓊瑶往下篩。是誰人剪冰花迷眼界。恰便是玉琢成六街三陌。恰便是粉妝就殿閣樓臺。便有那韓退之藍關前冷怎當。便有那孟浩然驢背上也跌下來。便有那剡溪中禁回他子猷訪戴。則這三口兒兀的不凍倒塵埃。眼見得一家受盡千般苦。可甚麽十謁朱門九不開。委實難捱。（初刻拍案驚奇）

【掛枝兒】

俏冤家。你當初纏我怎的。到今日又丢我怎的。丢我時頓忘了纏我意。纏我又丢我。丢我又纏誰。似你這般樣的丢人也。少不得也有人也丢了你。（初刻拍案驚奇）

問使君。你緣何不到横州郡。原來是天作對不作假斯文。把家緣結果在風一陣。舵牙當執板。繩纜是拖紳。這是榮耀的下梢頭也。還是拿的舵兒穩。（初刻拍案驚奇）

【北越調綿搭絮】

瘦來難任。寶鏡怕初臨。鬼病侵尋。悶對秋光冷透襟。最傷心靜夜聞砧。慵拈綉紝。懶撫瑶琴。終宵裏有夢難成。待曉起翻嫌曉思沉。（二刻拍案驚奇）

套數

惜別有序[二]

余身作秣陵之旅客，心作吴門之故人。正苦孤踪，忽來仙旆。兩情俱暢，一意爲歡。猛傳突起之獍梟，竟致頓歸之狼狽。徒使青衫濕淚，反看緑鬢蒙塵。不禁寂寥，謾形歌詠。

【南南吕梁州新郎】〔梁州序〕擔囊京國。閒吟空院。追憶芳塵悽怨。柔腸斷處。從天降下輜軿。依舊自腰欺弱柳。步蹴金蓮。歌罷桃花扇。相逢先一笑。態嫣然。夜月輕彈念五絃。〔賀新郎〕〔合〕方歡會。諧心願。被罡風吹得朝雲變。消阻事。陡然見。

【前腔】袄祠烟烈。藍橋波濺。衣帶從今寬展。搴幬佇望。殘膏剩馥依然。鎮自把燈

前絮語。枕畔盟言。夢裏空敷演。高山流水調。有誰憐。閒盡相如緑綺絃。〔合前〕

【前腔換頭】啓朱唇頻誦新編。露纖手時鐫秦篆。這風流旖旎。總堪留戀。還記得呼名低應。偎臉微酡。拍按喉輕囀。揮毫空落紙。似雲烟。誰譜新聲被管弦。〔合前〕

【前腔】拚沈醉有酒如泉。恰欠申殘燈空顫。剩羅幃繡幕。竹奴爲眷。還念他長途炎日。旅舍凄風。暗損如花面。千般無意緒。總堪捐。一任蛛纏錦瑟絃。〔合前〕

【節節高】薰籠懶自然。静無烟。和衣亂倒孤衾罥。涎空嚥。枕遞遷。頤支遍。顛來倒去渾難便。挑燈索候催銀箭。〔合〕未審相逢是何時。不覺腹中車輪轉。

【前腔】終宵思黯然。想從前。懵騰一會心驚戰。聞聲囀。恍竝肩。歡相見。元來是夢魂闖入蓬萊院。虚無縹緲和卿面。〔合前〕

【尾聲】從來好事多更變。最苦是蚊雷成陣打盤旋。又凑箇不做美的迢迢未曙天。

（吴騷合編）

南北雙調合套

夜窗話舊有序

余飄蓬浪跡，落魄餘生。滅竈重燃，殊愧梁鴻負氣。着褌賣賦，敢言司馬多才。心未用於挑琴，眉豈期於舉案。河陽氏者，標俠骨於芳叢，藴文心於綺閣。揚聲雲遏，争揮買笑之金；斂袂風迴，沓至纏頭之錦。夷然如不屑，意黯矣而欲銷魂。長顰西子之眉，慮入沙奴之手。綢繆屢束，薄倖時遭。忽於四壁之家，獨成滿堂之目。漫因一諾，縱千金而不移；遂結三生，矢百折而靡悔。影伴屋樑之落月，夢離巫峽之行雲。葺居以待征人，于茅索綯不言苦；闔閣而逢暴客，探囊胠篋遽云空。無非熱興憐才，竟爾息心皈命。但知盛名之下無虚士，不嫌天壤之中有王郎。因故園之歎西成，乃輕裝而届南服。始營新壘，驕鶯燕之雙飛；時撫舊弦，絶螳螂之後捕。壚頭酒熱，窗下燈明。傾數斗以談心，對三星而敍舊。諧之律吕，斲非白雪之章；傳諸管絃，冀作丹衷之證云爾。

【新水令北】夜窗相對一燈微。把從前悄然思憶。是情緣都落後。任俠骨總休題。待説因依。業身軀蚤撲憹愡地。

【步步嬌南】想當日無端閒遭際。正值風波起。因緣在此期。一度追隨。一番迢遞。即漸的意難離。莽思量許下諧姻契。

【折桂令北】少甚麽貴游門百縱千隨。都看做鶯花羅網。風月藩籬。須知俺運阻鵬搏。更那堪計同鳩拙。誰承望嫁逐鷄飛。總爲些熱心密意。語話投機。一念皈依。

更不支離。用不着媒妁通言。一霎裏之子于歸。

【江兒水南】曾被多人誤。今朝却遇伊。赸臉的閒趁些風流趣。村沙的硬攬了温柔會。負心的白賴着牙疼誓。一抹地無根無蔕。只爲情緣。幾墮落爲人一世。

【雁兒落帶得勝令北】你爲我被無端苦禁持。你爲我受無干閒談議。你爲我把巧機關脱着身。你爲我把親骨肉捹的離。你爲我含着淚數歸期。你爲我擔着怕掩雙扉。你爲我將悶弓兒實丕丕心頭繫。你爲我將畫餅兒眼睜睜待療飢。情癡。爲寒酸圖什麽名和利。心機。鎮朝昏自支撑飯共虀。

【僥僥令南】君愁無兩翼。妾恨有雙眉。又被强徒生惡意。把衣裝盡作灰。妾驚惶君未知。

【收江南北】呀。蚤知道恁般樣遭際呵誰待要暫抛離。當不得東塗西抹自支持。南來北往費驅馳。更没些暇期。更没些暇期。險摧殘一塊望夫石。

【園林好南】事多魔從來有的。但心堅何須再題。好自把前程端的。整備着燕雙飛。蚤則待脱藩籬。

【沽美酒帶太平令北】故園蕪無可依。辦綵鷁却南飛。看兩兩雙雙定止棲。任饞口自涎垂。還堪笑浪游的。費纏頭三心二意。强盟誓千方百計。喬説合十拿九離。俺呵更相將舉杯酌壘。消多少拂鬚。解頤。呀。除是鸘鷞裘俏當壚那人無愧。

【清江引南】而今總是姻緣矣。莫説恩和義。但作帳中音。常記燈前誓。惟願取永團圓恁是喜。（吴騷合編）

余於白下，始識初成。見其眉宇恬快。自負情多，復出著輯種種，頗有謔浪人寰，吞吐一世之概。及以曲見擲，而調諧吕律，字洽陰陽，用韻尤嚴，寫情欲溢，試爲三復，其風雅不可想見哉。騷隱

傷逝[二]

【南南吕香遍滿】芳時輕度。流光自來如轆轤。把皓齒明眸容易誤。可憎人已無。風流分已孤。英雄淚欲枯。這冤苦憑誰訴。

【懶畫眉】錦浪愁看戲雙凫。忍聽垂楊聒晚烏。淒涼更自恨居諸。天公獨解將人妬。只揀心疼的便下手毒。

【梧桐樹犯】潘安果幾多。沈約腰如許。張敞何郎。一個個揉碎了姻緣簿。也是無端撞入桃源路。一笑相逢便自情意孚。○乘槎巧向銀河渡。月夕花朝。鎮把琴心厮訴。

犯五更轉

【浣溪沙】理舊絃。酬新曲。傲殺他卓女當壚。燈前看繡青鸞譜。席上同傾綠蟻壺。良宵度。也懷揣道秀才們何處福。到今日生闖入怨府愁窟。

【劉潑帽】西風一夜嬌花仆。美前程到此囂虛。夜臺前猶試他金蓮步。冥使符。生扳障陽臺路。

【秋夜月】空嘆吁。恁恩情成畫虎。蕙帳鸞床都如故。博〔三〕山沉水閒無數。那裡是他去所。怎生爲咱計處。

【東甌令】空有行雲賦。會真圖。擬得崔徽舊日模。死臨侵儘着霜毫禿。寫不出千愁簇。顛來倒去眼模糊。百忙裡響銅壺。

【金蓮子】有計無。問還丹道士在甚途。便能助玉人兒體蘇。也贖不了擁衾裯獨。彎跧腸斷一春餘。

【尾聲】月明徙倚空庭步。影隨身還疑伴侶。怎禁得剗地回頭一個無。（太霞新奏）

〔一〕吴騷二集、吴騷合編、太霞新奏題作「惜別」。彩筆情辭題作「悵別」。南音三籟題作「乍會惜別」。

〔二〕此套亦見吴騷二集、吴騷合編、南音三籟，俱署名凌初成；惟彩筆情辭注凌初成改刻。

〔三〕「博」，原作「慱」，今正。

沈静專

沈静專，字曼君，南直隸（今江蘇）吴江人。伯英季女。有適適草一卷，頌古一卷，鬱華樓草等。

小令

【南南吕懶鶯兒】

舟次題秋[二]

〔黄鶯兒〕風渚蕭踈竹千竿。次第閒鷗點幾灘。遥天青碾到雕欄。閨夢依誰遠。〔懶畫眉〕落霞寒。征帆幅幅。欲渡奈秋殘。（南詞新譜）

【南商調金絡索】

和伯明兄墨梅圖

藍揉秋水肌。碧剪春華髓。月杳孤山。翻斷枝頭翠。愁吹香草西。想亂紅欺。致使冰魂躲夢奇。悄一似深宵静啓簾前影。半曉寒沉波底輝。遥天際。驚群獨雁莫羨冷香棲。縱有那謫仙狂醉筆淋漓。寄清平誚彼楊妃。怎賦得花容顇。（適適草）

青烟倣素肌。緑雨含香髓。羌笛無端。吹斷天涯翠。誰將驛使期。把瘦魂欺。因此上蹙損檀痕彈玉奇。好一似碧霞半掩冰蟾影。暮靉遥遮銀浪輝。宫闈際。輕螺分色留寄冷枝棲。賦樓東秀筆淋漓。賜珍珠賺殺江妃。只落得芳華顇。（適適草）

【南南吕懶畫眉】

秋　閨

問月花影寄愁香。淺浸珠簾入夢涼。那堪小沼錦鴛雙。戲影輕漪漾。玉笛誰飛子夜霜。（適適草）

片月飛光静江湄。驚起孤鴻啄影疑。秋閨無怨亦淒其。况值深愁累。莫間芙蓉冷艷欹。（適適草）

〔一〕此曲亦收入名媛詩緯雅集。王端淑評曰：「情詞兼到，可謂得家學之真傳者。膺服，膺服！」

余壬公

余壬公，萬曆時人。生平不詳。

套數

山居樂乙卯居北山作

【南南吕宜春令】歸來好。覓隱緣。賃青山聊支數椽。小門清晏。空堦日久生苔蘚。只平常木榻蒲團。應充做燕居情眷。饒他。紅塵亂滚。入山立遣。

【太師引】料關心。畢竟無多件。覷閒身輕如紙鳶。不須博〔二〕功高天下。怎捨得名落人間。山林意味原非淺。隨處有白雲相善。長松下。狂歌幾聲。人來問。但呵呵若酒醉風瘨。

【瑣窗寒】〔三〕遇三春花柳翩翩。鳥韻松風雜管絃。見山光獻翠。物態争妍。遊人列隊。紅裙成串。漫提壺遶山行轉。陶然。和衣倒睡草茵邊。醒來知在山巔。

【三段子】芳菲可憐。景將闌頻聽杜鵑。韶光暗遷。夏初臨俄聞早蟬。恰好陰陰綠樹籠庭院。薰風披拂吹人軟。一枕南窗。羲皇堪羡。

【東甌令】怡情處。索詩篇。逢着山僧便話禪。低棊不角輸贏戰。借此消餘倦。喜清涼盡日甜桃源。何事受煩煎。

【三換頭】庭梧翠蔫。葉敲風片。秋光到也。漸炎威謝權。空餘紈扇。那其間只聽得。松濤夜來聲捲。石眼流寒澗。山窗月影圓。兀坐焚香。真箇是萬籟涵虚寂不喧。

【劉潑帽】朔風騰地將輕寒薦。病黄花獨倚闌前。紙窗竹屋燈兒剪。理斷編。個中得真吾現。

【大聖樂】每冬來冷淡霜天。會清虚心自遠。松稍薄晚徐飄霰。一霎上滿林園。只見那簷前瘦竹青葱變。水畔疎梅粉白連。柴門吠犬。不妨把湘簾掛起。放出茶烟。

【解三酲】偏宜了逢場戲演。偏宜了對景疎顛。偏宜了花前月下追清宴。偏宜了濯足流泉。偏宜了山妻稺子安貧賤。偏宜了野叟樵童可晤言。從吾願。任他是天傾地倒。有甚愁焉。

【節節高】空山卧隱堅。浪神仙。千般逸趣都嘗徧。山禽囀。山釀鮮。山肴便。烟霞朝暮相留戀。開窗樹樹浮嵐倩。何必重陽乃登高。舉頭山色悠然見。

【三學士】風塵高脱憑雙眼。果然地逐心偏。閒來竹徑排雲坐。願〔三〕到松陰抱石眠。

澗水潺湲常在耳。從舒眺豁笑顔。

【大迓鼓】山靈。不索錢。相酬勝景。短句時聯。或雲或雨峰頭顫。非烟非靄夕陽懸。竹石低橋松蘿小軒。

【撲燈蛾】陰晴况總佳。笑傲神逾健。試看那荒郊。盡是英雄窟宅也。歎沉埋萬千。喜天生教我管清閒。是和非向誰争辨。情孤擅。清泉白石共同旋。

【餘文】探奇處處尋懽忭。山谿踏破鐵鞋穿。趁着糊塗不記年。（情籟）

南北雙調合套

村居樂辛酉遷何村作

【新水令北】一生專爲野情多。近移居半村高卧。徑灣連插柳。牆矮遍生蘿。草舍如何。草舍如何。看不上蝸兒大。

【步步嬌南】門外溪山重重裹。獨塔衝雲破。簷前桃李羅。好鳥枝頭。緩聽清音播。寂歷考槃阿。問生涯就裡尋些個。

【折桂令北】儘憑我狂笑狂歌。也不林逋。也不東坡。算只有囊中蠹卷。壁〔四〕上漁簑。

短鋤頭披雲獨荷。破芒鞋帶雨常拖。管好烟波。有甚風波。每日裏飽鹽虀。坦腹徐摩。

【江兒水南】遠樹疎疎點。村廬曖曖矬。看天然圖畫誰描過。數風帆飛影橋邊墮。狎沙鷗自在溪頭坐。欸乃齊聲相和。嶺掛頹陽。引起松間烟火。

【雁兒落帶得勝令北】〔五〕偏喜得雨過了村村土脈和。天晴了個個田工做。稻上了家家稚子嬉。酒熟了日日鄰翁賀。快活殺尋魚喚阿哥。牢實殺烹鷄叫阿婆。安穩殺軟草鋪來睡。糊塗殺斜巾背上馱。賺殺了。癡顛我呵。笑殺了。嬾嵇康犯酒魔。

【僥僥令南】瀟灑村粧衣芰荷。散髮半頭陀。門掩花香閑卧犬。幸終朝没客過。幸終朝没客過。

【收江南北】呀。早知道這般樣清静呵。悔前事漫蹉跎。又早是歲華三十疾於梭。猛可裡覊鳥解尋窠。待思量怎麽。待思量怎麽。擬把衷情逐一訴嫦娥。

【園林好南】但供却盆花幾朶。但拾却園蔬幾蘿。便足幽居功課。因甚受世緣磨。因甚受世人訶。

【沽美酒帶太平令北】〔六〕披金章鳴玉珂。朝青瑣躡烏靴〔七〕。落得形役心勞鬢易皤。到底是夢南柯。争似拈花柳縱吟哦。嘲不着詩人清餓。愁不着農人安惰。我呵願隨緣守安樂窩。强如中幽。素科。呀。達觀來世味渾同糠莝。

【清江引南】田園意味恬而妥。敢附淵明佐。一幅去來辭。曉夕懸當座。這便是做閒人真結果。（情籟）

秋　思丁巳寓梁溪作

【南仙吕桂枝香】炎威雨送。涼風微動。點綴了冷况三分。引起了幽懷千種。想虞山幾峰。想虞山幾峰。怎耐得趨周步孔。名韁牢鞚。病疑弓。弱骨秋來減。攤書意轉慵。

【不是路】兀坐窗東。風侮殘荷翠影重。蟬聲哄。夕陽低接落霞紅。睡魔攻。呼童急取離騷誦。打疊閑愁仗酒鍾。憑嘲弄。隨緣肯算貧人甕。萬般皆夢。萬般皆夢。

【長拍】興逐雲濃。興逐雲濃。情招月共。愛他凄淡秋容。蛩吟如諷。惹斷魂落葉西風。散步小庭中。看銀蟾寒光流永。亂滴輕衫涼露重。是誰家砧杵夜敲空。漫自嗟。烟霞泉石主。身等飄蓬。

【短拍】技不雕龍。技不雕龍。時方笑鳳。抱寒氊終歲爲傭。寶劍未銷鋒。夜深舞不禁氣縱。好向青天搔首。生吾輩畢竟何庸。

【餘文】傷秋怎學風流宋。若論鍾情大抵同。但寫意何琢句工。（情籟）

秋海棠

【南正宮白練序】秋容澹。看落木寒鴉帶晚烟。幽窗下一簇海棠紅淺。消倦。惠水煎。正着意憐花花也憐。交枝軟。低徊檻角。緩隨風轉。

【醉太平】開徧。零星萬點。映蕭疎翠葉。倍覺呈妍。朝來沐雨。初勻就淡粧嬌面。天然。生來孤冷不宜炎。甘消受向陰庭院。韻香堪羨。蝶戀蜂狂。總是無緣。

【白練序換頭】娟娟。綴砌前。逾時尚鮮。相看處幾欲笑而無言。庭花。半已蔫。恐不耐霜飛露冷天。閒消遣。山醪快賞。肯將輕賤。

【醉太平】花仙。昌州異種。更隨絲貼梗。品從來辨。當秋自吐。還强似鬬春濃艷。留連。蕭齋孤伴野人眠。經多少雨絲風片。滿堦蒼蘚。依牆碧篠。素稱相善。

【餘文】葉底鈴兒生剪剪。餘花自把秋意傳。分付西風且莫顛。（情籟）

西湖

西湖佳處紛披，志傳十景，舉其略也。余向勞神往，庚申春孟，始借一遊；壬戌之秋，復得縱目。評花品柳，愧琢句之匪工；判石題泉，恨摭勝之靡竟。爰選韻而諧調，聊染翰以抒情。倘令西子相嘲，請以傚顰謝罪。

【南南呂梁州新郎】平湖浮碧。環山凝黛。占絶杭州勝概。曉烟媚柳。鶯聲次第傳來。報道蘇公堤畔。蘇小橋邊。狼籍春如海。玉驄嘶斷也翠痕開。一路飛花踏作埃。〔合〕歌唱緩。酒行快。便沉酣不倩紅裙代。償來了。浪遊債。

【前腔】波心虛曠。亭欄清灑。十里荷香飄帶。弄舟花港。誰家最少裙釵。妬殺紅粧爭艷。翠蓋摇風。似學纖腰擺。笑聲吹斷也錦鱗乖。颺入菰蒲對影猜。〔合前〕

【前腔頭換】〔六〕逗商飆樹病蟬衰。助蕭瑟蒹葭生籟。看微茫烟水。淡描秋態。那更兩峰雲片。孤塔斜陽。鳥背飜空彩。晚鐘敲斷也況悠哉。恰得三潭泛月纔。〔合前〕

【前腔頭換】醉霜華葉惹紅腮。散寒意千林分派。想孤山梅塢。凍魂醒再。漸覺鏡湖澄練。銀海摇光。世界糊塗改。段橋迷斷也覆荒苔。一笠漁翁踞釣臺。〔合前〕

【節節高】園亭巧樣排。傍蒼厓。登臨滿目無塵礙。烟霞宰。風月差。鶯花賣。香山君復東坡外。高情留與騷人貸。〔合〕不道孫公一豪瑺。西湖護法還憑賴。

【前腔】探幽盡曠懷。小蓬萊。峰巒洞石搜難載。時芳採。新句揩。知音賽。流詞空

把耆卿怪。投鞭雄舉今何在。〔合前〕

【餘文】樓船鼓吹陰晴耐。慣疎狂湖山喝采。方道蓋世風流托總裁。（情籟）

觀　潮

錢塘跨兩浙之雄，江濤壓三吴之勝。每中秋後三日，俗呼潮誕，觀者如林。快晴雪之噴空，聽笙歌之動地。環珠疊翠，既挾杭郡以誇奇；縱酒催詩，復帶西湖而增價。調仍大石，賦就六章。豈曰筆酣，并供一目。

【南大石調念奴嬌序】〔九〕江天望裏。見長流蕩漭。揚霄氣勢堪驚。疊捲風頭。高數丈晴空銀屋千層。争勝。波接虹光。浪掀日彩。人生罕睹此奇景。〔合〕須要倩。湘娥勸酒。傾倒罍瓶。

【前腔換頭】俄頃。聲來更猛。聽飛瀑洶湧。狂號許久越勁。耳畔轟轟。何所似天鼓敲穿相應。偏驚。鼉吼龍吟。蛟翻蜃鬭。却愁厓岸撼幾傾。〔合前〕

【前腔換頭】無並。怒戰貔貅。雄驅島嶼。六鰲齊負雪山行。凝眺遠四下帆影縱横。分明。旗鼓相邀。笳簫迭和。伍胥今日耀威靈。〔合前〕

【前腔】奔騰。奇相鞭濤。馮夷駕浪。射潮强弩已無憑。今與古每逐明月虧盈。唯應。散髮江皋。披襟素練。欲偕公子共騎鯨。〔合前〕

【古輪臺】浪頭迎。吴兒踏弄趁身輕。争誇善頌渾忘命。濤淵險横。看萬頃淵澎。一線裂開如鏡。坐對澄波。素懷滌净。風來江上自然清。另翻佳境。覺此身如在蓬瀛。萬緣浪度。半生漚幻。千秋冰冷。〔合〕好去問東溟。還思省。消沉世代是潮聲。

【前腔換頭】淡晴。曠野霞落雲横。沙岸上閒鷺閒鷗。飛棲不定。秋水長天。一碧浮空交映。觸景尋歡。怎禁逸興。明年勝概未應更。來期重訂。且徐徐整備歸程。遊人半去。歌聲遠唱。早是山啣日影。〔合〕乍醉已吹醒。情猶賸。徘徊唯看數峰青。

【餘文】潮威殺晚翠凝。聽古寺初鳴夕磬。須囑付江神記姓名。（情籟）

〔一〕「博」，原作「博」，今正。

〔二〕「瑣窗寒」，原作「鎖春寒」，茲正。

〔三〕此字半邊爲蟲蝕，僅餘右半邊「頁」字，疑爲「願」，姑補之。

〔四〕「璧」，原作「璧」，今正。

〔五〕此調原僅書「雁兒落」，茲補。

〔六〕此調原僅書「沽美酒」，兹補。

〔七〕以上三字被蟲蝕，僅剩「半邊」，姑補之。

〔八〕「梁州新郎」第三、第四隻曲皆爲「换頭」，原僅作「前腔」，兹改。

〔九〕「念奴嬌序」及第二、第三隻曲「前腔换頭」，原作「念奴嬌」和「前腔」，今正。

吴載伯

吴載伯，名號不詳。與凌濛初交善，時稱「吴凌」。

套數

夏思[一]

【南商調金梧桐】紅殘緑已稠。正是清和候。紫燕將雛。對對穿窗牖。題詩寫別愁。料怨我情何有。我若無情。定犯神前咒。情深愁重人消瘦。

【東甌令】閒憑几。悶倚樓。人比紅蓮少並頭。麥秋纔過黄梅後。獨坐支長晝。聽數聲漁笛韻清幽。觸處助人愁。

【大勝樂】碧紗厨香氣輕浮。浸冰盤堆雪藕。當的漫捲青衫袖。纖纖送指尖柔。簪來小鳳分茉莉。風起湘裙蕩石榴。千般消受。今做了惱人情緒。積在心頭。

【解三酲】想着你下堦同走。想着你瑶琴幾和酬。想着你簾前細把鴛鴦繡。想着你月下清謳。想着你盈盈笑臉花前貼。想着你窄窄金蓮被底鈎。今難又。這相思鬱結。

到死方休。

【尾聲】倘天憐諧婚媾。冰肌無暑好綢繆。與他花下同傾三百斗。（吴騷二集）

冬　思[三]

【南正宫普天樂】前生緣今生契。遭魔折成抛棄。俺這裡意懶詞荒。他那裡脂憔香悴。彩雲易散琉璃脆。好事蹉跎難相聚。悶懨懨短嘆長吁。恨悠悠魂消思疲。遠迢迢霧障雲迷。

【雁過聲換頭】因誰。寒宵不寐。難捱這更長漏遲。翻來覆去把從前記。一時知。到如今博得淚眼愁眉。想傳來錦字。織成縷縷心間事。比着咱斷腸詩。無彼此。

【傾杯序換頭】何時。倒玉尊。煖繡帷。廝守着情和美。奈有意求歡。絆却登程。空自熬煎。羞稱風致。更問神無驗。告天天遠。倩人無計。又不覺葭灰微動一陽時。

【玉芙蓉】香閨夢不離。枉把情來去。正嚴冬朔風。與六出花飛。淒淒煖閣冰凝淚。寂寂虚齋影伴梅。無情緒。爲相思似癡。肯虧心薄倖效王魁。

【小桃紅】嘆江上難逢佩。雲雨散臺何處。温香軟玉非容易。雲鬟霧鬢真嬌媚。彈絲品竹心如醉。許多般教人怎不悲思。

【尾聲】三冬暮春將至。若不重逢心不死。試看草木無情尚有連理枝。（吴騷二集）

春思

【南南呂十樣錦】（繡帶兒）離粧閣又元日節到。追思去年傳椒。喜天緣得遂鸞期。設盟言永結鸞交。誰料。（宜春令）倦相如囊篋蕭條。輕撇下當壚年少。奈别後天南地北。路迷芳草。（降黄龍）元宵。火樹星橋。共誰携手。看月明燈遶。遊人喧鬧。偏是我意煩情亂心焦。（醉太平）同袍。問咱何事苦煎熬。强支吾肯教知道。真情自曉。怕相思憔悴。玉人容貌。（浣溪沙）我題詩。他撫操。記當時窗下丰標。如今轉眼又花朝。踏青時節都虚了。倦聽幽禽啼樹稍。悶懨懨獨坐無聊。（啄木兒）桃花辜負簾前笑。楊枝只向樓頭裊。故惹離人珠淚拋。（鮑老催）兩情似膠。從他粉黛别樣嬌。淫詞敢把相戲調。做薄倖子。王孫態。游俠少。自辦心香一炷燒。（下小樓）寒食。愁縈懷抱。過清明信轉遥。前番書去怎寥寥。自分。歸期難料。空教人愁覩鮫綃。〔雙聲子〕天邊雁。天邊雁。誰肯與傳消耗。心中病。心中病。縱靈丹難醫療。〔鶯啼序〕此愁怎消。又相將九十日春光稀少。

【尾聲】杜鵑聲聲〔三〕催歸早。春去也越添煩惱。有日團圓方知緣分巧。（吴騷二集）

秋思

【南仙吕桂枝香】涼飈初至。紅粧何處。無端惹起離愁。目斷碧雲千里。想重逢幾時。想重逢幾時。羨殺女牛佳會。空見芙蓉雙蒂。悵乖離。月底簫聲斷。雲中雁影遲。

【賺】爲你相思。只有清風明月知。我和伊。豈因不見心相二。但恐情疎因見面稀。閒言語。幾回錯把名兒對。惹得傍人講是非。書齋裡。光陰又近中秋矣。寸腸千縷。

【長拍】日日傷悲。日日傷悲。時時牽記。對皓魄碧天如洗。奈嫦娥兩地。照得咱分外孤悽。終夜自躊躇。怎當他悲切切。晚蛩聲細。淚洒千行捱到曉。又見那衰柳殘荷泣露垂。空教人心下一似轆轤急。都只爲你那玉樓人。魂逐神飛。

【短拍】丹桂香飄。丹桂香飄。黄花色媚。無心去玩賞追隨。方寸亂如絲。不見一行書寄。怎知他近來情緒。正值霜寒露冷。奈夜漸長遠隔鴛幃。

【尾聲】好姻緣偏難配。屈指西風秋去。莫把書生看作薄倖的。（吴騷二集）

傷逝（和梁少白貂裘染一套(四)）

【南南吕宜春令】春將去。人忽離。恨無端似雲遮霧迷。玉容何處。却教腸斷吹簫侣。那琴中調是寡鵠孤鸞。這夢中景尚同枝連蔕。我這心情。無端悵怏。誰知一二。

【太師引】記十載如魚水。兩情濃鴛衾鳳幃。怎當得千般嬌媚。肯虚度萬種歡娱。誰得似同心尤合意。真個是雙烟一氣。花香處遊蜂未知。只合向瑶臺瓊砌。繡幕低垂。

【瑣窗寒】貯金屋都道相宜。映臉桃花恐不如。看温柔性格。綽約身軀。似雲中仙子。來臨凡世。伴朝昏非同容易。平時。起調鸚鵡曉粧遲。分明畫裏西施。

【三段子】一春酒巵。捲珠簾花兒柳兒。清和日遲。對薰風鶯兒燕兒。三秋菊綻金垂砌。三冬煖閣爐烟細。和你同賞同歡。年年伉儷。

【東甌令】鬧相守。步相隨。美滿恩情不暫離。天教湊合姻方締。何用多盟誓。顛雲倒雨會尤奇。也是前世結來的。

【三換頭】〔五韻美〕蓮花步移。香生羅袂。〔臘梅花〕嫣然兩頤。似芙蓉在池。共看鴛鴦鬧戲。這其間却似那。有情人心腸風致。〔梧葉兒〕曲曲雕闌倚。雙雙手並携。醉泛金尊。一任樓頭更漏催。

【劉潑帽】日高三丈猶酣睡。窗兒外鳥聲偏碎。殘脂剩粉金盆洗。裊裊雲鬟。又向西園去。

【大勝樂】霎時間兩下分離。死和生嗟兩地。彩雲易散琉璃脆。愁無奈苦難持。説甚麽天長地久常厮覷。空撇下無限淒涼只自知。教人恨也。不到頭的姻緣。也算一世夫妻。

【解三酲】忘不了心恬意美。忘不了百樣投機。忘不了簷前笑指雙星聚。忘不了燈下相偎。忘不了嬌凝秋水盈盈眼。忘不了俏展春山淡淡眉。難忘處。只落得數聲長歎。料你一寸難灰。

【節節高】乘鸞去莫追。暮春時。傷心不覺朱明矣。心如醉。苦費思。難重會。看看又是端陽至。蘭湯三伏同誰試。梧桐一葉早秋來。穿針乞巧空凝睇。

【三學士】中秋月色香飄桂。似廣寒宫裡難窺。只言天上無婚配。誰道人間少唱隨。

縱使登高愁望遠。人不見雁孤飛。

【大迓鼓】寒朝。十月期。蕭蕭敗葉。悶積庭墀。陽回葭管灰先動。深閨添線也休提。雪色侵人。冬殘歲除。

【撲燈蛾】元宵火樹輝。〔五〕燈影相遮蔽。紅紫鬬芳菲。正是賞花天氣也。何心沉醉。空教人對景怨春暉。匆匆的又清明掃祭。衣和袂潸潸都作杜鵑啼。

【十二時】一年總是相思處。薄命書生薄命你。博得夢裡成雙生憎報曉鷄。（吴騷二集）

秋思

【南商調二郎神】分違久。又一葉梧桐報秋。正烏鵲橋邊牛女候。銀河佳會。人間翻抱離愁。書曝中庭無意收。嘆相逢夢中空有。隔河洲。好一似關關雎鳥一意相逑。

【前腔換頭】情投。他千般解意。幾多消受。奈薄命書生遭掣肘。追思一别。光陰又到新秋。菡萏花香亦並頭。問人世緣何隻偶。謾追求。這相思偏生易惹難丢。

【集賢賓】青天月色懸小樓。想那人一樣凝眸。深鎖蟾宫應獨守。奈姻緣未能輻輳。黄昏清晝。都是我凄涼時候。捱悶酒。淋漓處是淚痕濕透。

【前腔】花開金粟香氣浮。似卿卿丰韻清幽。一别偏教難聚首。常只想並肩携手。時時在口。世上事都應落後。伊知否。受盡了許多僝僽。

【黄鶯兒】淚落自難收。百煉鋼做繞指柔。男兒只被情拖逗。寒生翠裘。香消錦裯〔六〕。碧山紅樹題難就。菊花秋。登高望遠。何處是美人樓。

【前腔】琴裡鳳何求。托冰絃寫別愁。腰肢非是躭詩瘦。懨懨無盡頭。悽悽不自由。這的是姻緣分内遭陽九。恨無休。秋來鴻鴈。未見有書投。

【琥珀貓兒墜】雲山黯淡。千里路悠悠。怎知我情多似拙鳩。堆將業債幾時酬。難休。想燈下歡娱。被底温柔。

【前腔】西風蕭瑟。尤易惹人愁。何况離情百種稠。是誰羈絆是誰留。堪羞。被有限功名。擲却無限綢繆。

【尾聲】愁來三月看看瘦。那更七夕中秋重九。何得効文鴛雙雙錦浪遊。（吴騷二集）

思　情

【南商調鶯啼序】愁來日夜無端。只在寸腸牽纏。悶懨懨廢寢忘餐。説甚前世姻緣。尚癡心想天長地久。猶道鴛衾永薦。何時得見。單撇下無限熬煎。

【黄鶯兒】寂寞恨綿綿。似劉郎隔洞天。重來不見桃花片。琴調忽斷絃。鏡分難再圓。這般魔障誰經慣。憶當年。心心相愛。何處不堪憐。

【集賢賓】花朝月夕杯共傳。這樂事無邊。一旦雲鴻悲失伴。守淒涼神蕩魂牽。休提歡宴。那些個天從人願。遺釵鈿。收拾起怕淚珠輕濺。

【滴溜子】心間事。心間事。無人可言。眉頭悶。眉頭悶。堆來萬千。誰似他梨花粉面。兩字相思難吐嚥。欲寫離愁。都付雲箋。

【簇御林】孤飛鳳。獨宿鴛。料今生比翼難。雨雲多斷陽臺畔。豈忍做虧心漢。悵緣慳。衣襟濕處。雙眼幾曾乾。

【琥珀貓兒墜】四時佳景。觸處轉心酸。種種幽情倍慘然。丟開又復憶從前。心田。却種出百樣愁煩。無計除芟。

【尾聲】分明吞却針和線。幾許心千迴萬轉。誰想這恩愛場中生出離恨天。（吳騷二集）

題　情〔七〕

【南商調二郎神】咱和你。乍相逢歡娛無比。似並蒂花開魚共水。千般消受。恩情萬種誰知。願永遠團圓直到底。奈風波忽生離緒。説甚麼佳期。真個好事多魔樂處成悲。

【前腔換頭】難追。深憐重惜。他心恬意美。只指望雙雙長廝覷。別來許久。空躭無限淒其。獨坐書齋憶繡幃。恨拆散不成連理。說甚麽相隨。嘆藕斷絲牽鏡合無期。

【集賢賓】衾寒枕冷床半虛。翻來覆去長吁。待不思量忽又起。任荒涼琴劍圖書。他言猶在耳。道且守着至誠蕭史。渾無計。空自想乘鸞雙去。

【前腔】他蘭心蕙性百事宜。天教會合分離。極目雲山空徙倚。鎮朝昏似醉如癡。鮫綃留記。越想着没情没緒。牽腸意。寄封書爲說寸心千里。

【黄鶯兒】一任外人嗤。這衷情可訴誰。争教恩愛翻成累。蒼天鑒庇。神明敢欺。盟言已訂心難昧。見何期。通宵魂夢。迢遞到香閨。

【前腔】鬼病實難支。悶懨懨强自持。風流博得身狼狽。滋味不知。登臨不思。情真藥假難調治。細思之。男兒俠骨。肯負一蛾眉。

【琥珀貓兒墜】想冰肌玉骨。瀟洒世塵姿。再有何人得似伊。今生拚却喪溝渠。堪悲。我爲你問卜金錢。題徧新詩。

【前腔】花朝月夕。總是斷腸時。事事心灰了不知。任教死去也作有情癡。堪悲。這萬恨千愁。與你一見都除。

【尾聲】淚珠流血思難住。我自學春蠶到死。猶指望鴛幃日高睡起遲。（吴騷二集）

題情

【南商調十二紅】〔山坡羊〕鷄聲兒啼來孤帳。鐘聲兒傳來書幌。夢驚回衾寒半牀。披衣起獨坐牙牀上。〔五更轉〕想與他。三丈日。多歡暢。如今曉起曉起無情況。勉强梳頭。羞看鏡中模樣。〔園林好〕見紅輪曈曈小窗。空擺列朝餐懶嘗。待弄筆圖他形像。〔江兒水〕無奈䰟思。癡狀。被他們參破行藏。先自神魂飄蕩。〔玉交枝〕客來罷想。接言談全無主張。忘前失後如癡狀。〔五供養〕歎我情懷如喪。這相思却教對誰說向。椀盧陽羨茗。爐暖鬱金香。欲待閒行倦走迴廊。〔好姐姐〕難講。他諸般停當。真個是風流女娘。從辰至巳。思量又午晌。〔玉山供〕沈郎腰瘦損。病難當。時看羅帕淚千行。〔鮑老催〕情深怎忘。書來幾番稱罷粧。蛾眉不畫脂粉荒。〔川撥棹〕想起添惆悵。奈關河路渺茫。這良緣何事相妨。這良緣何事相妨。〔嘉慶子〕偏把佳人各一方。看疎林又掛斜陽。看疎林又掛斜陽。花下何人共舉觴。〔僥僥令〕聽初更人靜悄。二鼓自淒涼。睡醒三更四更傍。受盡了五更兒滋味長。

【尾聲】看看不覺東方亮。聽鷄兒喔喔頻唱。不管離人欲斷腸。（吳騷合編）

〔一〕詞林逸響題同吳騷二集，俱注吳載伯撰。

〔二〕逸響題同二集，俱注吳載伯撰。

〔三〕「聲」，原作「神」。

〔四〕南音三籟題作「傷逝」，俱注吳載伯撰。

〔五〕原疊「元宵火樹輝」一句。

〔六〕「裀」，原作「絪」。

〔七〕逸響題同二集，俱注吳載伯撰。

顧乃大

顧乃大，字彦容，南直隸華亭（今上海松江）人。與施紹莘、顧闇生交厚，嘗爲子野校評花影集。

小令

【南商調金衣公子】

爲山靈解嘲

把酒憶山莊。正重陽野菊香。菴前緑水秋應漲。蓉銷晚塘。楓酣曉霜。無邊落木蕭蕭響。譜絲簧。新詞尖豔。誰與細平章。（花影集）

曲癡子

曲癡子，又號沖和居士，浙江武陵（今杭州）人。姓名生平均不詳。編選有新刻出像點板纏頭百練（怡春錦）六卷。

套　數

西廂餘韻

【南小石調罵玉郎】〔一〕側耳聽琴心下疑。就裏聲聲怨。句句題。鴛鴦。何日得同棲。皺蛾眉。奴好似傍水花枝。怕狂風起時。怕狂風起時。擺落趁水相隨。怕濃霜露欺。怕濃霜露欺。禁不得一霎消稀。免不得巫山相會。俺只見怨蝶愁蜂。俺只見怨蝶愁蜂。尋花覓蕋。心下憂疑。爾傍徨我熬煎兩處相思。恨只恨冤家債無緣相會。

【前腔】惱聽譙樓鼓二槌。爲愛鶯鶯貌心似癡。紅娘別後愈傷悲。好孤恓。怎能勾共枕同幃。那夫人負虧。那夫人負虧。他害人徹夜相思。聽更漏又催。聽更漏又催。

又催着三更將至。早來到乘鸞匹配。想着他如花似玉。想着他如花似玉。嬌嬌滴滴。賽過西施。再尋思那妖嬈魄散魂飛。怎當他隔牆兒有人來至。

【前腔】蓮步忙移意故遲。假意佯羞罵把俺推。勸伊行不如早相隨。效于飛。免教他短歎長吁。把前情謾思。把前情謾思。他爲你春試不題。厭茶飯懶喫。厭茶飯懶喫。懶炊着珍羞百味。他棄功名指望姻緣成對。俺只見皓月團圓。俺只見皓月團圓。照着和你。鳳别鸞離。怕夫人覺來時問俺和伊。早抽身去開門兩下裏偷會。

【雁過聲】花陰。夜静禮碧空。正遥天霧歛冰輪瑩。只見風掃殘紅香堦擁。好傷情。這堆積處似我眉峰。望東牆密意難通。何日。魚水同。只索向夢兒中暫爾相和哄。你做了鏡内情郎。我做了畫兒裏愛寵。

【傾杯序】朦朧。啟玳筵。捧玉鍾。做兄妹相倍奉。把他剪寇深恩。等閒負却。許配良姻。頓使成空。只落得香消玉減。意懸心耿。怨緑愁紅。歎嫦娥不勝惆悵廣寒宫。

（怡春錦）

按：本套〔雁過聲〕、〔傾杯序〕二隻用韻與前三曲不同，疑爲拼接之作。

〔一〕「罵玉郎」，原作「罵玉郎帶上小樓」，兹據譜改。按吴梅南北詞簡譜云：「此調有標名北罵玉郎帶上小樓者，大誤也。試思罵玉郎爲南吕宫曲，上小樓爲中吕宫曲，如何帶得過去。況此曲聲譜完全南音，又聯在漁燈兒套，萬無改唱北詞之理乎。譚儒卿南詞譜，以此爲四犯福馬郎，妄爲分析，亦覺不妥。故仍以南詞正曲爲是。」

施紹莘

施紹莘，字子野，號峰泖浪仙，南直隸華亭（今上海松江）人。少負俊才，懷大志，屢試不第，遂放浪聲色。建園林，置絲竹，每逢風日和美，與名士隱流遨遊九峰、三泖、太湖間。善音律，有花影集五卷（散曲四卷，詩餘一卷）傳世。生於萬曆十六年（一五八八），約卒於崇禎十三年（一六四〇）。

小令

【南商調黄鶯兒】

閨夜

燈影照流蘇。倚熏籠不奈何。良宵一個淒涼坐。香消篆爐。茶冰玉壺。小屏風上西江路。睡癡魔。從他去後。夜夜夢關河。

閨　夢

春睡曉鐘殘。惱春鶯驚夢還。還將夢裏人低喚。從今見難。從今夢難。從今夢怕難於見。夢堪憐。如還夢也。判個日高眠。

佳人睡着

身子忒苗條。醒回來又睡去了。日高枝上鸚哥報。爐烟篆消。簾風韻高。嬌癡困得酣難覺。把人抛。翻身時節。雙手拆圍腰。

佳人睡醒

睡眼半朦朧。帳輕紗翡翠籠。眼前失却鴛鴦夢。微痕線紅。纖腰困慵。問郎今日寒輕重。纏鞋弓。雙雙立地。一朵醉芙蓉。

雨景和閶生作

嫩雨濕肥田。暗雲堆欲暮天。平迷四野聞人喚。西村旆懸。東天鬟懸。漁歌晛網垂楊岸。木橋邊。敲門聲裏。蓑笠遠歸船。

初　夏

花事十分衰。莽鶯鶯被燕燕猜。薰風依舊來的快。蒲花未開。苔花正開。荼蘼倒架無聊賴。採桑來。誰家士女。隻隻繡紅鞋。

清明郊行

風雨弄清明。燕啣花人踏青。幾人判了春風命。花邊獨行。相逢面生。歌聲漸漸前村近。近荒墳。紙灰飛處。風帶杜鵑腥。

記　事

珊枕淚千行。不思郎是恨郎。當初人在心兒上。心頭幾樁。尊前又幾樁。銀河咫尺如天樣。悶歸房。今宵夢裏。怕飛不到伊傍。

即　事

一朶病梨花。映芭蕉隔緑紗。時聞嚦嚦春鶯話。問年兒纔破瓜。覷粧兒兩髻丫。教人怎肯干休罷。眼巴巴。瞧他不着。生怪柳風遮。

春日花下憶石城董夜來

風雨替花愁。記如花在翠樓。怕而今可比花枝瘦。曾見他蹴花茵的繡鈎。拂花梢的鳳頭。曾與他話别在中秋後。算重遊。今年八月。真個是三秋。花也爲吾愁。亂花飛直上樓。蕭娘無信蕭郎瘦。端的有證盟言的月鈎。訴同心的話頭。敢他們下得無前後。憶同遊。三秋一别。日日是三秋。

夏　夜

蟬弄一枝風。剔燈花一寸紅。鶴來窗下窺幽夢。乍解衣帶鬆。正散髮鬔蓬。覺衣衫茉莉香微動。月朦朧。有人窗外。潛步繡鞋弓。

【北雙調清江引】

荷　花

嬌癡向人多腼腆。欲奪芙蓉面。尖尖舌暗舒。窄窄鞋偷薦。芳心未明還半卷。

水仙可憐潮嫩臉。姊妹偷攜伴。牽絲意緒多。落瓣衣裳换。晚粧出來全帶軟。雙雙並頭情忒煖。又一似相埋怨。偏容比目遊。只許鴛鴦伴。露珠的團圞也碎的罕。仙妃化身生小苑。未了塵凡願。探頭欲語誰。障葉還羞面。横塘夜涼郎信遠。

别思

香兒半熏燈半滅。被冷和愁疊。情知夢裏逢。倒怕醒時别。只落得抵牙兒慢思量淚珠兒多是血。他跟來不得從教别。白地輕抛捨。功名值幾些。恩愛無終歇。早知道這分離不如不去者。軒車建牙高跨馬。抵不直相思價。折得廣寒花。閒却鴛鴦牒。就做道甚癡騃也不應如是也。恩情不教人當耍。這幾日何爲者。情知有歸去時。却現怕分離夜。且含着淚花兒把相思句兒胡亂寫。

【南商調山坡羊】

旅懷

意惺惺怕分離的相送。虚飄飄要相逢的癡夢。急煎煎算不定的歸期。淚斑斑看不得的衣衫縫。怯曉鐘。更教人惱暮鐘。燈花暗卜却被燈花哄。歡喜誰同凄凉誰共。朦朦。拾相思在雲樹中。匆匆。記相思在詩句中。

【南仙吕入雙調玉抱肚】

有懷

暖風輕扇。豔驚人紅芳萬千。猛思量人在天涯。到如今没紙鸞箋。當初曾記擁嬋娟。會向薔薇花下眠。

得信

傳來人信。算將來真耶未真。若伊家記得當初。却緣何做出如今。勸君憐取眼前人。

莫又把新人做舊人。

小　園

小亭低亞。眼前的詩耶畫耶。白梅花襯扇窗兒。淡垂楊帶個棲鴉。天公偏稱野人家。寒似前宵略峭些。

夏　景

柳濃花顫。近亭軒涼嘶暮蟬。火燒頭雀啄榴房。水擎珠魚噴荷錢。開簾忽地見嬋娟。直放桐陰到枕邊。

贈楊姬和彦容作

全嬌絶嫩。一枝花胭脂淡勻。俊秋波簇着眉峰。俏櫻桃滲個牙痕。輕輕細語問郎君。開口能生滿坐春。問名和姓。莫非他是楊妃後身。看伊家這樣丰姿。該封做號國夫人。今朝一會覷郎君。自此教郎難負恩。

夜泊懷人

情緣斷了，甘同陌路之蕭。信息傳來，又似章臺之柳。將信將疑，終須要信。半思半恨，畢竟堪思。孤舟風雨夜，隔岸有燈。殘夢睡醒間。半衾是淚。若無隻字言心，可乎？　亟倩數行題悶情也。

逢歡不喜。要消愁翻嫌酒卮。妙人兒掛在心頭。據人言你會相思。教人争不越心癡。況風雨孤燈又不寐時。

訪妓不遇

桃源無路。歎鶯雛難投鳳窠。夢朝雲應在巫陽。坐當壚可向成都。倩人寄信問如何。肯許梨花題句無。

【南商調金索掛梧桐】

夏　懷

荷風蕩晚涼。新月如鈎樣。風月蕭疎。只是人惆悵。思量些個日久情長。總爲你風流縈斷腸。就閒經柳下聞蟬響。也忽想新妝入鬢傍。空悒怏。記當初攜手共尋芳。那時節月在東廊。轉在西廊。猛照出雲鬟樣。

將　秋

梧桐葉未飄。枕簟涼先報。雨淡風疎。要送秋來到。輕涼這兩朝勝前朝。漸漸秋思上綈袍。從前秋被蟬偷早。可此後秋深月更饒。杯須倒。料天將好景分付詩豪。聽連宵那個吹簫。何處砧敲。多半是秋聲了。

【南正宮玉芙蓉】

梳　頭

斜啣半月梳。挑得雙雲路。解紅絨巧綰。時樣青螺。新興不甚高和大。妝罷教郎看若何。郎言好。如今絶無。看騰騰一時間歡喜上雙蛾。

美人贈鞋和彦容作

曾經玉手拈。曾踏瑤池宴。使心機把一隻兒偷傳。交枝夜合鞋頭綻。小字殷勤繡一邊。郎親驗。燈前細看。他教我口兒兜緊莫胡言。

【南仙吕桂枝香】

春曉閨詞

篝燈殘月。簷風曉鐵。遼西遠夢歸來。杜宇樓前啼血。漸花陰上窗。花陰上窗。窗裏梳頭時節。窗外飛花如雪。鬧傷嗟。春又新辭樹。人還未到家。

悼紫簫

紫簫，予侍兒也。事先生辛勤有年矣，一旦魂斷，悲從中來。

紫簫聲斷。鳳樓人遠。魂隨南國花香。血染老鵑啼怨。記當初倩伊。記當初倩伊。檢點小窗杯卷。供奉夜香庭院。竟何冤。天上人歸去。人間更歲年。

暫别書情

幾曾分拆。今宵分拆。也銷江賦離魂。也瘦沈腰衣帶。把燈兒再挑。把燈兒再挑。天明將快。犁星還在。没安排。且去偎單枕。他應夢裏來。

和衣而坐。夢兒不做。清清守着燈兒。我與影兒兩個。把西窗半開。把西窗半開。只見月來雲破。又聽鷄鳴三度。酒醒啊。醉也愁人煞。醒時可奈何。

【南南吕六犯清音】

夏閨

〔梁州序〕倦抛針線。嬾拈簫管。一味軟疼柔怨。雕梁燕子。偏生恁地多言。〔桂枝香〕低聲似説芳春去。絮語應嘲翠黛殘。〔排歌〕縈飛絮。哭老鵑。惱人心性脱綿天。〔傍粧臺〕怎消得黄梅雨在芭蕉上。只落得粉淚痕交枕簟間。〔皂羅袍〕茫茫遠信。雲邊樹邊。懨懨病骨。香前酒前。常常繡帶移新眼。〔黄鶯兒〕暗愁煎。綺琴偷弄。翻曲記奇緣。

【南中吕駐雲飛】

和梁少白唾窗絨十首

春　恨

風捲楊花。點點飛來蘸緑紗。衣帶鬆來怕。得似前春麽。嗏。淚眼問東風。没些回話。教着鸚哥。也把東君罵。一半嗔他一半耍。

幽　會

閬苑仙娃。俊眼偷斜性忒乖。不解將羞害。認定鞦韆外。諧。雙手捧將來。珍珠般待。替脱衫兒。急扯香羅帶。一半難鬆一半解。

邂　逅

一向思來。誰道今朝驀地諧。轉過荼蘼架。他在欄杆外。猜。髣髴是陽臺。堪憐堪愛。他買俺風流。還把風流賣。一半丢人一半采。

奇遇

庭院深沉。陡見人人花下行。推算桃花命。今夜方纔應。親。兩口貼朱唇。伊情直恁。花怕風顛。索性判花病。一半驚羞一半忍。

邀請

再不歸來。哄得人兒猜又猜。何處留歡愛。着我難躭待。乖。鸞鏡久塵埋。別來數載。寫下封書。細把伊心買。須要他一半疑心一半解。

寄遠

製得新詞。倩個乖兒捎去伊。教他莫向人前遞。燈下纔偷覷。癡。兔穎掃烏絲。星星兒是。又分付魚鴻。須見面多多致。一半人傳一半紙。

殘夢

梳樣兒蟾。恰照西窗火色簾。恍惚驚癡魘。胡把丫鬟喚。淹。轉輾兩三番。伊人不見。欲覺還迷。殘淚猶如線。一半沾衾一半臉。

密約

出得幽齋。抹過重重幾座臺。把那良宵價。去買烟花債。猜。猛聽喚聲來。看時何在。隔扇門兒。說與門兒外。一半聽來一半揣。

曉妝

睡到醒時。日弄門前牆外枝。洗下胭脂膩。添上花鈿翠。癡。故意問郎知。比花枝詑。郎却無言。竟折花枝比。一半嘲來一半喜。

沉醉

酒暈潮紅。一臉風流轉轉濃。共倒玻璃甕。驚醒梨花夢。朦。帶緩鬢鬅鬆。嬌癡猶重。輕薄兒夫。燈下深摩弄。一半偎他一半哄。

閨恨

短命寃家。道是思他又恨他。甜話將人掛。謊到天來大。嗏。倒是不歸來。索須干罷。若是歸來。休道尋常罵。須扯定冤家下實打。

風情

露水夫妻。夜去明來虧煞伊。潛在花棚底。閃到羅幃裏。癡。慌手摟腰肢。不言何事。我故意嗔他。他只顧嘻嘻地。自不由人不做喜。

月在南枝。有個人人窗外時。潤破窗兒紙。通個名和字。癡。裏面那人兒。是他非是。怕不是他們。叫也還停止。的當將人盼望死。

丟開

索性丟開。再不將他記上懷。怕有神明在。嗔我心腸歹。呆。那裏有神來。丟開何害。只看他們。抛我如塵芥。畢竟神明欠明白。

有懷

地北天南。獨自空山風雨龕。欲見無從面。待寄信無人便。淹。病骨瘦岩岩。飯荒茶厭。藥餌全抛。也不開書卷。納悶荊扉終日掩。

【南仙吕月雲高】

秋閨恨

月上梧桐樹。風凄鴛鳳被。揾得衫兒濕。獨坐孤燈背。昨夜無眠。今夜幾時睡。暗地裏將他駡。也罰不盡風流罪。雖則是年少郎家性格癡。仔細思量忒恁癡。

【南雙調鎖南枝】

簾中人

門兒内。簾子邊。嬌娥悄然藏嫩臉。小脚兩尖尖。烏雲自翦翦。低微笑。腼腆言。閃將來。又不見。

夜寒

鄰鷄叫。促織鳴。青燈一篝寒背枕。明月映人心。西風尖得緊。身孤另。綿被輕。半邊温。半邊冷。

宿村中有懷

風兒大。雨又狂。殘燈破壁薄紙窗。悶守過昏黃。一更更更漏響。淒涼景。説話長。待相逢。慢慢講。

旅次相思

行行去。過一程。思君此時門已扃。獨自步空庭。徘徊數花影。占風順。憶遠行。又嗔風。忒催去緊。

行行去。過一山。思君此時將理鬟。人去奈愁煩。般般多是嬾。全無力。悶倚欄。不梳頭。到天晚。

行行去。過一川。思君此時方晝眠。病骨未全痊。怎支筋力軟。況行人去。天水邊。瘦容顔。有誰看。

行行去。過一村。思君此時愁日曛。紅日欲西淪。行人可安穩。君行後。妾掩顰。願今宵。夢兒準。

行行去。過一城。思君此時將點燈。淚眼炫難明。焦心還自耿。空持酒。怕酒也冰。

喚茶來。怕茶竟冷。

看看是。第一更。思君此時看月明。茉莉暗香生。一枝作人影。慵休插。採帶莖。

待郎歸。點香茗。

看看是。二鼓天。思君此時猶未眠。幽恨寄冰弦。別愁還憑甚遣。歌郎曲。一兩篇。

再沉吟。歌一遍。

看看是。三個更。思君此時幽睡醒。斜月浸窗楞。枕頭半邊冷。人何處。方在城。

怕我淒涼。他睡穩。

看看是。四鼓餘。思君此時愁獨居。村寺曉鐘初。隔窗花上雨。分明是。夢見予。

喚鴉鬟。猶是夢中語。

看看是。五鼓交。思君此時憔悴倒。挨過此長宵。怕天明又怎生了。魂銷盡。無可

銷。怎地向人言。只好向郎道。

【南黃鍾畫眉序】

幽會

涼庭簟鋪設。香軟騰騰兩肌貼。見枕痕一線。鬠鬆堆角。相看認夢裏儀容。折證數

個中謀略。牽衣無限鍾情淚。一點點要郎瞧着。

【北雙調對玉環帶過清江引】

自述

酒聖花顛。已是掄魁選。曲祖詞仙。未便容褫貶。飲酒好花邊。妙辭揮墨蘚。做得詩篇。醉吟聊自遣。拾得花鈿。酒空還自典。花酒詩詞緣不淺。許下如來願。生生住酒泉。世世簽花縣。雪兒唱歌隨步輦。

酒釅花濃。坐滿風流種。曲豔詞工。攙入名人詠。一曲一千鍾。醉教紅袖擁。酒寨花營。奪旗堪賈勇。曲派詞宗。寓言聊打哄。花酒詩詞常作俑。罪過看看重。囊因麯蘗空。浪把文章用。惺惺的性兒難懞懂。

【北雙調水仙子】

幽居

天公還我好生涯。無是無非隱在家。看門前五柳看看大。掩柴扉推出繁華。屋三間書一榻。或寫字和臨畫。覷功名眼底花。趁閒時且喫杯茶。偷閒葺個小書齋。香茗團頭做一家。但時時詩酒添新債。忒清幽曲水籬笆。無紘琴水墨畫。杭秫計漁樵話。除此外總浮華。問先生換與他麽。

【北雙調八不就】

四景閨詞

恰收燈又近清明。只覺道花事凋零。又添些鬼病鬼病伶仃。冷落瑤琴。生疎錦瑟。打疊銀箏。今宵夢前宵夢全然没準。千遭信萬遭信看看半句無憑。恨咬牙根。痛翦香雲。痛的是挫過芳年。恨的是錯盼錯盼書生。

看酴醾自占柔條。間屈指幾度春歸。何曾似這度這度魂銷。愁劈蓮心。驚看夜合。怯聽芭蕉。摇紈扇悲紈扇怕秋風又早。掩羅袖恨羅袖偏生粉淚痕交。指冷瓊簫。帳冷鮫綃。枕頭邊茉莉花香。你怎生的孤負孤負良宵。

聽寒蛩聲滿牀頭。這壁廂月在東窗。那壁廂雁過雁過南樓。獨杵砧敲。空牀夢杳。親筆書修。生離別死離別堅心耐守。今生債前生債判個一例都酬。釵股誰收。匣鏡誰留。記當初夜夜良宵。到如今日日日日三秋。映窗紗雪間梅花。不覺的一味相思。消除了一歲一歲年華。誰共圍爐。誰同寶鴨。誰聽琵琶。千不信萬不信終須被耍。千不是萬不是只是當初自差。我豈殘花。他認做閑茶。他既然現不思量。我怎生的恩愛恩愛常賒。

此等詞本被絃索，須帶肉麻，當在不文不俗之間，方入詞家三昧。右詞似亦夢見一斑者，每花月之下，令兩童以三絃簫管，淒聲度之，宛然一燕趙佳人，攢眉酸涕矣。自記

套數

春遊述懷有序跋

秋去春來，愁縈病惱。自是傷心南浦，其如撲面東風。攜短笻於錦陣，命付花魂；漉破葛於玉缸，夢回酒國。蓋竊歎浮生之如寄，乃深悲去日之苦多。若舍現前之樂事，何與身心。倘圖没世之令名，空勞夢想。因兹挹秀於烟霞，聊且娱情於花月。封拜青州從事，不辭歌院乞兒。俯仰天地之寬，安適性情之便。爰趁春遊，遂成新什。行人生之樂耳，捐卿法之彼哉。令解人聞之會心，而下士聞之大笑云爾。

【北正宫端正好】錦烘天。香鋪地。東風裏緑柳橋西。亂芳遥襯前山翠。似董北苑先

生筆。

【滚繡毬】不多時纔看得梅。霎時間又開到李。柳窺青漸蘇嬌睡。小夭桃打扮衣緋。菜花田獵獵低。紅花田翦翦齊。一陣價香風肥膩。慢騰騰淡日西飛。猛踏破落花堆裏。滑了鞋底。抓住了繁花刺兒。碎了繡衣。又過前溪。

【叨叨令】且尋一個頑的耍的會知音風風流流的隊。拉了他們俊的俏的做一個清清雅雅的會。揀一片平的軟的襯花茵香香馥馥的地。擺列着奇的美的趁時景新新鮮鮮的味。兀的便醉殺了人也麽哥。兀的便醉殺了人也麽哥。任地上乾的濕的渾(二)帳啊便昏昏沉沉的睡。

【脱布衫】忒撩人賣酒紅旗。映鞦韆在紅杏樓西。樓兒上那欄杆斜靠的血紅衣。見人迴避。

【小梁州】又見些隻隻弓鞋一捻的。時樣羅衣。知他是燒香的還是上墳的。喬裝髻。掩扇漏蛾眉。

【幺篇換頭】聰明人不合多伶俐。被他們酒泥花迷。杏花天。楊花地。和二三知己。睁醉眼看名姬。

【上小樓】垂楊院裏。朱門斜啟。且待俺陪個殷勤。借看園林。纔過花堤。怎知俺。命兒裏。冤家作對。蓦撞的鬬草的十來個妓。

【幺篇換頭】騎馬的葉葉衣。坐轎的呵呵睡。還有個酒壺兒斜矗。食壘兒分攜。妙人兒相偎。引得俺半日裏。跟到黑。凄涼慚媿。怎當他半回頭風遞過口脂香氣。

【滿庭芳】亂香堆裏。一灣流水。茆屋竹籬。恰正是寒食天。濁酒兒剛篘起。試新茶纔放槍旗。偏湊的笋鮮菜美。又撞的蜆肥芹膩。小飲藤花底。盤餐進枸杞。人醉了日頭直。

【快活三】是誰家笙歌沸。偷空裏笑微微。隔牆惟見柳巍巍。這便是洞天裏神仙會。

【朝天子】只可憐塚壘壘土堆。白條條掛紙。費多少兒孫淚。眼前的酒飯兒不能彀喫。哭拜罷人歸矣。蝴蝶青錢。杜鵑紅淚。纔懊悔當初不醉死。生前事在這壁。死後事在那壁。短多少萬古英雄氣。

【四邊静】是誰知唐宗晉室。但當年墓碑而今廢基。草樹狐狸。松柏寒山背。今宵。却在雨裏。昏慘慘悲燐濕。

【耍孩兒】我如今決計疎狂矣。且隨喜花邊酒裏。一年春去又春回。好隄防白髮相開眉。

欺。須搜尋直入烟花髓。更頑耍争爲麯蘖魁。日日花間醉。惹得的桃花笑我。柳也

【五煞】看青山恰打圍。曲彎彎水接籬。群花姊妹隨行隊。天偏生我爲男子。況春放閒人撒酒資。須直是風流死。切莫把花盟酒譜，半點差池。

【四煞】漸東君逐旋歸。好花枝怕一夜飛。曉來滿地胭脂碎。分明萬古英雄淚。應盡人間閨秀眉。須快把杯兒喫。若放過了良辰美景。癡也真癡。

【三煞】好良朋近可攜。小花籃便可提。家家酒氣和花氣。閒來酒店逋新債。更密選花枝寄所私。狂甚如天使。願如此生涯老我。不省前非。

【二煞】不風流俗怎醫。會風流債怎推。好花好酒天生配。我酒中要强爲監史。花裏從教做伐媒。僉上了風流籍。休趕向紅塵隊裏。斷送頭皮。

【一煞】妖姬且自攜。新詞且自題。圍碁賭酒賢乎已。探花妒殺蜂磨腿。趁酒閒看蝶曬衣。頑童且莫催歸急。却不道小臣卜夜。秉燭傳杯。

【煞尾】置身峰泖間。避世詩酒裏。買一個載花船來往烟霞際。向這些美酒名花道聲生受你。

予雅好聲樂，每聞琵琶箏阮聲，便爲魂銷神舞。故邇來多作北宮，時教慧童，度以絃索，更

以簫管叶予諸南詞。院本諸曲，一切休却。間有名曲，略譜其一二條。每遇佳時艷節，錦陣花營，美人韻事，則配以靡詞。若奇山異水，高衲羽流，感懷弔古，則副以激調。隨境寫聲，隨事命曲。管絃竹肉，稱宜間作。更以烟霞花月，酒茗詩棋襯貼其間。如此逍遥三十年，歸骨於先人之側，乃以片石立墓道曰：有明峰泖浪仙之墓，則吾願足矣。頭上烏紗，腰間白璧。青史上官銜政蹟，件件讓與他人可也。自跋

南音多柔曼，北音多激壯，蓋亦五方風氣使然。子野此詞，有大江東去之雄風，復饒曉風殘月之佳致。故以銅將軍鐵綽板歌之，而不失之凌勁。即以十七八嬌女兒，挾錦瑟，按紅牙，唱於步絲帳下，而不失之纖弱。顧彦容

體制之弘，如垂天之雲。風情之逸，如穿花之蝶。兼之曲折排蕩，有堤草芊綿，春池瀲灩之意，真當行名篇也。沈德生

泖上新居有跋

【南仙吕入雙調步步嬌】水際幽居疑浮島。結構多精巧。垂楊隱畫橋。轉過灣兒。竹屋風花掃。門僻是誰敲。賣魚人帶雨提魚到。

【醉扶歸】淡茫茫水鏡推窗曉。點疎疎漁燈夜候潮。暗昏昏鳩雨過平臯。白微微鷺雪銷殘照。蓼汀秋水乍添篙。只覺的地浮天漲乾坤小。

【皂羅袍】閒則扳罾把釣。將魚籃一個。背月而挑。巨螯紫蟹帶生糟。晚潮壓酒賓堪召。圍碁賭勝。猜拳賽高。共聯白社。約會青苗。更有閒中交際山陰棹。

【好姐姐】種花兒。不低不高。恰教他水流花照。芙蓉五色。夾過水西橋。更荷花繞。每逢秋夏香難了。透着衣裾不可銷。

【香柳娘】更春風岸桃。更春風岸桃。水肥花少。癡肥恰是村粧貌。種籬邊野菜。種籬邊野菜。夜雨帶泥挑。滋味新鮮好。向池邊聯句。向池邊聯句。不用甚推敲。別是山林調。

【尾文】常常濁酒沉酣倒。高卧時聞拍枕潮。自起推窗正月上了。

予烟霞痼疾，出於性成。猶記五六歲時，便喜種植。以盆爲苑，以盎爲池，竟日徘徊，欣然如有所得。七歲就塾師，或遷延避學，無他嬉也，止遊戲於花草間耳。既壯，誘慕日增，時寄情於詩酒聲色，要以鋪襯林泉，未嘗忘本也。丙辰冬，始營西佘別業，遂爲先人卜宅，蓋便爲予歸骨地矣。己未秋，復移家圓泖濱，故予詞有置身峰泖間，避世詩酒裏之句。幽懷逸事，多散現於諸詞句字間，可考而得也。每春秋則居山，享桃梅桂菊之奉，覽烟雲月露之奇。冬夏則居水，長禾黍鷄豚之社，樂池潭風雪之觀，吾事不亦既濟矣乎。夫清福上帝所忌，自分福薄，何以堪此。但性有所近，天實賦之。違天不祥，拂性欺戾。惟願折功名富貴

之緣，併於一途，庶幾當懺悔云爾。自跋

子野有宅一區，在城東偏。然性宜泉石，不樂廛市，因營先公菟裘於西佘，遂葺就麓新居。齋曰三影，亭曰衆香，菴曰秋水，樓曰罨黛、曰妍隱，軒曰語花、曰聊復。更有竹間水上，西清茗寮，一燈十笏諸勝。瑶草琪花，芊綿芬馥。板橋石磴，蜒蜿崚嶒。方其玉鱗寂寂，翠羽唽唽，淺水冰魂。黄昏微月，恍游瓊圃，疑入羅浮。及夫桃舒小紅，杏破新粉，蓮抽並蔕，柳撲香綿，奚翅鳳巢僊姬，更進迭换。至若蓉塘初膩，桂叢乍發，嶺楓失青，籬菊始黄，最堪把酒拍浮，凭高長嘯。由此南折而上，爲霞外亭，檜柏蒙茸，松篁岑鬱。又折而上，則蘿蹊藤逕，盤旋委蛇，漸抵山之峻絶處，肯堂三楹，扁曰春雨，曰詩境，曰太古齋。九峰若拱，萬壑如縈，一鶴孤騫，片雲低宿，杳非復人間世矣。子野值春秋之季，必攜姬侍居焉，故比鄰陳眉公贈之詩云：人擁如花香國近，酒逢敵手醉鄉寬。蓋實録也。迨冬夏乃憩泖上之精廬。中有醉吟堂，竹妙齋，且閒亭，今我堂，飛絮亭。皆枕平皐，俯巨浸，凡蓴芡菱芰，鱸鱖鯊魴之屬，靡不畢湊。規制大約如山莊，而宏敞過之。茶寮湯沸，竹屋火熒。可絃可歌，或釣或弋。復造一畫舫，命曰隨菴。每風月清美之辰，放浪於鷗沙鷺渚之際，攜六七童子，吹洞簫，拍象板，鼓檀絲，唱自製詞。直令湘靈和歌，馮夷起舞，望者訝爲神仙云。況其文心簇綺，墨海翻瀾。少出殘膏，便足拾紫。抑豈疾痼烟霞，作江湖長已耶。夫人欲樂者，未必能樂。能樂者，未必知樂。子野饒其具，仍解其趣，可謂有全福矣。甲子小

春，偶讀泖上新居曲，聊紀夫勝情如此。且以見金谷奢，平泉癡，反不若子野小小結構，致足樂也！彦容跋

山園自述有跋

【南仙吕甘州歌】天容我嬾。只勾管人間。一片青山。考槃在澗。葺個茆屋三間。忙他没用且了閒。把秀竹幽花隨意搬。花鋪地。竹礙冠。繞花依竹放欄杆。花畦潤。竹徑乾。趁花尋竹問平安。

【前腔】開軒近水灣。把雲根洗出。瘦骨蒼顔。梅花一片。正映着雪後前山。夭桃文杏兩更番。漸開徧梨花接牡丹。荷珠戲。桂露溥。芙蓉一夜報初寒。黄花瘦。橘柚圓。蠟梅和雪紙窗關。

【解酲歌】怕天公不饒閒漢。敢辭他種花煩難。況凡花易活非稀罕。任搬掘與扳扞。柴門客到。應門自有花侍鬟。待客去花仍送出山。亭臺小。位置偏。偏教放在百花間。遮花日。映柳烟。護花斜矗小紅旛。

【前腔】笑人間恩千讎萬。怎如我碩人之寬。花畦竹圃吾恒産。前頭事任天瞞。今年多事。門前又開一塊山。更種竹搬花不得閒。花光護。竹翠攢。一家骨肉共團圞。

花生子。竹放鞭。花天竹地儘盤桓。消閒。

【皂羅歌】不少布衣粗飯。勸功名兩字。饒我牽扳。假饒霖雨徧人寰。怕眼前三徑先荒旱。休貪他好。把自己拚。花愁竹怨你何安。且吞花片。更數笋斑。尋常隨分好消閒。

【前腔】把幾字題於門板。但休教折損。儘許人看。不迎不送恕癡頑。黑甜每日抽身晚。君無訝。我意安。大家平善兩無干。從君怪。只等閒。我方高枕把門關。

【尾文】醒來帶睡揩雙眼。上竹外高樓自看山。渾忘却今朝未啟關。

予別業在西佘之陰，荒陋深僻，聊以逃名避人，灌園畢世耳。邇來生聚漸繁，園林日侈。眉公先生爲開山初祖，諸名家亦漸次開闢。於是改新路而喪其本真，鑿頑山而破其渾沌，耳目頓易，使人神魂欲飛。春之花，秋之月，倩女如雲，繡弓窄窄。冶遊兒烏帽黃衫，擔花負酒，每至達旦酣歌，并日而醉。剥啄驚夢，不問可知矣。夫吾輩草木同腐，入山惟恐不深，何堪喧雜偪人如此。且予兩年多病，深居杜門。客來題鳳，至鞭及愚閽，而罪及病主。甚且戕花折柳，翠殞紅殘，毀瓦踰垣，狂呼怒駡，能不視遊人若豺虎哉！倘能問竹平安，惜花薄命，則花之知己，即予之良朋，予且招致之不暇，忍使作門外漢乎？則要當以愛花爲自愛耳。乙丑首春，適闢治南山，種桃蒔竹，閱工石上，偶口占數語，自述人外之樂，而因爲

後幅一條，以告遊者。自跋

子野丘壑幽姿，青霞傲骨，其徜徉塵外，睥〔三〕睨寰中，要是天授耳。右詞自寫閒情，蕭疎高遠。如景星慶雲，可望不可致，夫豈樊籠中人也哉。沈竹田

侫　花有跋

【南雙調鎖南枝】金鈴護。錦帳捱。封家大姨誰敢猜。妙選出塵埃。向名園如意買。高低種。曲折排。泛紅濤。翻繡海。【朝元歌】鶯猜燕猜。忒作踐嗔他歹。蜂來蝶來。緊幫襯愁他採。待貼上金釵。繫將襟帶。忍教粉香塵土埋。就飄墜蒼苔。願盈盈踹將紅繡鞋。更修口懺花齋。願花緣常是諧。判個補填花債。受持花戒。那敢負恩分愛。負恩分愛。【香柳娘】折將來近他。折將來近他。膽瓶安在。枕邊燈下屏山外。掃將來坐他。掃將來坐他。香錦簇新苔。鞋襪分餘彩。嚼將來咽他。嚼將來咽他。沁入肺腸來。毛骨泠然改。【前腔】乞名詩詠他。乞名詩詠他。錦囊攜帶。一時聲價千金買。乞名工畫他。乞名工畫他。紙墨暈香顋。活現春常在。乞名姬繡他。乞名姬繡他。孕出美人胎。分外

生光彩。

【前腔】願輕輕雨灑。願輕輕雨灑。洗粧抹黛。蕭然標韻風塵外。願微微風擺。願微微風擺。韻臉笑微開。波俏世無賽。願疎疎月曒。願疎疎月曒。清影逗香階。永伴佳人拜。

【玉交枝】傍人休怪。這花緣前生帶來。命中干犯真無奈。撒風情本分應該。因此上錦囊拾得盡詩材。紅裙贈與添情債。但花開是我時來運來。若花衰是我時乖運乖。

【解三醒】我把你珍珠般待。我把你姬妾般捱。我把你花王頂禮常朝拜。我把你品命分明次第排。我把你開時命酒歡呼快。我把你落處填詞弔唁哀。渾填債。多只爲花星照命。摟得癡騃。

【尾文】爲花常是躭禁害。就受用名花也合該。再做首豔句新詞答謝來。

一生與花作緣，無日不享供養。使無奇文麗句，納交獻媚，亦甚媿爲花神薄倖人矣。甲寅春有祝花小詞，甲子春稍稍更定，自謂差効微情，然猶覺花恩深重，未能報頌萬一。清明花下，復填右詞。譜調生新，語意柔逸。深情委思，頗極其致。今人語諂媚之甚者謂之肉麻，是真可謂肉麻矣！第求免爲花神薄倖，鬚眉之氣，於此毫無所用也。本題初爲歌花，復改爲佞花，正道其實，且志我癡耳。甲子清暑齋日，納涼且閒亭偶記。自跋

佞花至此，萬種情癡。烟花主盟，豈容多讓。鄭君泰

花遇賞心，如佳人遇才子，自然供養奇擎。古人有爲之取涼，爲之畫眉者，要自是文波蕩漾耳。倘落村漢手，無論揉香剜玉，即狎昵留連，然而以蒿莽之氣，施之柳寵花嬌。此篇文字，殊覺疏庸草率。乃知佞花兩言，初非易事，豈容不識字人，妄稱花黨耶。右詞如此才情，自應判斷與花作配。夫花撰文章，依稀成字。筆拈芳艷，錯落生花。我不知其是一是二，宜乎其不媒而合也。陳眉公

丙寅初夏，集朱蕚堂，獲聽子野此詞，兼得讀其副本。一時坐客，同聲歎美。予時病酒，燈下不能辨細書，不覺爲之眼明，快飲十蕉葉。張佘峰

賦　月有跋

【南商調金梧桐】松間漸漸明。柳外微微映。探出花梢。忽與東樓近。低低與几平。淡淡分窗進。雲去雲來。磨洗千年鏡。照鞦韆院落人初靜。

【東甌令】山煙醒。柳煙晴。放出姮娥羞澁影。裝成人世風流境。摇幾樹西廂杏。浩然風露夜冥冥。細語没人聞。

【大聖樂】透疎簾照破黄昏。進鴛幃窺鳳枕。玉人何處瓊簫冷。心上事。夜香亭。多

應是半輪慘淡相思鏡。還可是一段幽深弔古魂。梨花夢醒。早鵑啼恨血。草荒煙暝。

【解三酲】有多少欄杆露冷。有多少高燭花明。有多少南樓好句裁三影。有多少綵袖籠燈。有多少曉風楊柳紅牙板。有多少歌館樓臺義甲筝。歡無盡。多應是冰魂蕩漾。逼出風情。

【前腔】更多少空窗製錦。更多少小閣挑燈。更多少楓江面掩琵琶冷。更多少茅店霜清。更多少悲笳曲罷關山静。更多少玉笛吹殘參斗横。情何盡。多應是冰輪有意。照見銷魂。

【尾文】一些兒清光瑩。幻出人間萬古情。我别把冷眼閒心向百花樓上飲。

曲譜玉盤金餅，詞之表表者也。但剿拾太繁，未免膩氣。甲子仲春之望，看月於就麓新居之罨黛樓。時宿雨初晴，碧空净洗。四山如眉，一輪安鏡。欲徵新句，頗厭蕪詞。因抒短毫，爲填商調。將以紙痕墨氣，暈出冰魂。情耶，景耶，不覺其略盡於此矣。以方前詞，或者駢贍不足，然而風雅過之。花月之下，使以香喉俊舌，撩袂長歌；更以玉簫金管，尋腔暗度。當使耳根心瓣，生氣一新。玉盤金餅，竟成謝事老翁，不得復向少年場争座頭矣。自跋

古今咏月詩詞，已極文人之變。羅洪先詩云：「欲憑此影向天問，汝蟾何物能縱横。頭尾藏縮止餘腹，中孕大地山河精。」此問月險語也。何大復云：「侯家臺榭光先滿，戚里笙歌影

乍低。與君相思在二八，與君相期在三五。」此吟月致語也。范元卿詞云：「銀葩星暈，點破琉璃碧。」又云：「銀漢無聲，冰輪直上，桂濕扶疎影。」李漢老云：「滿天霜曉，叫雲吹斷横玉。」此題月麗語也。曾覿云：「玉手瑶笙，一時同色。」又云：「何勞玉斧，金甌千古無缺。」周美成云：「眠，月影穿窗白玉錢。無人弄，移過枕函邊。」此歌月倩語也。然一粘色相，便落臼窠。少修博綜，遂嫌餖飣。總未若子野是詞，如水中鹽味，非有非無；紙上花光，不離不即。試共南樓老子，北里佼人，一傾耳焉。恍乎排紫清，入廣寒，聽霓裳三疊矣。顧彦容

中如低低與几平，淡淡分窗進。雲去雲來，磨洗千年鏡。又如裝成人世風流境等句，獨椕新聲。雖關馬再生，能道隻字否？彦容又評

句句是月，而使事用實，輕虚脱化，紙上幾無墨痕矣。殆化工筆也！呂鳴玉

按：首曲原作【梧桐樹】。【金梧桐】與【梧桐樹】僅第五、六句有别，明人常互混二者。施紹莘另有【金梧桐】「歌風」、「夢花詞」、「舟中端午」三套曲牌亦誤題【梧桐樹】，逕改，不另注。

吟　雪有跋

【南南吕梁州新郎】尖風一夜。彤雲千里。池面琉璃輕脆。六花騰舞。先春已奪花

魁。只見穿簾似燕。入幕如賓。灑脫無拘泥。釵頭扶上也。有情癡。就飛到爐烟心未灰。銷金帳。笙歌沸。纖纖玉手羊羔美。正開宴。豔羅綺。

【前腔】開簾疑月。開門無地。一幅米顛山水。江天釣艇。濛濛幾個蓑衣。只見危橋驢瘦。老樹鴉寒。小犬柴門吠。梅邊竹上也。故依依。更逗入松梢伴鶴棲。茅屋下。明窗裏。初煨榾柮青烟細。商茗事。儘幽致。

【前腔換頭】〔三〕乍飛來草榻無氈。更飄灑牛衣無被。問村荒店遠。酒沽來未。只見微晴漏日。忽暗藏天。恍惚寒山翠。誰家粧閣也。火初圍。想脈脈心情上客衣。庭霰積。瓊瑤碎。狻猊裝揑兒童戲，成忽敗。小興廢。

【前腔】太輕盈似柳絮顛狂。争縞素要梅花迴避。見窮途古棧。一人一騎。可有高朋夜棹。上客梁園。拾句蒼茫裏。詩成笑傲也。興尤癡。待搥破前山白玉堆。填谿壑。滿堦砌。紅塵打滅渾無際。炎忽冷。笑人世。

【節節高】風燈動夜幃。更飛飛。窗敲碎玉聲偏細。寒酸味。煨芋魁。烘綿被。天明一覺呵呵睡。人間尚有鶉衣碎。幾處繩牀赤脚眠。於中不要豐年瑞。

【前腔】空庖恰早炊。爨烟遲。瓊霙亂灑晨光碎。敲冰箸。瀹茗旗。園蔬脆。一杯麥飯粗歡喜。人間尚有瓶無米。幾處詩人得句詩。貧家何限淒涼淚。

【尾文】願憑一瓣風吹起。遮入綺羅筵裏。好帶却陽和一線回。

風花雪月，總屬化工。然使乾坤別開生面，莫過於雪，尤天地間一奇境也。一切酸腐餖飣語，對此都有慚色。予昨歲有畫眉序一闋，已曾譜之竹肉，第恨調屬黄鐘，近於板實，且文情亦似枯寂。乃復製右詞，庶幾窮雪之變，而調亦俊快。每當微霰初零，殘霙未死。紙窗竹屋，茗戰香焦。勝友名姬，花温酒烈。更以尖喉脆笛，高調穿雲。此時神魂飛舞，當在孤山梅影中，灞橋驢背上矣。自跋

歌　風有跋

【南商調金梧桐】青蘋葉勢平。春水波紋淨。動地撩天。把日脚高吹醒。飛花打翠屏。飄葉敲金井。移海吹山。直恁顛狂性。捲濤痕豁破嫦娥影。

【東甌令】更低低颺。款款生。撩帳搴衣不至誠。温柔偏解偷幫襯。剛出浴冰肌瑩。就微微針竇也留情。一線引香魂。

【大聖樂】做春寒遮入踈楞。漾釵旛頭上冷。鬢花吹落香顋影。帶幾線淚痕冰。多應是飄零恰似郎心性。可更是蕩漾如妾夢魂。燈昏暈死。正和花送雨。惱人春病。

【解三酲】吹不了愁香怨粉。吹不了瘦鐵窮砧。吹不了玉門關上秋鴻影。吹不了曉月津亭。吹不了夜深裾帶雙鴛冷。吹不了春煖弓鞋百草薰。淒涼景。吹不了柳綿如霧。古渡荒城。

【前腔】吹不了紙錢灰冷。吹不了野燒痕青。吹不了酒旗葉葉春江影。吹不了古戍烟横。吹不了人悲客路斜陽艇。吹不了鬼哭沙場夜雨燐。添悽哽。吹不了子規啼月。血遞微腥。

【尾文】任擷掀從淒緊。翻覆猶如人世情。怎地把世上癡人吹他春夢醒。

予既賦月，因念風月平分，而古人不多見歌風之作。宋玉風賦，分別雄雌，未免困於莊語，恐於封家姨擷花弄月之致，隔去萬重。乃爰尋舊譜，更度新聲，摹出一段無情之情，境外之境。遂覺吼天作業，竟成柔怨風流。誰謂一寸霜毫，無功於風月哉。自跋

賦月、歌風，兩詞可稱雙絶。而歌風尤難，非當行名手，不能辨隻字矣。沈文燮

詞家咏物，如作八股小題，決非學究頭巾所能辨。此詞妍雅風流，有翩翩裘馬少年之致。彼作老婆語者，舌重如石，即令讀此篇，恐亦期期艾艾，不能成誦耳。張聖清

花生日祝花有跋

【南商調黄鶯兒】把酒祝花神。願年年是好春。無風無雨清明信。狂生卧君。佳人戴

君。主人好事憐君甚。製新聲。移春小檻。箏阮配簫笙。

【前腔】把酒祝花神。願開時對韻人。香爐茗椀常相近。高僧許尋。名詩許評。阿翁濟勝身無病。更園丁。時時捱襯。絨索護金鈴。

【前腔】把酒祝花神。願先生粗不貧。酒錢猶可支花信。新茶正新。醇醪正醇。藤花竹笋剛肥嫩。綺筵成。飛箋召客。珠履破花痕。

【前腔】把酒祝花神。願吾曹盡後生。花前個個堪癡興。或折來上瓶。或掃來做茵。或酒籌探得簪於鬢。總多情。就春酲未醒。夢裏也懺芳魂。

【琥珀貓兒墜】祝花纔了。更低語問花神。誰似吾曹莽後生。花前生慣撒風情。惺惺。儘把我詩句褒彈。觴政經綸。

【前腔】祝花纔了。更私語媚花神。你出落丰標越後生。生辰今日遇晴明。須慶。多應是天付風流。勑嫁東君。

【前腔】祝花纔了。更笑語戲花神。不信伊家獨後生。我判百萬買娉婷。欺君。只怕你輸却風流。減却風情。

【前腔】祝花纔了。更美語慰花神。畢竟輸君占後生。妙年標致恰初庚。韶亭。好一似絶世無雙。出閤佳人。

【尾文】酬風酹雨愁花損。似我於君獨有恩。我與你歲歲年年永定情。

仲春十二日，俗傳爲百花生日。考之古，亦謂之百花朝。甲寅春，予讀書泖上，是日拉村中少年，爲祝花之集。因祭風雨，乞爲護持，其文曰：「惟神爲兩間勞臣，百昌施主。位隸巽隅，布離和而揚震德。神棲壁野，司畢宿而友箕星。春首一犁，頌恩澤者，在農夫口中。太平十日，獻治徵者，在天子殿上。若乃略灑芳林，園圃似錦。輕噓膩圃，花氣如烟。妙致騷人，趁手拈成詩料；幽情韻女，臨粧拾得春心。此又風流主盟，吾輩屢蒙奇貺。且是吟壇供奉，詩緘每借尊銜。但至仁無窮，施則不匱。而大德猶憾，受或非宜。于是持公道者，謂神之澤奢。眷花顔者，謂神之心妬。此固不足信之人言，然亦不可訓之物議也。兹者仲春十有二日，俗人之譚，傳爲花之生日。吟士之口，强名天之花朝。故某等典衣沽酒，竊泛霞觴。錫號徵名，荐申華祝。因是殺鷄爲黍，於神酬功。共口啣辭，代花乞命。伏念花稟妍姿，未聞以柔媚取罪。神有大力，豈待以摧折爲威。苟留一點之芳豔，庶大塊之文章不刊。無傷百卉之幽妍，即名士之風流未死。殆大有造於天人，豈直加恩草木而已也。神其鑒歆，繹聽斯語，尚享。」祭畢，各飲福酒，歌吹右詞。且綴以綵繒，各贈名號。梅號素心居士，其有老韻者，特號和靖先生。竹號高節先生。芍藥號鄭校書。牡丹爲金屋瓊姬。白海棠一株爲夢梨居士。池上夭桃號緋衣少年。門旁古槐號緑衣閣。柚爲秋香亭執事。橘爲赤心學士。紫微爲玉京貴客。菊曰東籬長者，有楝出屋隅，謂屋角守望。桂爲廣寒花祖。山茶爲陽羨酡翁。傍籬木香爲雪衣荀令。薔薇號司香院使。石榴爲安大夫。水仙曰夢甄侍女。其號西方美人者，則蜀葵也。贈已，乃縱擊鼓，紙錢紛飛，亂紅低度。亭午舉酌，進五菜羹，梅花酒。洞開四窗，花氣來往。東風徐來，客衣微動。一時人氣踴躍，快活不可言。日下春，移席就花。月剛上，復出就月。夜深花霧冥濛，座客醉影，傾欹而散。余復浮十數杯，嚼梅花數百朵而寢，時斜月在枕矣。此勝會不可不記也。自跋

乙丑百花生日記自撰

予自甲寅，始爲祝花之集。以後歲歲爲常儀，而乙丑尤盛。蓋葺治就麓新居，於此已八年，亭臺花木，漸漸成章。百卉競秀，干霄蔽日。名花勝事，始兩相映發。先是五日，徧召吾友。招漢水、決如、容卿、湛生、伯英、友夔於泖西。致巨卿、公選、存人於浦口。天馬凡六人，則竹里、鳴玉、瑞齡、鳴諧、伯明、茂林。城中凡七人，則眉公、伯瑞、彦容、東郊、子還、穉先，石公。方外兩人，則慧解、性白。山鄰止兩人，則陳壽卿、鄭君泰。是日先後繼至，有阻風不至者。初謂十二日，擬得十二人，已而止得十人。稍焉楚人李劍墟來訪，東郊攜一歌姬至，適如數焉。乃命酒洗爵，告奠風雨。金革間作，有聲無辭。凡以鼓吹天和，宣達陽氣。祭畢撤饌，始迎花神而致祝焉。予時有歌童六人，善三絃者曰停雲，善琵琶者曰響泉，善頭管及搊箏者曰秋聲，善簫及簫笛者曰永新，善阮咸吹鳳笙者曰松濤、霓裳。於是各奏其技，稱觴而前。每進一杯，歌小詞一解，而絲竹之音，從而和之。已而飲

福，左右互勸。小童登場，快歌迭唱。於時紙錢紛飛，紅雨如霧。東風洋洋，群鳥和鳴。萬樹懸繒，葉葉浮動。花神有知，當亦含哺而破顏矣。繼命庖丁，區處福物。山蔬野蔌，未免富貴風致。蓋茆簷之下，紅裙捧觴，青童典樂，山翁於此，亦似作繁華夢云。是年花信獨早，梅花未殘，桃萼已放。幽草閒花，望煖俱發。予乃滿貯古瓶，中堂置之，高及屋梁，光豔四出。而紛紛酒人，環坐其側，首則李劍墟，時年五十二，以楚人也，獨上坐焉。次陳眉公，時年六十八。次沈竹里，時年六十五。次張瑞齡，時年四十四。次呂鳴諧，時年三十五。次魏東郊，時年三十二。次張容卿，時年四十五。次張冲如，時年三十三。兩君以予戚也，坐獨居後。壽卿、君泰，以比鄰也，坐亦居後焉。壽卿四十五，君泰三十八。予時亦三十八，以主人居末坐。歌姬年十九，獨粉面蓮腮而北面坐焉。是日也，餚不甚豐，而小品俱出新意。酒不甚釅，而芳白可鑒眉目。令不甚苛，而敏妙静冶，酒糾誾誾然。至於臨池之月，快爽如秋。掀衣之風，猾浄如水。小童之歌，幽脆如鶯。坐客久談，如紛霏玉屑，至夜深不肯去，皆一時幽勝之可紀者也。嗟乎，人生韻事，能有幾何？一年豔節，能有幾日？倘眼底挫過，妄冀後期，正恐聚散閒忙，死生病健有不可知者也。試讀蘭亭序，閱西園雅集圖，遺文具在，人事如何，未免有情，有不對之而涕淚也哉。則與其悵歎古人，何如消受今日之爲得也。予將歲歲舉焉，明年當更爲護花旛，括香幕，羢鈴索，以珍重之。拉名士十二人，各製新詞。更令名姬十二人，立時翻譜，以讚歎之。且仿此遺意，從而侑月。八月十五，月夕之辰，亦將舉杯而酹姮老焉。庶幾花月同盟，良辰分享。更屬管城，傳示信史，令千載之後，與蘭亭序、雅集圖，共發有心人一痕痛淚。則吾輩朽骨，生氣恒新，姓名事蹟，常與斯文俱隱顯也。是爲之記。

乙丑祭風雨文自撰

方春時和，萬物條暢，山花向人，莞爾而笑，此五風十雨時也。乃兩月以來，神數見譴，狂霾怒號，十日而九。病粉愁香，俯首聽命而已。獨念某等小人，既絕妄念於人間，聊寄閒情於花圃。門無二仲，則花我友也。室無豔釵，則花我姬侍也。闢硯田之荒蕪，答陽春之烟景，則花我文章也。燥濕辨其土宜，柔勁和其物性，則花我經濟也。貴近爭肥田，世易其主。野文安廢圃，歲享其愚，則花我恒産也。落材可以供炊，取實何妨換酒，則花我泉貨也。折奇葩以寄所私，浸芳醪而投密友，則花我應酬往還也。簪酒籌而緑鬢粘紅，襯香茵而黄衫蘸粉，則花我冠裳枕席也。嚼芳豔而齒頰生香，沁清芬而肺腸開悦，則花我神魂標韻也。以故一枝傷如一體折，一瓣飛如一淚零，真所謂連心之痛，同氣之吁。所仰德於神者，夫豈鮮哉。伏願自今以往，鑒情癡之無涯，憫香魂之易殞。加意護持，順時矜恤。施恩於望澤之時，霽怒於厲威之日。使幔亭徹而不張，錦帳設而不用，則大德殊恩，無量無邊矣。某等不勝竦息虔禱之至。

乙丑祭花神文自撰

惟此之日，神實降生。錦天渾沌，從此方開。香國文明，於焉載啟。某等敢不鋪張豔節，鼓吹良辰，用是并日夙戒，厥明將事。既酒烈而香温，復絃繁而管細。從事皆韻士，稱觴有美人。預防意外之杞憂，酬風酹雨。似戲膝前之萊綵，裂錦懸繒。凡以曲致其留連，或者無慚於盛舉。神其來思，共含怡而飲我酒也。

韶華九十，莫妙於百花朝。燈期纔過，風信未來。柳線搓金，梅粧綻玉。踏青陌上，紈扇初攜。鬬草閨中，繡弓纔試。春兮將半，樂也如何。過此則芳林爛漫，觸目可憐矣。子野每際斯辰，便具羔豚以賽之，擊羯鼓以催之，譜豔辭以媚之，招良朋以祝之。且邀靈青帝，乞澤雨師，千樣護持，百般欣賞。花神有知，其不待曉風吹可知也。由是桃紅李白，魏紫姚黃，更替競發，豈遂貽未到曉鐘之恨乎。故吾謂及時行樂，子野有焉。即古人修禊秉簡，猶爲晚耳。甲子長至彦容識。

一團韻致，絶世風流。花營獨步，自應推戴。每讀一過，想見其人毛孔皆韻也。韓巨卿

惜　花有跋

【南商調二郎神】憐花病。見廢紫休紅點繡茵。輕又薄香魂全瘦損。多情薄命。經二十四番風信。烟雨樓臺一曲笙。更紗窗夜寒燈暈。添人悶。寶欄杆外欲謝難禁。

【啄木兒】含風笑。浥露顰。偏對淒涼掩淚人。乍飛粘錦字迴文。忽逗破繡牀香印。

春深小閣休文病。琴心近接蕭娘信。正獨自開箱檢繡裙。

【三段子】空中似塵。淡濛濛是誰人夢魂。苔前似鱗，點踈踈是誰人淚痕。平明一陣寒差甚，繡簾不捲風尤緊。正酒暈扶頭。倦粧時分。

【前腔】桃源杏村。灑香衫風流後生。花棚繡裀。點青氈詞壇俊英。儘教拾向奚囊錦。可憐一霎繁華影。知道明年。是誰相近。

【滴溜子】一片片。一片片。芳菲哄人。一點點。一點點。東君負心。作踐韶華直恁。子規啼一聲。撩亂古墳荒徑。幾回風雨。知多少藁葬芳魂。

【尾文】陌頭剩有弓鞋印。又付與花驄踏作塵。總件件教人憐惜恁。

吾輩惜花，當自有一種情味在。余嘗有詩曰：「但能痛飲便名士，解得惜花真丈夫。」識此意者花自可惜，宜乎此詞字字銷魂也。有客攜往金閶，爲歌樓所譜。云其聲大是幽怨，想當然耳。自跋

春江花月夜，最能愁殺人。況一旦粉憔脂冷，如虞姬起舞，緑珠墮樓，妃子葬馬嵬時，有不黯然悽斷者耶！倘於老紅紛飛，殘香銷歇處，撾羯鼓，唱子野詞，可以招月魄之不歸，弔芳魂之無主矣。眉公評

紅顏衰謝，千古傷心。讀此詞，令人情苗意瓣，纏綿無盡。想花神亦應淡然灑涕矣。單蘗園評

昔人云，天若有情天亦老。予謂芳園繡谷，春風扇和，嫩紫嫣紅，滿世界皆天公情譜也。韻士賞心，佳人動魄。其留連殢惜，亦何待重陰垂幕，落錦成茵時耶。雖然，造物亦必賴文人彩筆，爲寫怨摹顰，方成衆香國中一部花史。讀子野惜花詞，情深韻深，即封家十八姨爲柔腸繞指矣。董仁常評

善貌花者曰，似美人小影。夫殢雨迎風，以倩女顐面寫之，尚隔一重。何如即花寫影，非幻非真，更覺入妙。余從眉公齋，得晤子野，病骨瘦瘠，體不勝綺。而語花深至乃爾，不獨香豔如玉臺、西崑諸體而已也。高閬仙評

送　春

【南仙呂桂枝香】留春不住。勸春休去。無過柳眼花鬚。去也還歸何處。匆匆這回。歎匆匆這回。忙裏没些滋味。愁裏没些情緒。猛搴幃。花隨流水紅顔死。笋透窗紗粉淚垂。

【前腔】留春不住。怨春無語。争抛麯院臺池。怎撇錦天羅綺。匆匆這回。歎匆匆這回。樓上滿簾紅雨。陌上滿空飛絮。怎支持。添些春恨眉間住。攬得春魂夢裏癡。

【前腔】留春不住。灑春無淚。年年薄倖東君。識得機關破矣。匆匆這回。歎匆匆這

回。愁不共春歸去。春不共愁俱住。强支頤。杯中量減緣何事。病裏慵添爲甚的。

【前腔】留春不住。駡春無罪。東風忒恁無情。吹得老紅鋪地。匆匆這回。歎匆匆這回。處處斷腸之處。句句斷腸之句。弔芳菲。空餘杯酒堪懷古。剩有啼痕寄所私。

【不是路】猛自尋思。誰似鍾情吾輩癡。傷春意。留連何忍别春衣。暗傷悲。休他拾翠弓鞋底。冷落歌花小扇兒。窮生計。開窗風活關窗雨。暗燈孤炷。暗燈孤炷。

【掉角兒】[四]亂紅飛哭殺鵑兒。薄綿飄啄殘鶯嘴。這多應眼底炎涼。恰便是世間興廢。眼見得葬妖姬。殉韻士。換前朝。移後代。一番兒戲。春今歸去。明年再回。怕的是。芳菲不改。緑鬢添絲。

【尾文】一場春夢輕如此。一曲高歌春去。怎消得燕子鶯兒攪亂飛。

始而勸春，既而怨春。且繼之以泣，而終之以駡。何其低回宛轉如是耶？古人有言，怨而不怒，此可謂怨而怒矣。吾輩寧過情，毋不及情，不怒不可以爲怨也。顧闇生

此詞彦容首唱，吾輩同聲和之。初止桂枝單調，偶示歌師，謂其無餘音，似乎板實。乃補後幅兩條，不覺言之更爾酸怨。正如窮村怨女，夜泣已悲，更有熱心鄰嫗，從旁和之者耳。自記

綢繆宛轉，俯仰流連。或撫今懷古而烈士魂銷，或怨緑愁紅而美人命奪。紙上墨痕，已不堪

多讀，况譜之鶯喉耶？恐聞之者掬淚浣面耳！張子還

意不盡言，言不盡意。無窮感慨，一往情深。汪子野

元宵

【南南吕梁州新郎】千門花柳。九逵烟霧。結綵家家簾幙。騰騰火樹。星橋欲駕銀河。只聽南鄰敲鼓。北里吹簫。那個能閒坐。金吾不禁夜。放恩波。正萬井騰歡賜大酺。〔合〕春剛到。梅剛吐。况一輪皓月剛三五。不痛飲。待如何。

【前腔】春輕猶嫩。風温不大。燈滿雲衢月路。見嬌羞細語。櫻桃半顆無多可。奈花鈿低簇。金鳳輕挑。賣弄新粧裹。鞋兒弓字小。倩人扶。猛映着燈光豔綺羅。〔合前〕

【前腔換頭】鬧元宵絃管笙歌。慶豐年士農商賈。喜燈光隨月。月光隨步。只見皤翁扶杖。小女牽衣。個個還添個。佳人歡笑也。隔簾波。只惱得行人没奈何。〔合前〕

【前腔】喜良辰偏遇春初。樂昇平風光無數。見彌天花豔。絶非酸腐。早是燈棚高架。燈樣新興。總把春粧塑。誰家夜半也。笑呵呵。尚兀是怕睡貪歡問紫姑。〔合前〕

【節節高】風流逸事多。把綺筵鋪。傳柑共剥黄金顆。彈箏坐。拍板歌。拈花舞。律催太簇翻新譜。歡呼鶯落燈花朶。〔合〕怕不今宵醉如泥。月傾杯勸銀盤大。

【前腔】春烟散綺羅。泛紅螺。團頭明月清風我。與詞人坐。教名妓歌。把新詩做。一團歡笑圍簫鼓。畫堂人物盡風流個。〔合前〕

【尾文】儘判爛醉酬三五。不歡娱其如此夜何。把自製新詞得意歌。

施楓溪野外元夕云：「休嫌冷落山家，山翁本厭繁華。試問蓮燈十炬，何如月上梅花」。詞頗清豔，然未脱措大酸氣。子野「千門花柳，九逵烟霧」極麗矣。乃後段云：「團頭明月清風我。與詞人坐，教名妓歌，把新詩做。」抑豈村漢賞燈耶？宋元來燈詞，定以此篇壓卷。陳壽卿

燈夕花朝，爲初春令節。子野每走尺一相招，留連觴詠。推之雪晨月夕，時具勝情。因録其柬於後，令覽者仿佛其人，自堪不朽耳。巨卿識

春初遠辱惠顧，得共商元宵韻事，樂何可言。別後忽忽若有所失，何足下之牽人懷一至此也！今歲花朝，擬集名姬韻士，爲花神譜曲稱觴。坐上豈可少足下，足下亦焉肯自外耶。初十邊，即望偕存人作計入山，恐至期或有風雨阻也。僕今春舊恙復作，雖旦晚即止，第如此長病，可知閻先生意欲云何。不如與花月結爲姻戚，令青州從事作媒，庶幾是現前享受。足下少年，當惡聞斯言。然正欲作此頹語，激弟鋭氣耳。勝會難得，惟足下重念之。子野來柬

除夕有跋

【南中吕泣顔回】簾外鵲聲高。喜報春光將到。揭天簫鼓。家家熱鬧多少。圍爐守歲。看佳人素手裁旛巧。共稱觴笑祝檀郎。願青鬢映奴花貌。

【前腔頭換】明朝。青帝早臨朝。可又是花事看看來了。風姨月姊。更於中粧點多少。燒燈巷陌。有紅裙隊隊盡弓鞋小。帶鴉鬟纔去尋梅。與鄰姬又約鬬草。

【千秋歲】近花朝。紅杏枝頭鬧。一點點上芳草。草緑如烟。草緑如烟。遥覷着冶遊兒雕鞍藤轎。鞦韆架垂陽道。綺羅袖簪花帽。賣弄人年少。把花籃掛酒。竹杖高挑。

【前腔】醉紅桃。甫可是清明到。昨夜雨今日晴了。紫陌烟消。紫陌烟消。花容洗出十分波俏。朱橋外尋春棹。紫藤下烹茶灶。吟就新詩。好倩花鈿换酒。玉指吹簫。

【越恁好】荷錢纔出水。荷錢纔出水。潑紅潮甫秀萋。木香棚那壁。酴醿架盡白了。挽榴花樹高。挽榴花樹高。見碧溜溜小釵兒掛在樹梢。紅簇簇紫薇。白玲瓏茉莉兒分贈豔嬌。小池月高閣風。是處蓬萊島。看佳人笑指。牛女高照。

【前腔】早秋來至。早秋來至。聽庭梧一葉飄。恰穿針過了。正月夕天氣好。沸鸞笙鳳簫。沸鸞笙鳳簫。採香馥馥木樨兒插傍玉搔。喫中秋餅兒。又重陽餻脯兒捱到歲梢。菊未老蓉又嬌。橘綠橙黄了。見烟汀雁落。簇簇紅蓼。

【紅繡鞋】擘一股紫蟹霜螯。霜螯。扯一腿黄鷄肥好。肥好。收新稻。甫篘醪。扶紅袖。寫鮫綃。人都道是詩豪。

【前腔】紙糊窗雪下鵝毛。鵝毛。一枝梅窗外偷瞧。偷瞧。粧閣裏。有人道。羊羔熟。須快倒。不然啊怕雪霽了。

【尾文】一年日日風光好。莫道今宵是下梢。殘年過也又有明年春到了。

歲聿云暮，日月就除。農事已休，春耕未起。紙窗明煖，梅影蕭疎。雪月燈熒，夜幃茶熟。此時一盆火，一瓶花，煨芋數頭，家人姬侍，相與守歲圍爐。燒棗焚木，檢點一年區處。花月幾何，逋欠詩酒債若干。更似文心之波，旁及聲律。令小童歌自製新詞一兩章，覺枯寂之氣，一時遣去。鬢眉毫髮，皆温温然有生意。此山翁極風致，極快樂事也。予舊歲有南北雙調一闋，已曾被之絃索。中有云：「堪笑炎涼人情變，又共説元宵忘舊年。」又云：「若過望便千般未圓，若安分便於今十全。」大率現前止足之語也。今年迫除，偶念春花秋月，正無了期，且東坡云：「好風涼月即中秋，菊花開即重陽，不須以日月爲斷。」因復綴是詞，將將來勝緣樂事，一一譜入。令歲寒村巷，仍有無窮之春。冷淡山家，亦有循環之樂。雖預

彼奔馳於勢路名場，百年而爲萬年計者，於此猶堪伯仲否也。甲子臘八日記。自跋

但風花雪月，本等受用，安見非現前止足也哉。彼奔馳於勢路名場……

調本齟軏，而詞極秀熨。風流逸宕，亦麗亦尖。麗猶可及，尖不可當也。張冲如

興致彌天，風流蓋世。將無限風情勝事，收入寸管。要是胸懷浩蕩，能吞若雲夢者八九耳。人有言：不讀萬卷書，不行萬里程，看不得杜詩。予謂不如是亦做不得杜詩。今於子野詞，當亦云。朱伯瑞

世間樂事無邊，只許閒人韻人，隨處領略。非子野不知此樂，非子野亦不能爲此言。沈滜碧

金陵懷古有序跋

天生吾輩多情，常以今人弔古。覽江山之秀麗，恍乘海之升沉。無不觸目而感心，乃遂諧聲而按律。蓋愴興廢於前人，總成陳迹；而辨是非於後死，差有古心。如金陵者，誠古今佳麗之地，更國家根本之區。稽往事則六朝之遺蹟極多，已是死灰之不起。仰遺烈則聖祖之明威如在，豈無信史之可言。因兹搦管而陳詞，心花滲墨；當亦循文而見志，淚血成珠。嗟乎，文皇之嗣統，天也，時也。周官之輔政，才耶，德耶。不能無迂儒誤國之悲，寧自禁野老吞聲之哭。將閒心與春草俱青，而遺恨付江流無盡而已。

【南仙吕入雙調夜行船序】虎踞龍蟠。看江山妍秀。古今都會。人間事日夜潮來潮去。興廢。楚楚衣冠。擾擾干戈。紛紛宅第。如沸。今做了草頭烟尋得個斷碑無字。

【前腔換頭】癡兒。鑿破方山。笑區區人力。怎回天意。無多日楚漢龍蛇並起。從兹。三世開基。五馬龍飛。六朝更替。慚媿。空費盡祖龍心依舊有人稱帝。

【黑蟆序】殘碁。賭罷輸贏。〔五〕把楸枰剩在。再尋敵對。歎齊梁陳宋。總無長技。誰知。佛寺已劫灰。高臺是禍基。烏空啼。只見如夢前朝。在淮水東邊月裏。

【前腔】堪嗤。天塹中分。儘長江設險。好圖機會。怎神州未復。楚囚流涕。吁嘻。清談豈事機。偏安豈帝基。總灰飛。説甚砥柱中流。但揮麈風流而已。

【錦衣香】歎前朝。真兒戲。到如今。英雄淚。還笑幾許幺魔。要窺神器。誰知天命有攸歸。和陽一旅。日月重輝。笑談間萬里掃腥羶。羯胡北去。雪盡中原恥。替古今争氣。鍾山呵護。到開天地。

【漿水令】竟誰知北平兵至。破金川天心暗移。腐儒當國等兒嬉。紛更是非。不合時宜。周官制。成何濟。成王已掛袈裟去。孤臣淚。孤臣淚。滔滔江水。年年化。年年化。杜鵑啼。

【尾文】漁樵話裏成興廢。歎今古暮三朝四。向糊塗帳裏大家癡睡。

金陵自齊梁以來，稱烟花洞天，金粉福地。昔賢題咏，奚啻纍牘。有云：「舊時王謝堂前燕，飛入尋常百姓家。」悼晉也。有云：「商女不知亡國恨，隔江猶唱後庭花。」傷陳也。至王濬樓船一章，壓倒元白，亦止敘破吳事耳。荆公桂枝香，綿婉清新，膾炙人口。雖云本色當行，未必持風植紀。獨子野憑弔千秋，揚摧昭代。臚興亡之故案，蒐今古之前車。恨周官爲紛更，嘆當軸爲兒戲。覺一段深情幽憤，隱現於珠歌絹字之中。直令斷碣殘碑，凛含生氣。喪師屋社，咎有攸歸。豈第作關馬優孟，争妍韻調已哉。王元美評幽閨云：「無詞家大學問，一短也。既無風情，又無裨風教，二短也。歌演終場，不能使人墮淚，三短也。」蓋必如子野此詞，纔免三短。噫難言之矣！彦容評

此關係大文字，非目空四海，胸藏萬古，豈能雄渾如此。存人評

按：本套「黑蝓序」原誤作「鬬黑麻」。茲正。

合鏡詞和闇生作有序

闇生有章臺人，得之甚艱。向日曾相與賦問桃瞥見諸詞，何其悲淒怨慕！今以折桂手，作偷花漢，了不煩崑崙老奴黄衣客之力。而殘燈側，小窗畔，竟有向人話舊矣。此時之樂，恍惚夢境，無怪乎闇生亟被之筦絃也。篷窗夜雨，伸繭屬和。聊識闇生一

時盛事，且見吾輩亦有出頭日如此。

【南商調金索掛梧桐】安排錦繡窩。修訂鴛鴦譜。莫話歡娛。且話當初苦。記尊前一諾初。轉秋波。却不道花命艱辛受折磨。郎奔馳京國東西路。妾死守空閨日月梭。從頭數。星星記得怎模糊。真個是怨處恩多。恨處情多。今證了恩情果。

【前腔】曾從愛裏過。也向愁中坐。越是分離。越把心腸鎖。沙家事若何。付南柯。不嫁三郎頭不梳。寧使做吞酸忍楚癡兒女。決不似抛冷趨炎歹丈夫。非閒可。歷遭情劫忒多魔。到如今歡處悲多。却又是悲處歡多。攪亂了相攙和。

【前腔】怎車乾恩愛河。推不動相思磨。祆廟燒完。漸近藍橋路。今朝出網羅。到鳳凰窠。争氣潘郎成就奴。羞慚了搬唆誹謗銷金口。塗抹了長短方圓畫餅圖。從今啊。刀山變做軟衾窩。真個是悲處歡多。况更是歡處歡多。把歡字渾身裹。

【前腔】郎登折桂科。妾有奔琴路。就天樣高牆。怎隔得伊和我。滔天浪不波。渡銀河。眷屬團頭住大羅。從前苦楚將歡娱補。把此後歡娱做曲子歌。擎杯賀。人間花事等榮枯。我也曾歡處悲多。悲處歡多。可合撰悲歡譜。

言言真至，字字儆策。情根豔種，繡口錦心。何其幽微曲折如是也。沈德生

闔生此番情案，須作一傳，使後之觀者，知其辛苦萬狀，方知此詞字字信史。顧淡生

夢花詞有序跋

偶叩花房，忽成春夢。情知得鹿之非真，聊且書蕉而作記。蓋將鑴之巫雲片石，而藏諸南柯郡樓也。

【南商調金梧桐】屏山錦繡開。衾枕温香在。了却因緣。還却鴛鴦債。奇逢命裏該。也是娘拖帶。今夜燈前。心事纔明白。盟山一座填情海。

【東甌令】星前祝。月底猜。月底星前今半載。花顛柳横多魑魅。畢竟有前程在。臉邊情淚一時揩。竟穩取貼香腮。

【大聖樂】婚姻事天自安排。戰心兵今奏凱。非干色膽天來大。氤氲使遣教來。好向奇花隊裏争先採。只是分淺卑人怕未該。鴛鴦兩字。喜從來撩草。自今端楷。

【解三酲】從此後花灕月灑。從此後瑟静琴諧。從此後藥爐經卷償花債。從此後給酒縫裳試慧才。從此後風幃雪案親描黛。從此後香几燈窗看繡鞋。重思揣。恍一似當年驚喜。夢裏人來。

【尾文】貧無長物把風流買。但筆底奇葩將豔史裁。且將就休嫌嫁秀才。

予初非好色，直是多情。每爲憐花，時生癡夢。但柳絮隨風，從來未曾結果。而桃源問渡，於今忽地成仙。花譜初修，且喜名題繡榜。書仙下謫，多應天配詞人。水雲一旦化成膠，真稱遇合。山海千秋堅似鐵，無限高深。自知骨相烟霞，窮措大豈應有此。或云心腸錦繡，工句字焉可無言。乃翻蘭畹新聲，永鑄粧臺業鏡。雖然過眼成花，千紅萬紫，畢竟至人無夢，一覽三生。纔醒來脂粉叢中，已插入龍華會裏矣。自跋

從來文輯，借花事作文章。每每吹影鏤塵，而要非本色。如子野此詞，曲寫柔情，刺心入骨。及觀其序跋，夫豈流連惑溺者哉。人謂子野爲墮花業，予將謂子野爲證花果。眉公跋

予讀古人詞，雖名家如陳大聲、梁少白，亦不過明衍恬澹而已。未必字字刻畫，句句尖豔如子野者。每讀此篇，令人意中冉冉如風花之舞。存人評

園林初夏

【南商調集賢賓】洗園林一番芒種雨。荷錢榆甲纔舒。故故穿簾新燕乳。恰山堂暴熱之餘。衣剛拆絮。算茶筍一年春課。鸎絮語。風刮地亂紅飛去。

【前腔】新篁恰將空地補。柳根芳藻藏魚。見輕鴨浮來任意住。緑波波細草新蒲。水窗煙户。在楝樹亂花飄處。天欲雨。聽隔岸伏鳩呼婦。

【黄鶯兒】槐緑點茆廬。擁寒酸一腐儒。葛衣補到難縫處。譯山中鳥語。讀神仙異

書。北窗自有羲皇古。綢鮮鱸。西軒醉客。新月上簾初。

【琥珀貓兒墜】堦前百合。香泛夜窗虛。鼻觀心禪坐欲枯。偶然興到了詩逋。得句。覺風致嫣然。塵氣全無。

【黄鶯兒】村塢插秧初。聽蛙聲萬井蕪。晚晴脱帽科頭處。棗花兒漸疎。茭簪兒漸粗。嘗新蠶豆猶微苦。杖閒扶。看頑童好事。帶雨刻桃符。

【琥珀貓兒墜】落秧花發。茉莉買來初。種入房櫳深處所。摘花親手供妍姝。不俗。況更是解取新涼。何媿兒夫。

【尾文】園林儘自多幽趣。結夏端居好著書。人道先生越越迂。

眼前景物拈來便妙，而韻致遒逸，覺字字有仙氣。陳儀泰

神氣高閒，韻骨明秀，真可謂蕭然物外也。性夙評

舟居旅懷有跋

【南仙吕入雙調夜行船序】飄泊寒塘。歎人生何苦。别離如是。鴛鴦字輕拆好如兒戲。曾記。寶鴨同宵。寶瑟同朝。寶笙同醉。今日。獨自在蓼花汀空想霧鬟雲佩。

【前腔換頭】如癡。鎮日憑欄。不曾離一片。雨山烟水。閒心計數徧鴉凶鵲喜。傷悲。

燈盞兒昏。香字兒温。風窗兒碎。判死。就做道鐵心腸怕也難堪此矣。

【黑蔴序】當歸。蝸角蠅頭。把心花意蕋。等閒拴住。想樓前楊柳。濕烟鋪地。應是。香盡冷翠幃。腮珠濕繡衣。可憐伊。你敢是薄命佳人。我豈認薄情夫婿。

【前腔】無謂。捨玉抛香。把取涼休却。畫眉荒廢。問風流底事。一身客寄。迢遞。江岸遠望迷。清宵夢當歸。猛驚回。只有剩枕單衾。人隔際天烟水。

【錦衣香】别離愁。難迴避。别時言。心牢記。況有針線親拈。巧裁新製。口脂猶是污征衣。怎教伴我。草店寒鷄。啓窗兒一望大江西。平蕪如地。眼看人歸去。隻身偏滯。秋山似劒。割人腸碎。

【漿水令】上燈花渾如猜謎。酒消愁終難療醫。便宜討盡一雙眉。秋風透衣。宿雨沿堤。無滋味。增瞌睡。清清悶把牙兒抵。渾如在。渾如在。烟中夢裏。争飛出。争飛出。這愁圍。

【尾文】香羅一幅封回去。上寫斷腸詩句。四邊多是淚痕湮處。

予有釣舡曰隨庵。辛酉文戰，泝大江，抵金陵，遂舟居不復假館。每到山水勝處，便刺篙休焉。山有面背隱現，水有曲折平遠。兩涯烟柳，有高低疎密。乃船之去就斜横，可以隨緣選勝，詭遇徵奇。時天又陰晴不定，山雨欲來，風月如掃。朝霞夕照，水面通紅。新雁寒鴉，

點散影没，更隨時觸目之奇觀也。獨伊人之思，有不能爲情之甚耳，因爲長歌以紀之。他日重遊，此情味當猶在江山烟雨間也。自跋

辛酉之役，予與子野盤桓於隨庵者十餘日。山水風月，相與領略，俱人生未有之樂。時見子野多作詩詞，絶不了試事。予戲曰：「此行何爲乎來哉？」子野笑曰：「子見昔年闈牘乎？如某某者，亦峨然進賢，則吾與爾正恐富貴來逼人耳。烟景召人，心氣皆旺。且撇却眼前花，料理千秋業可乎？」已而與予皆鎩羽而歸，一番辛勞，竟成灰飛。而子野情言，至今猶然在牘。燈下校讎細閲，真堪字字不朽，乃知吾輩終不當以彼易此也。韓巨卿

言情婉轉綢繆，填詞蒼勁遒逸。情種詞仙，一人占斷矣！朱君深

按：首曲「夜行船序」原誤作「惜奴嬌」；「黑蔴序」原誤作「鬭寶蟾」，兹正。

桃　花有跋

【南正宫白練序】春如綺。正封拜花神近賜緋。渾得意好似少年高第。花中。豔獨癡。見一片紅濤灎短蹊。烘遊騎。粘杯印屐。照天鋪地。

【昇平樂】佳麗。繁華夢裏。見陶家姊妹。秀骨豐肌。無情有思。鬭新粧豔奪春衣。憐伊。五更心事怨封姨。曾記得武陵微醉。芳心未死。任杯傳渡口。一線春輝。

【素帶兒換頭】晴宜。雨亦宜。紛紛柳堤。關心處怎消得蝶埍蜂媒。蕭郎。舊姓崔。但詩句分明在左扉。多應是。相思有種。仙藥難醫。

【醉太平】飛飛。殘香病粉。向春池鏡面。歌姬扇底。玄都無恙。早換却眼前興廢。誰知。有人高卧百花溪。但午夢客來驚吠。笑他人世。公門趁熱。到頭無謂。

【尾文】千年怎待瑶池會。懽聊且眼前隨喜。休負了緑水春添鱖正肥。

花事繁華，莫過於桃。予向有問桃感桃兩詞，多人麗情，未嘗有詠桃之作。甲子秋盡，坐病竹妙齋。適新霜晝煖，窗日微明。妙穎剛銛，古研初滌。午夢之餘，文魔作祟。拈題不得，句若催人。乃乞靈武陵花祖，録用毛君，覺閒情冉冉，都從十指中出去。第苦詠物之作，太粘則學究之酸涎可憎；太空則又八寸頭巾，人人可戴。雖此雕蟲技倆，然亦字經爐錘，句屬工鍊者也。付之歌兒，喜其音節頗諧。更質之諸名家，或云使事脱化，俯仰情深。予不敢信以爲然，姑記之篇末，以俟知者。自跋

簇錦團花，細香柔豔。張子念

予禁足黄山十餘月，歸來孤山，正梅花如雪。比至雲間，則桃錦爛然矣。子野贈予詩，有「掃開一尺桃花雨，午夢纔醒恰見君。指上欲拈千個月，脚頭猶帶萬山雲」之句。掛錫秋水，廢十餘日，因得讀桃花曲。子野山居，桃花之盛，山中無兩。而此詞之婉麗纏綿亦從來絶

唱，可謂合之雙美。予常怪桃源中人，鷄黍酒肉，了無文波。使子野作桃源漁長，當不知如何衍成一片大文字矣。巽玄師

風情遐美，譬之登山臨澤，峰峽迴繚，使人驚歎，如乍入武陵。韓子翰評

楊　花有跋

【南南吕梁州新郎】花明如綺。蕪平如地。點點輕飾空退。繅綿撚絮。騰騰碎撲簾衣。只有蜘蛛網内。池沼灣頭。野性方才死。相將鶴髮也。共垂絲。歎白盡頭覷是春去時。留不住。推不去。有人枯坐空窗裏。扶酒病。算心期。

【前腔】天涯日暮。江頭春尾。漢苑隋堤休矣。模糊如夢。一痕驚破遊絲。偏向酒旗風底。畫舫欄邊。唐突無規矩。一從飄泊也。不來歸。但林外聲聲哭子規。留不住。推不去。有人獨立斜陽裏。懷古淚。送春杯。

【前腔換頭】乍飛來百子幃前。又悠揚秋千繩底。正池塘微漲。野花鋪薺。只見嫌紅細打。妬白輕敲。賺殺桃和李。陌頭新緑也。與眉齊。歎滚滚風流趁馬蹄。留不住。推不去。有人妝罷高樓裏。懷遠夢。哭花詩。

【前腔】但啣將鶯嘴還粗。蓦穿來蝦鬚偏細。更杯心鏡面。似停非住。況也如愁更

亂。比淚還多。團做傷春句。偏生輕薄也。偏天涯。況草緑花香滿路岐。留不住。推不去。有人掩淚篷窗裏。梳客鬢。曬征衣。

【節節高】萍生雪練堤。浪魚吹。畫船簫鼓江南樹。疎還密。東又西。迎如避。全無骨力隨紅雨。燕兒多少含糊語。可有長亭痛分離。一杯酒盡銷魂處。

【前腔】紛紛古釣磯。小橋西。半斜朱户春深閉。風將息。日漸低。人扶睡。打人有意人無思。自來自向牆東去。可有荒墳靄暮烟。紙錢鵑淚傷心處。

【尾文】一年一度春飛絮。惹多少有情人淚。將無數春心多付與。

春暮楊花落時，最能蕩人。一往深情，舉目無限。此詞或謂寫意摹神，已到八九。然正恐有寫不到處，慚媿香綿耳。憶戊午春盡日，天和雨晴，風緩絮定。與同社兩三人，登東城爲送春之飲。滿眼模糊，非雪非霧。一時坐客，各有心事，各不可向人道，此情味似未可以句字盡也。自跋

此詞可當別賦，月下感懷詞可當恨賦，直與江郎夢筆，争豔千古矣。陸性夙

古人謂絲不如竹，竹不如肉，以爲漸近自然。袁中郎虎丘記云：「比至夜深，簫板亦不復用。一夫登場，四坐屏息。音若細髮，響徹雲際。每度一字，幾盡一刻。飛鳥爲之徘徊，壯士聽而下淚矣。」予謂子野楊花等詞，每於聲音句字外，別有神韻，正須付若輩歌之。區區

排場伎倆，未足傳其妙致也。眉公評

詠物之作，若只如畫家粉本，圖寫形似，便未免文人酸氣。須得境中之情，言外之致，方爲摹神入化。閲子野詠物諸篇，從無一板實語。即至用故使事，亦如輕雲籠遠山，非有非無，似遠似近。運筆之化，立意之高，出語之韻，真少見其儔也。韓巨卿

贈石城董夜來有序跋

余落魄風塵，銷沉壯志。秋波浩蕩，感岸上之愁蘋。宿雨連綿，夢江南之芳芷。蓋悲哉之氣多感，而黯然之魂易驚。柔情縹緲，能無伊人之思。奇福難銷，孰是東家之子。偶尋花圃，忽睹仙妃。問姓則雙成是其前生，詢名則夜來乃其再世。年同碧玉，婷婷之致可知。骨抵輕雲，裊裊之容何限。有心人誰能堪此，多情種未免流連。乃寄豔於詞葩，聊紀情於夢蝶。

【南仙吕月兒高】〔六〕花星偏照。前宵夢兒好。偶到花叢裏。瞥見如花貌。生怕人瞧。背燈兒覷着了。他不道兒夫至。俺不道冤家到。俺忍不住偷將冷眼挑。他羞臉微紅一線潮。

【桂枝香】逡巡戲調。剛纔微笑。誰知事到其間也。暗地俏聲低叫。却教人怎生。却教人怎生。真個是柳慵花笑。抵不得酒容歌貌。俊多嬌。身輕女史應呼趙。有福檀

郎豈姓蕭。

【不是路】幻出藍橋。共叶秦樓一曲簫。奇逢到。合歡頭上夜枝交。福難招。解開螺髻烏雲裊。半髀酥胸白玉銷。誰承料。鴛鴦牒掛姻緣號。怎生推調。怎生推調。

【排歌】繡户風情。金猊篆消。西窗隙月偷瞧。一雙蝴蝶綴在梢。一對鴛鴦浴暮潮。惺惺語。半是嘲。惱娘常是撒心焦。低低問。半是招。泥娘常是撒春嬌。

【皂羅袍】如此掛人懷抱。把情根一瓣。種活心苗。梨魂已被杜鵑銷。楊花一任春風鬧。屏間燈燼。餘花自飄。枕邊茉莉。餘香亂拋。於中有事郎知道。

【大聖樂】映窗紗旭日初高。惜嬌眠嫌起早。碧欄杆外鸚哥叫。枕痕沁印紅桃。且喜玉臺此夜留温嶠。只是金屋何年貯阿嬌。情癡怎了。趁娘行睡着。揭帳偷瞧。

【解三酲】忘不得香沾片腦。忘不得汗漬鮫綃。忘不得破瓜年紀身材小。忘不得蝯客蛾眉韻味高。忘不得蓮花吐瓣尖尖舌。忘不得束素重封窄窄腰。千般好。忘不得千金一刻。刻刻良宵。

【掉角兒】歎酸丁天付情苗。向青樓姓名流落。誰承望性忒憐花。却隨處每逢花報。似伊家比花嬌。同柳寵。近今無。從古少。也容囉皂。一言低告。伊家聽着。但從今。花朝月夕。可是魂勞。

【尾文】揚州花夢癡難覺。夢逐西風到處飄。却被奇花又纏住了。

戊午文戰，予以首秋八日赴金陵。旅邸枯坐，蕭條若僧。適衝雨晚出，自鈔課街，循文德橋而西，卒飲於朱伯瑞寓。飲散，從子楚、安仲、禺中輩偕行，微雨如毛，酒力彌勁，忘其所之之迢遞也。乃邂逅董姬於燈影之下，視其年可十三。雙鬟初掠，眉目遒穎。細骨柔肌，如可摶掬。花心酒境，於此雙妙，遂定交焉。問其小名，曰月哥，乃以夜來字之。而贈之以詞，蓋原其名，且志其時其事也。自記

妙詞雋豔無比，直媿剩粉殘紅，不堪承當耳。已付蔣三哥玉簫度之，一夕旦便新聲盈耳矣。今夜惡雨，不敢復望高車。中秋月色定佳，正足下文戰凱旋時也。幸過擎杯聽新曲兒，且手撥琵琶以待。夜來柬中語

萬斛奇香，彌天花豔。古人麗情駢語，簡翰如山。求其如此才情，恐温柳輩尚須羅拜牀下耳。張子楚

予既薙髮，例不得讀綺語。偶過三影齋，子野出小詞示我，不覺神味灑灑。善哉參寥之言，譬如不事口腹人見江瑶柱，能無一朶頤。蓋正不須作空花觀，其尖豔處皆其血性處，大可助人機鋒。予請以子野爲師，甘喫痛棒也。蓮儒師

予長子野十五年，猶記其兩髩垂垂，不謂筆鋒直咄咄逼人如此！歲戊午，薄遊金陵，與子野流連文酒者月餘，因得識夜來於燈月之下。枯禪老眼，訝爲異人。初謂夜來，當以綺句爲

贈，已而見子野詞歎曰，無庸吾輩局外人作隔靴搔癢語。王禹中

閨　詞有跋

【南仙吕入雙調步步嬌】翠被香濃春寒夜。小閣燈花謝。窗紗月影斜。照着離人。曲曲欄杆下。驀地自嗟呀。早日長人去今宵也。

【山坡羊】急颼颼隔簾風大。冷清清隔窗花亞。瘦岩岩曾經病來。悶懨懨扭得身兒趄。半思他。三分又恨他。春光如許如許春無價。怎地離家抛人得下。思他。是真耶是假耶。恨他。是癡耶是夢耶。

【解三醒】思則思文人骨格皆風雅。思則思翰苑文章的大家。思則思風流略不喬聲價。思則思些事何曾肯使乖。思則思宵眠爲我煨金鴨。思則思睡起教他拾繡鞋。難抛下。思則思藏鬮鬭草。曾賭金釵。

【前腔】恨則恨良宵負了千金價。恨則恨春病緣誰逐日加。恨則恨書來舊套寒暄話。恨則恨要我通宵夢着他。恨則恨虚名也掛傍人口。恨則恨是我當初一念差。丢開罷。恨則恨傳來謊信。説便歸家。

【掉角兒】寄一股傳情玉釵。兼一幅揾啼羅帕。情知他未必思量。且胡亂試他心麽。

若果是十分歪。渾是歹。他既然。我索性。一勾都罷。伊家負我。非奴負他。偏是你。甜言美語。花上生花。

【尾文】可憐虛度歡娱夜。那一夜燈前不歎嗟。將一幅新詞和淚寫。

字字新思，言言柔韻。古今情詞，不啻充棟。然非枯淡無味，則塵俗可憎。如此新韻，可以前無古人，抑亦難爲繼起者矣。陸五如

五如予心友也。猶記此詞脱稿，適以原草裹藥。五如偶來，見之驚喜。散藥滿案，袖攜而去。遂爲好事者所傳，乃南及鴛湖，而北及金閶焉。今小詞行且付梓，而五如墓木拱矣。撫詞之墨如新，心友之骨已朽。燈下偶閲評辭，不覺五内欲裂也。自記

夜雨

【北雙調新水令】没人庭院種芭蕉。慘模糊隔窗烟草。引淒涼來枕畔。欺薄命上花梢。急打輕敲。亂灑斜飄。總送個愁來到。

【駐馬聽】燭影紅摇。翦翦風威寒正悄。茶烟青繞。騰騰篆字濕初飄。低楊直接水西橋。嗚蛙總在池邊草。一兜兒軒屋小。悶開窗可竟是無昏曉。

【沉醉東風】盼遠信雲昏鴈杳。愴心期水漲天遥。一陣價孤燈罨盞昏。一陣價萬葉臨

窗閙。打梨花門掩牆高。柔櫓咿呀鶩外摇。烟霧裹垂陽畫閣。

【折桂令】一聲聲空外瀟瀟。鷄也膠膠。漏也寥寥。竹也蕭蕭。樹也摇摇。怎消得簾衣裊裊。窗紙條條。扯淡的把香也燒燒。碁也敲敲。書也梟梟。燈也挑挑。

【離亭宴帶歇指煞】〔七〕簷頭鐵馬偏生閙。懨懨殘夢纔驚覺。這淒涼怎熬。地兒卑後近山。宅兒小斜通竹。窗兒矮前臨沼。但從教有淚垂。總只是無人到。白茫茫長暮潮。討得個風回門自關。霧濕絃初劣。火歇衣剛燥。準備着惜花起早。聽得人耳待聾。要得人眉皺了。

石苹雨景詞云：「芭蕉又發没人處。」子野則曰：「没人庭院種芭蕉。」可謂青出於藍。夫芭蕉送雨顛風，最能挑人離索。故昔人有詞云：「窗外芭蕉窗裏人，淚向心中滴。」比隔個窗兒滴到明，更覺酸楚。又蔣捷云：「流光容易把人抛，紅了櫻桃，緑了芭蕉。」又無名氏云：「眉黛小山攢，芭蕉生暮寒。」又吕聖求云：「誤了芳音，小窗斜日到芭蕉。」是不待夜雨蕭颯，乃添悽況矣。

此篇酷似貫酸齋。顧彦容

雨景易摹，雨情難寫。而情中之景，景中之情，尤是難寫。此詞可謂曲盡其美，直謂爲雨賦可也。豈直雕蟲伎倆哉！竹里評昔有人令人作江賦，以千字爲限，而止得七百。其人恚然曰：「何不以江之左右悉言之，此文家三昧也。」此詞頗窺是旨，自不須字字訓詁，而自然語語生動。子野曾于秋梧雨館，令小童以單箏度之。文既悽然，聲復哀怨，遂覺窗外瀟瀟，點點是淚。眉公跋

漁　父有跋

【南仙呂桂枝香】風頭雨急。船頭人立。穿肩自織蓑衣。戴頂新編箬笠。把綸絲下鈎。綸絲下鈎。雪浪滿江推白。遠岫帶雲堆黑。把船撑。烟裏雙枝槳。蘆根一點燈。

【不是路】四面山青。一隻船兒柳内横。趁潮平。呼兒抱女自扳罾。活魚烹。若非骨肉團頭會。也是鄰船熟面朋。傾磁甏。明朝捉得魚時分。再來酩酊。再來酩酊。

【長拍】渡口潮生。渡門潮生。風涼月静。横笛聲没腔成韻。五更夢覺。船艙中把脚伸伸。没事到伊心。不消計較生涯穩。惡浪灘頭高閣枕。任東西一片布帆輕。更誰知生兒長大了。也有天婚。

【短拍】富貴貧窮。富貴貧窮。從來没定。再不聞餓殺漁人。忘記姓和名。魚蝦裏蠢然性命。只靠着魚糧豐稔。幾曾愁米炭柴薪。

【尾文】綸竿頭上容漁穩。少風波處便安身。還笑那着甚羊裘嚴子陵。

「魚蝦裏蠢然性命」，此漁父頗是高遠。若果如子陵披羊裘，釣澤中，乃至足加帝腹，太史指爲客星而惡之，似大非釣魚本旨也。正恐魚蝦見而深入，終其身不獲一鱗耳。自跋

余嘗有題漁父詩，落句云：「猶是有機心，一點竿頭餌。」此言更有入處，請子野再進一步。太平樂府載白無咎鸚鵡曲云：「儂家鸚鵡洲邊住，是個不識字漁父。浪花中一葉扁舟，睡煞江南烟雨。覺來時滿眼青山，抖擻緑蓑歸去。算從前錯怪天公，甚也有安排我處。」極形容釣叟之樂，然正恐機心猶在耳。子野云：「魚蝦裏蠢然性命。」又云：「還笑那着甚羊裘嚴子陵。」此漁隱大有眼孔，必曾問津桃源者。彦容跋

予草庵在申浦口，江水吐納，風烟萬狀。時見漁舟如鴨，翼比而泊。有一翁貌如五十許人，予童時即見之。二十餘年，容色不改。得魚即賣錢换酒，與鄰舟翁歡飲劇醉。未嘗見其空乏，亦未嘗見其有餘錢。人都忘其姓名，只以老翁呼之。去年八月，忽辭衆曰，因緣盡矣。拱手揚帆而去，竟不知所之。乃知浮家泛宅中，多有得道者，當不過寓言於漁耳。子野此詞，曲盡漁人風味。但猶在綸竿頭上尋討生活，若更轉一解，則可以終身垂綸不得魚矣。性自評

予少子野兩年，方爲兒嬉，即相得甚歡。未幾，同爲諸生。子野英英秀發，有鞭箠四方之志。予亦落落自負。潦倒十餘年，奔走名場，初無是處，而忽各鬑鬑有鬚矣。予且退休於長泖之上，萬水之中。茆屋如粟，僻遠荒凉。魚鳥爲政，予故自號芥舟，日捕魚。子野因寄予

漁父詞，且系以詩，有「釣竿終日稅魚糧」之句。丁巳秋，子野造予廬。四壁蕭然，三徑蕪沒。顧視圃中有蔬，牀頭無酒。謀之於婦，得一釵賣之。乃相與留連信宿，秉燭論心。話到不平，拔劍砍地。子野笑曰：「此豈所謂逋漁者耶？」且笑且歎，攢眉者久之。嗟呼！吾輩心熱命寒，乃不得馳驅皇路。至托之江干雨笠，楓岸烟蓑，一何無聊至此哉！每披此詞，未嘗不神遊釣叟之樂，然爲此感歎者正不少矣。戊午秋初，秣陵舟中記。五如

五如深遠英特，用世士也。不幸蘭摧，可勝玉泣。右語自寫掀髯扼腕之致，真堪傳神。乃附之詞末，令百世之下，人人識吾五如，庶幾不死云爾。自記

問桃和閭生作有序

三郎夙負情癡，時生花夢。東城有曲水小橋，露桃斜照。曩時攜手江皋，花枝人面，所掩映多矣。一旦蕭郎路人，能無依舊春風之感乎？因爲問桃一章，吾輩皆屬和焉。

【南商調二郎神】春纔好。正寒食東風柳外嬌。一樹桃花和晚照。微微暈臉。分明是舊識丰標。却爲甚低頭微似惱。想不耐燕鶯羅唣。没分曉。可記否當年花底魂銷。

【集賢賓】朱門繡閣深窈窕。一枝潛鑠春嬌。怕鏡裏公然憔悴了。渾不似舊時遺照。殘紅細草。知幾許雨帆烟棹。心下惱。不明白悶死夭桃。

【黃鶯兒】幽恨倩誰消。殢花枝怨樹梢。緣何問你翻含笑。春江晚潮。春烟柳條。怕

從今總是相思料。但花朝。酒盃詩句。於此一吹簫。

【琥珀貓兒墜】阮郎標韻。翻做沈郎腰。重到玄都無分了。殘花紅與淚珠飄。心焦。

怎下得教人。今日明朝。

【尾文】花神似也回言道。道兩地相思人總老。直到天老依然緣未了。

妙在句句是問，天老依然緣未了，竟成詞讖矣。戴孺容

俊逸絶塵，眉宇高潔。而婉麗當行，更屬詞林能品。張漢水

文生於情，非情人决不能爲文人。多情如子野，自應咳唾九天，隨風珠玉也。友夔評

錢塘懷古有序跋

錢塘名勝，甲冠江南。吾輩情深，不居人後。過六橋而見桃李之空花，步孤山而趁鶴梅之幻影。緬念古人，遂成疇昔。風景不殊，終日畫舡簫鼓。凄凉何限，千年荒塚狐狸。兩岸青山，可是文人筆塚。一朝紅雨，依然粉面啼妝。干戈已歇，空餘草木之兵。陵墓無痕，只剩牛羊之笛。誰分誰是而誰非，孰辨孰興而孰廢。似分劫火於秦坑，燒空熱惔。爰賦文波於江管，寫盡閒心。敢云字字可憐，竊謂聲聲是恨云爾。

【南仙吕入雙調曉行序】傳説錢塘。是鶯花山水。鬧天熱地。誰知是千古有情人淚。

愁睇。古路殘碑。廢井新田。斷橋荒寺。如此。知換却幾多人可是影中裝戲。誰知。

【前腔換頭】萋迷。白傅堤邊。草含顰不辨。筧湖碑記。人烟聚六井不淘荒廢。功在蒼生。也有而今。空勞心計。閒氣。還有個恨無邊塔下千年慶忌。

【黑麻序】[八]堪疑。野老林逋。但妻梅子鶴。淡緣高寄。問玉簪端硯。此人何罪。淹淚。百歲有盡期。詩人也廢基。暗悲悽。只有蘚合花深。仿佛斷橋名句。

【前腔】重題。坡老當年。儘風流太守。問花參偈。自黄州去後。六橋烟蔽。癡睡。琴操久不歸。朝雲甚處飛。惱人意。眼見蘇小墳頭。松柏盡枯無樹。

【錦衣香】問衣錦山。誰榮貴。問翠微亭。誰恬退。只可惜報國精忠。奉牌十二。十年心力一朝灰。千秋切齒。礫檜分屍。笑優游人在半閒堂。身謀家計。人國同兒戲。葬身無地。如今化作。業風妖氣。

【漿水令】種冬青痕消迹廢。問遺民誰知是非。從來亡國總灰飛。傷心至斯。天道何知。桑麻地。烟花市。焉知不是藏龍處。真堪哭。真堪哭。蒼烟荒雨。公然見。公然見。遯[九]竄狐狸。

【尾文】江流九曲疑成字。寫不盡古今興廢。可憐月送暮潮歸去。

癸亥三月，予坐雨湖上，亦成弔古一闋，然只寫趙家南渡而已。子野攬古綜今，舉一切幽踪秘跡，豔種愁端，盡譜之竹肉。嘗從耳熟後，按拍歌之，恍入六橋花月，兩山烟雨中。即以此七調當一部游覽志可也。彦容評

西湖事蹟極多，此詞收括無遺。縫合無迹，殆化工手也。至筆意之老，墨氣之新，更須獨步詞家矣。徐彤父

武林城平直如几，兩高峰突兀如奩。而西湖一點圓明，正如青銅出匣，爲古今業鏡。凡興亡炎冷，總無遁形。譬之寶鏡臨粧，今朝之眉暈纔新，明旦之鬢鬟重換。妍媸好醜，自去自來。清光不改，止添蘚緑。然而照鏡美人，已不知换却幾多矣。此詞極言影花泡幻，頗似該核。而調笑悲啼，兩極其致。是使古今無遁形者西湖也！使西湖無遁情者此詞也。攢愁數恨，傳古人不死之心。畫地指天，聳今人欲豎之髮。蓋擲翻二十一史，散寄於天人之籟，使千秋血淚，化形爲聲，庶幾磅礴六虚。而風呼雨號，皆是物耳。嘗試於蘇公堤上，處士墳頭，山雨欲來，桃雲半死。以一紅牙，一頭管，曼聲唱之，當年綺豔，今日淒凉，總隨竹肉餘聲，零亂於烟花草蝶之際。而青山不語而含顰，黄鳥欲言而無字。爾時柳眼花鬚，無不慘慘欲淚，而何况吾輩也。猶記戊午初夏，薄遊江陰，偕沈德生、張曙台、夏子奇、周爾章，登君山絶頂。江流浩蕩，山色參差。懷古情深，憤悱欲發。適有漁歌一聲，隱起於蒼波浩渺之外，不覺大叫欲絶，相對泫然。蓋惟聲感人，正不須辭與境合。况此聲聲沉痛，將眼前興

廢，挑人肺腸耶。宜乎其感愴之深矣！丙寅分龍日，峰泖浪仙重記於竹間水上。自跋

世間升沉萬狀，觸目可憐。屈指君山弔古，曾未十年。而德生已化爲異物。曙台諸君，亦逈絶天水。空有書來人遠，夢破人離耳！即此已足千古之恨，不須更向夕陽衰草，問斷碣殘碑也。花影集行，曙台諸君會應見之，當知酒徒無恙，老更情癡。蕪詞半幅，便可作寒暄書矣。獨恨松杉烟雨中，有一不可復作之德生。從此千秋萬歲，永爲牛羊樵牧之墟。但供有心人感懷寄恨之具，寧不痛哉！寧不痛哉！所當重譜一詞，爲前詞補遺可也。又自跋

余往遊湖，當山空霜滿之候，蛩淒猿怨之辰，水淺鷗明，松繁鐘碎，乃放小艇，歷孤山，出西泠。於寺，於橋，於曲樓遥樹，於斷岸，於殘邨，無不極動息留連之致。爐沸高人之語，香參古樹之魂。攜子野右詞，放歌哀吟。飛鳥爲之徘徊，游魚聽而決驟。吴王臺上鷓鴣啼，越王宫中烏鵲飛。祇令人念鴟夷子，五湖誰載月明歸。歸與歸與，復令我遐想扁舟時也。沈興可評

聞子野先生，雅以張子野自命。予生也晚，不獲登堂奉教，唱雲破月來之句。時聽吾友巨卿、存人、敬安，誦説勝情，擒揚藻豔，彌深嚮往。適同遊西湖，巨卿攜此詞相示。摭事入化，懷古多情，令人欲歌欲泣，恍從江山烟靄中，晤對先生，當不復厪不見古人之恨矣。董子愛評

送　春有跋

【北南吕一枝花】香披錦帶亭。雪散酴醾架。燕巢忙壘絮。蜂蜜静蒸花。柳拜新椏。怨春歸枝上黄鸝罵。感花謝窗中紅淚灑。喜疏鐘未動猶春怕。嫩暑輕添欲夏。

【梁州】又一度繁紅鬧緑。又一番乳燕鳴蛙。歎東君恁地無情煞。勾銷了白茫茫梨魂夜雪。收拾了俏夭夭桃面朝霞。趲上了緑陰陰鴉藏柳帶。作成了皺微微魚唼萍花。收藏了香噴噴筤籠新茶。準備了軟騰騰艾虎輕紗。羞慚了錦燦燦搜句奚囊。退後了曲彎彎踏青布襪。冷落了乞琤琤花底琵琶。把人。痛耍。似白頭吟守臨邛寡。歹東君應受罰。把酒殷勤問着他。下得抛咱。

【駡玉郎】怎使俺凄涼終日守閨闥。關兩扇破窗紗。支持愁病無方法。粘不上落地花。說不出傷春話。遮不住臨頭雪。

【感皇恩】呀。且引如花。坐着繡榻。湧一湧臉潮霞。撥一撥銀義甲。拍一拍象紅牙。掩一掩青團寶箑。唱一唱陽春白雪。我只待留春住怎留他。只落得句句愁似燕子説。字字淚似杜鵑血。

【採茶歌】只見那流水外兩三家。遮新緑灑殘花。一陣陣柳綿兒春思滿天涯。俺獨立斜陽之下。猛銷魂小橋西去路兒斜。

【煞尾】但茫茫荒烟野水無窮也。況悠悠錦字琴心没半些。這度傷春非當耍。真個是留春無計。送春又怕。只落得惜花飛怨風吹把酒兒和淚呷。

送春兩字，無限傷〔一〇〕心。已譜南宮，付之簫管。復綴是詞，並被絃索。淒涼悲壯，始各極其致。每歌此詞，大都在落紅飛絮中。一時情味已爲香綿病粉，攪亂攧翻。而絲愁竹怨之聲，復嫋嫋耳根，倘未免有情，敢問誰能不痛哭也！自記

情字爲骨，豔字爲肌，韻字爲神。如此北詞，恐未許元人夢見，且無論當代也。韓公選

中　秋有序跋

中秋是第一可憐夕，對酒不飲，謂可憐人何！因綴小詞，徵歌引滿。坐上名流，且攜孔子觚，劉伶斗，東坡金蕉葉，同歸醉鄉去來。

【南南呂臨江仙】明月清風真我友。人生此外何求。臨風觴月月當頭。正是有秋堪贈客。惟酒可忘憂。

【金索掛梧桐】早推開月面愁。放出秋容瘦。一點如錢。正在樓南首。簾衣半上鈎。颺輕柔。見隱現嬋娟似害羞。待高持冰鑑評詩酒。更别聘烟鬟嫁斗牛。高探手。廣

寒堪折一枝秋。我這裏酒有花籌。曲有鶯喉。這消受真消受。

【前腔】南樓興未休。吾輩能詩酒。吸盡清光。月印粘於口。從來這晚頭。幾淹留。歎庾亮而今也廢丘。當初曾把秋消受。到今日他還有分否。須參透。這杯中緑蟻儘消愁。可憐這一度中秋。早剩得半夜中秋。漸漸又三更後。

【前腔】誰分一半秋。想天與人分有。這月底清歡。莫放傳杯手。還須叱怒虬。向廣寒遊。醉眼摩挲將桂子偷。把霓裳譜出鈞天奏。可不是絃管吹雲儘破愁。休慳酒。有羅衣堪當更何憂。須知有客路傷秋。還有個小院悲秋。又似得尊前否。

【劉潑帽】中秋風正涼時候。氅衣輕紗帽籠頭。流螢幾點翻羅袖。韻致遒。把酒政閒窮究。

【前腔】中秋月正明時候。桂花陰倒插人頭。紛紛坐客陪迂叟。賭酒籌。分險韻催詩就。

【前腔】中秋人正閒時候。浸葡萄白酒新篘。飛箋召客無生友。莫去休。你去時定拽着衫兒袖。

【尾文】腰圍幸免休文瘦。鏡面全無潘鬢愁。且學個劉伶常害酒。

淒怨纏綿，風華蘊藉。達生之言，更饒情致之語，美人耶？道人耶？錢四如

此詞前段頗纏綿，後段頗夷爽。如初入迴欄曲徑，使人意思幽深。已而忽得大路，更使人神氣開展也。眉公評

渾身騷雅，隨口風流。一經其手，字字秀，句句韻矣。包稺先

懷舊

【南黄鍾畫眉序】孤燈伴愁寂。院落沉沉雨花滴。更流螢冷淡。候蟲啾唧。今宵裏數恨三年。方寸内量愁千尺。〔合〕眼前無限心頭事。過去了怎生留得。

【前腔】當年正今夕。兩個團頭起和立。記燈光影子。一雙東壁。相攜手只惜從前。誰料得尚餘今日。〔合前〕

【前腔】從今與伊隔。彩鳳青鸞没消息。歎蕭郎真個。路旁行客。朱門老一段青春。人世過幾番寒食。〔合前〕

【前腔】燈前展書跡。小字蠅頭噴香墨。料從今之後。半行難得。花箋上日月時辰。應變做怨時愁刻。〔合前〕

【滴溜子】漫説道。從來。兩心鐵石。更誰知。别後。夢魂空憶。就哭得淚乾何益。今生要見他甚時日。浪信傳來怕多不的。

【鮑老催】追思那日。奇花一朵親手摘。春風被頭鴛鳳匹。是錦繡緣。繁華命。風流敵。巫雲柔軟嫌風急。柳線輕摇嫩無力。真個是相憐惜。

【滴滴金】花開並蒂花遭劈。線結同心線還拆。揚州夢有回來日。將海誓丢山盟息。且把韓香返璧。從今一場春事畢。好歹來生。和你再相覓。

【雙聲子】黄昏立。黄昏立。細雨灑尖風急。青燈側。青燈側。眠不穩空勞憶。眼見得。眼見得。畫不出。畫不出。似亂花飛過。怎生邀勒。

【尾文】從今勾却風流筆。須把從來念頭息。只恐陡上心來消未得。

一聲一淚，一字一珠。蓋賦情之深，自能窮思之變。將從來相思套語，一切洗却。獨寫其意中之意，情外之情。如一幅新翻貝錦，自然文采焕然，不須更付染人也。顧闇生

月下感懷有序

眼底空花，憑您自開開謝謝。身中真果，培他要歲歲年年。休説功名富貴，無過白骨生涯。莫分好歹賢愚，總是黄粱公案。不識影中幻相，真性何存。但知個裏虚無，源頭便見。所以清虚禪教，全非香味色聲。就是好事儒家，豈開富强禮樂。但解當前破幻，何須别處尋真。如行到山窮水盡，回思歸路巉嵒。似填得海竭河乾，不用慈航自

渡。此命篇之意云，亦喚世之法也。

【南大石調念奴嬌序】陰晴萬古。這冰輪不改。憑人覆雨翻雲。欲向吳剛。求利斧劈開懵懂乾坤。休諢。一點山河。三千世界。人間萬事總虛影。〔合〕多管是。清光夜夜。照不分明。

【前腔換頭】癡甚。天公哄您。並沒個好歹。賢愚忠佞同盡。萬里江邊沙上骨。這是隋唐秦晉。休逞。扯破衣冠。丟開禮樂。到頭畢竟認誰真。〔合前〕

【前腔換頭】忒狠。將相功名。君王社稷。争教一代一灰塵。早發掘壘壘前朝荒墳。冰冷。笛暮牛羊。蛩秋烟雨。當年氣勢嚇誰人。〔合前〕

【前腔】重省。酷慕神仙。浪煎藥物。心長命短與誰争。碑額上標題隱士先生。傷情。狐戴頭顱。鴉翻皮肉。大丹畢竟甚時成。〔合前〕

【古輪臺】漫胡評。從來些個總無憑。功名富貴天之分。怎生僥倖。況到底空花眼前。豈伊畢竟。有事到垂成。被人作梗。有凌雲奇志。困青衫叫天不應。有高才短命身傾。有星霜白首垂涎。如斗一顆金印。成敗豈由人。今宵景。蒼烟荒野鬼無靈。

【前腔換頭】須聽。還有專寵宮庭。也有獨守鴛幃。恨人薄倖。也有嫁得蕭郎。却有日路人相認。有恩愛夫妻。衾挨肩並。有夫婿恩榮。捧將來縣君誥命。有伶仃孤苦艱辛。高高下下。如今白骨。總成枯梗。天眼太昏昏。今宵景。一聲長笛曉風清。

【尾文】一輪月萬古情。笑如此人間癡甚。但閒氣教伊莫要爭。

睥睨乾坤，揶揄今古。碧眼如炬，空花幻泡，覷破多矣。袁仲聞

說盡世態，自寫閒心，世人直如傀儡排場。子野但袖手旁觀，指非畫是云爾。何居之高而視之下哉！郎公師

但調笑而不慘怛，此鬚眉持世氣象也。若稍作兒女態，便酸氣嘁人矣。鳴玉評

予向聞子野，未識子野。適至眉先生齋，讀花影集序，始識子野爲如此子野。已而得讀花影集，獲觀此詞，乃更識子野爲如此子野。他時祇園坐上，吾當以上首讓之。扈芷師

舟中端午 有跋

【南商調金梧桐】歌長檀板温。酒剩蒲香冷。艾虎輕紗。穩稱端陽景。詞人共酒人。隊裏安紅粉。水沸龍腥。暴熱蒸癡興。歡呼似有靈均應。

【東甌令】龍舟上。正潮平。浪噴微花人亂影。低回粉面腮微暈。把畫舫欄杆憑。似一枝擎水藕花新。映日轉盈盈。

【大聖樂】垂楊岸人立如屏。弄潮兒萍覆頂。朱旛冉冉中流影。連水面盡船拚〔二〕。可正是熏天酒熱天應醉。貼水歌酣水忽渾。高懷自耿。怎銷得石榴裙上。這點花星。

【解三酲】喜今日簫聲俊冷。喜今日箏手圓明。喜今日抽箋紀事詞新警。喜今日俊舌歌鶯。喜今日客欹紗帽翻茶鼎。喜今日妓韡金釵劃酒經。繁華命。喜今日烟花隊裏。採得頭名。

【尾文】風微暑嫩衣衫醒。且趁此花緣治酒兵。休似那獨醒沉湘空寂寥江上冷。

名姬周綺生，才色兩絶。酒剩蒲香冷，其鴛湖口占句也。辛亥午日，偶譜入小詞。庶令個中人殘唾遺珠，猶博人間幾疋絹耳。綺生予未曾識面，間聞之闇生，大約風流高韻人也，應是值得一死。乃西樓記成，而于鵑身黜名辱。殊色誠可憐，美才亦可惜。爲一婦人，身爲逐客，嗚呼，悲夫！雖然，吾輩惟此一點情血，庶爲人間解穢。彼朝規而暮矩，左繩而右墨者，不知情字作何點畫。子夏曰：「焉能爲有，焉能爲亡」。吾謂此輩當亦云。今于鵑身隱，而西樓記傳矣。才名不朽，差可無憾。乃知天之眷才人，養情脈，未始不寬其途耳。自跋

抽箋紀事詞新警，可稱實録，當即以此言爲定評。穉先

子野以俠士作柔情，風流文采，有雋遠之致。丙辰午日，邂逅清谿舟次。流連者纍日，因得披看諸詞，不禁脈脈魂動。更命歌兒翻度右曲，予亦曼聲和之。覺柳風烟水，俱爲翻舞。而

一時詞人酒人，及兒輩脂粉之徒，皆爲詞中關目人矣。沈嫩兒

旅懷有跋

【北雙調二犯江兒水】相思滋味。嘗不了相思滋味。破題兒才做起。想前宵我你。今夜東西。忍教他在夢兒裏。俺燈下寫烏絲。他機中製錦詞。他冷落空閨。俺潦倒江隈。攬春魂眼睁睁多不要睡。無靠無依。這淒涼無靠無依。無頭無尾。這思量無頭無尾。只落得滿青衫冷熒熒多是淚兒。

【幺篇】荒村自守。挨不過荒村自守。妙人兒在心上有。就甫離心上。也在眉頭。易沾身難放手。俺潘郎滿鬢秋。他蕭娘滿鏡愁。他花命判休。俺花債判酬。儘今宵恁淒涼多自受。玉嫩香柔。只爲你玉嫩香柔。天長地久。害得俺天長地久。兀似有實丕丕一塊兒咽不下喉。

【沽美酒帶太平令】〔三〕半開窗半掩窗。燒短燭照空牀。只擁着衾窩爇好香。忒寂寞好淒涼。衣單薄淚悽惶。空廊外風吹葉響。荒村裏雨寒鷄唱。我啊。自不合住在東牆。你啊。又不合立在西廂。呀。却做出今宵這般悽愴。

【幺篇】風兒急夜又長。燈花結咬銀釭。想前暮私情一兩椿。真堪憶怎能忘。若忘記

有蒼蒼。衫袖上口脂猶亮。枕頭上淚光溶漾。我啊。儘判個此心爲娘。你啊。也索要好心待郎。呀。甘爲你受這般魔障。

【清江引】隨風近遠村鐘響。窗紙看看亮。孤身又曉行。柳色河橋颺。儘躭着這相思幾時和你講。

予結習不除，豔句日積。癸亥春末，始付小童歌之，花月之下，偶有新聲，亦復隨時換譜。右詞皆偶然口占，或止一章半折。因其語意相入，彙而成篇，乃詞家百衲琴也。自記

情文雙妙，詞林雋品。甲子桃花下，子野曾命小童，以大小忽雷，叶而歌之。其聲頗逸宕纏綿，至今耳根猶嫋嫋有生氣也。予家有小童曰紅兒、雪兒，亦善三弦提琴，但恨所譜不過院本諸舊曲。今俟花影集成，當令樂部盡譜之。滿牀絃索，從此塵土一新矣。子念跋

吾松絃索幾絶統，近來諸名家，始稍稍起廢，然不久便散逸。樂天詩有曰：「歌舞教成心力倦」。蓋此事亦大費心力，只宜付散人迂叟，以閒中日月，搜討逸事，庶幾有成耳。子野避地空山，絶跡城市，日撰新聲，令宗工名手，商推翻度，差爲絃索興滅繼絶。時時率諸童過予頑仙廬，絲竹嘈嘈，隨風飄揚，村姑里叟，皆負子憑肩而聽，亦山林快事也。始予開徑東佘，得奇石，戲名曰絃索坪。每月底花下，有狎客攜紅裙，坐此吹洞簫，彈琵琶。適子野塹土西佘，得石平直，小童六人，恰好盈坐。子野請于予，欲乞此名名之。予曰，子但遺我一鐵笛，我便當以此名爲贈。蓋予有童善吹笛，而子野諸童善絃索，各得其所應有也。眉公跋

兒避迹西佘，與子野盤桓花月者四十餘日，幾有結茆松下之約。常聽慧童繁絃脆管，而就中尤酷愛此詞。子野每索飲十杯，命歌一解，不知爲却此詞醉幾回矣。薛翩翩

王元美謂北曲多詞情，南曲多聲情。子野以南詞韻語作北詞，且簫管絃索，合而翻度，宜其聲情詞情，灑灑傾聽也。丙寅季春夜醉秋水庵，因題記。王季長

按：此套首曲、次曲，及後三曲用韻均不一致，屬特例，正如作者自記中所云：「或止一章半折，因其語意相入，彙而成篇，乃詞家百衲琴也。」

感　梅有跋

【南仙吕桂枝香】一堆雪裏。一燈夢裏。幾枝清瘦依然。又是去年憔悴。看疎籬近西。疎籬近西。正是臨橋有水。破窗無紙。奈何伊。自沾逋叟窮酸氣。竟永入人間措大詩。

【前腔】繞門幾樹。暗香鋪地。參横可有相思。昨夜幾多名句。歎年年殢伊。年年殢伊。愁在梅花心裏。花在愁人眼裏。守淒其。筐牀斗帳貧生計。耐煖禁寒舊臉皮。

【不是路】世外仙姿。玉貌朱唇着雪衣。烟霞致。偏生肌骨瘦離披。更低回。蕎穿針竇窗香細。直沁苔痕月影微。無言處。芳魂脈脈人憑几。淡然幽寄。淡然幽寄。

【掉角兒】瘦伶仃竹外斜時。白零星夜香深處。乍看來似個人兒。猛憶著故人今去。怎禁得老文離。清落莫。雪模糊。魂蕩漾。總朦朧地。朱門又閉。西風又吹。猛可裏。花飛似雨。人在樓西。

【尾文】空山玉笛横吹雨。尋問不知其處。偶然拾得斷魂詩句。

昔人謂梅花如三閭、首陽，不受世俗煎沸。又謂烟姿玉骨，世外佳人，但恨無傾城笑耳！今有子野妙曲，當令孤嶼一枝，嫣然獨哂；羅浮萬樹，紛然發粲矣。彦容評

梅花清到徹骨，句字間倘有纖毫膩氣，便教媿死花神。此詞清疎高滌，已得梅花之髓，自不愁句字之不工也。壽卿評

遠神幽想，字字尖靈。詠物妙品，摹情神品。徐闇如

七　夕有跋

【南商調二郎神】秋風起。人在西堂西復西。見淡月鵝黄纔半縷。高樓笑語。共唤取穿針來去。恰好葡萄酒熟時。觴牛女幕天席地。今宵裏。自一夜長生做萬古佳期。

【集賢賓】銀箏换譜翻小詞。更簫管隨之。盤進蓴鱸秋味美。看詞人坐影參差。徵歡索醉。供奉妓月中更替。涼徹髓。但茉莉暗香鋪地。

【黄鶯兒】漸漸月西飛。料天孫鳳駕回。人間歡會還無已。靠庭梧放几。傍池荷鬭棋。一聲一刻鶯喉脆。可人的。新螢嫩火。舞袖點微微。

【琥珀貓兒墜】夜深瓜果。一縷帶蛛絲。得巧偷分贈所私。抽箋紀事客題詩。風致。覺冉冉金風。泛泛羅衣。

【尾文】歡娛夜短判沉醉。此夜如今不負矣。須曉得天把新秋看顧你。

此詞譜係商調，於新秋律吕極洽。恨無善歌者，爲笥中塵久矣！癸亥長夏，始令小童尋聲歌之。七日之夕，偕韻人，進名酒，傍池荷，拜新月，循穿針染甲之故事，説長生夜半之風流。時有鶯喉一聲，如絲如珠，嫋嫋于井梧落葉之次，不自禁其神魂之欲飛舞也。自跋

新脆風逸，字字生香。董念原

閨　恨 有跋

【南商調十二紅】〔山坡羊〕一團花看看消瘦。十分嬌看看非舊。傍妝臺痛跌菱花。没來由乾浄因他醜。〔五更轉〕想他們。没進止。無前後。分明看得人將就。你戀着何等烟花。不怕神前盟咒。〔園林好〕痛前生多應欠修。可真個燒香斷頭。竟半路遭他毒手。

〔江兒水〕下得教人。一件件落人之後。〔玉交枝〕荒荼廢酒。好風光何曾去游。生疏一向琵琶手。這幾日忘記梳頭。〔五供養〕癡心堅守。却做出酸疼。萬般症候。看花心膽怯。擡面向人羞。問爲着誰來。花性多收。〔好姐姐〕曾記。搬唇弄口。有無數前頭後頭。虧心硬手。你如此做人忠厚。〔玉山供〕思量真個。仔細追求。幾番兒跌綻繡鞋勾。〔鮑老催〕九分是休。恩人反教成敵頭。不尷不尬把我丢。〔川撥棹〕下實將他咒。有蒼天在頭上頭。瞞不得照淚燈篝。瞞不得照淚燈篝。拚告你陰司。奴先死休。〔嘉慶子〕奴把誰來記上心頭。你把誰來放下心頭。奴苦苦相思你一筆勾。〔僥僥令〕般般聽你哄。件件罪根由。甚日歸來拿着手。不痛打承招不罷休。

【尾聲】恩情自比天長久。就恨你終須寬宥。只要你歸來多放手。

大抵情不深則恨不毒，閨詞至於恨，而無遁情矣。每見院本舊曲，從無閨恨。竊謂其情波有限，乃別譜新聲，擲翻恨字，纔覺相思於此痛人。他時閨思、閨怨等篇，正不及情語耳。自記

咬定恨字，無限波瀾。可稱能品，的是雋才。□□評

此直是海神廟一紙狀詞耳！誰爲刀筆，深文如是。闇生評

妾初度偶言有序跋

窮村僻遠，三徑成蒿，雨暮風朝。還往竟絶，洞花幽草。時以翻經繡佛之暇，相與尋討烟霞，勾當香茗，此中幽趣，豈堪語忙人乎。乃因其初度，播之聲歌。而私命其篇爲北山迂叟房中之樂。

【南中呂漁家傲】今日裏把往事從頭作話題。不覺的日子三千。年頭又八。我你容顔俱蒼矣。各添年紀。俺守着經卷丹爐。你只是荆釵布衣。但年年花謝花開。花開時進酒巵。

【剔銀燈】你姻緣事誰知在這裏。前生事便嫁窮酸也何愧。幾間屋正與翠巍巍前山對。幾個人只在豔騰騰群花内。終年。終日如此。桑海變俺和伊兀是不知。

【地錦攤花】謝天公。安頓咱和你。命福不低。樂田園案舉眉齊。醉月吟風。鬭茗圍棋。永相依。享用些太平日。

【美娘兒】折花折花來上壽。花香點繡衣。把酒把酒雙勸飲。紅潮臉上脂。檀郎豪俊會填詞。歌兒舌脆音律細。一簇一簇瓊簫沸。似月滿秦樓跨鳳時。

予山居在東西二佘之間。其地土肥水滑，宜花便木。丙辰冬，作半閒精舍在山腹。明年，作就麓新居在山足。不五六年，樹可蔭人，而竹皆抱孫矣。更以亭臺庵閣，點綴其間，雖不事華飾，然自是幽微妍穩。春花發豔，秋木隕黃。屋角參參，出没於紅濤錦海之内。篇中「幾間屋正與翠巍巍前山對，幾個人只在豔騰騰群花内。」蓋實録也。夫吾輩進不能膏雨天下，若退又不能桔槔灌園，是真天地間一腐草，亦烏用此四大爲。予自分無洪福，不敢負淡緣。凡移花接果之方，開畦疏水之法，莫不悉心悉力爲之。今幸有小成，花木暢茂，禽留不去。山隱轉奇，橋柳臺松，古秀嫵媚。春深秋早，日美風恬，得與村翁漁叟，觴花問竹於其間。或令椎髻孟光，攜東閣中人，醋花紅，調竹粉，媒花鬭草以爲樂。蓋用志不分，天遺食報。予既易之以勞，復享之以淡，庶幾不取罪於彼蒼。而予之筋骸骨血，亦差不爲人間真棄物耳。予嘗有詩曰：「蒼生久矣無霖雨，三徑何曾有旱荒。筋力未嘗無用處，要銷花福爲花忙。」蓋用以自勗，不敢甘自暴棄，孤負老天眷顧盛心也。自跋

扭聲色入烟霞，將風情用花月，趣淡彌真，境冷愈熱，子野可謂巧于享受矣。陳壽卿

星劍霞衣，仙風道骨，豈真脂粉中人耶。性夙評

南北雙調合套

清　明有跋

【新水令北】軟風甜雨養花天。好韻光一番重换。過春分將穀雨。芳草地自生烟。紅紫争妍。紅紫争妍。多半是東君面。

【步步嬌南】陌上低楊細緑搓金線。攪碎桃花片。香風滚翠烟。掃過芳堤。薄熱蒸癡豔。眼見口難言。隔芳叢況被妖姬唤。

【折桂令北】看遊人細馬香衫。幾個東來。幾個西還。滿團團雲山翠滴。溪水斜彎。謝東君分付與春光飽看。呀。雙肩挑一擔食疊春盤。鋪個青氈。攤個蒲團。只見那花枝下呵酒猜拳。

【江兒水南】調管鶯聲脆。貪花蝶舞妍。煖洋洋炙斷遊絲線。熱蒸蒸熏得遊人汗。碎紛紛細落花香片。無數舞裙歌扇。葉葉衣衫。個個是心閒身健。

【雁兒落帶得勝令北】〔三〕見幾個錦林梢酒旆懸。見幾個軟沙堤飛輕燕。見幾個荒墳上掛紙錢。見幾個拜墓道如花面。見幾個掉下了黄金釧。見幾個輕蹙着繡鞋尖。見幾個鬆解了羅裙帶。見幾個花插在鬢雲邊。妍。勾引得人春情釅。行一步堪憐。直恁是暗撩人有萬千。暗撩人有萬千。

【僥僥令南】行到垂楊水廟前。玉手把香拈。惹得行人多回首。偏留下印香苔一瓣蓮。印香苔一瓣蓮。

【收江南北】呀。更爲得一派笙歌別院啊。費多少杖頭錢。多則在桃花扇底杏花邊。木香亭畔海棠前。隔梨花短垣。磨東風繡旛。畫棟珠簾。空目斷碧雲天。

【園林好南】擺蘭橈垂楊畫船。載名妓泥金繡衫。一片湖光如靛。遥浸着遠山煙。猛映着鬢花鈿。

【沽美酒帶太平令北】扇東風撲柳綿。斜日脚淡黄天。只見蝶浪蜂癡性子顛。來又去百花間。誰立在畫欄邊。支春困倦抛針線。攜女伴鞦韆庭院。耍啊。亂霏香牡丹架前。褪鞋跟雕花。砌磚。呀。猛聽得笑聲初斷。

【清江引南】清明好春將過半。去也難留戀。怎的不負他。只是教排宴。向花前熓溶溶一杯休落盞。

豔陽光景，春海無邊。不譜新聲，憑何獻頌。辛亥清明，擬綴小詞。初得句調犯商角，謂其悲傷宛轉，情文未協。乃改填南北雙調，峻激流利，兼而有之。可令歌姬徐囀鶯喉，亦可令

豪士下幾鐵板，或亦春遊一助也。自跋

滿紙鬧熱，無限風情。顧望子

與妓話舊感贈有序跋

蝶睡醒來，花心謝了。忽到趙家，重看合德。因逢虢國，轉憶太真。話舊事相與攢愁，笑癡心又來做夢。乃振詞壇旗鼓，驚開花陣心兵。

【南仙吕入雙調步步嬌】未許芳心全灰死。想起前頭事。當初見你時。姊妹隨肩。記得排行次。自分會無期。却誰知夢裏重逢此。

【江兒水】燈下重偷覷。予心有所思。幾千番變到今朝地。措簫郎又見蘇卿妹。兩嗟呀盡說相逢處。可有音書容寄。答道而今。就姊妹音書没紙。

【園林好】記當日你猶然未笄。驗身材早長於去時。笑我也添年紀。你換了舊容儀。我換了舊情癡。

【玉交枝】我今老矣。漸腮邊鬑鬑有鬚。當初花柳和雲雨。今日是筆硯琴書。心窩忘了定情詩。眼睛暈了鴛鴦字。笑當初癡耶忒癡。索性有今朝忘記。

【人月圓】忽忽想當初妝前見你。姊妹梳頭争學髻。到如今喬綰青絲。到如今喬綰青絲。畢竟有三分似得伊。記些些是與非。痛今生長別離。

【僥僥令】鴛鴦曾打結。織錦舊填詞。是你姐姐月下花前般般事。倒付與我和伊作話題。

【尾文】從今爲你重提起。有便信須教遞與伊。只說檀郎忘了矣。

吾輩情之所鍾，每見遺粉殘膏，猶是銷魂欲死，況見其妹乎！當時唐玄、漢成，直於太真、飛燕，情種既深，遂覺豔根柔蔓，綿引不已。從太真而虢國，從飛燕而昭儀，即至愛移于遠條。然使于飛燕淺，必不至于合德深也。故予嘗謂漢之成，更情深于唐之玄，此言亦甚似解人語耳。自跋

寫情傳恨，語語幽深。蓋身經是境，自是摹神。倘不悲而泣，正恐其淚不下耳。徐令明

宛如小窗對話，可與幽閨記拜星月並傳。巨卿評

拚則而今拚了，忘則怎生便忘得。王元白

村居午日有跋

【南南呂懶畫眉】膽瓶斜插蜀葵花。衫子新裁艾虎紗。汲泉初泡洞山茶。盤進黄魚鮓。更酒釀菖蒲泛紫芽。

【不是路】水上人家。漠漠池塘十里蛙。門臨壩。疎籬曲曲帶榴花。柳藏鴉。太平時世桑麻話。不用兵符佩絳紗。渾瀟灑。茭苗裹粽青堪把。艾人初掛。艾人初掛。

【掉角兒】白洋洋麥秀風斜。淡茫茫黄梅雨下。緑尖尖秧水才添。絮啾啾燕雛初大。我和你趁良辰。拈故事。道屈平長。説漁父短。把古今閒話。高懷自賞。風流可誇。一會裏解衣科帽。戲插榴花。

【前腔】聽彈箏手法纔花。更捱篥聲情如話。玉簫兒度曲尋腔。寶瑟兒移宫换馬。我和你慶良時。團勝會。戴簪符。懸壽索。共拈佳話。重煨晚筍。新嘗早瓜。看漸漸酒潮人面。映着紅霞。

【尾文】日斜猶是無休罷。癡興今朝十倍加。共擊鼓催花遞茉莉花。

予生長市廛，雖丘園洞壑，時發夢想，而繁華豔麗，亦錮見聞。所著端午詞雖多，大抵鋪張綺羅盛事而已。癸丑有單調桂枝香四闋，稍入本色。然不過酒中勝緣，無關林下風致。蓋緣耳目之陋，夫豈心胸之蕪哉。丙辰冬，始别築西佘之北。己未秋，更移家南泖之西。山棲水飲，夢寐才貼。于是野人疎散之致，往往溢于毫端。甲子午日，復填是闋，遂宛然村居之樂。東坡云：「子見故我，未見今我。」此詞亦謂爲今我可乎，要亦是故我本來如是耳。自跋

宛肖田家景色，依然名士風流。巨卿評

絃索詞

【南小石調罵玉郎】[一四]手抱琵琶彈怨詞。把俺衷腸事訴與誰。天生我你配雄雌。有何疑。俺與你明白夫妻。怕旁人怎的。怕旁人怎的。怎不日夜相隨。倒抛人路岐。倒抛人路岐。我你豈鴛鴛君瑞。可只是哥哥妹妹。雖不曾合巹牽絲。雖不曾合巹牽絲。却也曾焚香設誓。天地皆知。俺聞之那王魁負了心期。終有日捉將去海神相對。

【前腔】再把淒涼訴與伊。好和歹是你妻。怎瞞心昧已把奴欺。任施爲。覷得人似脚底黃泥。忍教人受虧。忍教人受虧。眼見得玉碎花飛。病岩岩怎醫。病岩岩怎醫。不記得一雙兒跪。不記得一頭兒睡。把許多繡帳温香。把許多繡帳温香。倒做了單衾血淚。飯醉茶癡。俺尋思甚來由枉費心機。倒被他貼天飛拿他不住。

【前腔】下實磨牙咒罵伊。就是你歸不得書也歸。看行行征雁帶愁飛。淚雙垂。可知俺玉體香肌。倒癡心待伊。倒癡心待伊。受用些月帳風幃。冷清清夢回。冷清清夢回。痛咬得鴛衾兒碎。推開了枕頭兒睡。却誰知業障冤魂。却誰知業障冤魂。悄悄的夢中來至。强做夫妻。恨冲天那冤家還要無知。俺只是罵幾聲薄倖賊拚與你斷恩絕義。

小窗兒女語，恩怨相爾汝。此中已自有琵琶聲，不須更付冰絃檀板，方知其妙也。眉公評

婦人言辭思路，自有一種幽沉憤懟之意。此詞摹擬曲盡，而措辭更質直真至，似近俚俗，正絃索詞妙處也。若稍被文彩，便非本色矣。填詞貴道地，信哉。友夔評

重陽恨有跋

【南南呂香遍滿】重陽時候。籬邊看花愁不愁。借問花前人在否。伊心敢是休。咱心怎便丟。猛凝花下眸。恍立在身前後。

【懶畫眉】當初記得在妝樓。正病起騰騰舉止羞。眉兒低蹙暮山愁。要引他開口。費多少心機在上頭。

【梧桐樹】同登翡翠樓。共飲茱萸酒。淡粉芙蓉。正是開時候。南枝曾折伊之手。這度開時。他竟在天南没盡頭。西風緑鬢依然否。若是相思。定比黄花的瘦。

【浣溪沙】〔一五〕把連理分。將鸞鏡剖。要知他信息無由。殷勤贈下同心扣。空錦袋熏香篋内收。離別久。儘寸寸肝腸兒被伊割。不然啊也蹙個眉頭。

【劉潑帽】滿城風雨初晴後。照離人月滿牀頭。消愁聊且邀紅友。倒是愁。心上事多非舊。

【秋夜月】看看罷休。全不應伊之口。罪犯風流應難宥。些些撇下他安否。忍撇得許久。忒下得毒手。

【東甌令】千般恨。萬種愁。辜負重陽一段秋。黄花隊裏無紅袖。獨自登高後。見征鴻嘹嚦過南樓。帶得信來否。

【金蓮子】休怎休。花箋字迹伊親手。有一個伊名兒在上頭。只落得向燈前。一星星想出舊風流。

【尾文】今生未審重逢否。料十分中間難得九。空一度重陽一度愁。

城南戴氏居，有芙蓉一區，早發而茂。庚戌九日，曾就花前爲泛菊之飲，今且兩年於兹。人在天南，夢不可得。而芙蓉如面，籬菊宛然。清歎不足，繼之悲歌，不覺一字一淚也。壬子重陽記。自跋

不淚而啼，無聲而泣。深情密意，只于淡言平語中出之。若草草看過，寧知其爲無窮之慨也。性夙評

美秀温文，綢繆宛轉。而俯仰欷嘘，不堪多讀。張瑞齡

七夕閨詞

【南南吕梁州新郎】羅衣初試。新涼纔長。洽到穿針樓上。一團歡笑。針鋒月色微

茫。早是珠凝仙掌。風定梁塵。半縷庭烟漾。隔年半女也也成雙。偏有個人間薄倖郎。如眉月。與眉相向。畫眉人遠空惆悵。心上事。到眉上。

【前腔】綺疏深掩。朱門閉上。一葉高寒初響。玉堦羅襪。新聽蟋蟀凄涼。早是絲牽連愛。膾饌同心。卍字縈蛛網。從教得巧也也悲傷。只巧織迴文封寄郎。郎飄蕩。把奴撇颺。空夢回殘月窺鴛帳。眼下淚。滿衾上。

【前腔換頭】歎良辰今歲無雙。豈花容來年無恙。怕經秋瘦損。一似敗荷模樣。可是潘愁鬢老。沈賦魂銷。打扮無心想。深深深拜也炷心香。願莫染秋來鏡裏霜。香暗爇。心自想。心頭有話和誰講。口中話。在心上。

【前腔】賞芳辰姊妹飛觴。强梳粧十分時樣。怕匣中團扇。可能往日風光。生怪丫鬟聒絮。不解人愁。染甲争喧嚷。輕輕輕步也立西廂。見月照當年舊粉牆。傷往事。成悵惘。把蒼苔立遍誰偎傍。鞋底露。透幫上。

【節節高】金風透右廂。敞虚涼。流螢幾點粘羅幌。傾葡萄釀。浸茉莉香。掩芙蓉帳。剛才出浴衣輕爽。風吹薄翠釵頭響。何事檀郎愛分離。把良宵容易輕抛颺。

【前腔】當初話夜涼。靠西窗。把三郎故事閒論講。願連枝長。比翼雙。生人天上。

而今眼下遭魔障。來生爭不成虛謊。想別有銀河在人間。無風咫尺生波浪。

【尾文】勾消不盡相思賬。一度穿針一斷腸。從此秋宵夜夜長。

閨詞作梁州序，如以浄脚扮旦，終是雄爽有餘，柔韻不足。右詞殊不宜清板隻簫，當爲歌場所廢。但中有雋語，似亦不可概棄也。自記

十年前曾讀此詞，句字小異。今一經竄定，遂楚楚花豔，足稱名篇。王石公

眼前故事，翻弄自新。而舉止妍和，自是大家風範。呂鳴譜

按：首曲曲牌原題作【梁州序】。明人通常將梁州新郎與梁州序互混不分，兹據吳梅譜正。

春　思

【南南呂楚江情】飛花打繡窗。零星滿牀。枕邊檻外垂緑楊。偏生鶯語駡流光也。把心期自數。心香自裝。叫一聲知心着意俊俏娘。你下得風流。害俺春思蕩。害得俺閒時也是忙。閒時也是慌。慵時也是忙。熱沸在心肝上。

【前腔】淒涼立小廊。身單影雙。楊花滾滾人斷腸。柔魂一縷待離腔也。分明是俺依稀是娘。只覺道嬌嬌滴滴脂粉香。把餓眼昏花。權當嬌模樣。且書兒寫幾行。書兒寫幾行。夢兒做幾場。總記入相思賬。

【皂羅袍】没事幾回癡想。待把他儀容畫了。頂禮燒香。衾窩獨自也叫娘行。就虚空也把魂靈傍。更把生辰八字。裝於繡囊。餘香剩粉。沾在繡牀。娘。你可在我枕邊衾畔衣裙上。

子野老於情癡，花夢時作。予每每規之，不遺餘力。今觀此詞，風情逸興，殆出於性生，或亦花命使然乎！如此才情，自然隨處發越。拈花弄柳，總是錦心繡腸。不須以周、程、張、朱，困其藻豔也。伯瑞跋

骨韻玲瓏，致味遒逸，摹神入妙，刻畫深微，聖於詞者矣！徐長輿

村居九日

【南仙吕入雙調步步嬌】滿地黄花秋容老。最是東籬好。丹楓翠半銷。緑柿黄橙。白蘋紅蓼。躡屐且登高。任西風冉冉吹烏帽。

【醉扶歸】地爐中煨芋茶堪炮。竹竿梢囊萸藥可挑。貢雙螯紫蠏帶霜烹。換村醪菱米論升糶。收來新稻好炊餻。恰拈將餻字添詩料。

【皂羅袍】水上芙蓉斜照。更半黄銀杏。低罩團瓢。豆棚籬落野花妖。紙窗燈火秋蛩叫。滿城風雨。詩腸儘豪。滿園橘柚。村翁儘饒。更山僧秋芥纔封到。

【好姐姐】柴門。甫添夜潮。見新蟾半鈎垂釣。柳邊燈下。自把小罾挑。鱸魚跳。採蓴恰自南溪到。趁此良辰客可招。

【香柳娘】與鄰翁陪坐。與鄰翁陪坐。煮薑蒸棗。帶萁毛荳新鮮好。向籬邊席地。向籬邊席地。掛酒菊花梢。醉則和衣倒。半朦朧未醒。半朦朧未醒。卸葛換輕綃。骨節西風燥。

【尾文】從教醉裏乾坤小。不媿柴桑處士陶。渾忘却明朝是初十了。

甲子九日，子野在西佘精舍，招予看菊，併校新詞。予竟坐亢，不得踐題糕之約。後數日過小齋，命童子歌是詞以歆之，若有驕色，不知予已譜金衣公子一闋，爲山靈解嘲矣。其詞云：「把酒憶山莊，正重陽野菊香，菴前緑水秋應漲。蓉銷晚塘，楓酣曉霜，無邊落木蕭蕭響。譜絲簧，新詞尖豔，誰與細平章。」彦容記

古詩云：「人生不滿百，常懷千歲憂。日短苦夜長，何不秉燭遊？」元詞云：「一日一個淺斟低唱，一夜一個花燭洞房，能有得多少時光。」屠緯真詞云：「痛飲百萬觴，大唱三千套，無常到來猶恨少。」其爲歡不足，有如此者，不知惟躭花月之忙，故轉覺居諸之促。苟本地風流，隨緣欣賞，陶情歌舞而不受歌舞所牽，適志琴書而不受琴書所縛。若子野村居諸曲，刻刻良辰，朝朝令節，斯真善領略者矣。閒中日月，不既曠耶！昔賢云：「無事此静

坐，一日如兩日。」又云：「菊花時乃重陽，涼天佳月即中秋。」頗合是旨，惜乎解者絶少！彦容又記

物外高懷，田家樂事，筆筆寫出，而瀟灑風流無粱肉氣，亦無蔬筍氣，真不喫烟火人也。張冲如

閨詞

【南仙吕九迴腸】鬢兒邊黄花不戴。窗兒下鸞鏡慵揩。香爐茗椀無心擺。軟騰騰骨瘦如柴。才還又欠是相思債。有重無輕是花命災。誰拖帶。明明是你冤家害。再不干奴命安排。漂沉苦海撈難起。圍困心兵打不開。只索向銀釭畔。把虧心罵。又心疼你不覺淚盈腮。

【前腔】鬆解了團花的帶。寬褪了弓字兒鞋。一牀絃索空閒在。怪酸疼玉腕難擡。鮫綃帕上有盟言在。奈鴻鴈雲中無便信來。伊心歹。奇花輕易容他採。却等閒認做應該。他癡心不顧三生願。我怨氣常修一口齋。只落得真心待。倩傍人去。尋芳信寄個小金釵。

秀豔纏綿，聲聲哀怨。尖新熨貼，兩極其妙。沈友夔

南北雙調合套

除夜有跋

【新水令北】滿堂華燭照殘年。沸笙歌合家歡忭。奉萱幃猶緑鬢。開繡閣盡紅顏。生計憑天。樂事疑仙。共團頭做歲除讌。

【步步嬌南】分付頑童把竹外梅花翦。與松柏同擎獻。願春風梅占先。壽域天開。比松柏長蒼健。更貼小春聯。祝新年筆底花生硯。

【折桂令北】百忙中日月雙丸。過了今年。仍有明年。喜今宵寒隨臘去。煖與春還。貯椒花斟柏酒覺祥和冉冉。翦釵旛裁綵勝早春意翩翩。風致嫣然。心事安然。只安頓個南窗下拜佛蒲團。

【江兒水南】洪福非吾願。清閒我所偏。喜風霜不改朱顏面。更風流濟勝身常健。儘風情逸事人多羨。不與流光同换。共守歲圍爐。覺情味蕭然自遠。

【雁兒落帶得勝令北】我只願老慈親健靠天。我只願寒萊婦安貧賤。我只願小園中有供佛花。我只願草堂上有聯詩伴。我只願小童歌自製詞。我只願深閨貯春嬌面。我只願受幾樽徵文酒。我只願使幾個賣花錢。天。願一件件如心願。儘放我情顛。常常是似今年勝舊年。似今年勝舊年。

【僥僥令南】爆竹聲中一歲完。我且與再盤桓。堪笑炎涼人情變。又共説元宵忘舊年。只共説元宵忘舊年。

【收江南北】呀。我怎生再盤桓。今夜啊倩玉手把盃傳。滿焚商陸散微烟。剛翻大呂改新絃。且歡娱目前。更休貪未然。一刻殘冬也儘我留連。

【園林好南】若過望便千般未圓。若安分便于今十全。且喜安閒强健。向這壁把酒盃拈。向那壁把鬢花安。

【沽美酒帶太平令北】是誰參造化權。我生計敢違天。天。付我茗椀香爐與硯田。藏名句有青山。洗俗耳有清泉。我只是不開口話誰恩怨。少交際怕誰機變。我啊。且安享樂志田園。幾曾貪造業銅錢。呀。管穩取年年歡忭。

【清江引南】天公容我閒遊衍。知足何多羨。願麟兒早降生。若此外無他願。只受用滿堂人笑波波大家娱歲晚。

予自己未秋，僑居泖上，與世日遠。家庭之樂，自謂致味清真。林泉之奉，更謂王侯不與易也。癸亥除夕，見村中少年，鋪張豔麗，相與慶良辰，祝新福，極其願欲，不至腰纏十萬，跨鶴揚州不止。予自分窮面孔，亦無奢肺腸。倘得眼前現境，供養畢世，亦可謂地行仙矣，何必求多於天哉！乃寫之絃歌，聊以見志云爾。自跋

金爐裊柏，綵筆頌椒。骨肉團頭，管絃盈耳。樂哉除夕，想見于斯。韓昌黎云：「和平之聲淡薄，愁思之聲要妙，懽愉之辭難工，窮苦之言易好。」子野和平矣，而聲仍要妙。懽愉矣，而辭益工好。蓋天予之佳境，又予之異才耶！余每當是夜，即撥盡寒灰，亦復蕭然自得。今更歌此詞，以破愁寂，勝千首送窮文矣！彥容評

先君百日感懷

【南南吕懶畫眉】尖風微透漾銘旌。薄紙窗兒漏月明。中宵起坐泣孤燈。直恁窮酸命。做無弟無兄又無父人。

【不是路】遺像猶存。恍是高堂强健人。緣何病。醫方巫禱總無靈。竟如今。遺言在耳堪思忖。甘旨親供不可論。腮珠迸。兒之罪過爺之命。問天不應。叫天不應。

【掉角兒】空留下鄉邦令名。却受用一生貧病。我依然膝下孩兒。問我啊那些曾盡。我也曾紙錢焚。朝夕奠。懺慈王。資冥福。總無憑信。些些没用。些些斷魂。做兒的。只贏得三年兩載。戴頂頭巾。

【前腔】天生我伶仃瘦形。奈家道連年貧梗。累先人替我支撑。却容我安閒香茗。到如今悔當初。真是悔。恨當初。真是恨。不如勞頓。父兮生我。吾慚此生。竟做了。高天厚地。負罪之人。

【尾文】明朝百日俄臨近。請僧來更誦經文。問如此虛文還做甚。

一字一淚，不忍多讀。王仲緋

骨肉間語，正所云至敬無文，大禮不讓。若露出文人伎倆，不特文字不工，且直可謂不孝不弟矣。此篇質直簡淡，字字可泣，方知感人之深，不關句雕字琢也。沈湛生

南北雙調合套

送張冲如游靖州

【新水令北】江天風淡酒旗斜。慘驪歌恁將去也。好男兒應出衆。袖空手走天涯。辛苦擔些。磨難經些。料天公成就你英雄者。

【步步嬌南】莫惜春風輕離別。口内猶餘舌。脚頭牢硬些。苦到甜時。似倒嚼嘗甘蔗。終久辨龍蛇。眼睛邊且拭英雄血。

【折桂令北】向芳郊秣馬脂車。挑破頭巾。着綻皮靴。看君家寒酸似此。意氣豪俠。袖兒中提一尺青萍瘦鐵。吐虹霓高百丈浩氣横斜。到處爲家。不用咨嗟。掃乾坤只消你筆底殘花。

【江兒水南】别路花剛謝。郵亭酒謾賒。坐班荆無奈離愁惹。兩牽衣仔細叮嚀者。告君家此去權聊且。尺水神龍堪借。待他日舒眉。共閒話那年時節。

【雁兒落帶得勝令北】君此去望長江一線斜。君此去夢巫嶺雲千疊。君此去聽壺笙夜憶家。君此去弄愁笛秋悲月。君此去捫青蘿怯暮鴉。君此去經白社悽孤客。君此去換征衫裁蠻葛。君此去認離魂尋夢花。呀。小可是經年别。留不住征車。只願你好支持强飯些。好支持强飯些。

【僥僥令南】此後新詩誰和咱。你得句向誰誇。隨分烏絲衷腸寫。你多應爲着咱。我多應爲着他。

【收江南北】呀。我較長你春秋五歲啊。比似你更窮徹。歎年來飄零書劍滿天涯。每到花時不在家。這多應命耶數耶。呀。我與你討便宜辛苦了幾雙鞋。

【園林好南】笑株守似池魚井蛙。判游蕩做浮萍浪花。萬里關山程涉。方是個放狂蹤俠士家。放狂蹤俠士家。

【沽美酒帶太平令北】好風吹雨後花。隨馬足襯堤沙。更自有勝水名山隨侍他。晃斜陽穩暮霞。搖青斾酒胡家。繫馬緑楊之下。擘名紙把囊中句寫。你啊。儘瀟灑何須悶耶。儘快活何須歎耶。呀。我於此且高歌送君行也。

【清江引南】并州客舍隨緣者。且了青氈債。明年折桂花。共對西湖月。那時節換皮毛洗將窮氣色。

靖州即古夜郎地，太白遺跡極多，白社山亦以太白得名。更檢輿地志云：「其地有愁笛、壺笙，更產夢花。凡夢者朝起看之，便能記憶。」此數條語甚韻，意其地必佳勝也。冲如去後，予簡之曰：「凡到山水絶勝處，可爲我題名其間。」既而冲如歸，極言風土之惡。寒則極寒，暑則極暑，山水多頑鈍。菊花南中極多，而此地絶少。所云愁笛如常笛，但加大耳。壺笙亦如常笙，但倍蠢劣，皆蠻丁羣聚嘯跳而吹之。予初屬冲如攜此兩物歸，當叶前詞唱之。及聞冲如言，爲之咋舌曰：「吾詞何幸，乃幾遭不幸如此。」自跋

一靖州也，前有太白詩，今有子野詞，便令頑土化名壤矣。唐振伯

英氣勃勃，讀之可以壯人膽氣，堅人骨力。誰謂雕蟲小伎，非壯夫所爲也。子楚評

蒼勁如鐵，妍秀如花。風姿氣骨，兩臻其妙。韓巨卿

靖州荒陋，不似人境，然亦有一二文學，粗知翰墨。子野初以此詞書扇贈予行，後爲彼中一

友人所匿。今予歸已三年，而此扇猶在彼。文明一綫，藉是不泯。在靖州爲破天荒，而在子野則爲勒口碑矣。鷄林賈人，亦知有白太傅耶。冲如記

梅花有跋

【南南吕懶畫眉】一枝花發粉牆西。向雪洞風簾深見伊。瓊枝玉蒂一時肥。針寶窗香細。只見疏影中間獨鶴棲。

【不是路】秀骨冰肌。占斷江南第一枝。丹青意。天然標格瘦離披。伴人兒。和烟冷淡空園裏。伴月微茫淺水時。魂容與。春寒小閣迷香雨。茗罏詩句。茗罏詩句。

【掉角兒】冷春心寂寂和泥。蝶來遲要尋無計。閉朱門空老殘香。與樓頭那人憔悴。況更是壓溪橋。横古路。點官粧。粘驛信也。總無情思。霜欺雪妒。風篩露啼。還有個清明細雨。酸子黄時。

【尾文】樽前一瓣風吹至。重向燈前瞧認你。原來是幻出林逋無字詩。

古人梅詩，或道其精神，或道其氣節，或道其風韻，此詞則更道其情致矣。可補逋仙、鐵老諸人所未及。至「針寶窗香細」一語，古今詞人俱未許夢見也。巨卿評

昔宋廣平以鐵石心描花媚姿，吾子野以錦繡腸寫花遠致，足稱千古合璧。闇生評

細骨柔肌，玲瓏秀逸，此江郎彩筆，天生帶來。若他人，恐未免開口俗耳。冲如評

村中夜懷有跋

【南商調二郎神】和衣睡。這一段淒涼爲着誰。水國霜清寒徹髓。分明夢裏。醒來人在天涯。聽不得風吹窗上紙。方信道夜長如是。渾欲死。撇不下心頭一個人兒。

【集賢賓】盈盈衹隔衣帶水。來時密約佳期。眼見得差池三日矣。況一紙音書難寄。般般爲你。知多少雨啼風涕。羅帕裏。請看取一行行淚。

【黄鶯兒】心病煞難醫。只當歸是妙藥兒。今宵症候難存濟。冷一陣是甚的。熱一陣又爲誰。更眼花錯喚名和字。鎮如癡。伊難負俺。難負俺恁相思。

【琥珀貓兒墜】一燈相伴。加被更添衣。守寡淒涼渾似此。枕頭香膩是誰的。憐伊。實實是前宵枕上人兒。

【尾文】幾番還自披衣起。茶冷香消寒似水。聽敗葉敲門疑是你。

是夜宿韓巨卿齋，偶有所懷，卧不成寢。乃起坐燈下，磨墨伸紙，凡得古詩三，律詩一，南北宫長調各一。已而天明，花日在窗，親故以予之至也，少長並集，見諸綺語，争録之而去。頃刻間偏布墟落。更歲餘，予復請巨卿。見其村中小兒大學序首空處，有偏書予詞者，

亦大可笑矣。自記

喬夢符寄遠折桂令云：「飯不沾匙，睡如翻餅，氣若遊絲。」曲寫相思模樣，可謂多情矣！乃子野則曰：「冷一陣是甚的，熱一陣又爲誰？」又曰：「守寡淒涼渾似此。」鍾情之甚，更覺過之。大凡情患不足，不患有餘。世間忠孝俠烈，總發乎情者耳。子野嘗有詩云：「從來江海淚花成，自古乾坤情字裏。」的是名言。彥容評

子野生負風流，命饒花福。每逢奇麗，不禁縈牽。戊午冬口，過余村居。予爲設鷄黍，進尊罍，擬盡歡洽。乃微睨子野，意中悃悃若有所失。夜宿竹雲齋，卧而復起。挑燈吮毫，苦吟達曙。予蚤起見諸詩詞，曲寫悲悽景況。因爲和韻，有「好把新詞先寄與，相思滋味要伊憐」之句。子野笑曰：「子誠知我哉！」幸毋投轄，致令予負心期也。」至次夕，留詩案頭，中宵逸去。異哉何情痴至此！雖然，予觀古來才人恒遇佳人，然當其分離阻隔，往往魂銷欲死，發諸咏歌。以子野之才之遇，而欲其含藻歛華，作無情鈍漢，此實難矣！蓋惟個中人諳個中味，如子野始可謂識得情字耳。能讀斯詞者，必天下深情人也。庶有知子野者哉！

韓大進巨卿跋

摹情欲絶，是普天下相思領袖。夏澹生評

懷舊重和彥容作有跋

【南黄鍾畫眉序】心頭轉淒惻。舊恨餘歡總堆積。歎一場花事。十分狼藉。他做下影裏恩情。我贏得畫中悲憶。〔合〕看看逐旋隨流水。過今日又還明日。

【前腔】曾經苦分拆。還有個相逢在他日。怕從今見你。就再生難必。曾記你絮語叨叨。畢竟也信音寂寂。〔合前〕

【前腔】花儔與月匹。難道心腸竟如墨。料重門深鎖。雁書無策。就做道今日辜恩。畢竟是當初難得。〔合前〕

【前腔】依稀有消息。聞道伊家尚相憶。就一些難信。也堪疑惑。眼皮上越有思量。心坎裏轉添鶻突。〔合前〕

【滴溜子】誰承望。恩情。兩下分劈。倒浪想。來生。和你相覓。幾個黄昏白日。教人挨不起。這時刻索取憂愁。報伊憐憶。

【鮑老催】重思細憶。些些好處郎知得。手托腮兒過時日。這幾時。行忘止。坐忘食。淹淹瘦損腰兒窄。鏡裏看看減顔色。爲着你真相直。

【雙聲子】真難得。真難得。寵柳意嬌花格。真可惜。真可惜。輕閃下都收拾。没計策。没計策。生死隔。生死隔。是一對冤家。兩辜心力。

【尾文】佳人才子風流籍。未許卑人多占得。該有今朝這分拆。

彦容曰：「爾懷舊詞已極美妙，得無江郎才盡乎？」予曰：「有情可摹，無才可盡。若云才盡，則尺幅立窮。若云摹情，則天大樣花箋，願借一幅。」乃因其和作，復重和之。終恨句字有限，未寫得其萬一耳。自記

子野長於才，自深於情，才情二字，固是相生。嘗借唐之詩，方子野之詞，大抵如崔賈之雄偉，而無館閣氣。如元白之流利，而無俳偶氣。如錢劉之清藻，而無佻率氣。如郊島之澹遠，而無寒瘦氣。如崔鶯薛濤之香豔，而無粉脂氣。如齊己靈一之機警，而無蔬筍氣。其在初唐，則十二家也。其在盛唐，則李杜也。下逮晚唐，雖句雕字選，間奏新聲，寧易闖其堂奥耶。彦容評

情波滚滚，隨地江河。尺幅之間，濤頭萬狀。張調卿

和彦容重會西湖佟姬留别之作有跋

【南南吕宜春令】春將盡。春意濃。陡春心雲期雨蹤。那人情重。當年綺席親陪奉。把恩情付與湖山。到今日枕頭春夢。情悰。忘他不得。再尋花洞。

【太師引】趁東風。一片晴帆動。擺蘭橈平湖鏡中。看無盡青山如畫。况更是緑水唧

空。詩筒茗椀和春甕。怎少得那人相共。心頭事。今年去年。曾記得雙攜手在曲水橋東。

【瑣窗寒】到如今人去橋空。髩鬅當初旖旎容。記紅鞋底印。半折如弓。衫裁小樣。六銖猶重。淡雙眸一泓波瑩。想儂。般般件件總朦朧。怎生問信尋蹤。

【三段子】隔花轉東。過青樓深深幾重。兜的便逢。看花容如今轉穠。好似春風到處花心動。花心開處蜂偷擁。眼口相依。這情深重。

【東甌令】分離後。没雁鴻。怎料今朝得再逢。輕輕窗下親摩弄。肩臂相挨擁。奈新歡舊恨積重重。如在夢魂中。

【三換頭】湖山翠籠。載伊情種。迷離笑也。春心忒濃。娘行恩寵。向衾窩款款。把温香軟情偷送。一覺鴛鴦夢。香肌兩下烘。這樣親偎。怕甚麽勒熌輕寒柳絮風。

【劉潑帽】冰輪一片松梢湧。候卿卿睡眼朦朧。枕邊溜却金釵鳳。莫放鬆。這良夜休輕送。

【大聖樂】奈些些幾夜情悰。業魂靈全被哄。多應别後相思重。因此上十分濃。正是人歸恰在花叢裏。春色偏生錦陣中。餘懽剩恐。只恐怕從今去後。雲雨無蹤。

【越恁好】相攜手怎鬆。繾綣全何用。終久是分離。硬個心腸且去也。看秦簫再弄。怨雙雙飛燕各西東。歎人生幾番多被離愁哄。臨歧泣別太匆匆。

【尾文】春風吹得離情重。楊柳堤邊一樣濃。何日樓頭香再擁。

古人詩讖，每以爲諱，予竊笑之。興到吮毫，未嘗有所避就也。右詞適在毗陵舟次，對客揮灑，疎率平淡，第粗成句字而已。歸來出示彦容，讀至「況是來時未必逢。」彦容拍案曰：「何作此不祥語？」予笑曰：「不意達人亦爲斯言。」明年春盡，彦容將赴心期，而姬訃忽至。偶然胡言，真欲成讖耶！嗟乎！佳人難再得，花夢不多作。每披此詞，想見當時朱欄畫舫中，胡然而天，胡然而帝。今日化爲東風亂蝶，夜雨哀憐。粉面香魂，儘付柳啼花哂。檀郎於此，能不動心！恨天寡緣而高高不可問，恨人負心而冥冥不復知，乃轉而咎予曰：「詞讖詞讖，殆無聊之極思，而情深之致語也。」予亦甘爲有心人受過矣。自跋

悼亡妓爲彦容作有序跋

佟姬乃西湖名姝也。彦容素與遊善，兩度遊湖，累有贈答。昨歲寄彦容詩，有「記否斷橋橋上月，爲郎揩淚爲郎歌」之句。風流蘊藉，於此可思。今歲清明，桃李正發，彦容將赴心期，出示懷舊四闋。予賞其婉麗久之，因許屬和，不兩日而姬訃至矣。適在泖上，作清明感桃詞未竟，使發，因寄語彦容，尋當相示也。彦容復曰：「兄作定

佳，但恐挑人人面桃花之感耳！」予感斯言，因得「桃花人面春風」之句，而以「荳蔻郎心夜雨」儷之，聊以志彦容之感，且以當和作耳。嗟嗟彦容，世事轉眼，可悟空色。清明感桃詞，願以爲藥。壬子清明後十日記。

【南仙呂桂枝香】時時心裏。看看夢裏。桃花人面春風。荳蔻郎心夜雨。記前春見伊。前春見伊。伊道你且今年歸去。我準明年待你。竟誰知。地下無消息。人間長別離。

【前腔】再逢何地。要逢何計。高樓歲歲春深。海燕年年胡語。問伊家怎的。伊家怎的。你曾寄斷橋詩句。郎也寄新詞與你。竟誰知。郎才柳絮沾泥日。妾是梨花魂斷時。

【前腔】意中人去。眼中人淚。傷心荒草新墳。腸斷亂鴉枯樹。想今番別離。今番別離。郎盡相思爲你。你便相思無據。竟誰知。燭灰眼下空含淚。蠶老心中枉掛絲。

【前腔】去年滋味。今年憔悴。當初誓海盟山。到此夢花兒戲。歎年年此時。年年此時。不見舊遊之侶。只到舊遊之處。竟誰知。一向同香閣。而今泣路歧。

子野云：「桃花人面春風，荳蔻郎心夜雨。」石萍云：「夕陽邊草緑郎心，銀缸畔鴛紅妾枕。」皆駢麗中情語。年來花運百六，歌場板蕩，風流一線，猶在斯人。古云佳人難再得，

亶其然乎？子野填詞弔之，當使香魂豔魄，與西泠小小，俱不死矣。彦容評

佟姬葬孤山之麓。張九娘葬西泠橋畔。一坏荒塚，斷送風流。情烟意月之下，不知粉魅花魂，尚能作綺羅絃管，當年伎倆乎？哀哉哀哉！予嘗欲作小詞合弔之。或曰：「與子有何交涉，亦勞費筆墨乃爾？」予曰：「野草庭花，吾輩見之，亦有意思，此豈皆枕席間物哉？」予終當了是願，作雙花薄命吟，明歲遊西湖，當於寒雲荒莽中，揚杯以酹之。自記

贈嫩兒有跋

【南南吕懶畫眉】葡萄花下閉門居。小小房櫳廝稱渠。眉兒淡掃略施朱。清俊龐兒素。直管領春風盡不如。

【前腔】偶然相見落花餘。衫子新裁紅杏初。温柔香軟骨如無。愛把眉兒鎖。淥老瞧人一寸波。

【前腔】温香脈脈遞衣裾。慚愧蕭郎是相夫。前生緣分道如何。怎樣看承我。問取卑人折福無。

【前腔】暝烟初合落花多。潛遣青衣將小字呼。燈前密語一更初。片腦煨殘火。正窗

外初三月似蛾。

【前腔】有人窗裏解流蘇。泥得檀郎不奈何。窮酸也得近冰膚。今夜休輕挫。知費了繾綣司中印幾顆。

【前腔】驀然分別兩情辜。郎上孤舟妾綺疏。懸懸望眼兩模糊。無數西江路。只哄得蕭娘裛淚珠。

【前腔】相思今夜破題初。獨向西廂月底哦。一場花夢又南柯。納悶支頤坐。驗瘦損腰圍一寸多。

【前腔】娘行且自强支吾。郎不是青樓薄倖徒。衷腸一段在春羅。須着意加留護。這是折證相思一紙符。

嫩兒姓沈氏，色不踰中人，然善歌。有此則初見淡然，已而亦微微近人。而時露俠士風，無婦女氣。談話信宿，頗極歡得。匆匆别去，遂成各天。以後兩訪之，皆不得見。今且聞其從人矣。恐後晤無期，空有芙蓉面，楊柳眉耳。燈下偶閲舊詞，酷思其人。乃細書數語，爲他日半幅遺照也。自記

嫩兒從人時，曾以一緘寄予，浮沉兩年始達。雖或出倩代手，然不忘故人，封完舊物，情深義決，真可云俠。試反復書詞，其人可想，而其事可傳，因附記于此。其辭曰：「清江一

別，遂易歲年。江南渭北，人遠心近。誰言雲水萍花，恐非個中人語也。別後浪遊金焦間，會有夙約，風絮便當沾泥矣。但古詩有云，生憎寶帶橋頭水，半入吴江半太湖。正不知誰淺誰深？春天雨枕，秋夜風幃，孤燈殘夢，此豈重門深鎖所能限也。悠悠此情，未知何極。春羅一段，折證相思。向寶之秘之，異香熏之，古錦襲之，只令渠見淚痕耳，未嘗敢輕出示人。雖然，今日之事，情不可割，義不可留。謹繫同心，仍送左右，豈忍等秋雲哉？但使足下謂兒爲薄倖人，以岐路視之。從此心花稍開，眉結稍熨，則委骨窮塵，所甘心矣！時移事改，生死離隔。灑淚書懷，封緘盡溼。千萬珍重，遠大爲期。膩粉柔香，不堪丈夫在意也。」又自記

此小聚散耳，遂成花史一段大關目。有此公案，恐子野他生，復受花業。玉妃有言，爲此一念，又不得居此，爲天爲人，必再相見。噫，可懼哉！吾輩情根纏綿，不知何時税駕矣。請子野勇猛懺悔則個。眉公跋

菊　花有跋

【南仙吕入雙調步步嬌】老圃先生閒心計。粗了黄花事。東籬插幾枝。老雨枯風。自然高寄。全不怕霜欺。變炎涼也只是無趨避。

【江兒水】可有幽深意。偏生古秀姿。比佳人較没胭脂膩。比詩人倒没寒酸氣。比仙

人尚少雲霄志。但落寞[一六]田園居士。滿地黄金。依舊有寒儒風致。

【清江引】甘心野蒿同腐死。豈有人間意。自從三徑栽。漸移入朱門裏。多應怪淵明老人多事矣。

蕭閒簡遠，不染一塵。非曠世高懷，落筆豈能如此？沖如評

咏物之難，難於灑脱。此詞正得之筆墨之外。沈伯英

夜窗話舊有跋

【南仙吕八聲甘州】鴛鴦牒上。把雲英姐姐配定裴航。談何容易。驀面便教相傍。勾消幾許相思賬。收拾無邊年少場。方纔。有今宵細語空窗。

【前腔換頭】記當日。晝樓相訪。正朦朧睡起半嬾梳粧。兜的覰上。從此不教抛放。曾深談雨枕銷金帳。曾泣誓風燈蕭寺房。也曾。守凄涼楓落吴江。

【不是路】不厭疎狂。許我真心學孟光。親供狀。就輪迴也願作鴛鴦。怎生忘。把池邊樹影做談心幌。將峰外松臺做拜月堂。相偎傍。一場花夢拚勞攘。儘他魔障。儘他魔障。

【解三酲】我也曾錦衾羅幌。我也曾路雨橋霜。我也曾把香心月夢潛來往。我也曾封

寄啼痕十萬行。我也曾軟偎珠翠將花心養。我也曾抹殺鬚眉將浩氣藏。風流賬。爲風流兩字。摟得人慌。

【前腔】你如今繡房鴛帳。你如今琴几爐香。你如今舞裙歌扇抛塵網。你如今伴先生月句花觴。你如今不愁心上鴛鴦曠。你如今冷看人間脂粉狂。休謙讓。真個是情因證果。花籍生光。

【尾文】空窗一夜閒論講。個裏悲歡有一萬場。把天比情還未是長。

「二十年前一夢空，依稀猶記夢花紅。而今短鬢侵尋白，閒話風流落照中。」此予乙丑春日花前感舊詩也。夫人生七十，謂之古稀。而初十年太少，後十年太老，中間止五十年。而坐困於塾師者幾十年，羈纏於病冗者幾十年，幽沉於風雨者幾十年，所存幾何哉？而粉債花魔，酒兵愁陣，又無日不煎熬熱沸，爲生亦良苦矣！幸有一字訣曰忘，庶以寡情得安樂法耳。奈何絆繫情根，常在心口。當年童心，業已多事。又復爲之追思記憶，點算狂花。舊事縈纏，業緣增重，何時得解脱哉？右詞乃十年前舊案，花影集成，予擬删去。彦容曰：「事不須憶，而詞則可傳。爾但作空花觀，聽天下着相人臨文感歎可也。」乃仍附之卷中，令如夕陽之在疎林，半明半滅云爾。自跋

清明感桃有序

吾友閽生，去年有烟花夢詞，予亦繼之有作。今歲清明，花下忽然想着，遂覺此花多有可憐處。因得花如夢句，譜之成章，當一哭耳！

【南商調二郎神】花如夢。忽又傍清明發舊叢。酩子裏芳心嫌太亢。錦堤雪浪。一枝香倚晴空。是第一東君蒙愛寵。生就個情苗恩種。人面孔。好分付崔郎恁地東風。

【集賢賓】天台一徧人被哄。而今誰問仙踪空。蝶鹵蜂粗樵燕懂。竟歲歲儘他調弄。胭脂忒重。伴烟柳溼雲如凍。荒廢塚。鶯叫破老紅癡夢。

【黄鶯兒】日曬紫酥融。近前池老鏡中。可憐猶是劉郎種。苔紋上紅。鞋幫上紅。高情已逐梨花夢。負東風。風流盡矣。隨分水流東。

【琥珀貓兒墜】傷春血淚。幾度賺人紅。畢竟花殘枝也空。玄都觀裏不禁風。没用。好笑幾處公門。賭甚英雄。

【尾文】花前歎息花如夢。又費新詞題詠。似夢醒人兒説夢中。

無限關心，語致吞吐。風情韻味，的的欲仙。陸五如

七夕後二日祝如姬初度

【南中吕泣顔回】花種降瑤池。管領人間花事。偏生及此。天孫昨夜歡會。金風玉露。向高樓洗出秋如水。百日紅似有意拈花。並頭蓮可爲你成對。

【千秋歲】翠紅圍。排比做神仙會。共獻祝酒映蛾眉。鱸鱠蓴絲。鱸鱠蓴絲。擺列着俺江南早秋風味。香翻袖花蒸氣。紅潮面人微醉。歡暢文園裏。俺烟霞地主。你羅綺花魁。

【前腔】兩相宜。可不是天婚配。百歲事今日纔起。月信花期。月信花期。待與你醉婆娑典珠沽翠。風流事俺生來會。繁華夢你休慚愧。但歲歲人相對。做雙星姊妹。配滿月夫妻。

【越恁好】綵毫佳句。綵毫佳句。俺文齊又福齊。喜卑人有福。有福把卑人配了你。桃花郎姓崔。瓊漿人嫁裴。把香馥馥一枝花待移入繡幃。嬌小小年紀兒。就從今白首兒寸步相隨。同心膾。連愛絲。咱兩個長歡會。向黄姑笑道。俺不輸你。

【雙乘鳳】願從今抛却歌衣。歌衣。願從今重修豔史。豔史。梁鴻婦。竇家妻。伸月誓。赴花期。草隨步絮沾泥。

【前腔】願從今荊布釵衣。釵衣。願從今香茗琴棋。琴棋。常蝶幸。永花媒。風前句。月中杯。把生花筆畫山眉。

【鳳毛兒】尊前獻祝團歡喜。這壽酒多應是合巹杯。風光甚美。可知道勝事良緣。又有個天公幫襯你。

子野情根引蔓，隨地下種。觀此詞則香馥馥一枝花，又將移入繡幃矣。獨不顧人間饞眼，憨妒欲死乎？雖然，如此好詞，香豔鮮美。千金一字，庶幾無慚。以當一斛珠，恐人間正少此買花錢，他人安得争買也。包稺先

寄人檇李有跋

【南商調金索掛梧桐】花間宿雨收。細疊花茵皺。雨雨晴晴。一個人孤守。歸期怎逗留。過中秋。又早看看二十頭。音書浪得傳人口。你在天涯何處樓。眉兒皺。將紛紛淚點灑寄東流。問當初偎傍人否。問今宵夢見人否。空夢裏人依舊。

【前腔】鴛鴦湖畔舟。西子臺前柳。一望天南。怒雨驚風驟。淒涼立小樓。見濤頭。銀屋翻空罨素秋。此時遥憶人安否。更添上眉峰兩點愁。空僝僽。這般般件件總難丟。要與君説個因由。問個因由。二十後歸來否。

【前腔】思量無斷頭。往事空回首。暮暮朝朝。漸漸添新瘦。金錢暗自投。淚雙流。看幾片青蚨個個愁。分明許下歸時候。怕人在天涯還逗留。指衫袖。把淚珠收去又蹙眉頭。想人生幾度中秋。早虛了一度中秋。況歸期未必中秋後。

【前腔】梁間隻燕愁。鏡裏雙鸞剖。書信重封。不盡還傳口。書憑征雁投。怎生留。惆悵臨封幾度抽。你看時料把眉兒皺。我倒怪修時忒恁愁。君知否。這書來之後盼望回頭。須知道日日江樓。夜夜燈篝。好消息何時有。

此詞予既寄贈後，爲彥容潛録。適游西湖，因口授一歌姬，纔一過，便能了了。再夕即歌之段家橋，風流俊逸，坐客銷魂者久之。夫一經美人之口，便傾動一時如此。予自分何緣，消此奇福。且花事已休，芳心灰冷。名傳樂部，空屬可憐耳！予曾有詩曰：「夢破揚州事有無，近來只合叩維摩。誰知猶有空名在，却被人偷譜豔歌。」又曰：「而今非復舊情癡，雖遺新聲似昔時。好比仙人天上去，人間傳得步虛詞。」蓋爲此而作。姬姓顔，行第一，聞是慧人，未得一覩，時爲惘然。自跋

開元中，高適、王之涣、王昌齡齊名。偶拈小詞，便爲教坊偷譜。一日小飲旗亭，諸姬所唱，皆昌齡絶句，而不及之涣。之涣爲之色動，因指諸姬中一最美者，謂兩人曰：「姑稍俟之，倘我詞出此子口，則爾兩人當以我爲師。」俄而雙鬟撩袂長歌，聲絶雲漢，則之涣詞

矣。之涣爲之大叫狂噱。顔姬事於此正相類。蓋詞出美人，即蕪詞亦有生氣，況綿婉清新，如子野此詞者哉。且冥契之符，莫知其然而然。子野之神韻，顔姬之慧心，當別有作其合者，又不真在聲音句字間也。彦容跋

平言淡語，只如白話，此詞家最上白描手。所貴乎本色者此也。蔡叔文

賀闇生新居有跋

【南大石調念奴嬌序】予家烟水。把山林城市。從公與汝平分。畢竟君多丘壑意。依然城市山林。齊整。撲地樓臺。圍天竹樹。花枝缺處放朱門。〔合〕真個是。深如洞府。高比層城。

【前腔換頭】華甚。專城聚景。大多是畫棟雕梁。朱粉輝映。聘得名工神妙手。巧奪天人無並。奢逞。我寒素家風。清疎情味。每經一到一魂驚〔合前〕。

【前腔換頭】奇甚。礙日連雲。取涼藏煖。偶然一曲忽臺亭。擺列着擺列着周鼎商彝秦銘。雄雋。我懷古襟期。摩挲老眼。遍看款識不知名。〔合前〕

【前腔】幽甚。曲檻迴廊。小庵偏室。矮扉低屋紙窗楞。安頓着安頓着竹几蒲團龕燈。清韻。我世外閒心。宗門本色。堪于此處老餘生。〔合前〕

【古輪臺】集良朋。風花雪月此同評。每將車轄投之井。酒杯詩韻。更羽客高僧。參擁養生禪定。有劍借人看。字容人問。有圖書經典更棋琴。消閒養性。有花傭圃户園丁。有書牀藥臼。茶鐺酒庫。水瓢花甑。儘足了閒身。神仙境。多應福分帶前生。

【前腔】須聽。還有金屋娉婷。與你雪館風燈。夜窗朝鏡。況得意仙郎。忒俊逸風流標韻。纔了却琴心。醫痊花病。把話舊餘閒。折花枝問郎占孕。半低聲不許人聽。綺疏朱户。雕欄實砌。鶴閒花静。處處有風情。神仙境。多應福地照花星。

【尾文】我煙霞性泉石盟。終道你城居未穩。一首移文草欲成。

闇生本宜置丘壑，竟以俗緣未斷，猶滯城闉，故予以此詞賀之，實規之也。未幾，闇生闢園東郊，移家就焉。可謂從諫如流矣。北山移文何負於吾友哉！予嘗有西佘山居記，極言人外之樂，曾録一通寄闇生。竊自謂繁華夢短，冷淡情長。丹山白水，未可與空花熱焰同日語也。因附記于後。自記

西佘山居記自撰

吾松水膚而山骨，而林木修美，更爲之衣裳毛羽焉。蓋分秀於天目得其骨，借潤於震澤得其膚。而氣趨東南，地煖宜水。且南接武林，北距金閶。賣花傭日載名卉，高檣大艑而至。宜其衣裳之日加麗，毛羽之日加豐也。以故九峰三泖間，處處有花木之勝。而東西二佘，

尤爲山水結聚處，花木爲尤蕃。予山居在西佘之北，東佘之西。西佘峭聳而尊嚴，東佘委蛇而飛翔。予之飲食坐卧，皆在其空翠中。玉屏山矗其東北，勢若騰舞而至。更有一山，如魚背，如眉稜，半隱半現，意致羞澁。則鳳凰山之介出於東佘玉屏間也。別有一點蒼翠，在平疇漠漠中，若醒若睡，不衫不履，則北簳山之離羣獨處，而踉蹌于煙草外也。揉藍縈帶屈曲柔嫵，輕和淡蕩，似一雋人，則山涇之漲膩淪漣，而周遭於兩佘下也。此山水之大凡也。予山居則疎疎落落，而點次於山水間也。在山腹者，曰半閒精舍，本爲先人墓地，於此供僧懺佛，故名。中堂曰春雨，其前平田遠水，一目千里。西偏曰無夢庵，卧處也。萬松在窗外，蒸雲鳴雨，夜枕幽絶。東偏曰詩境，晏坐處也。窗外純竹，東佘作正緑色，在竹中間，探頭如戲。其前爲散花臺，出萬竹上。每於此飯鳥，鳥聞木魚磬聲則下。竹間有小徑，接太古齋，齋小如髻。他處猶聞樵斧人足聲，至此萬籟俱寂，惟聞鳥啼葉落，而閒鳥無求，聲不多作。盛夏草木怒生，葉亦不落，但竹風蕭蕭而已。每歲暑月，爲掛瓢晞髮之地。此山腹之大凡也。降及山腰，有亭翼然曰霞外，其背背松，其面面桃，上徑徑松，下徑徑桃。更有梅花三四十株，作一堆雪。當桃花盡處，桃徑凡三折，一折皆單瓣，開差早。一折皆千瓣，開差晚。兩桃繼發，豔可踰月。一折純種桐，桐盡復種桃。而隣家松竹，更互相掩映，可稱緑天紅雨，繡幄香茵。每值春時，爲名姬閨秀，鬭草拾翠之地。此山腰之大凡也。漸近山足，爲就麓新居。初作屋山上，已又作屋山下，故名。闢兩板扉，有疎籬曲水，細柳平橋。水上夭桃，照天曜日，人行花間，頭面盡赤。入中門，榜曰北山之北。繁陰鬱然，下有曲徑。抵方池，渡斜橋，橋南北皆植梅。有老梅一株，是爲梅祖，狂枝覆地，輕梢翦雲，與池上垂楊，黄金白雪，相亞而出。有齋兩楹，面山臨池，曰三影。予字子野，好爲小詞，故眉公先生以此名之。每歲催梅觀荷於此，更爲花朝祝花之地。齋後疎竹高秀，朱欄拳然。啓其後户，達於小樓，曰罨黛。四山環之，翠色欲滴。陰晴改容，瞬息萬狀。雪朝月夜，于此最勝。此予坐卧處也。自樓而東，作軒三間，曰語花。有旁室，曰蕉雨。莫不花來鏡裏，樹入牀頭。山眉霧鬢，緑生枕上。此朝雲通德雜處處也。三影齋之西偏，爲西清茗寮。窗外有古梅修竹，蓄木奴數頭，更種睡香一帶，接衆香亭。梅花開時，睡香助馥，氤氳酷烈，聞二里許。疎雲淡月之夜，薄醉微吟於此，令人恍恍有春思。亭前多桂，仰不見天，幽草閒花，總隸香國。每歲秋時，觴桂於此，更爲月夕酹月之地。徑折而南，啓小門，入疏竹，有屋臨水，扁曰竹闌水上。水月摇窗，風篁成韻，此留客止宿處也。中間爲秋水庵，庵下是水，水上是竹，竹外是山，山上是桃。花時萬斛紅濤，勢欲浮屋。庵前高梧數株，壁立聳翠。更作香霞臺，每歲錦茵繡幙，爲牡丹洗粧於此。水折而東，稍稍深闊，作軒其上，爲聊復軒，軒内作煖室，曰一燈十笏。中供如來，及純陽祖師像，每清齋禪誦于此。軒前爲濯錦臺，臺之東岸皆桃花，更有疎柳，依依高出其上，而東佘煙翠，復襯其外，每歲柳綿飛時，送春於此。從軒而南有小橋，曰濟勝。朱欄雁齒，達於竹外，繞徑皆芙蓉，乃聊復軒東岸也。山展一足，插入短垣，就其高處，築一草閣，曰妍穩。軒中，看桃已勝，而於此更爲奇觀。蓋憑高俯眺，萬錦畢集，紅白交加，深淺互出，正恐武陵無此奇豔。每歲攜妖姬韻士，問桃於此。閣不甚弘敞，然而據地獨高，頗得諸勝。登此則三影齋之梅，西清茗寮之竹，罨黛樓之雪月，衆香亭之桂，秋水庵之水竹，聊復軒之桃柳，濟勝橋之芙蓉，以至霞外亭之桃梅，春雨堂之松竹，無不可坐而致也。此山足之大凡也。予蓋經始于丙辰之冬，迄于丙寅，首尾十載。初作春雨堂，次作霞外亭，次作三影齋，次作西清茗寮，次作罨黛樓，次作秋水庵、聊復軒，次作語花軒，次作妍穩閣。蓋貧翁不能頓辦，且花木漸次成章，乃因而補贅之。此則予營作之大凡也。予性苦城居，頗樂閒曠，己未冬，移家泖西。而每歲春秋，必來山中，或侵尋結夏，至十月而歸，而梅花時又遄至矣。居山中，雨不出，風不出，寒不出，暑不出。貴客不見，俗客不見，生客不見，意氣客不見。惟與高衲羽流相知十數人往還。有見訪者，殺鷄爲黍而食之。無珍餚，家常五品而已。凡四時風景，及山水花木之勝，皆譜撰小詞，教山童歌之。客至，出以侑酒，兼佐以簫管絃索。花影杯前，松風杖底，紅牙雋舌，歌聲入雲，亦甚足爲耳輪供養矣。更作一釣船曰隨庵，風日和美，一葉如萍，半載琴書，半攜花酒，紅裙草衲，名士隱流，或交舄並載。每歷九峰，泛三泖，遠不過西湖、太湖而止。所得新詞，隨付絃管。興盡而返，闔門高卧。有貴勢客，强欲見者，令小童謝曰：頃方買花歸，兹復釣魚去矣。

此則予居山之大凡也。嗟夫！金谷繁華恐不祥，平泉癡拙恐不必。予惟是因山省挑築，因水省濬治，花木擇其易活者省培植，且擇其易辨者省物力，簡便而措之，平淡而享之。但覺山水花木，自來親人，而我無應接之煩，是乃可爲真享受矣。予且逍遥目前，安分知止。百歲之後，安知其不爲子孫賣？不爲勢家奪？不爲平田耕？不爲虎狼穴？不爲兵寇焚？不爲樵豎截？此事理之必然，無足訝者。予惟記之一片石，使蕪没之後，或有得斷碣者，知此地曾有室廬，有卉木，有人文采風流于此。今且鞠爲茂草，不復辨處，倘其人有心，當爲之撫膺一長歎耳！記凡刻三石，一沉三影齋池心，一藏散花臺下，一沉北山泉底。北山泉者，山居之井名也。清淳芳美，堪比慧泉。予曾有銘，記不及載。天啓六年歲在丙寅五月五日峰泖浪仙施紹莘記

文勢紆迴，文情閒曠。而曲折詳盡，覺亭臺橋道，歷歷可數。每澄心静觀，神與境會，直似芒鞋竹杖，緩步其間者。東坡題李龍眠畫云：「如見所夢，如悟前世。」于此記當亦云然。韓巨卿評

子野高風逸致，或寄之山水，或發之文章，要歸自寫本色，傳示小像耳。經營山園垂十年，全以胸中丘壑，點次煙霞。兹復以筆底鉛華，圖寫神韻。快讀一過，不特卧遊其勝，抑且恍見其人。即以此當子野本傳可也，不應作文章山水觀矣。張漢水

一篇有大結束，一段有小結束。而高閒疎曠，舉止安和，更有無風自波，拈花獨笑之致，

固知其人非塵埃中物也。倪子山

子野投予詞，故是作賦手。後寄予此文，更屬出世法。乃知人世間紅塵蔽天，仍有一隙冷境，可容閒人。予東郊有數椽，花木古秀，魚鳥静樂。予將於此老我一生，與子野長作世外神交，分受林泉之樂，豈容子野獨享，且以此傲睨人也。顧閬生

相　思

【北雙調蟾宫】掩重門夜永沉沉。聽一派寒砧。怯一派寒砧。映窗楞月在庭心。篩一簇花陰。怕一簇花陰。抵牙兒慢思量。是一個知音。第一個知音。記他們喜孜孜。抽一隻鸞簪。贈一隻鸞簪。到如今有夢難尋。烘一會孤衾。擁一會孤衾。

【幺篇】亂紛紛花撲窗紗。驚一樹棲鴉。定一樹棲鴉。悶懨懨倚得身斜。覺一陣寒些。更一陣寒些。托瑶琴寫意兒。學一段梅花。彈一段梅花。聽雁兒飛過也。這一隻呀呀。那一隻呀呀。擁衾兒叫聲天那。見一刻冤家。夢一刻冤家。

【幺篇】果然的夢見伊人。驚一陣風聲。惱一陣風聲。夢回來重剔殘燈。又一瓣花生。更一瓣花生。淚痕交衾和枕。這一片如冰。那一片如冰。俺知他他知俺。總一種傷情。恁一種傷情。既伊家知俺傷情。判一個殘生。儘一個殘生。

【幺篇】漸天明白發東窗。卧一半空牀。剩一半空牀。意昏迷眼誤心慌。叫一聲娘行。錯一聲娘行。惱心情抽身起。顛一領衣裳。倒一領衣裳。眼睛前身分上。那一件思量。這一件思量。怎能彀便見娘行。有一段淒涼。説一段淒涼。

【煞尾】淒涼淒涼忒淒涼。教俺和誰講。便教就見娘。也勾不盡相思賬。多應是相思價兒今夜長。

宛轉之思，縷縷如訴。每讀一過，令人神魂徘徊。調卿評

爲顧寶雲作有跋

【南中吕泣顔回】見面勝聞名。十郎一樣看承。郎之緣分。前生做下今生。花前月下。没包彈一對人廝稱。覷冤家這樣銷魂。其間事怎得由人。

【前腔換頭】鸞衾。鴛枕有人温。端的是嬌花細柳。輕雨柔雲。孤燈背後一絲誓血微腥。幽期密訂。這雙心兩耳親盟證。論奇逢賽過雲英。論知音説甚文君。

【普天樂】任檀郎。心腸硬。沾着手無乾净。天生個天生個有福張生。偏招注有眼鶯鶯。真心至誠。多應是鴛鴦牒。日下簽名。

【古輪臺】歎酸丁。幾人能够傍娉婷。尊前幸得偎紅袖。須教判命。一對蛾眉。已該

應傾國傾城。況花韻鸞喉。香肌玉骨。微微眼角上頭情。怕的是回眸暗覷。險些兒勾攝人魂。便做道今生今世。來生來世。生生世世。也願永隨君。推郎命。從今一定犯花星。

【尾文】東風吹得楊花緊。意馬明朝報起程。待別却臨邛又入茂陵。

顧寶雲生性多情，沾泥又起，琴心甫貼，復訂花盟。此番情案，幾令小玉占夢矣！予因以小詞投之，雖極言其花福之奇，實規之也。幸而白頭吟賦，司馬車回，然亦岌岌乎成薄倖人哉。自跋

雋美不可言，新思尖語。波委雲集，詞壇老宿，有袖手眼熱而已。但謂予薄倖，予則何敢！予爲沾泥絮久矣。正恐子野作天涯芳草耳。彥容評

相　思

【南南呂懶畫眉】暗燈微雨小窗紗。隔個簾兒一樹花。猛然身子覺寒些。把錦被烘烘者。怎麽錦被溫香不見他。

【步步嬌】筆硯如今多抛捨。顛倒朝和夜。慌張飯與茶。勉强支吾。畢竟都尷尬。若不早見伊家。怕僝軀怎更支吾也。

【山坡羊】一星星記伊頑耍。一樁樁記伊甜話。分明的人在天涯。捻空的浪把他摹寫。摹寫他。依希似得他。思量一徧又是模糊者。幾度嗟呀幾番驚詫。因他。眼睛兒常是花。爲他。喚人兒多半差。

【江兒水】恨殺風前馬。心驚月底鴉。算相逢應在芙蓉謝。到如今又早梅花大。怕差池更過清明屆。轉眼芙蓉重謝。就此際相逢。怕憔悴潘郎頭白。

【玉交枝】了緣填債。受寃家千般苦來。癡心信却書中話。浪驚疾鵲噪燈花。不堪春草鬧池蛙。怎禁寒食梨花謝。向雙星安排咒他。擁單衾安排夢他。

【園林好】我記你曾投鳳釵。你怎忘了曾偷繡鞋。料得你繡鞋還在。你怎忍便丢開。你直恁做人歪。

【僥僥令】看看芳信假。點點淚痕加。海誓山盟渾當耍。怕有日神明計較他。

【尾文】相思滋味如何也。似芳草無邊着柳花。看衣帶今朝又瘦些。

摹寫難摹之情，恍恍若畫，正恐寫生家寫人皮毛，未能寫人肺腸耳。沈德生

贈薛小濤有序

夫豔魂不死，每幻秀於蛾眉。情種無根，忽敷榮於綵筆。所以文人手澤，遇韻事而

生花。從來錦陣鉛華，借才情而流豔。小豔氏，天付柔香，人稱雋品。標韻鮮明，似濯錦中流之錦。襟期皎滌，如蛾眉半月之眉。依然名士風流，故是膽豪神雋。無愧美人本色，堪稱骨細肌豐。洗箏笛耳而學琴，解傳幽怨。以草書法而作畫，自寫春嬌。鶯喉象板，已絶唱於當筵。月韻花妖，直鍾奇於千古。蓋浣花溪畔有前因，偏生姓薛；想萬里橋邊曾寄跡，恰好名濤。雖則無雙，還堪作對云爾。乙丑春半，清明景和。偶攜歌扇扇桃花，豔驚人面；共舉霞觴觴夜月，醉死春魂。枕邊燈下，道人恐無此風情；眼際眉頭，吾輩終當爲情死。若非豔句填情，誰信文心有錦。用是短章寄意，永令花事傳疑。長曲歌成，而三生案定矣。

【南商調長相思】殢風朝。悶雨宵。就不關情魂已勞。鏡中人面銷。怨花飄。尋夢遥。況見多嬌心轉焦。把一肩花擔挑。

【二郎神】聞人道。你曾住成都萬里橋。把千古風流多占了。嬌紅韻粉。分明是一朶夭桃。却解語伴羞含淺笑。添多少酒懷詩料。人世少。是天上飛來花月之妖。

【集賢賓】清明前後春正好。烟花欲妒春嬌。倒形得烟花慚愧了。況花老輸人年少。鞋弓襪小。伴着俺短衫烏帽。嬌嬝嬝。全不管窮酸餓眼偷瞧。

【黄鶯兒】象板叶鸞簫。臉霞生一綫潮。酒容歌貌天生妙。有緣怎逃。無福怎銷。想卑人花命該花報。雨雲朝。怕巫山夢裏。未必有這多嬌。

【琥珀貓兒墜】阮郎憔悴。早荒了舊情苗。歎滿眼狂花零亂了。而今重把豔魂招。人笑。人笑我花債多頭。老不相饒。

【尾文】惜花心性多縈惱。不供養奇擎不肯饒。怕這樣情癡就吾輩少。

絶世風流，心口雙韻。汪子念

贈別和彥容作

【南正宮錦纏道】慘西風。送行人蘋香水邊。一晌耐周旋。伴離觴些些野水荒煙。多只在三朝上就歸來也渾如幾年。怪的是順風兒緊扯伊船。臨別又把衣牽。這斑斑的是緣何淚漣。要伊家把眼看。須記得區區爲恁。這盈盈望眼甚時乾。

【玉芙蓉】相攜越可憐。頃刻人難見。歎明朝兩地。又還各天。前宵燈下看挑線。今夜牀頭裏薄綿。伊言道。匆匆便還。願檀郎莫瘦了俊潘安。

【小桃紅】辜負了重陽宴。羞殺了黄花面。霎時離恨重重見。花鈿翠減留粧案。粉脂紅嫩餘香汗。破題兒今夜無眠。

【尾文】只因誤識春風面。恰是前生夙世緣。這度分離好掛牽。

予與子野，同受知駱沆翁老師。始幸識荆，讀一家言稿，苧城詩社，以子野爲慧業文人也。繼得讀諸詩詞，雋韻幽情，遺世獨立，令人嘆服，以爲神仙中人。其傳諸宙合，壽之百禩〔一七〕，有必然而無疑者。區區以帖括名世，所以知子野者淺矣！敢拈出以質之同志。褚公永評

情言娓娓，悽愴纏綿，直欲刺人心，墮人淚。使闕馬再生，猶未知孰爲瑜亮也。唐叔揚評

子野先生，素與家君遊善。憶余垂髫時，猶得望見色笑。每讀新詞，輒知愛慕。繕寫數篇，祕爲帳中鴻寶。兹幸覩花影全編，如入五都市中，珍寶臚列，令人心醉目眩，口不能言。擬以錦囊襲之，異香薰之，盥手凝神而後讀，庶不負予曩日愛慕初心云爾。唐迪畏跋

柔韻秀熨，是詞林作家手。子念評

按：曲牌【小桃紅】原誤作【山桃犯】，據譜正。小桃紅與山桃犯互混之情況，本書在沈仕卷【普天樂】「思情」套已有説明，不贅。

端陽

【南南吕懶畫眉】饒君痛飲謝端陽。怕老大仍無一百觴。人生三萬六千場。是日記風流賬。一度須教一度狂。

【不是路】火醉榴房。況葵錦蒲香酒色黄。金巵漾。一杯斟到莫籌量。飲的强。屈平獨醒空冤枉。漁父餔糟落得狂。高懷爽。一杯乾了重斟上。大家拊掌。大家拊掌。

【掉角兒】對平池一面輕涼。趁潮平龍舟初上。看湖心紅袖翻慵。聽薰風朱絃嘹喨。若不是罰三杯。傾幾盞。賭猜拳。行酷令。成何模樣。疎狂十載。風流幾場。直須向。烟波萬里。叫問端詳。

【尾文】不然一度端陽枉。枉了須知没法償。你不飲教吾心上癢。

達生之言，更爾豪逸，庶洗出骨髓中寒酸學究氣。五如評

夏景閨詞有跋

【南仙吕入雙調步步嬌】夢破秦樓簫聲咽。簾外如珪月。雕欄卍字斜。茉莉初簪。點點堆堆雪。寶襪半痕遮。晚涼天一味兒渾嬌怯。

【山坡羊】度琵琶纔彈又歇。擫篆箏纔搊又劣。插犀梳纔拈又慵。照菱花纔架又楞〔一八〕。琤跌。趁流螢。新篁小徑斜。齊紈戲撲扯淡還聊且。百合花殘並頭蓮謝。咨嗟。如何信没些。傷嗟。如何夢没些。

【江兒水】記得歡娱夜。涼堂浴罷者。掩青團共就荷亭月。那人兒親自低聲說。月盈虧我和你無圓缺。誰料冤家惡劣。月缺重圓。偏我你常常離别。

【玉交枝】尋思痛切。歹心腸方纔覺些。鮫綃曾把盟言寫。一行行字脚兒斜。你當初

哄我十分呆。我如今判個千般拙。我何曾半點心邪。你枉人心成何豪傑。

【解三醒】不記得分疼覦熱。不記得翠擁紅遮。不記得紫薇花磴羅衣卸。不記得海神爺。下場頭看看没半些。本分的歡娱逐旋賒。好虧心者。怎不把鞋跟跕着。脱下空靴。

【川撥棹】偏是涼添夜。你醉平康競俠斜。枉教人短歎長嗟。枉教人短歎長嗟。慘斑斑腮邊淚血。儘包容忍耐些。有蒼天知道些。

【僥僥令】這恨難分説。全然好似呆。就是你鐵打心腸真是鐵。怕見了我悽惶也多斷絶。

【尾文】風流過犯難容赦。奈前世緣牽又難放捨。只是等待歸來把他生痛決。

粤自胡元北聲不勁，南音遂歌。諸名家誠不用沈約韻，亦未曾用中原韻，不過以聲音相近爲韻耳。自後生厭常喜新，而好爲苟難，乃極詆沈韻，而必宗中原。夫沈之被駁，以虞元等韻也。一聲不諧，遺議千古，況中原韻廢四聲爲三聲，上去入顛倒錯亂至於如此，而猶可爲訓乎？五音出於五行，五行有金木水火，而土寄位焉。所以四時有春、夏、秋、冬，而土季旺焉。然則五聲之爲四聲，自然之理也。廢而爲三，是爲何説乎？將四時亦缺一而可乎？且乎上去入，隨聲自叶，乃天籟之自然，如天腆撰鐵，欲少一聲不得，欲多一聲亦不得。果如中原韻所云，將至撰字竟止矣。可乎不可乎？甚矣中原韻之不韻也。要是胡元入主，北聲亂華。剛勁乖劣，幾不成響。周德清乃因其舛謬，著而爲書。今人知胡元某字，即中華某字，聲音雖有不同，而真是卒不可混。六經音義，由此終天不泯，此德清之苦心，當諒之聲響之外者也。安得不以意逆志，反以鴂舌爲師，而非毀先賢哉！故予嘗謂中原韻爲攘夷功臣，而亦爲賢智戎首。揭帖韻尤爲乖戾，予極恨其詭窒。右詞偶戲爲之，不過嚴于用韻，以苦難筆墨耳。敢不大伸正論，爲詞林護法也哉。自跋

揭帖韻極難工，此却灑然。至於入情深至，搆語秀特，尤見名士風流。子還評

癡憨嬌怯，宛爲佳人寫照。擬以姿韻，所謂意似近而既遠，若將來而復旋者耶。韓有一評

感亡妓和閣生作有序跋

張九娘名冠烟花，些些多罷。顧三郎筆揮珠玉，字字可憐。説淒凉則生前死後，惱心腸無可奈何！道儆悟，則影外身中，這面目似曾相識。十年癡夢，總是無何有鄉。滿眼狂花，畢竟非安頓處。古今是一紙休書，偕老的夫妻還假；人世乃千場戲本，裝成之脚色原非。閻王勾魂帖，來時躲在何處？太上陽生符，眼前活得甚人？今朝之愛種情苗，白日見鬼。後日之妖狐硬鹿，青塚良朋。請看紅粉如花，到底恩情在否？好覷緑雲埋土，如今冤債填無？蓋帷其假合，所以真離。若要破機關，休開情

竇，用是續調于詞仙，庶使破情于夢蝶。

【南商調二郎神】烟花夢。到今日因緣一旦空。粉債花魔閒打哄。從今以後。春花夜月秋桐。那個是當年人面孔。空剩粉遺香荒塚。風流種。分付與春老啼鵑一陣東風。

【集賢賓】排行姊妹悲遠送。須臾挽白穿紅。但水次新添一個塚。早又被路人説動。描情畫寵。黄泥裏些些何用。真没用。一任那老鴉調弄。

【黄鶯兒】縈網破窗紅。舊穿衫衣架東。可憐猶是衣香重。容銷鏡銅。鞋空繡弓。梅花帳底人無夢。隔花叢。鸚哥唤你。不見你開籠。

【琥珀貓兒墜】千年長夜。春夢了殘鐘。桃李無言歲歲風。牛羊踐踏要頑童。杉松。好一個膩粉濃香。斷送其中。

【尾文】可憐一覺烟花夢。仔細思量何用。休把你愛子情苗心上種。

闇生詞云：「鸚哥不見，空架掛廂東。」予曰：「鸚哥唤你，不見你開籠。」此語更使人悽然也！九娘朱顔皓齒，花韻鶯喉，種種可憐，予一見銷魂，頗有倚玉之意。而幽期一誤，竟不重來。不一月，已爲商人婦。更期月，而緑陰生子矣，且竟坐是死矣！紅顔薄命，可痛可惜。爲填誄詞，作他生緣耳。自記

花貌棘心，千古薄命。

闇生云：「年來年去，白日老青銅。」子野云：「千年長夜，春夢了殘鐘。」皆可憐句也！

馬東籬百歲光陰，應謝不敏。彦容評

雪　詞

【南黄鍾畫眉序】水墨寫江天。繡閣紅爐尚寒淺。見梅梢綻玉。柳徑抛緜。偏人間淨掃紅塵。把世界别開生面。〔合〕眼前儘受瓊瑶供。戲答與豔歌珠串。

【前腔】薄暮北風顛。窗外羣峰晚宜遠。見蒼茫萬樹。恍惚遥天。但漁蓑幾點模糊。更雁字半沉哀怨。〔合前〕

【前腔】鸞鶴皓蹁躚。可是瑶池夜仙宴。忽燒銀徧野。種玉成田。白初粘草舍茆簷。紅不滅梵王宫殿。〔合前〕

【前腔】忽舞到筵前。瑞木花殘散零亂。向釵頭拂落。又上爐烟。付詞人選韻閒評。倩紅袖淺斟低勸。〔合前〕

【滴溜子】想幾處。熏天。翠温珠煖。更誰人。遠戍。衣單騎蹇。總入江天一片。高談抗冷氈。笑寒煖世間人面。且休分皂白。儘隨他冷淡因緣。

【鮑老催】人疑是仙。瓊宫瑶宇移眼前。幽情冷趣容我偏。把瓊霙翦。教玉手煎。同雙柑薦。圍爐一曲團歌扇。何慚兒輩羊羔宴。陡詩骨逾雄健。

【滴滴金】紗窗夜掩寒尤顫。寶鴨香熏翠成篆。銀缸燼暗紅堪翦。只聽得似飛花凝碎玉。鏖風夜戰。向梅邊竹外争恩怨。我只把老衲間心和梅嚼嚥。

【雙聲子】描不了。描不了。八萬里長天絹。填不斷。填不斷。七千里長江線。凝雲片。凝雲片。催風箭。催風箭。眼見得炎炎塵世。打滅空烟。

【尾文】耐他徹骨寒如翦。空我安閒擁絮眠。怎消得煨芋清香草榻前。

前半摹擬形容，傳神入妙。後幅更以閒心冷眼，調笑世人。此當作警悟觀，不應以文字草草看過也。伯英評

風情和彦容作

【南中呂駐雲飛】腼腆逡巡。慣向人前賣至誠。略把欄杆憑。留下弓鞋印。親。道你是逢迎。又未知心性。且按納痴心。花下潛身等。一陣風篩花露冷。幾陣衣衫風露冷。

【前腔】等個黄昏。躲在沉香六角亭。大膽捱身進。他並不來瞅問。親。你是俏人人。該做些身分。着實偎他。略略蒙回應。道偏是冤家慌得緊。偏是酸丁纔得狠。

【前腔】夜半三更。人在衾窩喚小名。夢裏輕輕應。所事頻頻問。親。兩意軟而温。枕頭作證。鶯耐春酣。柳耐風兒緊。真是蕭娘心性穩。還是蕭郎心地忍。

【前腔】悄悄冥冥。偷啟南軒小角門。送出蒼苔徑。犬吠花兒影。親。低囑兩三聲。心期重訂。句值千金。白地容支領。莫道書生是薄福人。豈敢蒙恩做薄倖人。

沈青門唾窗絨率多此體，少白既已屬和，予復爲之效顰。今得子野作，如村姑里婦，見毛嬙、西施，自覺掩袂無色，請一切抹殺。彦容評

摹寫曲盡，比西廂月下佳期折，似猶有未到處。五如評

贈人有跋

【南仙吕入雙調步步嬌】一自匆匆相逢後。配定鴛鴦偶。霞箋燈下修。倩做媒人。略展偷花手。字字淚花浮。摺成方勝同心咒。

【山坡羊】盼藍橋瓊漿未竅。署河陽花星未偶。寡臨邛命抵楊花。病文園人比黄花瘦。要圖他。鴛配共鸞儔。判教使盡使盡機和彀。嬾向茶前愁添酒後。難休。似引線風箏怎肯休。難丢。似上釣魚兒怎肯丢。

【五更轉】喜相逢。朱明候。載卿卿一葉舟。相攜素手素手當胸扣。只見清盼流波。

輕顰低岫。一時間。忙了心和口。幾回錯喚錯喚名兒謬。當不起臂暈雙鬟。香沾羅袖。

【園林好】住蘭橈尋芳小洲。印弓鞋苔前半勾。早把香茵蹴皺。花落處露釵頭。花密處溜釵頭。

【江兒水】小步金蓮困。清歌玉版浮。軟嬌嬌楊柳和腰瘦。熱惺惺檀紐連心扣。淡睃睃秋水和眉皺。把俺骨髓春風熏透。兩袖雙籠。只覺臂環頻溜。

【玉交枝】秦樓楚岫。儘風流齊肩並頭。枕前親解芙蓉扣。猛撩人被底鞋勾。夢回窗外兔痕收。微微香噴金猊獸。喜今宵書生志酬。怕今生娘恩未酬。

【玉胞肚】佳期迤逗。恰相逢驪歌馬頭。鴛鴦湖瀏鶒〔一九〕孤飛。姑蘇臺雲雨凝愁。只見遠山疊疊水悠悠。人在天涯無盡頭。

【玉山供】〔二〇〕分離未久。淚珠兒何曾暫休。好姻緣今在天涯。苦思量早向眉頭。般般僝僽。守幾個黄昏時候。白鷗飛抹處。見伊舟。把離恨從前一筆勾。

【三學士】當日裏分飛渡頭。誰承望聚首樓頭。重將張敞眉親畫。手把韓家玉再偷。鴛枕夢回初月上。人俱在小雲兜。

【解三酲】忘不得燈前命酒。忘不得花底藏鉤。忘不得枕邊字字同心咒。忘不得惜嫩憐柔。忘不得殷勤親把香囊繡。忘不得含笑頻回扇底眸。些些有。把些些恩愛。記在心頭。

【川撥棹】結得姻緣就。這門親直到頭。儘熬他別恨離愁。儘熬他別恨離愁。終有日蘭房畫樓。軟心腸分外柔。慢工夫着意守。

【嘉慶子】早見朶朶蓮花謝小洲。又見新笋成斑粉淚流。那人兒何處淹留。也應須粉怨紅愁。病染相思甚日瘳。一分兒。眉上頭。十分兒。心上頭。

【僥僥令】青鸞應有匹。丹鳳豈無儔。我你海誓山盟須着手。休笑那妒風流巧舌頭。

【尾文】從今耐着心兒守。直到成雙始罷休。不枉了一樣心腸兩處有。

予幼有所惑，相聞未見，便挑以小詞，不知作詞人爲何如面目也。越三日，始往訪焉。正如滎陽生墜策時，相對恍然。更十餘日，乃以一葉載之，往來東西二佘，及天馬、細林諸山中。未幾，隨有金閶檇李之别，莫樂之新知，翻成莫悲之生别。情至文生，不能已已。因綜其事，以長言寫之，雖詞不甚工，然情案不可不存也。自記

此非綺語，當是慧業。

軟嬌嬌楊柳和腰瘦等句，正元詞所謂通身旖旎，徹膽風流也。比西廂嚦嚦鶯聲花外囀，更爲警策。彦容評

此予少作也，但媚中欠老耳。至其尖秀處，亦是不俗。又自記

集彥容舟中時蘇王二姬在坐有序

季春八日，風日和美，彥容乃折簡招賓，芳樽命妓，若蘇，若王，皆松之冠也。彥容能使之來，且能使不去，其爲絃管尊罍生色多矣。是時雨過燕忙，芹肥水香，乃放舟中流，隨潮上下。每過樹則緑不見天，逢花則紅欲妒面。兼之遠山如眉，岸草若帶。池春甫萍，小風微波。而浴鷗出没，如與人戲。此時之樂，不言可知也！未幾月上，詞客影亂，而琵琶按拍，猶未慵休。客有欲醒不能，辭醉不肯者。古稱佳人可以奪命，不已信乎！嗟夫，吾輩於白駒隙裏，偷取百年，如此勝會，自算有幾？若不紀以筆墨，恐又作夢中花耳。聊寫數言，情境微露，正如畫家粉本，略得其梗概也。癸丑季春十二日且閒亭識。

【南商調金索掛梧桐】江潮雪赚堤。岸草烟鋪地。緑柳陰中。撑個船來至。詩筒和酒巵。更歌姬。浪用春光好似泥。好山留我從教住。啼鳥催人未許歸。春滋味。一觴飛罷一觴飛。只見酒暈蛾眉。酒污羅衣。真寵柳嬌花隊。

【前腔】郎情色眼饑。妾貌花心忌。一對尊前。默默團歡喜。清歌隔水西。日低時。見烟裏山光晚更奇。船爲歌舞攢排處。岸是烟花簇就的。歸還未。前村樹裏酒旗低。

索要爛醉如泥。再典春衣。共料理春生計。

【前腔】船如一葉飛。人似雙花倚。自不由人。醒也渾如醉。春香透玉肌。撲微微。略嗅教人也是迷。支持郎眼千般媚。更襯起春光一倍奇。如何詑。除非沉醉可酬伊。須知道醉聽新詞。醉擁名姬。就醉死誰迴避。

【前腔】看看月上時。對港將船刺。再洗尊罍。供奉多能事。紛紛醉拂衣。鬬琴碁。楊柳梢頭月漸低。晚粧換了逾精細。酒韻生時半忸怩。迎如避。豔歌淺笑總相宜。只見客要辭歸。未肯辭歸。醉又到醒田地。

秀豔如花，新裁似錦。摹情寫景，宛轉入妙，可謂極文人之致矣！君泰評

送閶生北遊有跋

【南中吕好事近】烟柳拂旗亭。悠然遠水遥村。送君于此。看君别我登程。須聽。我有空言贈你。字字如金。非關是離愁譜引。非關是尋常譃語。活套叮嚀。

【錦纏道】問君今。可曾經覆雨翻雲。青眼竟何曾。趁今番教人認得吾們。你須是扳丹桂步蟾宫便雁塔題名。不然啊又何須萬里長征。我與你戴頭巾着藍衫的可休依本分。要鵬摶九萬程。方見得書生使性。不容他兄嫂笑蘇秦。

【錦庭樂】料吾曹天生定。怎没有功名分。平空地平空地宫錦垂身。宫花朵亂插斜簪。廝驚呆路人。恰纔知燈窗下有個書生。

【古輪臺】歎吾生。與君終歲學窮經。可堪潦倒紅塵裏。君才負屈。我命邅迍。儘人間貧病曾經。自此高飛。一齊鳴躍。忽然頭角兩峥嶸。纔顯得芸窗同志。略酬些筆底烟雲。可知道時來福湊。三千里路。三年辛苦。還你有分明。君今去。大家領取看題名。

【尾文】一鞭殘照東風緊。將一幅新詞權當贐。一字字慇懃説向您。

此予少年負氣時語也。是歲闇生登乙榜，予丁先子憂。歲戊午，闇生得雋，而予竟潦倒名場，垂十餘年。一事無成，二毛將變，雄心猛志，化爲槁木寒灰。且邇年多病，高卧山村，學出世法。漸覺功名富貴，誠哉浮雲。即山水花木，猶然色相。故予嘗有詩曰：「高人也是買山隱，自在山中不見山。」此語更在八尺竿頭矣。回思曩時，碌碌名場，是癡是夢，且作此壯語，怨天尤人，何卑陋至此！要是英氣未除，識解未圓耳。甲子長至偶記于夕香晨照。自跋

蒼勁豪肆，鋭氣刺人。張曙台

予初薙髮，與彦容、闇生、子野爲詩友。會捨身檇李，不恒過松。或比年歸省，第一問阿

翁起居，便過從三君，限香覓句。初見子野英英遒上，意謂宰官後身，功名富貴人也。更兩年重來，而子野異矣，殆又烟霞泉石人也。別去五六年，予奔親喪而歸，而子野更異矣。山園花陣如雲，而子野常不知開落。時作妙詞雋句，而脱稿便散逸，再誦不復得一字。乃知子野已在即離之間，殆直觀空超悟人也。嗚呼！一子野也，何前後夐絶如是？蓋性靈穎發，隨地認取，不待老而聞道耳。右詞殊非今日本色，如出二手。適赴闔生齋，披閲之次，不覺失笑，噴飯滿案。彌清師

秋閨

【南商調二郎神】西風裏。這一對愁眉越慘悽。屈指光陰能有幾。與他別後。又早是木樨開矣。幾次曾將書寄伊。爲何的伊書不寄。朦朧地。可下得紅樓十里有個人兒。

【啄木兒】非伊歹。我命低。嫁做風流蕩子妻。他只管賣弄青春。却誰知我玉容憔悴。春山不似當時翠。秋波渾改前頭媚。怕這樣容光怎見伊。

【三段子】當初問伊。這芳春如何別離。他的性癡。説今年多應未歸。恩情似海無窮際。何能瞧得恁容易。帶上同心。也怎生忘記。

【前腔】王孫路迷。老蘼蕪天涯馬蹄。金風又淒。刺鸞針閨中授衣。看看又做冬生

計。寒衣好倩誰人遞。把眼底思量。做夢中歡會。

【滴溜子】此日裏。此日裏。愁伊恨伊。何日裏。何日裏。憐伊惜伊。共在夜香深處。西窗密語時。指着花枝教覷。花開出去。怎直到花老纔歸。

【尾文】佳期未審何時是。日日江頭盼望伊。只怕花老依然人未歸。

怨而不怒，哀而不傷，其國風之遺乎。公選評

別石城羅采南和彥容作有序

彥容素豪俠，不善飲而喜看人飲酒，不好色而喜遊戲聲妓，然未免一二染指者。近歲好道，幾乎木鷄。今年予又善病，半載不相見，謂彥容真沾泥絮矣。適金陵歸，出小詞相示，是又何爲者？吾擬規之，但其詞麗婉絕倫。予既不忍不和，而使多作蘗語。予又不得爲韻人，故依其聲和之。而寓吾意于末，或者檀板敲殘，兩耳熟聽，聽至卒章，忽進一步，一切色膽，其當下空花乎？雖然規者百之一，順者十之九，未必無益，或正有損。人將曰：「抱薪救火火益熾。」吾將曰：「長君之惡其罪小。」

【南商調字字錦】勾消宿世緣。撞見風流臉。如何不愛他。宮扇和羞掩。可憐人。曾見萬萬千千。千千個。不似伊家可憐。誰知。緣慳分淺。枕邊人兒水邊。方纔水邊。

看看天際遠。把一對共巢鸞。做一對各天鴛。好個淒涼你俺。你還須念俺。你還須念俺。今宵那裏。山山水水。風風雨雨。況又是思思想想。愁愁悶悶。癡指望夢中相見。

【不是路】路遠天綿。漸不見人兒只見船。況船不見。他芳心一片在江南。是何年。翠幃香裏重酬願。錦繡叢中再插肩。君休看。滿江烟水和離眼。怕倚欄一徧。憶人千徧。

【鵲踏枝】吾鄉遠日頭邊。吾鄉遠日頭邊。便有信也難傳。賓鴻也待明春轉。從今去。從今去。一日兒三年。真個是要見他也難。要夢他也難。叵耐蒼天。不行方便。偏生的風順開船。

【尾文】郎才女貌人中選。配定前生夙世緣。只怕世上空花一斬眼。

宋元人填詞每用疊字，乃祖文選諸賦體也。李易安聲聲慢云：「尋尋覓覓，冷冷清清，悽悽慘慘戚戚。」西厢記云：「悄悄冥冥，潛潛等等，等待那齊齊整整，嫋嫋停停，姐姐鶯鶯。」趙明道云：「燕燕鶯鶯，花花草草，攘攘勞勞，多多少少，媚媚嬌嬌，亭亭嫋嫋。鸞鳳交，没下梢，空躭了些是是非非，受了些煩煩惱惱。」又云：「他風風韻韻，豔豔妖妖。月月朝朝，雨雨雲雲。」喬夢符云：「鶯鶯燕燕春春，花花柳柳真真。事事風風韻韻，嬌嬌嫩嫩，停停當當人人。」徐甜齋云：「山山水水，詩詩酒酒，古古今今。」若此之類，不可盡述。然以填南曲更難。子野則云：「今宵那裏，山山水水，風風雨雨，況又是思思想想，愁愁悶悶，痴指望夢中相見。」俊舌巧心，宛似神工鬼斧，正貴耳集所謂公孫大娘舞劍手矣。彦容評

春閨月夜

【南商調集賢賓】珠簾半捲窺月明。照珠箔銀屏。冷浸樓臺高下影。鞦韆院宇沉沉。鴉棲不定。怕要睡花心難穩。人寂静。粉牆上一線痕生。

【啄木兒】登樓望。傍砌行。恰是疎鐘第一更。倚欄杆學曲秦箏。猛照出隻身孤另。記當年曾把雙肩並。正花梢牆角蟾生暈。笑拔下金釵賭雨晴。

【黄鶯兒】音信未分明。說來的欠個真。空教人向嫦娥問。問他幾聲。何曾應聲。多應合受淒凉運。笑癡心。嫦娥今夜。早也悔長生。

【琥珀貓兒墜】晚粧初罷。和月坐彈琴。舊曲離鸞入手生。淒淒楚楚一聲聲。薄倖。怎的負此良宵。一刻千金。

【黄鶯兒】小妹袖籠燈。喚燒香禱月明。沉烟一縷迷花徑。輕輕訴聲。欲言又停。隄

防小妹乖心性。没心情。低頭無語。長歎兩三聲。

【琥珀貓兒墜】隔花深處。小犬逗金鈴。吠過沉香六角亭。秋波斜睨〔三〕認誰人。何曾。無過柳影花陰。露滴三更。

【尾文】遠將舊事從頭省。曾在碧桃花下等。今夜花空篩月影。

春月如珪，殘花委霰。金缸微明，繡户半扃。當此淒其，能無悵惋！被詞仙一一譜出，宛似兒女語小窗中，幾令蘭畹不香，玉臺失豔，妙絶妙絶。彦容評

惜别和彦容作有序

彦容具吾輩眼力，其于水玉，眷戀可知。且水玉亦以茂陵屬彦容矣。不意爲有力者先得，彦容爲之動心，形于言色。予謂大凡情事，不可不合，又不可不離。譬如豚羊之屬，日在口頭，幾于嚼蠟。何如江珧熊掌，不可致之物，常使人得之想中，爲無窮味也。乃綴小詞，極道想中味，曰請君消受。

【南仙吕入雙調步步嬌】眼際人兒分離了。這别如何好。恩情没下梢。恁樣前程。夢裏誰知道。放了又心焦。猛擡頭總是相思料。

【醉扶歸】生巴巴拆損姻緣號。眼睁睁擷翻彩鳳巢。情知你别後準思量。鎮争如也不

分離好。從今月夕與花朝。怕悲歡兩地空猜料。

【皂羅袍】多只爲伊花貌。俏章臺做了。恨種愁苗。蕭郎從此路人瞧。小名把做真真叫。楚天雲外。秦樓自高。檀郎身畔。餘香又消。看看就裏無消耗。

【好姐姐】當初。也愁便抛。就分離分離忒早。一場花事。頓做了水面漂。痴心料。除非判死期祅廟。或者乘機守渭橋。

【香柳娘】記伊家去時。記伊家去時。簇花藤轎。粉腮珠淚紛紛掉。又牽衣幾遭。又牽衣幾遭。細語絮叨叨。定要郎知道。你從今去了。你從今去了。留下淚鮫綃。越看越煩惱。

【尾文】朱門一閉青春老。看是分離又兩宵。今日明朝怎麽好。

情幽微，語尖秀，墨氣雲流，隨處散彩。德生評

贈　人有序

花夢覺來無夢，心禪了處皆禪。忽然遇着旖旎，花乃眼前花耳。偶爾賣弄文字，禪亦嘴頭禪乎。

【南南吕懶畫眉】尊前瞧見那冤家。頭一個風流定數他。水晶簪子插梅花。忒煞撩人

價。斜剌裏剛剛覰着咱。

【賺】暈臉潮霞。就害死相思有甚差。温甜話。端詳句句綻心花。可憐他。粧非脂粉嬌難畫。韻做心腸性好拿。相逢乍。他佯羞不揣還相迓。掉他不下。閃他不下。

【掉角兒】穿一雙花幫繡鞋。簇一團着人温麝。把風流盡數收來。颼愁煩要人牽掛。我本是夢餘花。泥裏絮。病相如。慵内翰。也有些魖魀。銀河咫尺。何年泛槎。肯許我。桃花渡口。飯否胡麻。

【尾文】道人也説風情話。豈是情癡未醒耶。便算做情癡題寄者。

道人也説風情話，正王辰玉所謂豪傑簿上寫相思，神仙眼裏滴紅血也。從來有根器人，每於粉黛叢中，認取本來面目，不知者便以爲火宅矣。眉公記

韻人作俊語，自然字字韶秀。若第强作解事，恐未免帶學究氣、文人氣耳。君深評

有寄

【南仙吕桂枝香】支頤獨坐。支筇獨步。不晴不雨時光。不癢不疼情緒。你文君寡居。俺相如著書。奈滿地落花飛絮。況滿眼暮雲春樹。寄雙魚。你肯償花債真予美。俺不負心期是丈夫。

【賺】也者之乎。難道中間一件無。且把癡人做。安排真正做兒夫。抱姸姝。繡幃錦帳重重護。解下香羅見白玉膚。親夫婦。揮毫自把催粧賦。俺此心纔足。此心纔足。
【長拍】曾向燈花。曾向燈花。傾心暗許。從此花枝有主。設盟設誓。寫心言親記圖書。並不厭寒儒。怎使俺這幾日相思受苦。似口嚼黄連沒處吐。怕苦盡甘來還是虛。空教人打卦與占課。竟不知鴛鴦號牒裏。命福何如。
【短拍】俺是文魔。俺是文魔。伊真花祖。得成雙是美玉沽諸。何用更踟躇。第一個痴人是汝。第二個痴人是我。怎生的花事模糊。
【尾聲】媒人也不得閒張主。自把衷腸自説與。待他日成雙做折證符。

直如白話自記

凡詞中用疊句，極不宜耳根。桂枝香本應用兩疊句，今予改爲二駢語。雖與舊譜似訛，然於音律實協，當不見訶於詞林也。卷中有祝如姬詞，越恁好疊句，亦已改去。大荒中有修月户，予便爲人世間修詞手，不亦可乎！自記

幽　期有跋

【南南吕香遍滿】蟾勾趄影。花陰悄然門已扃。把指彈彈渾不應。弓身潛自聽。輕輕

嗽一聲。回頭怕有人。閃過荼蘼徑。

【懶畫眉】香風一陣觸人心。忽聽得東角門開猛一聲。看他剗襪下堦行。未敢高聲問。怕色眼昏花認錯人。

【二犯梧桐樹】嬌痴不肯行。憋[三]殺檀郎命。似朵仙花。到手還難近。殷勤陪笑深相倩。告訴娘行。可惜教人守二更。看他兩眼全迷暈。教道先行。怕前面人來不穩。

【浣溪沙】芭蕉做裀。書囊做枕。會風流一對知音。窮酸餓鬼貪春甚。把玉洞桃花味細尋。魂不定。只見那一雙兒花下影。看看髻亂釵橫。

【劉潑帽】風情今夜纔親領。笑從來口說無憑。擷掀風裹楊花緊。口問心。莫不是神仙境。

【秋夜月】低低訴聲。是奴命應招恁。一自相逢憐奇俊。時時只怕無奴分。到今夜勾消。方纔是意穩。

【東甌令】合拜跪。告卿卿。可是伊家没眼睛。花枝倒有卑人分。許我和香寢。安排一片至誠心。盡付海山盟。

【金蓮子】轉花陰。弓鞋小不支花徑。行不動郎心憐甚。直送到轉迴廊。又惺惺絮語進朱門。

【尾文】門閉了仍孤另。空齋衾枕冷于冰。從教不睡到天明。

沈青門有寶欄杆十二玉亭亭之闋。適在泖上，客有酷稱其幽豔者。余不勝心熱，姑妄言之，不覺直欲奪沈之座。時座客十餘人，大聲呼妙，争取予稿。予乃人書一通，猶是争攘不已。有一友兼得四紙，有四人不得一焉。自記

麗情不難淫豔，而難於不俗。青門詞非不豔絶，而中間親親氣命等語，幾堪噦人矣。於此可知二詞優劣。公選評

摹寫曲盡，波瀾無窮。子野久已聞道，如此綺語，亦應懺悔。妙喻師

冬　閨

【南南吕十一聲】〔太師引〕蠟梅花正襯簾兒外。折將來偷簪鬢釵。怎瞞得臺前明鏡。偏生照色減容衰。〔瑣窗寒〕歎看看瘦損。爲着誰來。從頭細數。郎心最歹。〔三段子〕記梨花小院湖山外。名香滿爇深深拜。曾把八字庚年。繫君衣帶。〔東甌令〕怎眼看紅粉久沉埋。下得不歸來。〔三換頭〕薄倖寃家。你自去思量該不該。〔劉潑帽〕奴判儘受淒涼債。〔大聖樂〕只問你衾閒錦浪誰能守。忍教我淚凍紅冰黯自揩。〔解三醒〕真無奈。

〔節節高〕和伊只有虚名在。你瞧人一似破芒鞋。敢夢魂不到雙鴛帶。〔三學士〕空要我夜燈朝鏡懨懨害。常常好似癡呆。擬將連愛絲搊斷。待把同心帶解開。〔大迓鼓〕索性丢他。休將記懷。

【尾聲】雖然眼下多尷尬。還只把真心癡待。待得他意轉心回他自來。

曲譜有十樣錦、十二紅，因創爲是譜，以補十一之缺。節雖短，然音調甚諧也。自記

子野能按譜，故能製調。風流跌宕，當代一人。昔涵虚子評元馬東籬詞，如朝陽鳴鳳。貫酸齋如天馬脱羈，荆幹臣如珠簾鸚鵡，秦竹村如孤雲野鶴，子野兼之矣。余再評子野如金盤瀣露，又如峭壁蒼藤。至若獨奏宫商，刱起意格，則更如空中樓閣。彦容評

半吞半吐，如泣如怨。每讀一過，令人牽夢縈魂，徘徊不定。汪子野

村中端午

【南仙吕桂枝香】端陽時候。煖風纔透。衫裁艾虎輕紗。杯泛菖蒲嫩酒。正黄梅雨時。黄梅雨時。見新笋竿竿疎秀。新燕雙雙輕瘦。没些愁。拈將屈子翻詩案。問取榴花借酒籌。

【前腔】端陽時候。吾儕依舊。桃符胡亂簪些。葵面依稀記否。想今年越癡。今年越

癡。嗜酒劉郎年幼。耐病潘郎不瘦。且清謳。村中遊冶齊誇口。座上皤翁也點頭。
【前腔】端陽時候。小筵初就。大都詞客狂夫。没個尊賓畏友。儘消除午時。消除午時。蒲酒人人在手。人影微微在酒。猛擡頭。依稀楚些傷心事。翻點綴吴儂結勝遊。
【前腔】端陽時候。偶然攜友。無猜無忌無愁。能曲能詩能酒。看一杯兩杯。一杯兩杯。生在伯倫之後。量在老坡之右。恣遨遊。餔糟辺叟真吾友。獨醒癡人遜我儔。

秀句如珠，高懷如畫。公選評

舟次贈雲兒

【南商調二郎神】春雲卷。看冉冉飛來逐水仙。曾記襄王宮裏見。輕盈膩滑。最堪憐似玉如綿。忽一陣輕風生暴煖。早添上暈霞如線。情性軟。抵多少花間嫩雨輕烟。
【集賢賓】珠簾不捲春夢遠。撩人燈下屏間。霧帳霞衣餘淚蘚。有多少煖恩柔怨。香添寶篆。早錦被浪花紅亂。重檢點。好記取八字庚年。
【黄鶯兒】端的是奇緣。謝娘行肯見憐。野蜂也得偷花片。怕的是今宵枕邊。明朝路邊。路傍人彷彿簾中面。就雁書傳。空題再拜。各自在遥天。
【琥珀貓兒墜】檀郎羅袖。親得藉香肩。常嗅餘香聊自遣。朝雲夢斷楚山前。人天。

怕從此相思。天上人間。

【尾文】何因借得春風便。笑送春雲到枕邊。說與他委實相思難過遣。

醉死香魂，銷沉豔骨。風流蘊藉，絶世無雙。君泰評

贈別冲如時予讀書泖上

【南南吕梁州新郎】晚雲初霽。離樽初啟。與你班荆坐地。飛觴軟勸。願君痛飲三杯。須道三聲櫓裏。一片帆頭。隔了咱和你。明朝相憶也各沾衣。縱夢裏相逢總是離。如此別。平地裏。忽然你在天涯際。恨殺是。帶如水。

【前腔換頭】我爲伊今歲來兹。你抛吾又投何地。奈深情密款。一時將去。況也吟詩白社。把酒南樓。從此無賓主。男兒豈有淚灑臨岐。但不爲伊家更爲誰。相去地。三二里。也如隔在天涯際。個中恨。怕提起。

【節節高】天教困腐儒。老征衣。阿兄着破頭巾矣。你從今去。努力些。休荒廢。終須有日騰雲起。那時纔認咱和你。但是從今若相思。要思量臨別叮嚀語。

【尾文】伊家且自揮鞭去。寒温茶飯要支持。待到端陽重會你。

淡而真，儉而老。鳴諧評

有懷

【南商調黄鶯兒】獨坐小燈前。想人人在那邊。依希天遠人還遠。愁和病煎。雲和雨緣。隔牆閃個芙蓉面。暗情牽。丢他不下。心上與眉尖。

【前腔】只有影相憐。近三更人未眠。與他分得相思半。藍橋玉仙。巫山夢緣。終須捨賜些方便。夜如年。今宵過也。明夜又怎流連。

【前腔】再想一回看。那人人實可憐。些些是俺親瞧見。雙彎忒尖。雙鬟略偏。連嬌帶嫩和愁怨。告蒼天。如成就也。情願把命兒拚。

【前腔】想下萬千千。問伊家憐不憐。怕他們忒看相思賤。眉頭也攢。心頭也酸。當初悔識春風面。問蒼天。鴛鴦牒裏。端的有幾分緣。

秀逸不陳。瑞齡評

決絶詞有序跋

予舊有情緣，幾拚花命。不謂恩情，中道棄絶。深杳無垠，莫測侯門之海。棲遲難再，誰回陌上之車。想鸚鵡之在雕籠，時常話舊；歎丁香之圍繡幄，歲結愁新。入夢相逢，誰知逢處是别。驚鴻待信，翻嗟信裏堪疑。一襟血淚，空留下黑心之符；十院燈魂，終無望黄衣之力。蓋歡隨事去，春與人歸。但臨風而歎奈何，空銷魂惟别而已。只應義命自裁，切莫更尋舊夢。縱有因緣爲祟，也須直待來生。雖負心薄倖，似非烈丈夫所爲。而守禮閑情，豈作兒女子之態。用是屬句瀾翻，竊欲命名決絶。殆莫可誰何而爲是言，亦不能無恨而托綺語也。

【南正宫普天樂】我才名。伊風韻。天付與休謙遜。只爲我柳苦花辛。拖帶你香愁玉隕。夫妻兩字。兀是名不順。使俺一對鴛鴦無投奔。你非干負義忘恩。俺非干抛脂戀粉。却緣何劈雨分雲。

【雁過聲換頭】當初。你肯我肯。就生死終身願跟。誰知一語風霜緊。怨誰人恨誰人。這其間長短再也休論。俺從頭。自忖。青樓薄倖誰甘認。且休埋怨别人兒權自忍。

【傾杯序換頭】傷神。吐甘甜。食苦辛。脈脈自心頭印。想初見如冰。逐旋添温。到熱沸如盆。你便心允。這其間可有。你的恩情。俺的辛勤。到如今你的眼前身畔是何人。

【玉芙蓉】親他不可親。丢你心難忍。把前情想起。耳聾眼昏。幾番拚死是心頭忿。

尚勉强偷生爲舊日恩。前生債。今生事。翻指望後世因。笑姻緣倒仗那癸靈神。

【小桃紅】收拾你殘脂粉。留下你金蓮寸。把花箋手蹟常描潤。向衣巾淚漬時瞧認。記生辰八字推花運。多玉是扯淡殷勤。

【尾文】告蒼天須幫襯。但願你鴛鴦睡穩。我甘認蕭郎是路人。

吾人未免有情，誰能甘自菲薄。況誓海波乾，盟山石爛，彌天怨氣，亦復誰能堪此。雖然發乎情，止乎禮義，此學究之言也，然於此可得補過法。緣至則合，緣盡則離，此因果之說也。然於此可得忍情法，豈應妄求無厭，爲風流罪人哉！予此番情案，悠悠成夢境矣。每一念至，氣盡魂離。而義命兩言，時舉爲藥，所不至於沉疴痼疾者，於此得力多也。小窗暇日，偶檢古詞，見四時歡一闋，乃按其譜律，特製右詞。誠思守禮閑情，竊欲因文見志云爾。後之覽者，勿以予爲薄倖人。若云薄倖，則當有分任其咎者矣。庚申月夕，秋水庵重題。自跋

字字嘔心，當亦有心可嘔耳。子野信情種哉！彼云守禮，予曰多情。惟其情多，守禮益難，然則子野真可謂守禮君子矣。湛生評

秋水庵花影集敍

陳繼儒眉公撰

峰泖間久無閒人矣。自眉道人開徑東佘之陽，施子野從泖上築墓西佘之陰，簾櫳窈窕，花竹參差，遠近始有褰裳而遊者。余不設藩垣，聽人往來，如簷燕，如隙中野馬。而子野嚴

扃鐍，以病辭，中酒辭。顧閣上嘈嘈，數聞絃索度曲聲，則子野所自製詞也。客唐突不得入，横折花枝，呵詈委道旁而去，而子野默默笑自如。子野好日出酣眠，而能讀書至夜半，未嘗作低迷欠伸態。好與人轟飲惡戰，而能數月持酒戒甚堅。好治經術，工古今文，而能旁通星緯輿地，與二氏九流之書。掉弄而爲樂府詩餘，跌宕馳騁，於古今當行家。意崛彊未肯下，嘗謂余曰，子老矣！請時時過我，俯首拍掌而和之。暇則爲我題數行傳海內，海內故有天耳，人當爲施郎點頭耳！夫曲者，謂其曲盡人情也。詩人人可學，而詞曲非才子決不能。子野才太俊，情太癡，膽太大，手太辣，腸太柔，心太巧，舌太纖。抓搔痛癢，描寫笑啼，太逼真，太曲折。當其志敞意得，摇筆如風雨，强半爲旁人掣去。或寫素屏紈扇，或題郵壁旗亭，或流播於紅綃麗人，黄衣豪客之口，而猶未睹子野之大全也。今花影集一出，上至王公名士，下至馬卒牛童，以及雞林象胥之屬，皆咄咄吁駭，想望子野何如人。購善本，換新聲，擲餅金斛珠，當不吝惜，豈特爲三夢、四聲猿之畏友而已乎！昔山谷遇秀鐵面道人，訶其筆墨勸淫，恐墮犁舌，故其叙晏叔原集云：妙年美士，近知酒色之娱；苦節臞儒，晚悟裙裾之樂。鼓之舞之，皆叔原罪也。子野學道，請以山谷爲戒。子野曰：「吾樂府詩餘，非平章風月，則約束鶯花。艷語麗情，十不得一。況謔浪俱是文章，演唱亦是説法。秀道人見之，即使木人歌，石兒舞可也。雖然，此集既行，願將風流罪過，向古佛發露，懺悔一番。敢問眉先生新創苕帚庵，其義云何？」余曰：「有沙彌請法，佛教之誦苕帚二字，誦苕則失帚，誦帚則失苕，誦至三年，忽然上口，遂爾大悟。子野能捨無始來才子習氣，作苕帚庵三年鈍人乎？便不落綺語債矣。」子野稽首曰：「懺悔竟。」

秋水庵花影集序

顧乃大彦容甫撰

吾友施子野氏，嫺雅絶倫，夙流自賞。夙稱博物，兼負情癡。既篆蠹以時親，復雕蟲之旁涉。新聲驚座，佳製盈笥。爰繕芸牋，命名花影。蓋以綵分江令，雪壓巴人，非關墨妙筆精，獨出騷心賦手。比物連類，託興肖形，或醒塵勞，或傷遲暮，或千秋憑弔，臨水登山，或一室晤言，灸香煑茗，或訴長門有恨，或憐翠閤無聊。巾藻淋漓，芍藥贈佳人南國；管華璀璨〔三〕，葡萄傾公子西園。況夫春水緑波，秋原紅樹，清商緩奏，酸拍停催。魂銷殘月曉風，夢斷黄蘆苦竹。三秋一日，能無采葛之賡；千里寸心，曷已離鴻之唱。腸疑繡簇，字比珠圓。教坊譜入瓊笙，樂府名題黄絹。其險邃似桃迷秦澗，桂被蜀碞，别搆奇觀，杳無俗狀。其娟秀似孤山萬樹，楚畹數叢，谷中弱態離披，溪畔冰痕清淺。其駢冶似平泉杏鬧，金谷草薰，鸚鵡珠簾，臙脂零亂，鴛鴦膩浦，香霧溟濛。銀燭高燒，忽共鞦韆遥送；瑶臺空掃，却因蟾魄重窺。其綿惋又似貞娘墓古，妃子亭荒，依然細碧交加，率爾老紅如雨。毿毿啼露，淡淡篩烟。倚殘照以無言，隨暮鴉而低墮。總之非空非色，疑假疑真。擢月姊之精神，繪成殊艷；借天孫之杼柚，幻出靈葩。彤管玉臺，方斯蔑矣。金荃蘭畹，自謂過之。況大雅寖湮，元徽逾邈。塗膏乞馥，奚啻濫觴。襲豕承魚，仍慚本色。惟兹敷以蕙質，濬自紈襟。前無古而後無今，華於朝而秀於夕。塵飛葉落，緑珠巧叶鸞絲；徵嚼宫含，碧玉香生鶯舌。幾與鬱輪袍嗣響，堪爲鐵綽板解嘲。翩翩柳寵花嬌，冉冉月來雲破。聊附馬山人之逸事，不負張郎中之後身。咄哉歌苑功臣，允矣詞壇宗主。敢藉斯編而不朽，詎云所好以阿私。

秋水庵花影集序

顧胤光石萍子撰

夫詞，詩之餘也。前人謂工詩不必工詞，詩料不可入詞料，則詞固别有當行。而余嘗評覽宋元詞家，如蘇如柳，如王董關馬諸君，各擒致標體，不傍門户。濃澹啼笑，無相優劣。而後人醜争效顰，技同翦綵。摹形傷板，鏤情涉俚。偷字不掩其酸，填艷祇拾其唾。難哉脱邯鄲而出步也！吾友子野，弱冠好詞，卽工詞。積十餘年而不靳，公諸同調，以花影名集，則命意遠矣。蓋詞不難填實，而難使虚。而花之弄影，妙香色之俱空。詞不難琢巧，而難寫生。而影之取花，妙卽離之雙遣。詞不難繁音之噪耳，而難柔致之感物。而影暈花，花篩影，妙嫵媚之無骨，而參差之善隨。以子野詞，拈作花觀，兩字歡愁，皆嫣紅而慘緑也。百態離合，疑笑晴而泣雨也。以子野詞，拈作影觀，趣横景移，得意在精神之摹寫也。思微香寂，幽賞在澹漠之領會也。以子野詞，拈作花影觀，脂氣浄掃，冷韻逼人。杳焉作羅浮僊子想，則横水之一枝也。嬌癡欲絶，如雨後烟初。真堪一字一金屋，則臨鏡之睡醒也。當年鐵板誰唱，千秋絶調，則百尺松濤響秋月也；舊日纖腰齊褪，一時情語，則千條柳線摇春風也。若乃尋幽盟，詠孤芳，三徑高韻，素琴無絃。依稀東籬晚香之微有傲態，更或宜紅牙可雪兒。移刻度字，周郎微顧，彷彿藥欄烘日之争含勝情。至如愁冷江皐，芙蓉池面；煙迷洛浦，水仙淩波。沉香微醉，調扶芳豔俱來；壽陽粧開，句並清揚共婉。暮雨梨魂，燈下題紈扇之無恩；日移春夢，紗窗譜高唐之有約。似此引類屬情，拈思取境，宛爾闕合，不禁萬斛才情，從花影逗露少許耶。子野有種情多，一切愁緣病緣，大半根花緣得。居平含宫嚼徵，引商刻羽。半生苦心此道，是能脱盡宋元來粉墨習氣，而獨自登壇，作飛將軍者。雨閣雲窗，膽瓶曲几，寫烏絲，付家樂部。興到命青衣添沉水，進小玉卮名酒，偕解人子夜徵歡。則雲破月來之句，不負自許張三影後身矣。

秋水庵花影集序

沈士麟德生甫撰

予奔走長安街，面土尺許，僅争廣文一席，跋涉千里，悲哉予之愚也。乙丑之秋，又將掛孤篷，渡浙水而西。荻花蕭條，霜月慘澹。四顧童僕，依棲無色。子野將予水湄，予謂之曰：「吾於世味已嚼蠟，幸爲我求隙地於東西佘間，行將與爾賦詠著述，何物五斗，能使人折腰耶？」子野戲曰：「予冷人也，合受冷趣。爾熱人也，應受熱業。爾若飄然歸來，我當分草堂半榻，容汝四大，何必買山而隱耶。」予笑曰：「子何居高而視下也，區區沈生，亦有心胸頭面者。斑衣捧檄，固知喜動顔色。乃山鬼移文，亦知愧入毛髮。此行予之不得已也，戊辰之役，倘拾得一第，則借一命娱兩親。不然，則袖書歸田，爲老農畢世耳。」子野曰：「善。吾固知君非久於風塵者，吾將結茆花下以待。」已而閲予行裝，見予諸行卷，因曰：「吾亦有數首，欲乞子一言，以行於世。」開緘出之，則花影集也。豔句淋漓，藻色飛動。予捧讀良久，心花皆開，拍案歎曰：「嗟乎！予所行世，不過一時塵言。而子則千秋慧業，豈不仙凡霄壤，尚敢輕置一喙哉。」雖然，惟子野知我，亦惟我知子野。子野詞章高妙，人人所知，然予以爲正非子野本色也。子野外服儒風，内宗梵行。其於世間色相，一切放下。高棲山谷，睥睨今古。視富貴如浮雲，功名若苴土。即至山水烟霞，文章句字，亦如夢花泡影，過眼變滅。但其性靈穎慧，機鋒自然，不覺吐而爲詞，溢而爲曲。以故不雕琢而工，不磨滌而浄，不粉澤而豔，不穿鑿而奇，不拂拭而新，不揉摛而韻。蓋直出其緒餘，玩世弄物，彼其胸中寧有纖毫留滯者哉。即其命名花影，而其意固已遠矣。予之知子野者，殆得之文彩之外，章句之先。若區區語其藻豔而已，則名箋灑翰，路口成碑。俊舌歌鶯，青樓倫譜，誰不知之。而何取於問序於予，安見予之爲知子野也。予惟是速了熱業，轉受冷趣。他時分得子野草堂半榻，當以性靈爲師，梵貝爲課，賦詠著述，亦多休却。子野此時，靡詞綺語，亦請一切報罷。我正恐其機鋒四出，技不勝癢，指尖毛孔，皆蒸蒸然不得太平也。

秋水庵花影集序

峰泖浪仙自撰

峰泖浪仙行吟山谷，盤礴烟水，如槁木，如寒灰。我喪其我，不知我爲何等我也。一日，刺杖水涯，撥苔花，數游魚，藻開萍破，見耳目口鼻，浮浮然在水面焉。因自念言，此是我耶，抑是影耶？影肖我耶，我肖影耶？我之爲我，亦幻甚矣。何必多識字，日夜與柔管作緣。平生寡交游，偏與毛氏之宗姓世世結納，狎之曰管城子，尊之曰穎君。以之電掃橫行，則署之曰藏鋒都尉。且愛之恤之，珍之祕之。不用之於名場呫嗶，而用之於韻事風流。不用之於詁語酸言，而用之於雄詞藻句。不用之於雌黄恩怨，而用之於嘯詠吟諧。不用之於政牘刑書，而用之於花評豔史。不用之於歌功佞德，而用之於惜粉憐紅。不用之於書算持籌，而用之於風人騷雅。不用之於北闕封章，而用之於東皐著述。不用之於青史編年，而用之於春衫記淚。不用之於諛辭表墓，而用之於豔句酬香。不用之於枉駕高軒，而用之於過溪枯衲，庶幾無負於柔管哉。宜其感恩思報，而辛苦隨我一生也。但綺語之業，日深月積，抑何不自愛至此矣。猶記十六七時，便喜吟咏，而詩餘樂府，於中爲尤多。十餘年來，費紙不知幾十萬。嘗貯之古錦囊，挑以筇竹杖，向桃花溪畔，杏樹村邊，黄葉丹楓，白雲青嶂，席地高歌一兩篇。雖不入譜律，亦復欣然自喜。山童騎黄犢，負夕陽而歸，亦令拍手和歌，喁于互答。因擇其聲之幽脆者，命歌工教以音律。於是花月下，香茗前，詩酒畔，風雪裏，以至茅茨草舍之酸寒，崇臺廣囿之弘侈，高山流水之雄奇，松龕石室之幽致，曲房金屋之妖妍，玉缸珠履之豪肆，銀箏寶瑟之縈魂，機錦砧衣之愴思，荒臺古路之傷心，南浦西樓之感喟，憐花尋夢之閒情，寄淚緘絲之逸事，分鞵破鏡之悲離，贈枕聯釵之好會，佳時令節之杯觴，感舊懷恩之涕淚，隨時隨地，莫不有糾譜新聲，稱宜迭唱。每聽雙鬟豎子，拍板一聲，則沉寥〔二四〕傳響，情境生動，可謂極風情之致，享文字之樂矣。但浮沉濁亂於此中，我正爲我身心性命憂耳。謂當傾篋中藏，吹杖頭火，向稻花風裏，舉蒲葵扇，呼嗚嗚而播之，我見其灰飛烟滅，而我之真面目始具矣。適有客至，倚杖與語。客曰：「向聽爾詞，耳根快矣。獨不可使眼根亦受用乎？請授棃棗，使世間有眼人飽看一回也。」浪仙對曰：「我寫不言之句，故將以手爲口，爾聽無聲之詞，乃欲以目易耳耶。爾不見夫花影乎？花外之影，不知爾之非我，我之非爾，爾猶執耳之非目，目之非耳耶。我且影卽非花。影中之花，花卽是影。然則何有何無？何彼何此？焉知珠聲絹字，非已飛之劫灰，而本無之幻相也哉。故爾若作句字觀，則些些綺語，永爲拔舌成案。若作花影觀，則滿紙胡言，隨口變滅，疎影稀微，已爲我向佛懺悔久矣。雖謂梓氏之刀，爲祖龍之火，可也。」客曰：「命之矣。」乃私授剞劂，而卽録浪仙之語爲之序，蓋序之變格也。

秋水庵花影集雜記

一點板

板者，曲之尺度也。雖一定不可易，然死腔活板，歌苑宗工，自有圓融脱化之妙。烏得以一人隅見，著爲定律，故不加點。

一添字

詞林舊刻，每添字比正句減小以示别。兹刻不分異同，大小平等。蓋予雖不嫺歌，方屬句時，未嘗不按譜審腔，查板填句。縱有添字，亦多無礙歌喉。明于譜調者，自然一覽了然，不須參差刺人眼也。

一校閲

予不妄交，未嘗攀援附會。校讎評閲，止吾相知幾人。常見世之梓刻，有交盡顯人，評滿天下者。兹刻自覺寒酸，然寧使爲予之寒酸矣。

一訛字

近來剞劂日繁，亥豕魯魚，正復不少。兹刻一一細校，點畫無訛。只有纔字或作才，搀字或作判，乃古字本如此。試考六書，從無搀字纔字，當以判才爲正。

一評語

集中樂府大套，俱已著評人姓字。其間小令詩餘，未經明註者，大約彦容、闇生、巨卿、冲如、德生爲多。蓋時常聚首，趁筆拈題，不覺其珠聯而貝合也。

一徵歌

集中諸曲，已半付歌兒。管絃翻譜，屢屬名手，幸免鐵綽板之譏。詞壇解人不煩更費推敲，試一按板，自然入律。

一流傳

予流連詞翰，多閱歲年，靡音麗語，每爲好事者所傳。但爾時少作，時復改竄，至有終篇一字不同者，亦有句字幾經更換者，觀者當以兹刻爲正。

一僞竊

小詞雖極蕪陋，然自寫一得，亦頗自珍惜，奈每每爲人掩竊。曾於一歌姬扇頭，見夢江南十首，宛然予作，而已識他人姓字矣。如此者甚多，一一鶴聲飛上天，豈容假人耶。不敢不辨。

一參譜

古人牌名，多有不雅馴者，予稍稍爲之更定。如麻婆子改美娘兒。攤破地錦花改地錦攤花。又如紅繡鞋改雙乘鳳。尾聲改鳳毛兒之類。蓋或因其本事，被之美名。又或因其本名，錫以新字。其音律自在，解人當自知之。舉一以例其餘可也。

一犯調

古詞過曲，各分九宮，不可强爲配合。予詞皆一一按譜，未嘗以意出入。卽間創新聲，如十一聲之類，亦必審宮辨律，摘句選聲，試一按歌，其音節頗諧，安知不有動于詞林乎。

一用韻

嘗考北聲既濫，南音繼起，大都不過聲音相近爲韻耳。自數年前，南詞韻選出，始奉中原韻爲詞林宗律。夫詩有詩韻，詞亦應有詞韻，非受持束縛，不見此道之難。但廢四聲爲三聲，以仄韻爲平韻，以閉口爲開口，此豈可爲訓耶？且予集中多少作，韻選未出時，業已成帙，不能一一訂改以聑舌從事也。三卷夏景閨詞後跋語，解人幸一參觀焉。

〔一〕「渾」，原作「諢」。
〔二〕「睥」，原作「毗」。下同，不另注。
〔三〕「前腔換頭」，原僅書「前腔」。下同，不另注。
〔四〕「掉角兒」，原作「皂角兒」。下同，不另注。
〔五〕「羸」，原作「嬴」。下同，不另注。
〔六〕「月兒高」，原作「月兒雲」。
〔七〕「歇指煞」，原作「歇拍煞」。
〔八〕「黑麻序」，原作「黑麻亭」。
〔九〕「遯」字原奪，兹據文義補。

〔一〇〕「傷」，原作「開」。
〔一一〕「拚」，原作「栟」。
〔一二〕原僅書「沽美酒」，兹補。下同，不另注。此調屬北雙調。
〔一三〕原僅書「雁兒落」，兹補。下同，不另注。
〔一四〕曲牌原作北南吕罵玉郎。
〔一五〕「浣溪沙」，原作「浣紗溪」。
〔一六〕「寞」，原作「莫」。
〔一七〕「褀」，原作「禥」。
〔一八〕「楞」，原作「瑘」。
〔一九〕「鵜」，原作「瀨」。
〔二〇〕「玉山供」，原作「玉山頹」。
〔二一〕「睨」，原作「泥」。
〔二二〕「憋」，原作「蹩」。
〔二三〕「璀璨」，原作「熣燦」。
〔二四〕「泬寥」，原作「泬漻」。

沈君謨

沈君謨，字蘇門，號萊涇居士，南直隸（今江蘇）吴江人。自晉族弟。著有丹晶墜、一合相傳奇。尚有風流配、玉交梨、繡風鴛未刻，散曲集青樓怨，未見。

小令

【南仙吕入雙調東風江水】

集傳奇名

〔沉醉東風〕剖鸞釵輕教折群。抱琵琶青衫清溼搵。待把霞牋寄倩行人。欲偷香信。〔江兒水〕竝不見躍鯉驚鴻來相近。因此上忙投筆硯還思忖。教我何處跟尋親問。若不是獅吼纏情。應只爲達舉圖他金印。（南詞新譜）

杜文焕

杜文焕，字弢武，號日章，南直隸崑山（今屬蘇州）人，陝西延安衛籍。以父蔭敘歷延綏遊擊將軍，累進參將、副總兵，擢寧夏總兵官。以破賊功任延綏總兵官。入清不仕，返回崑山終老。有太霞洞集，散曲附。生於萬曆九年（一五八一），卒年不詳。

小令

【南正宫玉芙蓉】

閒適

垂髫被主恩。杖鉞清氛祲。向燕然親磨。盾鼻銘勳。銷鋒紫塞惟高枕。抗疏彤庭早乞身。〔合〕願從今。利名休問。任逍遥去跨蹇尋真。

煙霞氣味新。雲水風流甚。喜今朝遺榮。證法成真。清風明月情無盡。五嶽三函自可親。〔合〕願從今。利名休問。任逍遥去辟穀全身。

【南南吕宜春令】

即景

韶光麗。淑氣濃。看無邊遊絲滿空。試尋芳郭外。緑陰千頃黄鸝應。殢人嬌日照桃蹊。可人意風回花逕。〔合〕喜清邊緑蟻堪浮。群賢相送。

【南黄鍾畫眉序】

紀典

鶯簧弄。燕翼翀。美三春芳菲正穠。向杏花村裏。典衣沽酒同歡慶。聽喧闐幾部鳴蛙。看倒掛一雙幺鳳。〔合〕喜清邊緑蟻堪浮。群賢相送。

帝寵降門闌。出守雄關媿才淺。喜光生玉節。氣凜金壇。蓮花幕珠履繽紛。細柳營雕戈輝焕。〔合〕聊乘勝日開芳宴。謾鋪陳綺席瓊筵。

畫閣敞鈴嚴。壯志飛揚壯猷遠。看奇生豹略。詭出龍鈐。風雲幻八陣縱横。煙燧銷三邊清晏。〔合〕聊乘勝日開芳宴。謾加餐斗酒豚肩。

酒罷興逾妍。坐接群英對編簡。且暫韜武略。共撰文言。援枹手灑落珠璣。佩劍身憑淩詞翰。〔合〕聊乘勝日開芳宴。謾消受茗飲爐煙。生怕愛根纏。習静遺榮得玄遠。任逍遥竹院。容與芝田。三宗會逸韻何高。五嶽遊清心非淺。〔合〕聊乘暇日開芳宴。謾消受露飲霞餐。

【南仙吕桂枝香】

春　情

春光明媚。韶華佳麗。花開畫閣香凝。柳嚲瑶階風細。聽黄鶯對啼。黄鶯對啼。求友聲聲圓美。使我芳心摇曳。感良時。偎紅倚翠雖如此。惜玉憐香更待伊。

皇華星驛。紅塵雲騎。紛馳報我壇邊。有個人來天際。喜林英正滋。林英正滋。又是一番春意。自此芳情堪繫。盼佳期。整頓芙蓉褥。安排孔雀帷。

魚軒新蒞。鶯儔相契。行同雨釀朝雲。臥似魚游春水。看鸞交鳳飛。鸞交鳳飛。春宵堪貴。千金寧易。美如飴。不減登金榜。還如拜玉墀。

金尊浮蟻。銀盤烹鯉。熒熒畫燭高燒。滴滴銅壺初起。坐金屏繡幃。金屏繡幃。笙歌鼎沸。觥籌交會。興遄飛。百歲常相守。千年不暫離。

套　數

三教會樞

【南商調集賢賓】會庵窈窕霞際起。雲林煙水相宜。儒服黄冠羅漢□。日講學巡真問偈。環中規裏。自喜得三函頓啟。〔合〕心似洗。風不動博山香細。

【前腔】齋名止善雲外倚。帷緇壇杏逶迤。習習春風當坐起。時共拈名宗性理。談鋒兢起。探天心月窟無疑。〔合〕心似洗。風不動博山香細。

【前腔】存真館搆珠樹裏。桃花流水成蹊。五色祥煙低復起。任縹緲壺天清麗。雲裝霞轡。看鎮日仙騈來去。〔合〕心似洗。風不動博山香細。

【前腔】觀空洞鑿寒巘霽。鳴鐘清罄神怡。静向蓮龕參法旨。喜水浄軍持堪浴。天花雲氣。儘空色氤氲相繼。〔合〕心似洗。風不動博山香細。

【餘文】由來三教同歸旨。羡此際函三不二。悟後真詮永不迷。

五嶽壯遊

【南中呂駐雲飛】世授韜鈐。元凱風流奕葉傳。手裏丘明傳。腰下袁公劍。嗏。承蔭美紅顔。十三榮顯。奏捷沙場。三十登壇□。喜得功成在壯年。

【前腔】掃蕩風煙。百戰功成若等閒。凱奏龍沙宴。銘勒燕然遍。嗏。持此報龍顔。急流回轉。跨蹇尋幽。五嶽參差見。喜得優遊在壯年。

【玉交枝】登高臨遠。鬱參差五山鎮天。雲梯風磴相縈絢。蔽峰巒縹緲風煙。丹崖峭削橫翠巖。修篁晻藹長松偃。〔合〕任翺翔尋真討玄。任逍遥冥搜勝攬。

【前腔】嵩高絶巘。鎮神州特立中天。岱宗太華東西限。恒衡常南北巉巖。三公峻秩標萬年。群仙靈宅紛填滿。〔合〕共攀緣向平比肩。漫追趨少年爲伴。

【玉抱肚】名流勝選。陟崔巍葛引藤牽。揮彩翰覓句分題。庀行廚命酒開筵。〔合〕幽情非淺。啼猿唳鶴共盤桓。鎮日留連雲水間。

【前腔】煙霞荏苒。共遨遊水曲山巔。縱步屐遍歷高深。放襟懷醉臥巖巒。〔合〕幽情非淺。啼猿唳鶴共盤桓。鎮日留連雲水間。

【餘文】名山五嶽原非遠。浹歲能週萬里天。容與優遊不羡仙。

南北雙調合套

還山即事

【新水令北】一時投紱謝浮名。向山深儘多幽興。乾坤雙眼放。風月兩肩輕。穩步林坰。索強似冒烽煙圖僥倖。

【步步嬌南】戟門漸遠旌旗影。笳鼓聲初静。紅塵隔窅冥。只見一片閑雲。幾盤幽逕。鬅鬙上蓬瀛。鴻飛霞舉今方稱。

【折桂令北】想當年領將提兵。只爲那胡羯披猖。蠻獠狰獰。苦奔馳北討南征。俺已曾營開鵝鸛。京築鯢鯨。恢蜀土功希鐘鼎。定天山威震邊庭。况親標馬柱。手勒燕銘。幸不比一丁無識。寸箭無能。

【江兒水南】到如今百戰空皮骨。三思耗性靈。依依豹霧求虚静。悠悠鶴轡從馳騁。泠泠鳳吹交相應。矯首霞光耿耿。寄傲追歡。總在松丘桂嶺。

【雁兒落帶得勝令北】餐霞居恰勝似受降城。踏月廊争穩似坑人阱。□□樓常近着白玉京。少游車不戀那元戎乘。俺又將烏帽换簪纓。把金策易霓旌。只這個熊羆相好。

結就鷗鷺盟。功成。住物外逍遥境。心明。向霞邊自在行。

【僥僥令南】爲儒繙縹帙。問道解丹經。索須把金函同印證。會三教期將大道成。

【收江南北】呀。俺自期三教同歸大道成。那時節着羽帔禮瑶京。仙霞九色任憑淩。更圓通三昧斷凡情。俺喜孳孳不勝。喜孳孳不勝。又何須五侯七貴競浮榮。

【園林好南】戀椿闈龍車緩迎。閉松關鸞駢且停。待百年恩情盡領。方好去恣遊行。向丹臺事玉清。

【沽美酒帶太平令北】霞漿溜石髓清。丹鳳□紫麟鯖。高宴春臺眺赤城。似李泌蚤歸衡。看冠蓋煙霞相映。好共玩天光雲影。任冥搜水秀山明。從此後千齡綿永。總福慧雙修交證。俺呵唱幾曲長清。短清。論甚麽無名。有名。呀。但自向閑裏求閑。靜中尋静。

【尾聲南】廿年蝶夢今初醒。五嶽幽棲四樂幷。再不去執鋭披堅博利名。

王端淑

王端淑，字玉映，號映然子，別號青蕪子，浙江山陰（今紹興）人。王思任次女，丁兆聖妻。博學工詩文，善書畫，著有吟紅集、留篋集、恒心集等，並編選名媛詩緯、名媛文緯。約生於明萬曆年間，卒於清順治末年（一六六一）前後，享年八十餘。

小令

【南商調黄鶯兒】

春閨

日煖漾晴絲。莽春風妒玉肌。隔簾拋墮桃花蕊。蛾眉倦施。香憔自知。簫聲輕繞垂楊裏。助愁思。琴書半冷。寂處聽黄鸝。

夏　閨

蕉底聽鳴蟬。誦新吟淑女篇。銀鈎月掛凄清院。鸚哥舌尖。花枝倦眠。些時冷落閑釵釧。蝶翩翩。清瀾炤影。弱瘦怯風前。

秋　閨

促織傍籬鳴。敗梧敲幽夢醒。沙汀月冷蘆花病。砧聲乍驚。寒威漸生。飄零葉擁愁人徑。瘦香蘅。長宵轉側。宋玉賦秋清。

冬　閨

弱質倦清揚。懶梅花怯曉妝。微微風影吹寒幌。梨雲路茫。鐘殘漏長。雪光慘見孤鴻往。鮮明瑲。鴛鴦癡夢。偏不到瀟湘。

【北雙調新水令】

守　困

遠峰青半被曉煙遮。受淒涼幾時寧貼。破廬風透户。荒徑瘦梨花。冉冉年華。冉冉年華。望蘇融寒威卸。

（下缺）

沈則平

沈則平，字子平。生平不詳。

套數

代妓别周生

【南仙吕八聲甘州】長亭執手。捧香醪和淚泣送行舟。一江烟水。動人萬古離愁。悲歌幾疊總楚囚。簫管聲頻羞勝遊。無謀，忍教咱折抹青樓。

【皂羅袍】嫁字是伊商就。再休忘月下。誓語交酬。相思别後正無休。緣何未别相思驟。垂虹亭畔。傷心浪鷗。雪灘汀外。愁眉遠洲。歡娱未幾淒涼又。

【羽調排歌】你我魂迷。人前話兜。啼痕溢滿星眸。看他幾番欲待葬魚喉。教我抱石思沉古渡頭。雙生恨。白傅憂。多情愁絶更風流。同行伴。惜别友。相看嗚咽共悲秋。

【掉角兒序】笑江城徒識沈猶。任無端毒遭越寇。哂流蘇芙蓉傍誰。嘆寒衾錦鴛空繡。最憐他。身無主。不自繇。行還復。去也還留。言須應口。休教怨尤。到來朝。淒清獨自。怎生消受。

【尾聲】囑付頻叮嚀久。且將思念寄金甌。望你往返來回速似郵。（太霞新奏）

幽　期[一]

【南南吕宜春令】寒侵夜。人去幃。向東家尋踪問跡。他曲房深閉。悄[二]從窻隙將他覷。見他背銀燭慢解羅襦。繞沉烟緊籠鴛被。低低叫。叫多情待等。是莫先睡。

【前腔】他聲驚驟。意自疑。急抽身輕輕問誰。半將門啟。側身捱過剛行禮。問今夜人可知之。比別宵來何遲矣。奈此。更闌漏短。再休得擔殢。

【前腔】釵橫墮。枕亂欹。乍同衾將身扭回。只推不就。要郎下氣先輸己。挤工夫絮語柔情。儘伎倆蜂痴蝶醉。這搭。山般海樣。敢忘恩義。

【前腔】雞三唱。鳥漸飛。夢方濃虧他喚迴。莫貪歡會。明朝惹事閒合氣。枕兒邊顛倒衣裳。粉花香尚餘温袂。且喜。回來尚早。曉星還未。（太霞新奏）

寄　情改俞君宣[三]

【南仙吕入雙調步步嬌】記得文無當年贈。風月紅樓整。調和似合笙。驀地風波。兩下萍梗。何處識離情。柳條兒幾度河橋映。

【醉扶歸】想你合時刻刻同歡慶。想你離時欵欵細叮嚀。悶來時恍見你愁容共伶俜。喜來時恍見你笑臉相隨定。雖則孤衾孤枕近營生。依舊是同歡同樂初行徑。

【山坡羊】看這好花枝提起你風流情興。看這瘦花枝又愁起你淹煎多病。這媚人天傷心滿前。到不如困人天盡日如沉瞑。户每扃。晨昏難遣情。常言酒解酒解相思症。若可解的相思定不是相思絶頂。難憑。不持杯也似醒。難憑。飲千鍾也自醒。

【玉交枝】情悰不定。笑癡心無端悶縈。爲情多反慮伊無行。負我一片真誠。伊若行虧不恁撑。倒教人放下相思柄。怕年來伊情倍增。你情多儂心怎冷。

【川撥棹】愁難罄。不是恨長江阻去程。恨只恨當日逢卿。恨只恨當日逢卿。只爲暫相逢累我淒涼一生。我淒涼還自應。你淒涼却怎勝。

【僥僥令】無言心自警。若使背初盟。這寃債一生生無乾净。又豈但負青樓薄倖名。

【尾聲】幾回苦向蒼天諍。不怪使世上有情人薄命。怪使薄命離人偏有情。（太霞新奏）

〔一〕此套亦見吴騷合編。

〔二〕「悄」，原作「俏」。

〔三〕俞著原題作「孟珠十二調」。

董斯張

董斯張，字然明，號遐周，別署借庵、瘦居士，浙江烏程（今吴興）人。監生。與周永年、茅維、王亦房、馮夢龍、董其昌等人交游甚契。馮夢龍云其爲曠世才人，詩賦文詞，靡所不工。著有静嘯齋存草、吴興備志、廣博物志、吴興藝文補等。生於萬曆十四年（一五八六），卒於崇禎元年（一六二八），年四十三。

【掛枝兒】

噴嚏

對妝臺。忽然間打個噴嚏。想是有情哥思量我。寄個信兒。難道他思量我剛剛一次。自從別了你。日日淚珠垂。似我這等把你思量也。想你的噴嚏兒常似雨。（馮夢龍掛枝兒）

套　數

贈王小史

【南商調二郎神】秋雲冷。正扁舟溪寒水静。寂寞林烟棲鳥定。殘宵野夢。覺來初斷三更。萬種愁腸今夜領。忍不過孤形弔影。淚珠凝。都爲着送煖偷寒去住關情。

【集賢賓】他如花顔色剛妙齡。恍緱山仙客吹笙。玉骨烟姿誰與並。皎臨風翠樹葱菁。風流雋穎。更俏眼一江秋映。情願等。盼不到半霎兒僥倖。

【黄鶯兒】乍見喜逢迎。掩書齋不做聲。牽衣下跪忙相倩。他心兒欲應。口兒暫停。非關負約只是憐君病。俏卿卿。今朝就死。也死在牡丹亭。

【簇御林】寬鴛帶。倚雀屏。逞嬌羞倍可矜。鄂君繡被香魂賸。前生寃債今番訂。喜還驚。燈前細語。怕有外人聽。

【琥珀貓兒墜】知心解意。真箇惜惺惺。一段深情月下盟。前魚何必泣秋汀。停晴。嘆會面無多。别緒縱横。

【尾聲】晚鐘纔報愁難罄。興味蕭然似野僧。待黄菊開時好夢成。（太霞新奏）

張　琦

張琦，一名楚，字楚叔，又字叔文，號騷隱、騷隱生，别署騷隱居士、松臞老人、西湖居士、松臞道人、白雪齋主人，浙江武林（今杭州）人。精詞曲，富收藏。編有吴騷集，又與弟旭初同輯吴騷合編。著有衡曲麈譚一卷；又撰有南九宫訂譜。所作傳奇有明月環、金鈿盒、詩賦盟、靈犀錦、鬱輪袍，合稱白雪樓五種曲。另改馮惟敏梁狀元不伏老雜劇爲題塔記傳奇。

小　令

【北雙調八不就】

海棠開燕子初來。都只爲一點春心。翻成做兩下兩下愁懷。錦鯉書沉。青鸞信杳。黄犬音乖。長吁氣短吁氣心中自解。有緣分無緣分都是命裏合該。花被風哀。月被雲埋。破船兒撑不到藍橋。碎磚兒砌不起砌不起陽臺。〔一〕（吴騷集）

菊花開北雁南來。偏不帶一紙音書。頓令人心事心事縈懷。懊恨喬才。在誰家戀。

俏俏乖乖。長相思短相思心中自解。辜恩義負恩義你該也不該。花兒空栽。鏡兒塵埋。早知道受這般淒涼。悔當初不如不會陽臺。〔三〕（吴騷集）

【南商調金絡索】

代吕姬霏茵賦别〔三〕

〔金梧桐〕郵亭〔四〕繫赤騮。别酒頻斟勸。執手叮嚀。兩下相留戀。思君萬種情。〔東甌令〕憶君言。滿望生死皈依共百年。被孽風吹散于飛翼。〔針綫箱〕鋼鏈分開竝蒂蓮。〔解三醒〕天涯遠。〔懶畫眉〕那堪繡被冷紅鴛。〔寄生子〕從今後衰草平川。何處把行踪盼。（吴騷合編）

人離在眼前。别恨和心纏。剩雨殘雲。都是相思券。歸期在那些。待君旋。莫使深閨望眼穿。恠一鞭鞍馬驚幽夢。何處鱗鴻覓錦箋。空悲怨。非君分淺是妾無緣。從今後翠冷花鈿。更香爐黄金篆。（吴騷合編）

斜暉映落霞。野樹連秋漢。颯颯金風。生拆雙飛雁。觸處可憐人。滯君難。打迭離魂逐去鞍。奈半肩行李重催促。一曲驪歌唱欲闌。愁無限。淮陰匹馬甚時還。從今

後夢裏巫山。只落得空牽絆。（吴騷合編）
寒衣贈白裘。別語盟青案。無限離情。叮囑千千萬。潸潸淚眼看。背君彈。想去後思君病漸癲。怕春深花落重門悄。夜永蘭膏照影單。空長嘆。相看心事一般般。從今後瘦損朱顔。甚日得重歡宴。（吴騷合編）

套數

春閨

【南仙吕入雙調江頭金桂】〔五馬江兒水〕最苦是深閨人静。怎消除愁悶縈。可惜落英堆砌。褪粉連楹。好時光驀地傾。〔金柳搖〕爲伊行辜負今生。只怕來生孤另。擔着愁城病債。日夕伶仃。幾番來如醉醒。〔桂枝香〕倘伊行作想。豈甘薄行。曉風清。千里悠悠夢。相思恨不平。

【二犯江兒水】〔五馬江兒水〕空爲你相思愁病。病來時身也輕。怪連宵潦倒。好夢無憑。化西園蝶未成。〔朝元令〕漏斷玉壺冰。香消寶篆零。〔金柳搖〕月轉虚櫺。花冷閒庭。這凄涼仗誰行來問省。〔五馬江兒水尾〕望不徹銀河水澄。認不出高唐路景。但只見滿堦前碎月明。

【江頭金桂】〔五馬江兒水〕剛一片堦前月影。照青苔落絳英。誰念凄涼滿眼。花露閒情。故園蕪春草生。〔柳搖金〕被伊行賺却前程。又怕前程難定。試看川原日暮。嗷嗷猿鳴。斷人腸風雨縈。〔桂枝香〕坐寒宵漏永。低回自省。意懵騰。又見曉日瞳瞳起。相思磬幾聲。

【二犯江兒水】〔五馬江兒水〕猛聽得幾聲清磬。意撩人百恨生。想起那人幽韻。剪雪裁冰。占風流雅度增。〔朝元令〕詩酒意亭亭。憐香倍有情。〔柳搖金〕曾與他解盡春酲。醉看三星。卧花間幽夢惺。〔五馬江兒水尾〕轉眼時好事難成。愁絶處春明將剩。幾時得向鴛幃續舊盟。（吴騷合編）

〔一〕此曲樂府先春、樂府珊珊集亦收。
〔二〕此曲樂府先春亦録。

〔三〕吴騷二集題作「惜别」，注古詞。

〔四〕「郵亭」，吴騷合編目次作「垂楊」。

沈自徵

沈自徵，字君庸，人稱漁陽先生，南直隸（今江蘇）吴江人。國子監生。璟從子。工詩文，尤長樂府。負才任俠，游京師十年，然累困場屋。所遭既多不幸，故所作多悲傷哀怨之音。著有沈君庸集，及雜劇灞亭秋、鞭歌妓、簪花髻，合稱漁陽三弄。萬曆十九年（一五九一）生，崇禎十四年（一六四一）卒，年五十一。

小令

【南雜調新樣四時花】

燕都上元贈妓

〔小桃紅〕拂不去風塵臉。走不了新豐店。〔月上海棠〕喜金吾放夜。醉倒珠簾。〔紅芍藥〕空買賦妒殺無鹽。笑情癡才盡江淹。〔石榴花〕對崔徽反將咱悶添。送年華伴天涯琴劍。

〔水紅花〕漫掀髯。鶯花誰占。〔玉芙蓉〕迷香洞底恩難欠。搗藥橋邊意倍粘。〔梅花塘〕鏡湖春色。真箇收拾在眉尖。聽漏嚴。〔水仙子〕便千金一刻。畢竟今宵價廉。（南詞新譜）

【北雙調折桂令】

壽沈來鶴五十

賀東君不索題詩。柳展宮腰。鶯囀彈詞。名成五十。律稱高適。墨有羲之。牀頭羞看龍子。世上滿引金巵。客至休辭。杯若空時。剩有青山。搬上烏絲。沈以好俠貧善丹青（沈君庸集）

套數

王孝儀重遇孫姬賦得仙吕五闋

孝儀楚人，于西湖戀一孫姬，忽遇于燕，社中各有贈。

【南仙吕桂枝香】雲峰簇繡。湖波春透。騄芳堤玉勒驕嘶。笑入吴姬賣酒。洗譚天浪口。洗譚天浪口。問西施在否。淡粧明秀。謾追求。松柏同心。恨西陵落日愁。

【不是路】邂逅風流。蘇小湖東柳市頭。乍迴眸。清波影入鬢雲流。且遲留。凝香沾惹梨雲袖。買醉還拚典翠裘。成拖逗。芙蓉帳底鞵尖瘦。問郎消受。問娘輻輳。

【長拍】眉淡吴山。眉淡吴山。淚盈湘水。那堪獨上蘭舟。蘇堤絲柳。倩流鶯難拆離愁。回首仲宣樓。晚霞粧慵來孫壽。（孫壽作慵來粧）寂寞行雲空楚岫。怎教人目斷白蘋洲。縱有鸞箋。難寄鱗遊。

【短拍】塵滿貂裘。塵滿貂裘。愁花病酒。問章臺弱柳輕柔。香暗到皇州。嘆禰衡消磨半刺做。鴛鴦牒劉郎重遘。黯司馬青衫濕透。燕山月偏炤爐頭。

【尾聲】珮蘭香解燈昏復。看昔日青青還又。可能不湖上扁舟憶舊遊。（沈君庸集）

按：尾聲「可」字疑衍。

【南商調梧桐樹】丰姿艷雪瑩。弱態芳蘭並。嬝嬝亭亭。不自塵凡境。若非羣玉山頭孕。會向瑶臺月下迎。似姮娥竊藥凌風迸。獨守蟾宫。紛鎖著桂叢花影。

【東甌令】梁園夜。正秋清。銀浦流雲學水聲。遥天何處飛金鏡。邀對飲堪乘興。霓裳一曲舞風輕。身在廣寒行。

【皂羅袍】嬾向銀牀金井。問素娥何事。多少含情。含的是關山玉笛訴風清。含的是漢宮團扇悲秋冷。雲和斜抱。朱扉半扃。碧梧影静。瑶階色凝。良宵此際愁偏勝。

【大聖樂】含的是流黄月機上偏明。含的是西廂和月等。含的是秦樓月罷瑶箏。含的是月臨鸚鵡杯興。含的是月曉鴛鴦被底情。閒庭曲徑最含嬌。是憑肩私語。對月深盟。

【解三酲】相賞處柳遮花映。人間有離别虧盈。青天碧海還孤另。寄深情擬托三星。怕浮羅夢斷悲疏影。怕緱嶺宵寒冷玉笙。休傒倖。莫做了盈盈一點。兩地空驚。

【餘文】江南才子曾題詠。兔苑風流第一名。分付與月姊封姨將春色領。（沈君庸集）

壽某相國

【南南吕梁州新郎】青陽開泰。黄鍾應候。五色雲輝台斗。珠星璧月。玉衡斜指牽女。正值高禖啓瑞。降獄生申。帝賚元臣佑。數當中五也。贊皇猷。海屋初添第一籌。〔合〕宮線展。梅英秀。玻璃盞注天厨酒。共起舞。爲公壽。

【前腔】衮衣如莢。金章珮肘。玉質長庚謫宿。揮毫染翰。名高豹尾螭頭。真是仙才倚馬。壯志吞鯨。筆陣龍蛇走。吐哺握髮也。類姬周。幕府投壺進雅籌。〔合前〕

【前腔換頭】肅長揚十萬貔貅。燦雲錦千羣馳驟。看星文光動。欲落旄頭。不數六花地軸。三箭天山。黄石曾親受。長城相倚也。佐金甌。奇績量沙夜唱籌。〔合前〕

【前腔】笑鯫生短髮狂鶩。謾自誇談天有口。總桐江釣客。滄海閒鷗。何是相門潛掃。幸舍歌魚。寶鋏中宵吼。囊錐幸處也。報無繇。願向尊前一借籌。〔合前〕

【節節高】皇恩福壽攸。錫箕疇。天教龍虎風雲輳。調羹手。濟川舟。干城赳。燕然指顧碑銘就。〔合〕牀頭若若封侯綬。姓字凌烟閣上留。遐齡更比南山茂。

【前腔】羣真駕玉虬。彩霞浮。橘中共戲蓬萊叟。麻姑酒。太乙舟。華峰藕。瑞麟香馥仙音奏。辟寒簾外春光透。〔合前〕

【餘文】忠良報國仁心厚。五十旌旄羨黑頭。試看海寓名流。（沈君庸集）

詠名妓金瓶

【南仙吕入雙調步步嬌】汝南花月春歸早。兔苑風光悄。瓊姿出俗標。式問芳名。内家珍寶。玉笳共伊調。伴金罍供奉華清曉。

【醉扶歸】閉輝輝麗質迴光。耀晶晶琴樽品價高。折瓊葩香散綺窗幽。護梨花夢煖巫雲杳。只堪宜桂友與蘭交。摠擎奇不惹閒花草。

【皂羅袍】斟酌賽靈犀寶纛。向文房雅翫。金屋藏嬌。鎖雕闌六曲麝烟飄。繞雲屏十二吴山渺。憑誰傳意。瓊琚木桃。傍誰寫恨。銀箏玉簫。清心更比冰壺皎。

【好姐姐】春饒。宫妝翠翹。遠山映青螺淡掃。秋波斜溜。背人窣地拋。還祈告。輕羅願著纖腰小。粉鏡期分玉面嬌。

【香柳娘】共卿卿量度。共卿卿量度。把奇珍誤落。平康怎及深閨好。化雙蓮蒂交。化雙蓮蒂交。插向畫棠高。湘簾護繞。把銀燈再挑。把銀燈再挑。無限良宵。莫教花神睡著。

【餘文】上君王一曲清平調。不願的簾外春寒賜錦袍。只望滿酌金瓶相醉倒。（沈君庸集）

南北雙調合套

黄履中燕都下第有掌珠之慶詞以慰之

【新水令北】一聲雁破海天秋。映幾點淋漓衫袖。含情挑寶燈。長嘯攬吴鈎。回首昭丘。問築臺人今在否。

【步步嬌南】千山霜徑飛黃候。亂葉衝寒走。盧溝咽暝流。越水燕山。夢魂拖逗。指冷玉笙柔。小樓人比黃花瘦。

【折桂令北】空悶損錦瑟箜篌。君滯燕關。妾倚西樓。珠襁含輝。鳳雛自引。鴛被空綢。數歷歷雲中細柳。盼迢迢天際歸舟。幾處凝眸。獨雁橫秋。一段邊愁。

【江兒水南】冷落閨中秀。蹉跎嘆旅遊。碣石宮啞盡談天口。莽荆卿賣弄鉛刀手。鼓刀人枉殺屠家狗。説甚胡姬燕袖。恨少黃金。空埋怨畫工延壽。（沈君庸集）

南北雙調合套

贈君善

【新水令北】猛西風吹起鬢邊秋。儘一宵和天都瘦。咱可甚鐵衣曾着破。那討箇隻履早歸休。冷覷凝眸。按不住莽龍泉在腰間吼。

【步步嬌南】咱一似斷腸人夢寫丹青手。恨入冰綃瘦。臨風誰寄酬。等把花容。誤落春光後。對傍觀難訴萬重愁。怎知道影兒外更有人僝僽。

【折桂令北】猛端相何處偷留。土木形骸。忽忽悠悠。兀良是草店孤燈。暈影凝幽。

正送年窮寒爐悶守。數天長獨語離愁。葉墮驚秋。夢破回頭。影落停眸。

【江兒水南】捏個泥圈套。裝成不律頭。野狐涎難撇何家肉。三足鷄怎禁談天口。單相思罰下無明呪。試對青銅搔首。兩不分明。可知道誤煞了當年延壽。

【雁兒落帶得勝令北】待畫個龐兒暈熨不開面上愁。待畫個龐兒肥補不上腮邊厚。待畫得冠兒整生難彈貢禹塵。待畫得衣衫俊遮不迭黔婁肘。像不得商賈每范陽笠掌牙籌。道家流紫霞冠瞻斗牛。軒冕的鷄爪攣擎不起象牙笏。武弁們羊頭風難擔戴鳳翅鍪。羞也麽羞。畫出來真是醜。休休。再不去夢凌烟閣上頭。

【僥僥令南】衲疊荒雲瘦。筇挑海月遊。可憐我影隻形單渾無偶。一似俺長沮將您桀溺求。

【收江南北】呀。你側着耳朶兒聽咱囑付呵緊緊的記心頭。咱須不是無瓜葛没根由。休覷的人横枝便丢。索行行趂逐。則這不着緊劣形軀須向俉身上有。

【園林好南】幾度欲挽君衣對君訴休。君休笑我顛毛滿頭。唯願取向上事大家參究。

【沽美酒帶太平令北】俺和你對蒼崖俯碧流。木石居鹿豕遊。可正是春山無伴獨相求。草爲氊鋤枕頭。知他那人間甲子幾春秋。伴吟窻夜愁。聽聯牀雨驟。劃西風嘯口。挈登臨素手。俺呵攜蒯緱酒甌和畫軸。一憑他解憂。勸酬。咲休。渾幾度風舟。月樓。呀。子共那月和風結做了山間四友。

【北煞】每日價焚香納首伽伽地叩。須記得前度來人是姓劉。有一日相逢處在三生石認得無。則一軸證明師共五嶽圖那邊有。（太霞新奏）

熊秉鑑

熊秉鑑，字元明，一字紫珍，南直隸吴縣（今江蘇蘇州）人。萬曆四十一年（一六一三）進士，官浙江右參政。

小令

【南商調黄鶯兒】

歲朝詞

定（去聲）凍五樣頭。煨鴨蛋噪煮韭。蘿蔔煮鷄白來湊。糟魚少頭。□瓜没油。圍爐火燉生泔酒。餓吼吼。按連數碗。個個踏陽溝。（堅瓠二集）

楊文岳

楊文岳，字斗望。四川南充人。萬曆四十七年（一六一九）進士。崇禎時歷遷至兵部右侍郎，總督保定、山東、河北軍務。崇禎十二年（一六三九）於新蔡，爲李自成農民軍所敗，罷歸。復起。十五年與督師丁啓睿進兵朱仙鎮，敗至汝寧。城破被殺。

小令

【南仙吕入雙調松下樂】

清　課[一]

歸來重整舊生涯。瀟灑柴桑處士家。草菴兒不用高和大。爲清標不在奢華。紙糊窗白木榻。掛一軸單條畫。供一枝得意花。自燒香童子煎茶。（南音三籟）[三]

套數

題牡丹[三]

【南仙吕入雙調曉行序】素質紅顔。愛名花如斗。向人嬌軟。開芳宴招集五侯羣彦。粧點。石甃層臺。翠護輕綃。朱圍曲檻。争羡。渾一似漢宫人早起倩扶猶倦。

【黑蟖序换頭】堪憐。傾國仙姿。賽朝霞凝彩。小簾新捲。是誰從天上。借來芳艷。同玩。香風滿畫軒。明粧晃繡筵。酒頻勸。看取緑葉柔枝。月下素羅。香染。

【錦衣香】比紅蓮。宫粧粲。比玉蘭。天香散。贏得宋苑唐家。禁中栽遍。姚黄魏紫姓名傳。侯門相幕。那數萬錢。繫金標玉篆。更多開禪林仙院。車馬隨歌扇。滿城争着。長安巷陌。游塵飛滿。

【漿水令】到如今流芳更遠。慶浮生看花有緣。開襟暢飲且盤桓。把錦箏漫彈。絳燭燒殘。外多戀。花在眼。燈前月下都宜翫。花應惜。花應惜。王侯第館。何須問。何須問。洛陽園苑。

【尾聲】花中富貴誰還占。但只願東君有管。漫教零落晚風庭院。（吴歈萃雅）

閨怨[四]

【南商調集賢賓】天涯自他爲去客。黄犬音信全乖。雙掩凌波終日待。濕湘裙冷透蒼苔。青山點黛。人更在青山天外。没布擺。撲通地石沉滄海。【啄木鸝】〔啄木兒〕休回首。愁感懷。薄劣寃家心性改。假饒是綫斷風筝。落誰家也要明白。愁來更覺愁腸隘。怎擔得偌多相思債。別鳳離鸞何日諧。〔黄鶯兒〕占卜卦錢排。【琥珀貓兒墜】移山迴海。招贅相公宅。多就了除名烟月牌。迷留没亂好難猜。多才。敢只是柳葉眉兒。等你過章臺。【滴溜子】纔聽得。砧聲住。角聲又哀。眼見得。燈光暗。月光又埋。風景偏生尷尬。疏桐葉亂篩。蛩吟晚籟。那裏是嫦娥影。占了書齋。【尾聲】意中人今夜知何在。猛隨風雨上心來。只落得淚點垂垂下兩腮。（南音三籟）

四時賞翫[五]

【南仙吕望吾鄉】爛熳春光。粧成錦繡鄉。嬉遊綺陌人來往。覷他鶯燕迷花柳。聽簫鼓鳴街巷。三春景。宜共賞。休負了名園上。

【傍粧臺犯】〔傍粧臺〕晝初長。我只見銜泥雙飛來往燕兒忙。高柳噪蟬聲細。堆角黍慶端陽。見十里湖光景。菡萏花開放。〔望吾鄉〕三伏景。宜共賞。休負了涼亭上。

【解三酲犯】〔解三酲〕起金風透簾朱幌。井梧飄露華凄爽。庭前桂子香飄蕩。正風雨慶重陽。羞把黃花亂插。端的是勾引西風入鬢傍。〔望吾鄉〕三秋景。宜共賞。休負了龍山上。

【掉角兒犯】〔掉角兒序〕野梅開橋邊水傍。凍雲垂雪花飄蕩。望江湖飛禽隱藏。見青山萬層疊嶂。慶佳祥。低低唱。泛霞觴。畫堂滿設銷金帳。〔望吾鄉〕三冬景。宜共賞。休負了歌樓上。

【尾聲】凍雲垂雪花漾。裁冰剪雪現禎祥。萬里瓊瑶似玉粧。（雍熙樂府）

複出

小令

【南仙呂二犯月兒高】

情思

紅粉多薄命。
月缺重門静。

吴歈萃雅收首曲、南音三籟題作「情思」，注楊斗望撰。海浮山堂詞稿、吴騷二集收首曲，南宫詞紀收第二首，吴騷合編，南詞韻選皆署名馮海浮。兹已輯於馮氏卷中，不重録。

套數

閨怨

【南商調金梧桐】相思借酒消。

吴歈萃雅、珊珊集題作「閨怨」，南音三籟無題，俱注楊斗望撰。吴騷合編題「惜别」，注曹含齋作。未知孰是，兹已輯於曹大章卷中，不重録。

秋思

【南雜調鬧十八】從别後。正默默無言倚翠屏。

珊珊集題作「秋思」，注楊斗望。吴騷二集、詞林逸響、古今奏雅俱注祝枝山著。未知孰是，兹已輯於希哲卷中，不重出。

〔一〕群音類選調爲水仙子，題作「歸樂」，不注撰人。吴歈萃雅、詞林逸響、南音三籟題作「清課」，俱注楊斗望作。堯山堂外紀屬楊循吉。楊升菴夫婦散曲題目同萃雅，作楊慎著。

〔二〕南音三籟注云：「此調元係北曲水仙子，今人以南曲唱之，亦强立名色耳。今從俗附入。」

〔三〕吴歈萃雅、詞林逸響俱署楊斗望，題作「題牡丹」。

〔四〕南宮詞紀題作「題情」，昔昔鹽題作「别後題情」，俱不注撰人。吴歈萃雅、南音三籟題作「閨怨」，俱注楊斗望作。吴騷合編、太霞新奏題作「閨情」，皆屬沈子勺。未知孰是，兹姑以之屬斗望。

〔五〕盛世新聲、盛世詞林無題，詞林摘艷題作「四景」，雍熙樂府題作「四時賞翫」，南詞新譜録首曲，俱不注撰人。南九宫十三調曲譜録首曲，舊編南九宫譜録前四曲，未録尾聲，俱注散曲。吴歈萃雅、南音三籟題作「四景題情」，皆署楊斗望，兹從之。

辛升

辛升，字克羽，南直隸無錫（今屬江蘇）人。庠生。顧憲成弟子。以文章氣節爲東林黨所稱許。明亡後，以遺民終。有寒香館遺稿。

小令

【南商調黄鶯兒】

見右族子孫沿門貼絶田作詞志概

羡爾祖宗賢。紛紛的去置田。高堂大廈連霄漢。軒車路闐。快馬揚鞭。山頭松柏參天見。最堪傳。烏紗象簡。到處動人顔。（寒香館遺稿）

一旦子孫淹。紛紛的去絶田。側廂廊下孤身漢。夏月戴氈。冬月葛穿。山頭墳墓牛羊踐。最堪憐。賣兒鬻女。猶自説前賢。（寒香館遺稿）

鄭　鄤

鄭鄤，字謙止，號峚陽，南直隸武進（今屬江蘇常州）人。天啟二年（一六二二）進士，改庶吉士。崇禎中爲温體仁所構，誣以杖母不孝。獄中備受毒刑，作痛瀝奇冤疏，「疾痛呼天，一字一血，字忘溢格」。崇禎十二年（一六三九）被淩遲處死。有峚陽草堂詩文集，散曲附。生於萬曆二十二年（一五九四），享年四十六。

小　令

【南商調黄鶯兒】

和楊用修調四闋

野鶴倦歸籠。指雲霞舞向東。休糧不羨伊蒲共。雲來幾重。霞流幾鍾。輕風細雨銷殘夢。倦歸籠。山中春永。長嘯海天紅。

回首笑癡迷。看斜陽日日西。戲場散罷誰留戲。刀山劍梯。龍潭虎溪。人間何處安閒地。笑癡迷。山中春霽。洗耳杜鵑啼。
雨笠帶雲簪。趁西池又海南。蕭然省得閑愁怨。丹書夜函。晞暘曉藍。清泉白石天
生伴。帶雲簪。山中春暖。還上最高嵐。
重結黍珠胎。坎離交南換北。御風列子猶多待。芝田自栽。棋枰且開。由他劫火滄
桑改。黍珠胎。山中春在。隨處有瓊臺。

張瘦郎

張瘦郎，字野青，湖廣石陽（今湖北黄陂）人。與馮夢龍、袁于令交厚。工散曲，有步雪初聲，馮夢龍爲之序。生卒年不詳。

套數

題情 江陽韻

【南仙吕八聲甘州】陰陰月上。捲繡簾覓得妖嬈模樣。閒庭風細。人静小樓紗窗。殘燈夢杳關塞長。只怕春去子規啼斷腸。〔合〕清狂。痛多情淚染紅粧。

【前腔換頭】懨懨。鬼病心意忙。正露濃花瘦輕汗羅香。屏山初掩。知是夜寒無狀。尋思輾轉竹下涼。依舊眉峰不畫黄。〔合前〕

【不是路】堤外遊韁。春曉愁眠事幾椿。成虚謊。武陵人去半參商。羡鴛鴦。雙飛輕浴寒波蕩。一晌貪歡只自想。低低唱。偷教鸚鵡添情況。又有許多凝望。許多凝望。

【解三醒】憶他家道别來無恙。算得過志量行藏。也自向人難語徒偃仰。堪懷恨怨年光。爲這些些惱殺杜韋娘。見則見花迎笑語香。奴生長。愛江南畫舫。蘭檝摇雙。

【前腔】指定小名兒唤他來翠幌。却是風送琅玕摇畫堂。怕年華容易還惆悵。啼玉筯對銀釭。那檀郎夜半燒銀燭。塗抹新紅上海棠。眠空帳。記得我那時相候。細草池塘。

【鵝鴨滿渡船】舊姻緣無影響。舊姻緣無影響。你看兩兩時禽噪夕陽。階閒人來往。階閒人來往。恨殺荒亭冷浸。倚危欄把奴守到天亮。江水畔。越山旁。空淚滴千行與萬行。前盟都是謊。前盟都是謊。不賴壓簾花影。輕除浄掃。却不枉了待月西廂。

【赤馬兒】任泛瓊漿。濃愁不忘。又記得小爐燃蘭麝。清清的無限思量。灘口渡頭。許多遊賞。如萍逐浪。〔合〕幾番念他情况。幾番念他情况。

【雙赤子】央誰細訪。雲繞瀟湘。音書信爽。亂絲天棘出莓牆。亂絲天棘出莓牆。酒洗梨花誇淡粧。〔合前〕

【前腔】當時去向。板跡橋霜。秋蛩聲響。路人好比是蕭郎。路人好比是蕭郎。耿夜深衣立那廂。〔合前〕

【前腔】陰晴未量。幼小癡粧。乍窺門巷。爲奴開取縷金箱。爲奴開取縷金箱。豆蔻

纔薰蘇合香。〔合前〕

【拗芝麻】你看鞦韆影正斜。金蘂花初放。惱翠牀翻紅浪。被冷蘭膏漲。千般心事待與誰行講。果若今生偕鸞帳。老天何故將人誑。

【尾聲】枝枝穠豔低相向。小姑居處本無郎。錯把天涯游子望。

按：【雙赤子】原誤作【前腔】。簡譜【雙赤子】條按云：「此調句法與赤馬兒大異，不知何以相混」。

詠繡鞋支思韻

【南仙吕二犯桂枝香】〔桂枝香〕踏青見此。淺藏心事。瑶堦半襲香塵。苔砌仍拖泥滓。〔四時花〕絲絲。鵶頭小様兩參差。西廂立月無人至。繡花幫還合時。〔皂羅袍〕剛剛寸許。齊宫步兒。些些留下。馬嵬襪兒。〔桂枝香〕翠縷從提手。央來當酒巵。

【前腔】〔桂枝香〕南園至止。秋蓮偷視。梨花静苑踪痕。芳草閒門屐齒。〔四時花〕殘詩。行纏舊曲更新詞。堆絨滿簇弓彎紫。巧遲延臨去思。〔皂羅袍〕和裾曳地。踏穿絳脂。

尋堦度徑。蹴殘小枝。〔桂枝香〕不用飛卿賦。凌波已在茲。

寄　情齊微韻

【南正宮白練序】重門掩。怕嚦嚦嬌鶯滿樹啼。原來是恨殺翠粧樓裏。沉迷。乍眼窺。正欲罵郎行心太癡。閒游戲。尋思那日。未同鴛被。

【醉太平】空費。千般繾綣。料海棠經雨。緑暗紅稀。明眸皓齒。更有柳葉新眉。空悲。看看月過畫樓西。可曾想去年風味。盡成流水。多半望斷。柳綫金衣。

【白練序換頭】香肌。淚暗垂。雕梁燕歸。欄干外立瘦了小蠻腰圍。生離。病已危。漸漸的懨纏無藥醫。燈落穗。春衫怯薄。幾宵難寐。

【醉太平】蹺蹊。寒宵夢短。玉釵墜却。憑他憔悴。殘生爲你。愁憑錦屏曾記。情知。羅衾香馥鳳凰兒。有些些爲伊淘氣。酒闌私悔。姻緣不合。露水夫妻。

【尾聲】春色三分今已矣。斜陽燕子穿繡幃。留與張郎學畫眉。

結　思監咸韻

【南中吕粉蝶兒】淚染青衫。爲伊家淚染青衫。幾黄昏幾白日多情多感。春色江南。

怕歸去斷人腸。信一函。再不想錦字中相賺。這除非到古廟神菴。把我與你兩副心仰求冥鑒。

【泣顔回】豈料被人讒。悄地將伊來訕。眼前空盼。今番莫更輕談。尋花問柳。並不曾和你閒同站。說衷腸。有恨誰知巧遮攔。半吐仍含。

【石榴花】釵頭十二芳草戴宜男。憶娘行纔見惹羞慚。雙雙偷看燕泥銜。癡心到死裏春蠶。儘絲絲抽盡一籃籃。更叮嚀怕半途相陷。又何須訴瑶琴哀玉簪。猜不著你兩兩共三三。

【喜漁燈】㦢㦢。病得香肌減。惱縈心坎。垂楊岸翠線總髿髿。繫青驄小衫。玉郎有意來相探。難忘你性格初諳。情憨。孤衾怕躭。對銀燈啼痕自涵。

【黄龍衮犯】正青青的萬嶺千巖。正青青的萬嶺千巖。明白白的畫樓紅檻。冷瀟瀟細雨斜吹。涼颯颯秋風更撼。愛殺我遠徑清晨摘石楠。見了些濛茫茫宿霧朝嵐。見了些濛茫茫宿霧朝嵐。待向前相勸。勸也還不敢。

【撲燈蛾犯】碧層層遠樹半林銜。静悄悄新煙一帶黯。顫驚驚珠犀防怯膽。眼睜睜個個將人瞰。這幾葉葉的翠屏裏說起。絮叨叨閒話口猶饞。一件件的情都分付。酒酣酣惡相思束做擔兒擔。

【上小樓犯】悶沉沉怨不甘。睡昏昏夢不堪。看他那洗了春雲。看他那洗了春雲。消了春山。脱了春衫。近來時愁寫殘詩。愁斟薄酒。愁眠香毯。將一味輕盈送了俺。

【疊字犯】細細微陰初慘。隱隱遥天將暗。猗猗的野草多。峨峨的山石嵌。霧縠雲曇。繞繞那花苕。日夜來水漿不貪。日夜來水漿不貪。瑩瑩的淚滿深潭。緑鬢毿毿。博山兒火爐香淡。小小門兒關不住我的那情緘。

【尾聲】這思量無久暫。則索把舊愁新憾。都付與血淋淋望帝春魂杜宇談。

詠　燕江陽韻

【南中呂榴花泣】〔石榴花〕過春社了煙暝渡瀟湘。見體態恁般狂。儘他殘紅飛絮好商量。入人家繡幙閒房。〔泣顔回〕些些軟語。便依稀王謝烏衣巷。皺清波野岸初平。更憐人漢殿新粧。

【漁家傲】消受得别館濃陰晝乍長。輕盈殺貼地争飛。還巢舊窗。怎把故人恩相忘。年年試望。何曾見三月天南。把相思憑雁寄將。怕遲延淚灑西風幾萬行。

【兩紅燈】〔兩休休〕紅杏院破了春光。垂柳渡絆了行裝。决不去别戀他家。愛輕簾小橋深巷。〔紅芍藥〕主人莫便因貧怏。願歲歲獨歸相向。〔剔銀燈〕還傷。花枝謝芳。看蝴蝶何園去藏。

【攤破地錦花】算魂忙。還則是無栖向。化入未央。知何日與説興亡。低逐流鶯。緑草斜陽。繞江檣。也總不見被人妨。

【麻婆子】爲憐爲憐流去了。繁花數點香。幾許幾許芳泥裏。啣來歸畫粱。紅絲一縷玉京腸。清風灞水恨飄蕩。夜月夜月梨花上。生怕兩參商。

【尾聲】盧家少婦天涯望。怎似你春風情況。甚日裏雙飛玳瑁梁。

秋　閨侵尋韻

【南南吕懶畫眉】玉釵頭懶卸夢難尋。昨夜窗梢露脚深。海棠開後到如今。相思淚浸珊瑚枕。帶月敲霜幾處砧。

【不是路】桂影陰陰。猛可是北雁南飛寄遠音。愁空任。剪刀聲澁倦穿針。對寒衾。煖香惹夢鴛鴦錦。片月依稀下故林。相思甚。綺窗秋雨些些沁。别魂難禁。别魂難禁。

【掉角兒】〔二〕倚輕羅孤牀未寢。拂花牋書修襝衽。蹙雙蛾秋水猶寒。舞香肩春雲微浸。

最堪憐掩重門。窺繡户。度黄昏。過白晝。心疑口噤。偷聲小語。淺笑低吟。恨只恨。倚窗人静。寂寞瑶琴。

【尾聲】依然約向欄干飲。碧海青天夜夜心。黄葉滿堦秋氣凜。

詠　蝶歌戈韻

【南正宫素帶兒】香心鎖。怕萬里無家夢忽過。雙粉翅晒向午庭花朵。多情。縱似他。奈緑草南園黏睡魔。憐伊個。癡魂耐熳。舞裙斜卧。

【昇平樂】如他。金錢野菜。更丁香榆莢。鳳子偏多。韓憑拚死。儘佳人小扇輕羅。清歌。西樓殘曲板聲訛。又整日穿幃度幕。衣裳淡妥。倩滕王畫筆。花裏生活。

【素帶兒換頭】偷香。慣是他。何郎粉摩。傷心過辜負了殘蕋蹉跎。雕欄。日幾過。見對舞雙飛將翅拖。遭蜂唾。枝枝採遍。浪花繁果。

【昇平樂】難摹。花衢醉醒。正深深見影。纔高還墮。鄰家春色。任伊去覓閒穿破。輕薄。紗窗簾外去如梭。空剩有芳鬒半嚲。莊生物化。秋冬春夏。四時皆可。

【尾聲】休因朱粉成顔涴。枉惹起野情天大。花少情長奈爾何。

離　情皆來韻

【南南吕太師引】怎丢開。日夕虧伊耐。話中腸相思自猜。疎簾下落紅堪愛。西樓外煙柳新栽。沉吟不帶些兒怪。休忘却盟山誓海。凝眸見。沿堦翠苔。問近來情緒怎地支排。

【瑣窗寒】〔三〕憶多嬌百媚千乖。斜日殘陰下古槐。想柳眉花靨。杏臉桃腮。歡娱未遠，情思無奈。靠著你心兒莫壞。明白。恰纔夢見與多才。細論酒律詩牌。

【三段子】道來不來。看關山風煙一帶。得捱且捱。寄音書魚鴻不再。心中事病也由他害。眼中淚痕也依然在。懶過花溪並柳街。

【東甌令】身消瘦。似麻稭。只見征塵逐草萊。料他家在那裏低聲噫。星月深深拜。緑琴緗帙故時釵。悔不了舊丰裁。

【大勝樂】把往常恩愛都埋。怨多情獨自挨。何時了却鴛鴦債。悄地裏下香堦。楊柳陌頭人隔蒼煙外。生怕那明月梨花破玉胎。對孤燈也受用足。幾番歡態。幾番愁態。

【解三酲】悶殺了花無人戴。曾記得携手陽臺。當初錯把情緣賣。從此後惡情懷。没心去無人紫陌閒挑菜。没心去十二紅樓繡錦鞋。愁相待。説將起教人。淚灑荒齋。

【尾聲】把枕兒被兒重鋪擺。花陰弄影夜窗篩。誤我良緣該不該。

詠　梅東鍾韻

【南南吕香羅帶】横斜水月中。南枝幾叢。東風嫁處先占寵。角殘曉樹玉玲瓏也。還似雲垂凍。訝相逢。天寒恐伊羞作容。不是一味高情也。怎顯梨花夢不同。

【忒忒令】憶他是那嚴陰冷冬。愛他是那暗香浮動。盈盈粉腕。倒掛釵頭鳳。闌干外正朦朧。怕黄昏。到畫堂。把瑶琴慢弄。

【尹令】信寫了江南殘夢。難寄多情小宋。消減年華誰共。羌笛聲聲。吹向誰家明月中。

【品令】尋伊見伊。身在蘂珠宫。濃陰描影。骨瘦是真容。傳消問息。管誰心酸痛。羨他舉止。也只是清標出衆。寂寞芳心。好向瑶臺月下逢。

【豆葉黄】正蕭蕭度冷。柔雪兒初融。儘傷心瘴雨蠻煙。空受盡山皴水凍。夜窗半静。香浮酒濃。真個是玉兒的魂魄。真個是玉兒的魂魄。清損在齊宫。待約與蘭香伯仲。

【玉交枝】懶粧斜擁。淡梳匀幽情暗通。湖山摇落相思重。還如出骨飛龍。誰教五更人恨風。香籌素被成何用。浪經營斜日數峰。費思量江城如夢。

【月上海棠】粉香叢。枝枝蠟蒂多嬌寵。怨水流花謝。冷薄簾櫳。沒來由夜盡心灰。端的是春回事冗。還相送。送郎行南浦。小罵東風。

【江兒水】年後多如霰。春先爛似蓬。怕餘寒殘雪猶相踵。似袁安僵卧空山隴。冰林朝日呵殘凍。没得一時閒空。纔有些些。一任雨斜風横。

【川撥棹】堪人重。矮牆東猶有凍。怕遲留燕子來時。怕遲留燕子來時。惹將來情懷懊儂。嘆年窮與遇窮。笑愁中和病中。

【前腔】魂斷羅浮白鶴峰。憶家住錢塘東復東。弔朝雲小妓從容。弔朝雲小妓從容。

【尾聲】西園粉褪低枝動。可曾是六橋春夢。雲想衣裳花想容。素心腸鐵石自同。見無端歸去鴻。念當初夢裏逢。

春 閨（蕭豪韻）

【南南呂巫山十二峰】〔三仙橋〕繡閣鶯啼月曉。誤佳期恨多少。垂楊風攪。杏花零落早。〔白練序〕香飄。碧玉搔。怕睡重胭脂愁細腰。風光好。飛花寂寞。杜鵑來了。

〔醉太平〕休道。巫山夢渺。倩雙鬟扶起。瘦損無聊。相思紅豆。熬不過水遠山遥。魂銷。〔普天樂〕猛然聽得流鶯叫。記省年來牆頭笑。爲伊家夢多顛倒。不由人時添焦燥。緑羅裙枉憐。處處芳草。〔征胡兵〕多情却被無情惱。半簾風絮繞。正尋一枕鴛鴦。又驚風雨鬧。〔香徧滿〕似争香蛺蜨。儘著你落紅老。不由我。怨只怨夜露盡人聲悄。〔瑣窗寒〕却空過好景良宵。腸斷雲間碧玉簫。任風吹蘭蕙。聽雨打芭蕉。〔劉潑帽〕嘆春歸似水歌喉巧。忒幼嬌。睡鴨兒添龍腦。〔懶畫眉〕静裏紗窗正風高。酒暈初紅上臉潮。心香獨向月邊燒。怕有人驚覺。〔賀新郎〕任風情一味供煎炒。雙眼淚。爲誰落。〔節節高〕思量心上焦。捲輕綃。放他燕子樓前繞。天涯杳。隔畫橋。愁難料。可憐辜負人年少。〔東甌令〕待人愁事苦相驕。無計避眉梢。

【尾聲】萬般思難爲貌。嗔他淺黛轉生嬌。却話更長夜雨敲。

龍子猶云：巫山十二峰内三换頭一段乃犯調，此梁少白「院落清明左右」一套誤也。今以懶畫眉易之。

多情悔車遮韻

【北南呂一枝花】孤單殺晝長人恨賒。便爲你慣守如年夜。俺怕聽春心啼杜宇。驀忽地曉夢託蝴蝶。花影横斜。怎不怨冷落香如雪。一任他青山兩斷絶。正分明愁去路雲深。早障了古道上殘陽四野。

【梁州第七】並不想著題鴛字那吴綾偷寫。立青燈那弱態夭斜。你你你芳肌自掩丁香結。駭得人通宵展轉。氣得人整日癡呆。送得人悽悽慘慘。弄得人掩掩遮遮。俺俺俺好相思受用些些。惡情懷躭害些些。你你你放得下春帷羅帳春風。捱得過欹枕玉牀明月。冷得了金爐蘭麝竭。儘孤憾重疊。殘魂半裂。賺人家弄巧翻成拙。不把我情兒想事兒説。枉費鍾情與怨嗟。定有些多不妥貼。

【牧羊關】更冽。酒把真珠醒。嬌風任楊柳賒。等殺人立蒼苔濕了青靴。盼遊人寶馬香車。一霎兒驚疑立者。聲隱隱的花間聞吠犬。碧茫茫的草裏去尋蛇。因此上把恩山都成怨。又何曾念我相逢如在客。

【四塊玉】他他他曾將翠被薰。共把那花冠卸。今日裏落英處處聞啼鴂。冷衾兒不敵心頭熱。聽的是漏短長。見的是星明滅。招的是宿世來好冤業。

【哭皇天】他他他當面裏分胡越。我則便惱惶著防人漏泄。則索個日長無事行猶懶。則索個宵闌無伴睡仍怯。我只怕伊家併從前都撇。便就有藍橋玉杵。仙路桃花。楚臺暮雨。漢宮秋月也。還不許俺片時間挪借。你須看俺如柴病骨孤寂寂魂兒送也。

【烏夜啼】從今後再不去和他相訊。再不要和俺干涉。把這場舊事兒做口舌。何須問起那多枝葉。俺安排凝著眉睫。與你分別。細細的將心腸兩下好相謝。心腸兩下好相謝。可憐我春光依舊情如鐵。哭得我好無休歇。把羅帕染成啼血。則索向畫堂南畔待與天訣。

【尾聲】千迴無計儘輕盈舍。薄暮孤房對鏌鎁。待把一味禪機且相決。惡姻緣那段情更似從頭設。只恐皓魄當空悠悠殺幾圓缺。

春　懷廉纖韻

【南商調金甌醉】〔金梧桐〕春英飛滿簷。寒葉斜堆塹。休洗花紅。洗却衫兒茜。〔東甌令〕樓頭夢。酒家帘。分付了羅衾和淚淹。〔醉扶歸〕開窗侍女動粧奩。畫堂吹散桃花靨。

【浣沙娘】〔浣溪沙〕雲母屏。從他掩。鬧蜂兒碧草相粘。嘆愁魔睡去將人魘。滿院楊花不捲簾。〔香柳娘〕俺時時在念。俺時時在念。酒勸斜陽。痛韶光荏苒。

【春太平】〔宜春令〕日長困。黛懶添。訝青山眉兒未尖。無奈養娘堪厭。近來故意將人閃。枉心頭拚死多情。怕留不住芳華穠豔。〔醉太平〕看足了燕泥蝶粉。每年三月病酒懨懨。

【奈子窗】〔奈子花〕繫東風淡影疎簾。羨荒郊比翼雙鶼。薄羅瘦損。胭脂消臉。只恨綠茵如染。〔瑣窗寒〕等閒嘗盡苦和甜。郎在旗亭酒店。

【尾聲】玉簫莫破朱櫻點。認得金針又倒拈。剩有離魂不怕險。

水際見佳人尤侯韻

【南商調黄鶯兒】鬆鬢懶梳頭。個人家女伴流。羅衣淡淡雙蛾皺。春山黛浮。春橋水留。亂鴉啼處情如酒。在河洲。無端狂發。擬賦洛神遊。

【前腔】媚眼把心投。看他們不自由。對人無語空消受。香裙翠稠。香腮淚收。慇慇心曲誰分剖。慣風流。塵生羅襪。相近水中鷗。

【前腔】薄倖付東流。儘妖嬈事事柔。低徊半晌仍疑醜。煙花小樓。江天畫舟。娘行年少羞開口。枉遲留。雙溪舴艋。載不動許多愁。

【前腔】驚起却回頭。恣嬌憨冷似秋。盈盈弱態呈纖手。風前浪遊。溪邊唱酬。問郎聰俊人難有。暗凝眸。欲通姓字。纔説又還休。

詠楊花魚模韻

【南商調二郎神】南園暮。見水閣泥沾映翠蕪。燕子啣香吹滿樹。輕毬幾點。冰花玉屑無拘。岸北橋南輕薄難相顧。更飄零拋家傍路。緑陰渡。曾爲你絆起柔腸聽足鶯呼。

【集賢賓】前村野艇聲唱徐。怕愁重難扶。曉月殘風爲伴侶。笑梨花空灑銀圖。蘭窗乍舞。嘆只嘆天涯無數。還閉户。正人靜晝長春午。

【黃鶯兒】深苑掩蝦鬚。算他家薄幸徒。馬嘶人去垂金縷。紅箋懶書。清宵夢餘。愁聞一霎清明雨。漫遲躇。無端別話。吹下步聲虚。

【香柳娘】這風情可憐。這風情可憐。游絲日度。灞陵一望堆塵土。我嫌他飄泊。我嫌他飄泊。糝徑白氈鋪。怎管浮名誤。憶相逢別浦。憶相逢別浦。把萍踪淚除。記得俺尋郎去處。

【琢木鸝】〔琢木兒〕顛狂態。玉不如。每每長亭攀折苦。只爲伊浪泛孤踪。伴生前影瘦芳枯。粉蝶飛粘輕素羽。郁李生花堪弔古。閒看兒童鬧滿途。〔黄鶯兒〕小雨潤如酥。

【琥珀貓兒墜】畫樓餘照。殘雪照紅爐。似塞雁空遺避弋蘆。閒聽角聲吹入小單于。糢糊。怎勾得抹殺海棠。緑暗紅疎。

【尾聲】纔圓却碎難相聚。官巷人家油壁車。堤上郎心花下女。

南北雙調合套

詠　梅真文韻

【新水令北】竹邊斜破好精神。猛尋思半天丰韻。素娥霜下粉。神女夢中身。玉軟香温。玉軟香温。倩他寄芳信。

【步步嬌南】勾引春愁漸覺腰肢損。點點縈方寸。清懷雲半村。落月微寒。望遍江南。恨踏碎了冰魂。瘦龐兒不似當時俊。

【折桂令北】壽陽粧幽暈潛分。茅屋冰牀。送老閒門。被松筠笑他孤另。憔悴黄昏。

念伊行誰代我天涯試問。嘆兒家因甚的目斷行雲。薰了湘裙。濕了綃巾。最苦是無賴東風。吹破檀唇。

【江兒水南】素淚無人見。幽馨暗自聞。算青春一去難重閏。笑桃花謾把紅顏暈。訝梨花冷把蒼苔印。不似此花安頓。一味清芬。絶不用些須幫襯。

【雁兒落帶得勝令北】倒爲他減容光瘦似薪。倒爲他把舊事兒都無分。倒爲他淒涼了碧玉搔。倒爲他冷落了琅玕韻。倒爲他招盡了相思債。倒爲他曉夜裏少温存。倒爲他寄了千千意。倒爲他枉費了幾多春。評論。若是細把他芳情問。却莫和你因循。空忘了少年奴薄命人。

【僥僥令南】宫額塗黄嫩。新粧帶淺痕。瘦浸肌膚却帶胭脂潤。還索比江妃也出羣。

【收江南北】呀。早知道這般樣寂寞呵悔不了幾清辰。聽説是煙閒水浄不拖塵。常留清氣滿乾坤。爲東昏返魂。向東君乞恩。圖得是一團和氣一團春。

【園林好南】見奴奴香酥薄痕。與君處將心細捫。念我天寒人困。耐不得巧梳匀。滅不得意慇勤。

【沽美酒帶太平令北】猛回頭嬌又嗔。猛回頭嬌又嗔。窗兒上認難真。正是皎皎霜華髮鬬新。立在水邊遠近。腸已結麝微熏。多情煞揚州何遜。寄詩興巡檐相問。只買得十分孤韻。難慰得幾番寒訊。我呵愛清標想君。慕君。又還是恨君。待留連怕八姨不肯。

【清江引南】明朝冷香飛一陣。曉月甦殘困。憑欄憶那人。短剩鬅鬆鬢。好寒光罵寃家空薄分。

春　思先天韻

【南仙吕入雙調步步嬌】遲日簾櫳花陰轉。窄樣弓鞋淺。相思情可憐。薄命愁牽。人去天涯遠。輕暖乍寒天。惱鶯兒飛到雕欄囀。

【醉扶歸】埽西樓楊柳金如線。正紗窗東風燕子穿。減芳容曉夢隔青禽。惱多情寸楮乖黄犬。落紅飛處染苔錢。桃花萬樹芳心軟。

【皂羅袍】無奈玉容心顫。被丫鬟喚起。驚了朝眠。小塘新水緑波濺。曲欄紅藥香風捲。雙堤淺水。重湖畫船。玉樓綺陌。金鞍少年。怨風光人在深深苑。

【好姐姐】思量。悶縈彩箋。病無聊愁眉未展。翻來覆去。念了三兩篇。餘殘喘。宵來燭厭將刀剪。静裏杯嫌和恨咽。

【香柳娘】夢闌時想他。夢闌時想他。可曾如願。惱人端是難消遣。冷香肌睡鴨。冷香肌睡鴨。閒岫鳥聲喧。白晝人愁倦。問東風紫燕。問東風紫燕。惹下離愁萬千。不料他如今心變。

【尾聲】淚痕破了殘粧面。斜日山深哭杜鵑。十二闌干空目遠。

夏　思庚青韻

【南仙吕入雙調步步嬌】乳鴨池塘欄杆整。白晝園林永。南薰風滿庭。爽氣涼生。曲院新蒲冷。簾外鳥啼驚。見萍花破處藏山影。

【醉扶歸】正沙頭顛倒鴛鴦頸。好情懷閒聽竹露清。任他家簫鼓泛中流。不由人冰簟消炎景。芭蕉浄緑鳥嚶嚶。隔牆送過秋千影。

【皂羅袍】可是玉搔慵整。罵檀郎真個。忒殺無情。含情留待喚卿卿。而今往事難重有。簾衣風動。參差小亭。柳梢殘日。雕楹醉憑。看荷香水面紅粧靚。

【好姐姐】羨他。棹舟採菱。響松風鳳團煮茗。畫羅紈扇。使人愁悶增。魂難醒。雨肥梅子花枝盛。風老鶯雛香夢輕。

【香柳娘】見明河露深。見明河露深。立殘更迴。夜煙漠漠寒苔井。嘆年華一瞬。嘆年華一瞬。齒軟脆梅清。腸斷蓮房冷。正天長人靜。正天長人靜。石枕方牀乍醒。想得人空成畫餅。

【尾聲】酒船盪槳湖千頃。沉李浮瓜冰雪清。柳浪橋頭何處等。

秋　思尤侯韻

【南仙呂入雙調步步嬌】銀燭秋光寒窗牖。霜染蕭疏柳。凝粧愁畫樓。欲上簾鉤。別恨濃如酒。野渡見横舟。料多情默默人難守。

【醉扶歸】好姻緣零落君知否。望天涯楓林落翠溝。枉思量玉腕拂羅裳。不忘他麝腦噴金斗。郎今走馬走長鞦。繡幃鬆却鴛鴦紐。

【皂羅袍】想個天長地久。這恩情端的。忒殺風流。侍兒扶起俏温柔。玉郎罵得難分剖。殘煙白露。魂飛意投。燕山馬足。吳江渡頭。一椿椿弱態難禁受。

【好姐姐】爲他。别書懶修。又因循淒涼時候。葉喧風砌。添了幾處愁。難回首。金風吹破情難守。玉露飛寒夢未酬。

【香柳娘】捲西風憶君。捲西風憶君。似黄花消瘦。銀牀露井蒼苔繡。正桐陰墜葉。正桐陰墜葉。涼透滿懷秋。别緒從前有。惱孤眠依舊。惱孤眠依舊。枉費無端淚流。

爲你千般出醜。

【尾聲】玉郎薄倖奴何厚。百尺蝦鬚上玉鉤。還自燒香祈白首。

冬　思齊微韻

【南仙呂入雙調步步嬌】風雪松梢輕煙起。月掛庭梅裏。紅爐分酒威。錦帳淒其。冷夜天如水。閒户小簾垂。病無端長是人千里。

【醉扶歸】卸冠兒錦浪紅翻被。罵冤家寒宵玉笛吹。望西樓塞雁正南來。掩蘭房乾鵲傳聲喜。夢回蝴蝶遠煙迷。寒鷄啼破人難起。

【皂羅袍】正苦淒涼不寐。看澄湖一夜。水滿前漪。江天冷絮暮鐘遲。繡幃玉屑寒容洗。梅邊竹上。蕭蕭短籬。月明人静。繁霜路歧。爲冤家消瘦形如鬼。

【好姐姐】相思。病饒楚姬。不由人黄昏獨倚。小庭風細。愁損兩黛眉。情誰比。煙披宿霧同雲委。燼落金花夜雨淒。

【香柳娘】守深閨玉人。守深閨玉人。歲華能幾。同心羅帶猶難倚。對瓊花院落。對瓊花院落。忘却錦文機。冷覺相思被。儘傷心清淚。儘傷心清淚。畫角嚴城恨。誰爲他家愁添病體。

【尾聲】見家門户重重閉。相憶梅花一夜飛。鴛瓦霜寒愁未已。

春閨怨家麻韻

【南黄鍾畫眉畫錦】〔畫眉序〕楊柳漸藏鴉。怕惹寒愁掩窗紗。正紅英飛片。緑草抽芽。休忘了帶恨長嚬。不記得半粧貪耍。〔書錦堂〕誰真假。總待歸來。碎揉花打。

【畫錦賢賓】〔書錦堂〕嗟呀。鬼病交加。形容頓改。不曾想飯思茶。目斷天涯。沉吟懶抱琵琶。〔集賢賓〕憶和俺斟滿流霞。念和俺露侵綾襪。閒書劄。還寫在當年羅帕。

【賢賓黄鶯】〔集賢賓〕多情好夢歸楚峽。教人望眼巴巴。猶把金錢偷卜卦。就六爻仔細推查。含糊堪訝。待指定名兒來罵。〔黄鶯兒〕罵冤家。虧心薄倖。迤逗了故園花。

【黄鶯一封】〔黄鶯兒〕簾外有奇葩。展春心正似咱。腰肢清瘦纔堪把。將書問他。央誰寄他。千言萬語難周匝。〔一封書〕總參差。儘胡拏。打破菱花在一匣。

【一封皂袍】〔一封書〕蒼苔小徑滑。轉過花街又柳衙。待把愁容將醉抹。則索侍女扶頭手把牙。〔皂羅袍〕弄嬌模樣。胭脂淺搽。倚癡情性。雲鬟半丫。霎時間走到荼蘼架。

【羅袍排歌】〔皂羅袍〕算來總成閒話。向羅幃自省。膽顫心麻。池塘青草聽鳴蛙。香籠翠袖熏殘鴨。〔排歌〕驚心事。轉歲華。似崑崙隔遠盼仙槎。埋怨殺。白鼻騧。碧蕪狼藉野棠花。

【甘州解酲】〔八聲甘州〕郎今在那家。把柳眉桃臉告了消乏。千般舉動。儘伊個一味奸猾。〔解三酲〕明明月來窺繡榻。郎却無心念故家。且休譁。這椿椿小事。便爾嘈雜。

【解酲姐姐】〔解三酲〕一雙眼生生哭瞎。見烏將花枝亂踏。是奴去輕輕打起都飛下。蹴損了隔園花。燕來鴻去無緘答。柳暗春藏蘇小家。〔好姐姐〕人羞殺。神明若不加鑒察。枉費心腸死爲他。

【姐姐醉公】〔好姐姐〕被他。守宫試砂。聽不過簷前鐵馬。松聲竹響。聞時好厭咱。〔醉公子〕花朵亞。還説起檀郎謊來天大。

【醉公僥僥】〔醉公子〕颯颯。恁樣風把人面刮。料今生姻緣業債。帶鎖披枷。無法。

怨則怨流水無情浪滚沙。〔僥僥令〕惜春潛有約。夜半落燈花。剪下雲鬟千縷髮。可自倩誰人寄與他。【尾聲】珠樓箏拍彈銀甲。一枝春雪凍梅花。管教殘生斷送咱。

徒相思寒山韻

【南羽調四季花】瀟瑟小欄干。把湘簾下柴門閉。掩了青山。心煩。眉兒消瘦誰畫彎。啼痕濕來不肯乾。盼佳期雙俊眼。憾人瞧見。空過幾番。和天叫苦難上難。若得一時閒。便解了此愁千萬。免行懶坐懶吟懶醉懶眠懶。【集賢賓】笋纖指冷從細看。相思偏向紅顔。言語知他多破綻。正孤燈風雨初殘。同心帶綰。還是你粧成不慣。心自反。怕留作薄情公案。【簇林鶯】〔簇御林〕猜難定意不安。似相攀十八灘。裙兒曳得鞋兒絆。〔黄鶯兒〕怨紅樓夢單。訝青閨枕寒。朦朧殘話風吹散。一般般。娘行慧性。休作假癡頑。【水紅花】陡今羸得兩潸潸。拚前番。如同落瓣。玉釵打碎惱雲鬟。怕今番。仍成虚幻。枉擲却月前花下。任廢了寢和餐。連宵無寐幾宵闌也囉。

【解三醒】只愛你向垂清盼。只愛你輕盈賽小蠻。只愛你嬌容出衆能禁看。只愛你斗帳燒檀。只愛你人前走去回頭歎。只愛你月下歸來約伴還。愁何限。這些時說話。好没遮攔。

【尾聲】算情緣流水泛。好將前事一齊删。自起開籠放白鷴。

序

詩三百篇字句長短原不一格，可絃可歌皆詞曲也。兩漢六朝遺風未泯，自唐人制爲五七言以取士，詩道遂畫界而獨尊。竹枝烏啼之屬，徒以詞曲名篇。古風間出，長短句大都仿詩律而爲之，不甚相遠。宋興用制策義以收五七言律之權，而詩才始旁出於宫調謂之詩餘，大晟樂府其最盛也。學者死於詩而乍活於詞，一時絲之肉之漸熟，其抑揚節奏之趣，於是增損而爲曲，重疊而爲套數，浸淫而爲雜劇傳奇，固亦性情之所必至矣。世之治也，氣自北而之南，故金元尚北，而國朝尚南。然而南不逮北之精者，聲徹於下，而學廢於上也。夫先王之教曰：「詩言志歌咏言」。先王以之教胄子，而今人以之隸優俳，性情失平而精神才術盡，以供戾氣之用，豈不哀哉。野青氏年少負雋才，所步花間集韻，既已奪宋人之席，復染指南北調，感咏成帙，浪仙子從而和之，斯道其不孤矣。夫性所不近，習之必不利。意所不樂，入之必不深。意所樂而性復近之，其所至殆不可知也。余痛夫韻學之失傳，詩與詞曲遂一分而不可合，思得有志斯道者相與窮三百篇之源流，以救天下性情之敝，而幸遇野青氏。夫楚人素不辨冰青，得此開山尤爲可幸。白雪故郢調，今其再振於黄乎？因名之曰「步雪初聲」。野青氏勉旃詞隱先生衣鉢，余且懸以竢子矣。古吴詞奴龍子猶述。

〔一〕「掉角兒」，原作「皂角兒」。
〔二〕「瑣窗寒」，原作「鎖窗寒」。

席浪仙

席浪仙，别號浪仙子、天然癡叟，湖廣（今湖北）黄陂人。與張野青交厚。有小説石點頭。

小　令

【掛枝兒】

少年郎真個千金難换。這等様生得好。不枉他好了小潘安。委實的堪欽羡。褪下了絡褲子。露出他白漫漫。雖不是當面的丢番也。好教他背心兒上去照管。（石點頭）

王仲仙你真是天生的造化。這一個小朋友似玉如花。沒來由被你牽纏下。他夜裡陪伴着你。你日裡還饒不過他。好一對不生産的夫妻也。辨甚麼真和假。（石點頭）

【南商調黄鶯兒】

春閨 四换韻

初試薄羅衣。髀香肩未整齊。楊花撲帳春雲綺。歌喉半欹。愁懷半催。釵兒溜處聲無膩。冷淒淒。清明剛到。何事拚歸期。（步雪初聲）

零落杏花香。逗春風一縷忙。村煙暗鎖天涯舫。殘星曉牀。離鴻晚塘。闌干鬬鴨波文漾。恨檀郎。年來飄泊。幾許静思量。（步雪初聲）

恨裏擲花鈿。短眉兒不耐燃。蝦鬚百尺重簾捲。當初枕邊。而今眼前。胭脂零亂愁鶯燕。問嬋娟。何時歸得。須索總流連。（步雪初聲）

曉起亂香雲。度花房破草文。腰圍大半春光褪。羅衾懶熏。香膏懶匀。愁多睡也何曾穩。爲他們。把菱花敲碎。總是不由人。（步雪初聲）

套數

詠楊花齊微韻

【南商調集賢賓】天涯芳草歸路迷。簾晴雪紛飛。硯上殘英環更起。似流連寂寞香閨。飄摇樹底。耐不得顛狂滋味。纔午睡。怕游絲浪生縈葓。

【前腔】濛濛如雪封滿堤。霎時白染山蹊。打碎香毬和露洗。儘空條雨過鶯啼。輕扶淺醉。正點點殘陽斜墜。無氣力。困煞人望眼愁眉。

【黄鶯兒】亂撲繡簾低。化萍踪入水湄。半生浪逐風波悴。柔腸頓摧。眉峰頓披。無情南北粧新砌。漫遲回。衣裳惹處。蜂蝶錯相隨。

【前腔】風舞綴苔磯。煖春雲唤子規。還疑片片遊人涕。珠簾乍窺。征鞍乍隨。纔圓却散霜華碎。捲霏微。山青曉霧。漂泊壓漣漪。

【琥珀貓兒墜】浪遊不定。牽惹玉驄嘶。剛掃闌干透玉闈。疎疎恰似薄情移。蹺蹊。那些時懶自悠揚。幻想迷離。

【前腔】牆頭忽度。又早過前溪。曾傍長門卧御墀。青春逗引得性兒癡。傷悲。更憑他早嫁東風。此恨誰知。

【尾聲】眼看春色如流水。曉日紗窗落燕泥。聚散無情難定期。（步雪初聲）

春　遊江陽韻

【南仙吕八聲甘州】夢醒羅帳。正曉風細度喬林鶯唱。輕陰清晝。天淡遠籠幽光。青鞋踏草情暗傷。只見寒緑吹漪縐短裳。那廂。亞花梢荇帶銀塘。

【前腔換頭】人家。籬落開野棠。見水閒山媚一味青蒼。蜂兒飛去。輕偃小橋深巷。煙雲看遍拾滿囊。蘭葉深深積澗香。那廂。亞花梢荇帶銀塘。

【不是路】行徑荒涼。杉樹遮天日影長。堪賞。綿芊新緑草茫茫。好清狂。茶烟生處松濤響。細語敲詩午夢長。憑高望。樓臺如畫凌虛上。動我許多疎放。許多疎放。

【解三醒】隔前村那畫巒屏障。愛殺我草舍茅堂。你看牧童牛背隨偃仰。愁不斷踏春陽。聽飛泉百道竹裏篁。恨只恨東風綻錦房。心如漾。問飄零去了。多少年光。

【前腔】你看舊雕梁燕泥猶未上。只見緑剪晴江依遠檣。這情腸爲他多惝恍。苔徑滑雨初涼。那蠶娘顫小釵頭鳳。濕染弓鞋寸許長。兜人想。却不是平地。惹起悽惶。

【鵝鴨滿渡船】向溪頭浮畫槳。向溪頭浮畫槳。只見雪浪吹魚石燕翔。沙明閒鷗樣。

沙明閒鷗漾。見那懸崖。絡翠古籐陰。却都展來停當。回野澗。繞滄浪。羅袖殷勤醉舉觴。正是傍舟清影蕩。傍舟清影蕩。只見洞花深處。紛飛蛺蝶。兀的不是送老斜陽。

【赤馬兒】緑淺鴉黄。平湖一掌。又聽得半天風林外。依依的吟動笙簧。浦口渡來。數峰青嶂。歌聲低響。〔合〕這回有許多閒曠。這回有許多閒曠。

【雙赤子】風柔氣朗。杜宇新聲。繁紅堪賞。那人何事把儂忘。那人何事把儂忘。夢裏春心愁豔陽。〔合前〕

【前腔】須臾月上。欲整歸轠。徐回輕舫。晚霞孤鶩日邊翔。晚霞孤鶩日邊翔。濕透啼痕和露裝。〔合前〕

【前腔】濃雲漸爽。旅雁行行。疎星兩兩。人兒相對理殘粧。人兒相對理殘粧。不語羞人心恨郎。〔合前〕

【拗芝麻】只見飛鴉渡短檣。蛛網翻成浪。倚繡牀。傾新釀。細把芳情講。幽人好景强半愁中狀。爲我與伊貪酣暢。莫教旦晚芳晨往。

【尾聲】消融底事芙蓉帳。疎簾月影淡如霜。明明的夢到陽臺夜未央。（步雪初聲）

按：【雙赤子】原誤作【前腔】。又：小說石點頭題「天然癡叟著」，卷首有馮夢龍序云：

「石點頭者，生公在虎丘說法故事也。……浪仙氏撰小說十四種，以此名篇」。另馮氏於步雪初聲序云：「野青氏年少雋才，所步花間集韻，既奪宋人之席，復染指南北調，感詠成帙，浪仙子從而和之，斯道其不孤矣。」

王　屋

王屋，初名畹，字孝峙，浙江嘉善人。有草賢堂詞箋十卷、蘗絃齋詞箋一卷，散曲附。生於明萬曆二十三年（一五九五），約卒於清順治五年（一六四八）以後。

小　令

【南商調黄鶯兒】

漫　歌四首

非是聖朝偏。棄書生不愛賢。時清只合安愚賤。新茶手煎。良方口傳。從來懶識官人面。但年年。題詩換酒。醉倒緑溪邊。

作個地行仙。任人呼我做顛。尋花問柳家家徧(二)。溪深有船。驢遲有鞭。躭書税盡隣家絹。快無邊。天公教我。管領舊雲烟。

閑得且須閑。莫争名休論錢。百年春酒難逢賤。魚蝦自鮮。草花自妍。洛陽金谷多更變。算高眠。人間似我。只有墮驢仙。
累筆笑僧虔。記江淹才盡年。孝將一霎頭顱變。坡仙海邊。韓公瘴烟。古來才大誰
無患。謝天天。偏生我拙。到老不憂煎。

秋夕感懷

細雨打初更。掩柴關獨自聽。不眠苦憶當時景。蘆花滿汀。菊花滿瓶。一篷霜月空
洲冷。奈星星。十年華鬢。一夜老江城。

生日口占

杯酒頌堯天。喜生朝雲物鮮。堦蓂五莢新如剪。平池水暄。高林鳥遷。疎梅屋角香
猶淺。正喧闐。鄰家鑼[三]鼓。攘攘賀逢年。

山村漫興兼呈林友

四壁短篷遮。混柴桑處士家。居深塹免逢車馬。風吹帽紗。香生鬢花。高情未有能
同者。傍溪沙。新栽河柳。恰好纜歸槎。

何處問陶家。五株楊一帶沙。門前緑水清無價。時乘小車。東鄰看花。歸來日影林中射。聽咿啞。兒童笑語。喧引入桑麻。

將涉小園百卉方甲作此爲花神催粧

飛敕報花知。我來游莫放遲。開時更要多新意。澆花有巵。贈花有詩。將花比個人兒視。怕風吹。護花還有。牆角小紅旗。

邨居雜興

向我問前程。小篷窗花下撑。偷閒樂取林間静。窗昏又明。林枯又榮。百年屈指無多頃。算劉伶。終身醉倒。三萬六千瓶。

有業寄餘生。引閒鷗沙際盟。長河十里平如鏡。秋宵月明。春朝雨醒。緑蓑衣底游思定。怪多情。胥山一點。常在樹頭青。

花下卧空瓶。問前途還幾程。百年三折今方正。頭顱漸星。情懷漸平。逢人不解藏名姓。道王生。躭書愛酒。新買薄田耕。

田問我何塍。不依山不近城。不拘時月東西正。端溪下坑。歙州上坪。耕煙耨水中書令。到西成。誰司出内。吴會□□□。

爲友人歌二首

閒趁水邊鷗。蓼花灘蘆葉洲。忽來乍往如親舊。風波不憂。稻粱懶謀。儘他鴛鴦矜文繡。恣優游。朝烟暮雨。只在此沙頭。

休得且須休。漸年來懶上樓。南山一點青依舊。兒孫馬牛。忙無了頭。滿顛白髮愁粧就。問東流。無言只是。日夜去悠悠。

秋宵旅況

簷鐵一聲驚。草簾開風月清。横空一片歸鴉影。悠悠遠征。呀呀亂鳴。滿堦梧葉添凄冷。怨東丁。誰家砧杵。不管客愁聽。

江上漫興爲友人題便面

落日滿江愁。萬山雲一派秋。多情楓影時相就。萍踪轉浮。枯腸懶搜。高篇脱手驚天授。泛空甌。吾才自可。不用釣詩鈎。

漫歌

終日笑呵呵。問先生笑甚麽。偷閒落取神仙做。賣糖打鑼。沿村唱歌。不知我小虛空大。盼庭柯。朝榮夕萎。不樂待如何。

家在五湖東。遶籬邊七個松。鋤雲帶雨親移種。鱗如老龍。針如剪鬉。濤聲夜起涼颼動。棄秦封。潛來澗底。伴我作冥鴻。

抱膝比南陽。少成都八百桑。才非管樂神殊王。誅曹勢張。吞吳氣揚。風流千古看猶壯。據胡床。長歌梁父。不擬賦高唐。

屈指幾名流。但箕山一許由。栖栖次數東家叟。齊侯魯侯。誰爲好逑。可憐梁木無端朽。笑伊周。勛華千古。回首一荒丘。

客帳夢封侯。抵燕然勒漢猷。歸來笑引胡姬袖。萄葡滿甌。霜華滿頭。憑誰更把微功奏。荷天休。人間隙影。枕竅幾春秋。

風雨記當年。擁繁花隨處眠。闌干六六閒敲徧。駈鷹曉畋。呼盧夜還。登高醉倚長虹劍。指遥天。英雄如此。怎地老江邊。

誰更有文章。軼曹劉超馬揚。翬翬特起先秦上。平交老莊。長揖素王。茫乎每作羲前想。怪陶唐。施爲儘可。獨此少商量。

閒把世人看。富家翁直甚錢。終宵坐撥長盤算。田增幾阡。兒陞某官。一朝樹倒猢猻散。望門前。没頭青草。不見有炊烟。

秋夕

遠渚水空明。月初高銀浪生。憑誰畫取漁村景。門邊倚横。林梢掛罾。斜風數點粘沙艇。背蘆汀。眠鷗未起。宿鷺每多驚。

題畫

江上片帆飛。正江風初息時。遥山一帶青如洗。雲容澹兮。人家翠微。憑君載入空濛裏。日西低。前途正遠。斗酒可曾攜。

一霎南風呼。雁離行鷗失雛。驚波驌浪無重數。誰爲此圖。連江貫河。山容震恐林容怖。且停艫。依沙並渚。篷底有清酤。

漁

滄海有遺珠。信王家結網疎。一竿笑傲蘋花渚。空鈎似迂。直鈎太愚。青旗葉葉林梢舉。望村墟。停橈問酒。可否換雙魚。

樵

爨下有奇音。問誰知徒苦心。一肩早晚吾能任。幽幽密林。迢迢遠岑。清時最喜山無禁。聽鳴禽。閒斸木杪。忘我路崎深。

耕

薄雨散東皋。草深深幾没腰。携鋤觸曉驚林鳥。非吾喜勞。西成尚遥。欲圖腹滿兒孫飽。護新苗。真如愛子。誰敢慕清高。

讀

如火藉薪傳。審前賢須後賢。心光不死休辭倦。營營幾年。區區一編。何繇夢得羲皇見。要窮探。河源海底。方會此心全。

杭歸曉發

出浦一篷霜。趁歸潮兩槳忙。于三十里天微亮。餘杭禹杭。吴塘伍塘。烟波百里無名狀。羨漁郎。朝朝蘋渚。風動滿湖香。

題所畫五湖漁釣寄友

黄髮滿江湖。傲烟波一釣徒。憑誰寫入漁樵譜。吴都楚都。他家放租。當年百戰誠何補。望姑蘇。只今惟有。殘月照棲烏。

煙雨百花都。問西施今在乎。錦帆已發來時路。漂漂野鳬。鳴鳴鷓鴣。吴山越水無重數。霸王圖。不堪回首。遺話滿樵蘇。

隨分買清酤。釣竿頭八寸鱸。漁船暫挽江之滸。前身腐儒。今來酒徒。一竿風月平生譜。謝汀鳬。不嫌疎野。相伴老烟蘆。

數雨老汀蘆。寄蕭關一字無。傳來塞北烽烟苦。將軍虎符。愁人僕姑。天威何日誅在虜。正蓴鱸。十分肥美。誰與報征夫。

田園雜曲

時節近清明。聽家家布穀鳴。扶犂漸解牯㊂牛性。深溪淺耕。徐駈緩行。林花正好愁風横。暫消停。溪雲四起。暮雨又還成。

草草屋三楹。竹低牆花滿庭。柴門恰可迴谿映。春波耳清。秋波眼明。澆花洗竹嫻時令。濯塵纓。莫教更惹。溪鳥易疎生。

細雨打殘花。把茆將屋角遮。漁船未可通人借。西谿採茶。東池漚麻。遲迴晏轉真無暇。好回他。平皋泥淺。莫可步行些。

鶯老麥初秋。喜門前緑漸稠。平池點點抽新〔四〕藕。沿村漫游。楊花滿頭。兒童笑指來誰叟。袖中搜。一雙梅子。恰好兩兒求。

拍手唱山歌。喜天晴出晒蓑。蒸藜恰好傳薪火。浮生幾多。爲歡幾何。眼前莫負閒花朶。看傞傞。兒童笑我。白首醉顔酡。

村角野花開。坐磯頭日幾回。沙鷗習我忘嗔怪。銜魚往來。山隅水隈。羣雛恃母多無畏。謝英才。忘機久矣。不用枉疑猜。

歲歲一牀書。似揚雄昨日居。春風四遶藏鶯樹。溪深可漁。草深不除。晴時出釣陰時〔五〕住。謝公車。平生最苦。冉冉府中趨。

初日照林梢。我躭眠誰耐勞。衝泥慣起平生早。携壺棄瓢。買牛賣刀。時清更喜無庸調。醉陶陶。狂歌五柳。仰託聖明朝。

感 興

坐想十年期。覷千秋旦暮時。蕭曹事業看兒戲。勳猷鼎彝。文章仲尼。不知顛雪愁中砌。慰流離。一瓢村釀。聊向晚風持。

堅我入山心。滿頭顱霜雪侵。風波何處容安枕。才晴又陰。將夷轉深。羊腸未必如茲甚。問東林。一單可許。早晚力能任。

石湖旅泊

沙際月皚皚。誤歸鴻作雪猜。青山一點如相待。扁舟遠來。風吹釣臺。垂楊乍短猶餘態。漫低徊。浮沉千古。湖水去悠哉。

曉發鴛鴦湖歌似篙工

五鼓發南湖。滿篷霜夾岸蘆。回頭已失鴛鴦埠。風高鳥呼。冬交水枯。蕭閒媿殺沙洲鷺。倚寒蒲。一身蘋雨。冷眼屬烝徒。

雜　歌

玉臂小闌干。似瑶臺謫下仙。華燈正倚如花面。前程有緣。憑誰與傳。天天若肯從人願。柳陰邊。親衣犢鼻。滌噐酒壚前。

小雨夜堂深。燭花偏人語沉。芙蓉暗蹙鴛鴦錦。雲歸遠岑。香餘滿襟。知他記否東樓寢。怨瑶琴。無絃不鼓。猶自感桐心。

贈　妓

越女十三餘。解憐花知愛書。纏人索寫香奩句。青泥綴珠。紅箋砑魚。新詞要咏相思樹。傲瓊琚。驚梅謔柳。一個小身軀。

桃子正花時。恰相逢越水湄。紅窗半掩看魚戲。吴姬楚姬。婉兮孌兮。多情暮雨催詩至。下簾兒。煌煌燭影。恰好照彈棊。

何處學新聲。似綿蠻出谷鶯。一江月好風初静。林僧掩經。溪漁罷罾。扶携索把精神聽。問誰名。新來小玉。一顧滿城傾。

鳳帶綰流霞。泥蕭郎不憶家。垂簾竊恐人偷畫。當年浣紗。前春破瓜。盈盈占盡風流價。最夭邪。江東蘇小。聞姓早迴車。

戲友人買妾

百萬買妖姬。住耶溪族姓施。盈盈十五兼多技。能賡雪詩。善歌柳詞。十三學寫鴛鴦字。最名馳。娉娉嫋嫋。碧玉比腰肢。碧玉比腰肢。臉如霞月似眉。十三善寫鴛鴦字。要人傅脂。倩人整衣。描花試手偏姣穉。怕眠遲。紅窗晝掩。不等月生時。不等月生時。錦襦鬆珠幔垂。爐香正煖窗深閉。貪郎久嬉。殢郎起遲。林鴉未解姣春意。喚朝曦。融融簾底。催醒玉猧兒。催醒玉猧兒。攬簾衣不住嘶。不知錦帳人方妮。盈盈喚回。欲興且遲。朦朧媚眼開還閉。日西移。一簾花影。恰早午炊時。

閨　情

花底擘香箋。艸新詞密意傳。西飛恰好逢歸雁。牆圍小園。門臨大川。珠簾望我應時卷。漫流連。東風正峭。千萬早些眠。

綃障掩芙蓉。枕巫山六六峰。寒鷄喚起陽臺夢。西樓雨空。東窗霧濃。文衾半冷雙飛鳳。恨相逢。落花無影。愁斷五更風。

前日寄書人。説歸期須早春。開奩試掃飛蓬鬢。當時語真。連宵夢頻。苔箋更展泥金信。問東君。堦前早有。數點落梅新。

小犬吠荒畦。卷簾看月正低。雙鬟笑語人方至。新歡可知。煩憂頓移。中宵秉燭還相視。意孜孜。只疑夢裏。還怕野鴉啼。

愁思古意

朝雨散幽庭。滿簾花一樹鶯。石家姣女愁看鏡。逢花懶評。采藍倦行。紅窗角子無心競。晚粧成。挑朱向口。力怯也還停。

春思入谿桃。似伊家紅女妖。朱樓静倚東風笑。平堤小橋。回頭路遥。溶溶一水通蘭棹。萬峰高。昔年劉阮。魂向此中銷。

綽約小天仙。道生來十六年。春陰静掩梨花院。清歌可憐。鶯聲畫圓。誰曾解識飛瓊面。乍回船。姑峰雪遠。瑶水一枝蓮。

環珮月中魂。憶歸來何處村。苧蘿風雨前宵恨。蘭枯有根。香銷剩温。憑誰問取當年信。暗交門。昔時桃李。相對也無言。

春 思

微雨憶人時。賣花聲高又低。聲聲喚起愁人思。桃枝李枝。蜂兒蝶兒。雙雙並遶珠闌戲。好支持。東風正緊。一霎滿園飛。不記別家時。指芳林言晤期。歸遲莫過鶯花市。溪桃已稀。海棠又飛。嚶鳴各引新雛試。怪無知。夾河楊柳。相對兩垂絲。

四 景

春景最温柔。采繁花插滿頭。河堤處處垂新柳。狂歌下樓。提壺上舟。人生何地無詩酒。好優游。風光一瞬。回首去如流。夏景苦炎蒸。繞池臺緑蔭明。回波密篠藏幽境。深荷晚晴。高梧曉清。石牀竹簟眠初醒。酒三升。新詞一闋。人世幾涼亭。秋景肅然高。把長竿學釣鰲。扁舟湖海忘吾老。萬鍾千筲。千秋沸蜩。高飛何必如雲鳥。駕秋濤。三江月冷。東接海門遥。

冬景雪連天。草窩深一覺眠。醒來方信名緣淺。和鑾警邊。聞鷄御前。何如布被通宵暖。儘腰纏。杖頭聊且。高唱考槃篇。

十二月樂歌

正月早梅殘。柳微黄鶯尚寒。日高塹卷青青幔。銀箏試彈。花燈醉看。從今細把良辰撰。漫無端。憂愁風雨。相得且爲歡。

二月氣融和。漸東郊游騎多。香車流水門前過。紅裙俊波。青衫俏波。盈盈獨我樓中坐。問天呵。風光如此。没個賞心哥。

三月正清明。雨和風一霎晴。河堤楊柳枝枝映。高窗上撑。小橋下横。畫船歌管時方競。最年輕。霍家玉小。十五有能聲。

四月野蒿開。繡簾垂鶯暗猜。遠山試掃輕輕黛。萱叢手栽。單衣自裁。日長睡起情無賴。倚香顋。櫻桃熟了。姣鳥却銜來。

五月海榴紅。遶牆園緑蔭濃。輕紗窄剪聯珠縫。抛殘女工。行尋去踪。雛鶯盡解如絃哢。怨梅風。吹陰釀雨。偏阻欲歸儂。

六月水亭涼。卷珠簾月滿廊。輕羅扇子冰綃帳。荷吹暗香。螢流夜光。高梧數本環池上。合歡牀。獨眠人起。羞對野鴛鴦。

七月喜新秋。見桐陰珠露流。紗厨半掩黄昏後。巧筵乍收。温鄉正柔。小屏風淺涼初透。韻悠悠。誰家横笛。吹上竹西樓。

八月正秋高。戰西風窗外蕉。獨眠漸覺天難曉。蛩聲亂號。葉聲細敲。漁陽夢斷憂心悄。暗香飄。桂花陰裏。簾影月條條。

九月早霜侵。滿園花紅勝金。一簾斜月和愁寢。寥寥遠碪。蕭蕭半衾。餘香暗落芙蓉錦。漫追尋。碧梧已老。猶想鳳凰音。

十月小春天。綺窗深人宴眠。朝暾射壁簾初卷。香篝剩烟。殘膏尚煎。輕綿着體如雲軟。惹人憐。雙鬟不理。坐撥錦箏絃。

十一月裁中。繡幃添一線工。宵寒最苦當更重。珠衾早烘。錦襦罷縫。畫樓譙鼓聲初動。博山籠。檀烟一縷。低綰玉缸紅。

十二月寒多。釣魚郎雪滿蓑。瓊樓醉擁穠粧坐。紅兒唱歌。雪兒和歌。聲聲共把豐年賀。舞傞傞。珠圍翠遶。一哄打鳴鑼。

〔一〕「偏」，原作「偏」。

〔二〕「鑼」，原作「羅」。
〔三〕「牯」，原作「恬」。
〔四〕「新」，原作「薪」。
〔五〕「時」，原作「侍」。

張旭初

張旭初，號嶺樵，別號半嶺道人，浙江武林（今杭州）人。與兄楚叔，同輯有吴騷合編四卷。

套數

擬閨怨

【南正宫刷子帶芙蓉】〔刷子序〕紅粉命常薄。笙臺人去。聲斷誰和。雙魚無覔。難將幽恨傳他。蹉跎。香篆冷空餘繡幕。眉峰鎖羞添翠螺。〔玉芙蓉〕愁無那。傷心事多。任雲鬟零落髻兒矬。

【錦芙蓉】〔錦纏道〕枉存活。苦躭承愁緣病魔。魂夢遶關河。怪連宵依希枕上摩挲。道別後東西飄泊。何曾把恩情放過。〔玉芙蓉〕珠彈顆。青衫証佐。恨鶯聲驚拆鳳凰窩。

【普天帶芙蓉】（普天樂）鏡中華。心頭火。到惹得枯腸餓。悔前春容易拋離。到如今恩愛隨波。（玉芙蓉）成躭閣。砂鍋打破。端的是妬花蜂蝶暗搬唆。【朱奴插芙蓉】（朱奴兒）載花船憑誰把舵。斷絃琴隨他結裹。今生冤債前生作。空到處求神拜佛。（玉芙蓉）鞋尖破。多因恨磨。幾番兒向蒼苔趺足濕凌波。【尾聲】花事闌春將暮。怕炎威薰蒸難過。況復秋冬怎奈何。（吴騷合編）

秋夜病中懷舊有引

病鬼牽纏，愁魔竊發。況復秋聲聒耳，驚摇欲絶之魂；春夢勞神，痛洒將枯之血。腰瞿同沈瘦，嘆枯楷之不如；鬢亂類潘絲，惜霜華之輕點。瞢騰無主，事事傷心。潦倒難堪，沉沉刻骨。因借宫商之韻，漫排憂鬱之衷，爰有是作。

【南商調二郎神】寒衾峭。嘆瘦骨棱棱痛怎熬。恍惚魂隨天外繞。翻來覆去。無端幽恨重挑。心事偏將心病炒。熱身軀倍增炮烙。惡根苗。只落得枕邊紅淚頻拋。【前腔換頭】蕭條。沉沉永夜。漏傳偏杳。況硬咽寒蛩鳴砌草。似聲聲啼怨。將人暗地吹敲。悔容易當初彈別調。怎怪得牽衣聒(二)噪。病根苗。添得箇胸前愁塊難消。

【集賢賓】參苓徒費奪命膏。似水石頻澆。笑殺玄霜空自擣。記前秋病裏劬勞。黄昏清蚤。藥共食親司罏竈。相看好。笑盈盈道記添衣襖。

【前腔】别來夢裏常會着。依希光景如昨。楊柳樓頭新月小。飛碎玉共醉葡萄。頻移寒燠。轉眼處紅香零落。顰與笑。算都是黄粱一覺。

【黄鶯兒】霪雨嘆連宵。怪狂飈轉怒號。鶩掀斗帳寒威暴。碎琉璃那遭。剷瓊枝那朝。風波一似今番惡。枉神勞。想從來好事。强半不堅牢。

【前腔】燈滅篆烟銷。再吹藜伴寂寥。還嫌隻影空相弔。剜柔腸似刀。炙憂心似熬。飄摇狼藉如哀蓼。嘆柔條。憈憈殘息。偏遇雪霜高。

【琥珀貓兒墜】鄰鷄初唱。夜色尚迢遥。隱隱鐘聲出麗譙。幾回睁眼望明朝。徒勞。推不去剩雨殘雲。耳畔瀟瀟。

【前腔】林梢欲曙。宿鳥正離巢。歷亂偏從簷際擾。朦朧合眼又驚覺。焦懆。博得箇渾身透濕。汗雨如滂。

【尾聲】强擡身披衣靠。嘆癡情綿纏不了。只怕病淺愁深難自保。（吴騷合編）

為顧旦偶題有引

顧郎芙初，眘修蛾緑，眼映波秋。燁燁如待春之華，亭亭若臨風之玉。歌飛白雪，蒲東巧囀上林鶯；舞殢行雲，聖湖鷺見章臺柳。更情躭問字，興快傳觴。既半醉之堪憐，復獨醒之可喜。予盟明侯兄與之纏綿夙昔，牽戀非常。旁觀共詫其情癡，彼亦自干其鳩拙。迺偶泛苕水之舟，遂不勝各天之痛。情可知已，秋香可挹，南浦堪邀，因代構斯篇，以佐佳話。

【南仙吕入雙調桂花遍南枝】〔桂枝香〕前生冤債。今生禁害。眼前花惹禍招非。心上事千魔百恠。〔鎖南枝〕喬才。想佔却風流寨。直恁的妬殺裙釵。妖冶偏無賽。頭纏錦。腰半窄。歌似囀春鶯。舞似柳條擺。

【孝南枝】〔孝順歌〕閒時待。忙裏來。撩人促急呆處乖。蕭瑟冷書齋。窗前且浮白。休教浪猜。是分定緣該。相憐相愛。任那平地波瀾。且自安心耐。〔鎖南枝〕難道空消受。風月差。爲甚醒時言。常是醉中改。

【鎖南枝】想起無聊賴。待丟開難擺劃。爲甚方纔別去。却蚤掛肚牽懷。愁蹙雙眉黛。非是癡。還自揣。怕有蝶和蜂。度春色。

【江頭金桂】〔五馬江兒水〕你須守燈前盟戒。切莫學閒藤纏野荄。多少餘桃話柄。玉碎香埋。下場頭真可哀。〔柳搖金〕這都是烈火乾柴。風塵買賣。牢記江心把舵。勒馬臨崖。願伊行自主裁。〔桂枝香〕這情山義海。肯教摧敗。莫生尴尬。避風臺。從今緊扣鴛鴦帶。會看牢封錦砌苔。（吴騷合編）

〔一〕「聒」，原作「活」。

張積潤

張積潤，字次璧，南直隸雲間（今上海松江）人。父所望，官至山東布政使，善音律，次璧亦以家學自負。崇禎二年（一六二九）嘗作雙真記傳奇。

小令

【南雙調公子醉東風】

〔醉公子換頭〕珠履。自那日王孫筵綺。有十二金釵。怎能如你。驀地。〔沉醉東風〕暗將你凝睇。虎頭人滿眶伶俐。是耶又非。夢耶又疑。生生惱殺譙樓上漏催。（南詞新譜）

【南仙吕入雙調姐姐帶六幺】

〔好姐姐〕忸怩。偷歸迤邐。趕得那檀郎狼狽。星微月淡。難將去路迷。〔六幺令〕明朝依舊共銜杯。將密意換疏眉。這番怎許還迴避。這番怎許還迴避。（南詞新譜）

王文舉

王文舉，生平不詳。

套數

金山見詩疑此亦雜劇

【北黄鍾醉花陰】短棹輕帆下江水。情默默心忙意急。生拆散燕鶯期。水遠山遥。何處尋踪跡。金山寺覰的真實。求一個救苦難靈籤問個消息。

【喜遷鶯】看金山景致。見樓臺霧鎖雲迷。堪題。遠山疊翠。我只見古岩巔峰壓着九嶷。侵北極。翠層層山光映水。碧澄澄水遶山圍。

【出隊子】有萬年松檜。竹梢摇似鳳尾。玲瓏寶塔碧玻瓈。照耀雕闌白玉石。彩畫山門金字碑。

【刮地風】兩廊下閑行觀仔細。猛見了壁上留題。正是俺俏蘇卿寫下金山記。寫的來翰墨淋漓。一字字有些情意。一行行訴着別離。滿懷愁。一天悶。説他憔悴。雙通叔見了自知。諕的他似醉如痴。閣不住兩行離情淚。他敢一聲聲自嘆息。

【四門子】問僧人仔細言端的。臨行時説個甚的。詩未寫。淚先垂。俏蘇卿再三傳示你。他交你上緊行。莫誤遲。他則在那臨川縣裡。

【古水仙子】又叮嚀説就裏。都是俺親娘使的見識。他他他暗接了茶船。敢敢敢親受了財禮。呀呀呀巧機關不用媒。我我我每日家哭哭啼啼。愛錢娘百般喬所爲。三千茶買轉親娘意。罷罷罷因此上嫁了馮魁。

【尾聲】囑付你個雙生莫疑忌。沿路上別話休題。我在臨川縣豫章城等待你。（群音類選）

按：此套盛世新聲、盛世詞林無題，雍熙樂府題作「趕蘇卿」，群音類選題作「金山見詩」，皆不注撰人。詞林摘艷題同雍熙，署王文舉撰。玆據類選輯之。

中分樹主人

中分樹主人，姓名不詳。

小　令

【南仙吕解三酲】

寫　恨四首

恨冤家恁般薄倖。竟全如爐内藏冰。幾回鎖却風流興。説甚麽雨和雲。比不得佳人有意郎君俏。倒做了紅粉無情浪子村。真堪哂。真堪哂。終不然同行阮肇。不比劉晨。（群音類選）

全没些柔情美話。一味的對鏡咨嗟。誰知變了當初卦。對面處隔天涯。真個是落花有意隨流水。因甚的流水無情戀落花。休相訝。休相訝。從來是賤人戀賤。不愛文華。（群音類選）

數宵來幾曾同睡。嘆殷勤枉了蜂媒。將錢買得多憔悴。憑宋玉對秋悲。却不道夜深水冷魚遊去。好咲我滿載空邀明月歸。應須悔。應須悔。從今後不如斷却。秖自銜盃。（群音類選）

本是個秦淮古渡。却翻成織女天河。溝渠明月心空付。如此景媿蹉跎。那些個酒逢知己千鍾少。只落得話不投機半句多。誰憐我。誰憐我。平日間詩情酒量。此際消磨。（群音類選）

【南南吕紅衲襖】

男送別 四首

我本待時與你做個鸞鳳儔。又豈料你爲風波過別舟。恨殺那沙吒利有所謀。怎忍得王昭君成遠遊。想昨宵酒量兒賽馬周。到今日淚珠兒學楚囚。何能覓得押衙也。使我團圓過百秋。（群音類選）

聽一聲催着去頓生出萬斛愁。問一聲幾時歸最苦是難自由。你雖然相約在春時候。我只恐到其間又逗遛。莫怪着疾分離不聚頭。只怨着晚相逢空握手。兩下裡休負恩

情也。試看浮萍水上流。（群音類選）

爲甚麽傾蓋間情便投。因只你重文才有兩眸。只指望便從良同作偶。誰承望爲冤家辭帝州。想着你對雲山思未休。撇得我倚書窻程暗籌。可憐辜負春宵也。如醉如痴病怎瘳。（群音類選）

最苦是朱淑貞春恨悠。最苦是沈休文病腰瘦。你若約愆期是心猿未肯收。我若另追歡是盟言不應口。休得要被傍人咲語稠。也只要自留神圖長久。若還遇有征鴻也。先把音書且寄修。（群音類選）

男責女　四首

爲甚麽却相逢半語無。也應是日既遠日漸疎。你把我相思滋味都辜負。我把你到底恩情錯認初。再休題男子每薄倖多。女娘家水性多今識破。縱然另有個得意人兒也。怎便把我相看等路途。（群音類選）

我也是風月塲一丈夫。我怎肯假温存中你圖。你雖是有新人忘了我。只落得棄舊迎新柰咲何。我做了載明月歸棹孤。你做了抱琵琶别處過。罷罷從今收拾痴心也。把往日盟言一筆塗。（群音類選）

只道你歲寒情耐得風與波。不道你狠心腸似狼虎。空指望駕鵲橋夜渡河。誰承望水淬斷藍橋路。被傍人談笑道誰執柯。這羞慚好教我難避躲。無魚□□垂釣也。又恐似今番將畫餅沾。（群音類選）

想着你戀新人也未必堅不磨。試看你少不得中道阻。那時節兩頭失鹿從何逐。便悔殺誰甘再陷網羅。逐水的花信是難結果。狼子的心終是難收伏。不覺仰天長笑昂昂也。把慧劍揮開心上魔。（群音類選）

【南南呂一江風】

男相思 一首

別離多。人向忙中過。悶豈尊前破。鎮朝昏。無緒無聊。誰與同歡卧。見月憶嫦娥。見月憶嫦娥。盈盈淚似梭。不知他可也曾思我。（群音類選）

燒香疤 一首

鳳鸞交。兩下情相好。無異珍和寶。對靈神。海誓山盟。願得同諧老。香疤臂上燒。

休將恩義抛。虧心的自有天知道。（群音類選）

套數

男送别

【南越調憶多嬌】卿賦歸。我淚垂。一月恩情一旦違。莫爲相違心便灰。〔合〕此際難爲。此際難爲。鐵石心腸痛悲。

【前腔】暫爾陪。難久隨。分付離歌且莫催。有甚閑情戀酒杯。〔合前〕

【鬭黑麻】我心上愁城。千堆萬堆。卿心上相思。千纍萬纍。從此後。冷書幃。度日如年。惟形是偎。〔合〕知心有誰。須通紅葉媒。早辦重逢。早辦重逢。臨粧畫眉。

【前腔】我不忍薄情。唯天可推。卿有志不移。休將約虧。頻執手。共徘徊。努力加飡。前歡可追。〔合前〕（群音類選）

牟清溪

牟清溪，生平不詳。

套數

南北雙調合套

花鳥争春

【新水令北】蘭幃鶴夢鎖春寒。鶯喚起海棠嬌軟。燕翻紅杏雨。鶯囀白楊天。百舌間關。一聲聲杜鵑血濺。

【步步嬌南】試新粧悶把菱花展。兩鬢烏鴉亂。心慵拍粉團。鵲立呑聲。自惜夭桃面。纔向牡丹看。見黄鸝飛過荼蘼院。

【折桂令北】謾掀開白練疎簾。扇掩金烏。步款金蓮。嘆孔雀屏空。芙蓉褥冷。翡翠衾單。怪的是翦春羅腰肢瘦減。恨的是唱鷓鴣眉黛愁牽。向芍藥亭前。鸂鶒池邊。

本待要訴幽懷倩鴻雁傳情。又恐怕立雕籠那鸚鵡聞言。

【江兒水南】梅瓣和脂冷。鸞簫伴月閒。酒傾金盞憑誰勸。畫眉人何處貪歡忭。虞美人空自情繾綣。他有雉朝飛怨。我燒了斷頭丁香。使今生有白頭長嘆。

【雁兒落帶得勝令北】我爲他對八歌兒懶接談。我爲他與十姊妹羞相見。我爲他到布穀時動苦思。我爲他向夜合庭空孤站。我爲他白鷴籠懶放開。我爲他滚綉毬錯認犯。我爲他鷄鷄冠空懸望。我爲他石榴裙懶待穿。天。若得紫薇郎重相見。團也麽圓。一處裡效雎鳩洲際眠。

【僥僥令南】忽聽得雙雙喜鵲喧。飛近木香闌。最愛他臘嘴喳喳[二]相對語。好一似送催歸喜信傳。

【收江南北】呀。早知你瑞香般頭腦兒呵枉結下比翼的好姻緣。到如今紫荆凋謝小闌干。伯勞東去未曾還。使櫻唇説乾。想殺他托鷓鴣一枝在何處安。

【園林好南】賁山茶提壺汲泉。見鸕鷀偷身便轉。淚眼愛薔薇紅豔。袖濕透野鷄斑。袖濕透野鷄斑。

【沽美酒帶太平令北】[三]金雀分各一天。玉簪折抛兩邊。害得俺潑雪肌膚瘦不堪。服山丹病未痊。看沙鷗愁轉添。欲請個山和尚把經念。對着那佛見笑來酬願。我呵落金錢討占卬虔。苦哀哉告天。可憐。呀。猛傷心把鳳頭鞋跌綻。

【清江引南】欲提木筆修書柬。泥滑滑心頭泛。鴛鴦扣扯開。茉莉香揉散。只落得月月紅紅淚眼。（群音類選）

〔一〕「喳」字原奪，兹補。

〔二〕此調原僅書「沽美酒」，兹補。

李子昌

李子昌，生平不詳。

套數

南北正宮合套

四景閨情[一]

【梁州令南】芳草長亭露帶沙。盼遊子來家。翠消紅減恨如麻。隔粧臺。慵梳掠。掩菱花。

【塞鴻秋北】我這裡望賓鴻目斷夕陽下。盼情人獨立在簾兒下。夜香燒禱告在花陰下。喜蛛兒空掛在紗窗下。風兒漸漸吹。雨兒看看下。我這裡受淒涼獨坐在孤燈下。

【刷子序南】雲雨阻巫峽。傷情斷腸。人在天涯。錦字無憑。虛度荏苒韶華。嗟呀。[三]春晝永朱扉低掗。東風靜湘簾閑掛。黛眉懶畫彈宮鴉。鬢邊斜插小桃花。

【脱布衫北】我這裡冷清清無語嗟呀。急煎煎情緒交雜。瘦伶仃寬褪了絳裙。病懨懨淚濕羅帕。

【山漁燈犯南】〔三〕燕將雛逢初夏。夢斷華胥。風弄簷馬。閑扃了刺繡窗紗。香消寶鴨。那人何處貪歡耍。空辜負沉李浮瓜。寂寞。厭池塘鬧蛙。庭院裡日長偏憐我。枕簟夜涼不見他。多嬌姹。愛風流俊雅。倚闌干猛思。容貌勝荷花。

【小梁州北】這些時雲鬢鬅鬆減了俊雅。玉肌削脂粉慵搽。上危樓盼望得我眼睛花。空一帶山如畫。不由人情思在天涯。

【普天樂南】景淒涼。人瀟洒。何日把雙鸞跨。怨薄情空寄鸞箋。相思句盡囑琵琶。彈粉淚濕香羅帕。暗數歸期將春纖掐。動離情征雁呀呀。無奈心事轉加。對西風病容瀟洒似黄花。

【小梁州北】短命喬才孤負了咱。恨不得夢裡尋他。他那裡偎紅倚翠笑歡洽。我這裡情牽掛。不由人離恨淚如麻。

【朱奴插芙蓉南】〔四〕漸迤逦寒侵綉幄。早頃刻雪迷鴛瓦。自恨今生分緣寡。紅爐畔共誰人閑話。顛洟罷。托香腮悶加。膽瓶中懶添溫水浸梅花。

【伴讀書北】我我我起初時且是敬他。他他他間深也和咱罷。我我我離恨有天來大。

他他他不足誇。我我我自詳察。淚如麻。暗嗟呀。他無半點兒真實話。

【尾聲南】重相見兩意佳。慶喜傳盃弄斝。氣命兒看承勝似花。（群音類選）

南北中吕合套

春游〔五〕

【四園春南】料峭東風開小桃。催花一陣雨如膏。東君昨夜到西郊。萬紫千紅堪畫描。不妨同歡笑。沉醉樂醄醄。

【石榴花北】不妨沉醉樂醄醄。正好賞花朝。萬花堆錦盡難描。聽鶯聲鬭巧。紫燕聲嬌。我恰纔尋真誤入蓬萊島。潤園林春雨如膏。綠楊影裡佳人笑。喜的是東野翠烟消。

【泣顔回南】東野翠烟消。喜遇芳天晴曉。惜花心性。春來起得偏早。教人探取。問東君肯與春多少。見丫鬟笑語回言。道昨夜海棠開了。

【普天樂北】海棠花。先開了。似臙脂巧染。瑪瑙輕描。比楊妃上馬嬌。賽西子沉魚貌。引得花間神仙鬧。天生下萬種妖嬈。多開在碧桃花樹底。再不去綠楊影裡。堪描在紅杏花梢。

【千秋歲南】杏花梢。間着梨花雪。一點點梅豆青小。流水橋邊。流水橋邊。只聽得賣花聲聲頻叫。鞦韆外行人道。粉牆内佳人歡笑。笑道春光好。把花籃兒旋簇。食壘高挑。

【上小樓北】把花籃兒高高挑着。將酒尊食壘提着。却有那知己英豪。忘懷道友。可以相交。厮守着。厮覷着。千般耍笑。等的那鬧花叢引得來到。

【越恁好南】鬧花深處。鬧花深處。滴溜溜酒旆招。牡丹亭左側。尋女伴鬬百草。翠巍巍柳條。翠巍巍柳條。見忒楞楞曉鶯兒飛過樹梢。撲簌簌落紅。撲簌簌落紅。舞翩翩粉蝶兒飛過畫橋。一年景四季中惟有春光好。向花前暢飲。月下歡笑。

【十二月北】笑吟吟花前宴樂。喜孜孜月下相交。擺列着銀箏象板。更有那鳳管鸞簫。

【紅綉鞋南】聽一派鳳管鸞簫。見一簇翠圍珠遶。捧玉尊。酒頻倒。歌金縷。舞六幺。任明月。上花梢。

【堯民歌北】一輪明月上花梢。滿川紅緑鬬争巧。佳人仕女飲香醪。寶馬香車遶週遭。風雨和調。焚香處處。喜逢豐年兆。

【尚如縷煞南】從教酩酊眠芳草。高把銀燭花下燒。韶光易老。休將春色虛度了。（群音類選）

〔一〕詞林摘艷題作「四季」，注元李子昌撰。北宮詞紀題作「四時怨别」，署明李子昌作。群音類選題作「四景閨情」，詞林白雪無題，俱注李子昌撰，兹據以輯之。吴歈萃雅、詞林逸響題作「四時花怨」，吴騷合編題作「四時閨怨」，怡春錦題作「花怨」，俱注劉東生作。盛世新聲、盛世詞林、新編南九宫詞無題，雍熙樂府題作「四時思憶」，南北詞廣韻選題作「閨憶」，皆不注作者。廣韻選、萃雅、吴騷合編僅南曲，餘俱南北合套。

〔二〕「嗟呀」，群音類選作「差呀」，兹改。

〔三〕原作〔漁家燈〕，兹從吴騷合編。

〔四〕原作〔朱奴兒〕，今正。

〔五〕舊編南九宫譜無題，注散曲。雍熙樂府題作「遊春」，不注作者。惟無四園春，以北石榴花始。群音類選題作「春游」，注李子昌撰，兹據以輯之。又各家選集另有南中吕泣顔回（好事近）「東野翠煙消」一套，詞林白雪注謝海門作，樂府先春署李石麓。本合套除首曲〔四園春〕外，其餘五隻南曲均與之同，詳見本書謝讜卷。另本套〔泣顔回〕原作〔好事近〕。

李文蔚

李文蔚，生平不詳。與元人著有圯橋進履、燕青博魚雜劇二種之江州路瑞昌縣尹真定李文蔚非同一人。

套數

閨怨

【南中吕好事近】風月兩無功。枉使心機牢籠。巫山雲雨。一旦杳然無踪。隨風。鴛枕冷初回殘夢。鬭情處花影轉簾櫳。寂寞恨更長漏永。便做到歡娛夜短。却共誰同。

【錦纏道】路難通。料隔着雲山萬重。蹙破兩眉峰。暗消魂没情没緒月冷梧桐。但愁來全仗酒哄。愁依舊醒時還同。昏鼓又晨鐘。韶華荏苒歸期尚未逢。怕染潘郎鬢。被他依舊笑春風。

【普天樂】減芳容。愁越重。閑却了描鸞鳳。雕簷畔鐵馬叮冬。紗窻外絮聒寒蛩。砧聲又攻。更那堪雁聲嘹嚦長空。

【古輪臺】恨無窮。西風蕭索助秋容。別來許久無音信。寒衣難送。寄與君家。料想是迷却芳叢。誤我佳期。好天良夜。欲將心事訴孤鴻。想當初曾共。翠被寒時復温香。到如今釵分金鳳。蓬鬆寶髻。羞眉懶畫。別後苦匆匆。思前事。教人心下氣冲冲。

【尾聲】蕭蕭敗葉敲窻紙。悶對殘燈午夜風。展轉無眠聽曉鐘。（群音類選）

按：此曲詞林逸響、古今奏雅題作「秋閨別怨」，俱注沈青門作。吴歈萃雅題同逸響，吴騷合編題作「秋日閨情」，南音三籟題作「秋閨」，珊珊集題作「秋怨」，詞林白雪無題，皆署毛蓮石撰。盛世新聲、新編南九宫詞、南詞韻選、樂府争奇、盛世詞林無題，詞林摘艷題作「思情」，昔昔鹽題作「思情無限」，俱不注撰人。樂府先春、吴騷集無題，注古調。群音類選題作「閨怨」，注李文蔚撰。未知孰是，兹姑以之屬李氏。

李愛山

李愛山，生平不詳。元人亦有李愛山者，非同一人。

套數

閨情大歇帖

【南仙吕入雙調步步嬌】暗想當年羅帕上詩曾寫。偷綰下鴛鴦結。他心猿乖意馬劣。都將軟玉嬌香。嫩枝柔葉。琴瑟正和協。不覺花影轉過梧桐月。

【沉醉東風】一團嬌香肌瘦怯。半含羞粉容輕貼。微笑對人悄説。休忘了今夜。等閒間將海棠開徹。把山盟共設。不許片時暫撇。若有個負心的教他隨燈兒便滅。

【忒忒令】他殷勤將春心漏泄。我風流寸心終拙。因此上楚雲深鎖黄金闕。休把佳期頓撇。湘江竭。燕山截。斷魚封雁貼。

【好姐姐】自别。逢時遇節。冷淡了風花雪月。柔腸萬結。怎禁窗外鐵。無休歇。好似珮環摇明月。又被西風將錦帳揭。

【桃紅菊】渭城人肌膚瘦怯。楚天秋難禁並疊。停勒了畫眉郎京尹。補填了東陽令滿缺。

【雙蝴蝶】嘆嗟。歡嬉事能幾些。痛切。相思病無了絶。朋友每知疼熱。早收心與你箇寧貼。待捨。想着他嬌模樣教我怎生樣捨。待撇。想着他至誠心教我怎生樣撇。

【園林好】也傷我連枝帶葉。致令得狂蜂浪蝶。鬧炒起歌臺舞榭。回首處楚雲遮。堪嘆處彩雲睽。

【川撥棹】成吴越。怎禁他人搬鬭諜。平白地送煖偷寒。猛可的搬唇遞舌。水晶紈不住撇。點鋼鍬一味掘。

【錦衣香】楚館焚。秦樓拽。洛浦填。涇河截。梅家莊水礶湯瓶。打爲磁屑。賈充宅守定粉牆缺。武陵溪澗。花兒釘了椿橛。楚襄王夢驚。漢相如砍翻車轍。深閉芙蓉闕。紫簫吹裂。碧桃花下。把鳳凰翎毛生扯。

【漿水令】響噹噹菱花碎跌。側楞楞冰絃斷截。忔支支同心帶扯。咭叮噹寶簪墮折。採蓮人偏嚮並頭折。比目魚就池中冷水燒熱。連理樹。生砍折。打撈起御水流紅葉。藍橋下。浪滚滚。波濤捲雪。祆神廟。焰騰騰。火走金蛇。

【有結果煞】饒君總把機謀設。瞞不過負心薄劣。除非是夢兒裡對他分説。（群音類選）

按：此曲一爲南套，一爲南北合套，群音類選注李愛山撰。鄭若庸詞餘、南宫詞紀、詞林逸響、古今奏雅俱注鄭氏作。今姑以南套屬李氏，南北合套歸鄭虚舟。注詳見本書鄭若庸卷。

收春主人

收春主人，生平不詳。

小令

【南南吕懶畫眉】

男遭閃八首

娘行何事薄情多。只得含羞柰爾何。點埃填井枉奔波。早知今日先支我。悔殺當初不閃他。（群音類選）

只因錯認渡銀河。誰料中途風與波。將人情義揔相辜。一時懞懂把聰明誤。棄李尋桃惹咲多。（群音類選）

巧言真是弄簧梭。又抱琵琶别處過。空教事業被蹉跎。浮雲變態能參破。怎得飛飛入網羅。（群音類選）

不須題起那妖魔。只落得青衫淚染多。一場春夢入南柯。蕭條此際誰憐我。義士難逢古押衙。（群音類選）

小丈夫。（群音類選）

勸君何苦廢工夫。此處無魚另有河。看他不久又風波。那時切莫重回顧。豈是無端沙君有力奪嬌娥。韓子無聊擊筑歌。一番懊恨怎消磨。心頭不覺炎如火。直欲披雲訴大羅。（群音類選）

無情咲語隔天河。贏得清閒自在多。孰爲親愛孰爲疎。到頭終是難成果。那保亨衢無坎坷。（群音類選）

追思風月是吾徒。不合相酬恁樣疎。仰天長咲有如無。從今斷却冤家路。譬似當年未見呵。（群音類選）

套數

偷情

【南商調黃鶯兒】情趣在相偷。眼波兒先暗勾。匆匆試作鴛鴦偶。全無數抽。一齊便丢。平時宿火今聊救。記心頭。從今得便。相與繼綢繆。

【前腔】着手便情休。爲私心得少酬。時時交會安能彀。擔驚着憂。招非忍羞。不如無帳翻親厚。其緣由。假將疑避。不敢逞風流。

【琥珀貓兒墜】押衙何處。我欲藉神謀。怎得春光被我收。空勞紅葉水中流。休休。倘被人瞧破。恩反成讐。

【前腔】燈前月下。伺候揔淹留。覆雨翻雲豈好逑。吹簫空自憶秦樓。休休。怕粧成金屋。變做悲秋。

【尾聲】厖聲吠處鷄聲驟。夢破高唐興轉稠。不比踰牆把處子摟。（群音類選）

段顯之

段顯之，生平不詳。

套數

佳遇

【北黃鍾醉花陰】寶髻高盤鳳釵插。蕩湘裙金蓮半扎。香有潤玉無瑕。嬝嬝婷婷。費盡千金價。未嘗見這嬌娃。便有那巧筆丹青都是假。

【喜遷鶯】他若是言談語話。啓朱唇微露銀牙。謙恰。便有那桂英不壓。十指纖纖似藕芽。撥銀筝那玉馬。不由我心兒裡愛他。不由我意兒裡偏他。

【出隊子】他生的難描難畫。恰便似趁東風解語花。行一步越看越堪誇。唱一聲越聽越轉佳。端的是占斷了風流多俊雅。

【刮地風】則被你引了人心猿和意馬。莫不是索命的冤家。不由人見了心牽掛。霎時間魂遶天涯。夢斷巫峽。齊臻臻眉灣柳芽。香馥馥臉襯桃花。我的情。他的意。兩不争差。我見他高高的捧着玉斝。笑吟吟席上喧譁。玉纖手緊緊的遮銀蠟。他敢將私情訴與咱。

【四門子】送春情不住將秋波抹。這相思索要害他。一會家思。一會家察。這情兒未知真共假。一會家思。一會家察。莫不是風流的調法。

【古水仙子】聽聽聽鼓二抓。俺俺俺緊並着香肩玉手拿。他他他意兒裡待將爲。俺俺俺心兒中不怕。他他他整鴛衾鋪綉榻。見見見掩重門閉上窗紗。是是是得歡娱未曾多半霎。恨恨恨皎蟾光不住低低下。呀呀呀天早曉噪寒鴉。

【尾聲】囑付多情半星兒話。永團圓不許情雜。成就了美滿姻緣受用殺。（群音類選）

按：詞林摘艷題作「偷期」，彩筆情辭題作「歡遇」，俱注段顯之撰。盛世新聲、盛世詞林無題，群音類選題作「佳遇」，雍熙樂府題爲「愛戀」，皆不署作者。

張叔元

張叔元，生平不詳。

套數

爽約[一]

【南仙吕桂枝香】蕭疎風雨。愁縈千縷。偶從知己尋春。瞥見佳人絶世。似翩翩楚妃。翩翩楚妃。亭亭湘水。使我神摇情狒。漫投珠。憐惜衾裯永。殷勤宫漏移。

【不是路】金井鴉啼。無柰蒼頭塵溷催。急披衣。暫辭香閣匆匆裡。又聽安排宴客盃。叮嚀語。莫將恩愛看容易。再續鸞膠已有期。言猶爾。誰知平地風波起。把人抛棄。把人抛棄。

【長拍】萬種綢繆。萬種綢繆。千般偎倚。都付將大江東去。雖只是一宵鴛侶。論温存小可難知。展轉暗思維。却難道俗子輩可堪牽繫。女俠當今推執拂。多應是計阻沙吒不自持。到如今何處覓章臺騎。閃得人孤身千里。形影相隨。

【短拍】無夜無明。無夜無明。如痴如醉。嘆潘郎鬢已成絲。無與畫蛾眉。本是鶼鶼比翼。倒做了銀河牛女。笑殺春深銅雀。怎效得緑綺赴相如。

【尾聲】懨煎病誰醫治。斷送一生憔悴。何日歸來解困危。（群音類選）

按：此套有張叔周改刻稿，詳見張栩卷。張叔元六篇散套中五套叔周有改刻稿，兩人究竟是何關係，或是否即同一人，尚無資料傍證。

紀　情〔三〕

【南南吕宜春令】梅霖霽。溽暑新。正蕭齋詩書倦吟。北窻夢醒。南薰拂拂篩松韻。病文園香茗旋烹。歌解慍冰絃漫整。試聽。嗚蜩樹底。助人幽興。

【太師引】遍園林。緑樹參差蔭。有榴花紅裁茜巾。消盡了空堦獨夜。偶喜得良友閑行。畫橋十二浮烟艇。來往處芰荷香趁。緣何的。慵調飲冰。那些個納涼時雪藕佳人。

【瑣窻寒】怪無般野蔓閑藤。繚繞瓊枝妒玉英。看端詳舉止。瀟洒胸襟。丰姿嬌豔。肌膚豐潤。好留連惜花心性。驀驚。凝眸無語背雲屏。果然宜喜宜嗔。

【三段子】何方幻身。是秦淮芳叢占名。何年試春。是羅敷當笄妙齡。想前生胡馬琵琶。恨今生環珮歸魂逞。溷跡風塵。畫圖堪省。

【東甌令】才相見。便關情。兩下心猿不慣撐。筵前悄把香肩並。嫋嫋香喉俊。奈雲時不見暗銷魂。孤影盼空庭。

【三換頭】相思頓增。寸腸難罄。懨懨悶也。這顛頞幾曾。誰憐瘦沈。喜多嬌早暮裡殷勤。語言垂訊。忍覷河陽令。甘同卓氏奔。着熱知疼。想是業債風流宿世姻。

【劉潑帽】金飈涼透中秋景。見西湖浩渺波澄。雙雙搖曳扁舟興。結同心。松柏下西陵徑。

【大勝樂】段家橋乍擁冰輪。暝烟收人已静。休題褥繡和屏錦。闌干外遠纖塵。合歡豈憎寒蛩韻。引興猶憐睡鵲驚。風清月冷。恍疑是襄王巫峽。爲雨爲雲。

【解三酲】嚲宫鴉紅腮欹枕。鬆鴛扣玉骨連衾。嬌怯怯酥胷汗濕陽臺醒。意孜孜海誓山盟。堪愛你蘭心正是疏芳畹。堪愛你蕙性休論逐水萍。還思省。不羡那秦樓蕭史。跨鳳瑶京。

【節節高】重陽高處登。慢携尊。山樓更擬諧秦晉。霜風緊。霜葉零。霜華凛。嬌來啼粉流青鏡。春山淡却偎京尹。緩步堦除滿目秋。天香笑折簪蟬鬢。

【三學士】衾羅燒燭香初燼。横波誓訴丹誠。今宵洛下投魚水。甚日湘陵鼓瑟琴。自幸蒹葭依玉樹。蜂和蝶莫浪争。

【大迓鼓】間關。惜燕鶯。雙飛並宿。美滿恩情。臨粧懶覩盤龍影。颦蛾怕説寶釵分。繾綣柔腸。棲遲夕曛。

【撲燈蛾】吟同桃李華。賞共蟾蜍影。更雨過漣漪。又早瓊瑶飛墜也。有許多佳景。章臺别館任温存。既相逢肯教孤另。都休哂。藍橋有日會雲英。

【尾聲】從來好事皆前定。紅顔莫使誤丹青。只索要暮暮朝朝辦至誠。（群音類選）

惜　别〔三〕

【南商調二郎神】才聚首。又信宿分飛不暫留。正孤館斜陽添綫候。壁車目斷。喜慰我徬徨良友。把酒層軒冥靄收。看寒月亭亭光溜。〔合〕腸迴九。渾似膏火流波一樣悠悠。

【前腔換頭】簾鈎。真珠控處。堪傾百斗。怕玉山潦倒無紅袖。拚個斷送。黄昏戍鼓譙樓。咲殺君行道我没來由。倘君知還加僝僽。〔合前〕

【集賢賓】論心展轉難斷頭。更携手遨遊。早是閑街人静後。送河梁重引離憂。天邊寡宿。廝伴我歸途迤逗。〔合〕門掩扣。縹緲的餘香輕透。

【前腔】偏栖不穩孤衾怎就。况對黯慘燈篝。淅瀝悲風激未休。舞摧殘木葉颼颼。寒侵敝裘。想凛冽霜生鴛甃。〔合前〕

【黄鶯兒】鴻雁共綢繆。頃參商兩地秋。迢迢永夜難消受。我思如荳蔻。他心比繫舟。應悔今宵何事風波驟。〔合〕淚盈眸。青衫濕盡。長短萬千流。

【前腔】吟望竟誰酬。一聲聲嗟雉雊。口兒作念眉兒皺。棲禽自啾。離人自守。陽臺路杳憐憔瘦。〔合前〕

【琥珀貓兒墜】銀河咫尺。那是阻牽牛。莫認恩情逐水流。銷魂此際苦追求。〔合〕含愁。甚日得跨鳳乘鸞。雨殢雲尤。

【前腔】幾回暗省。萱草可忘憂。欲折披衣搜苑囿。已看萎落不禁秋。〔合前〕

【尾聲】嗚鷄殘漏卿知否。忍下得憐新棄舊。忽聽窻外雙呼羡黄鳩。（群音類選）

紀　情〔四〕

【南仙吕入雙調步步嬌】目送香車投東去。却赴孤舟裡。分離頃刻時。正是咫尺天涯。無盡相思。滋味有誰知。展轉懊恨長亭路。

【山坡羊】碧騰騰江雲紛聚。軟颼颼金飈乍起。那正值霜朝試寒。更堪憐令節重陽際。見遠籬。黄花已滿枝。何緣落帽又豈登高避。回首茫茫前征靡靡。凄其。似孤鴻嘹嚦歸。葳蕤。伴孤鴻蘆荻栖。

【五更轉】石頭城。煙霧底。早疎林月半窺。臨觴獨自獨自長吁氣。且索强酒支吾。奈愁腸不瀰。擁寒衿。屈指把更籌數。高唐夢杳。賦就成何濟。捹得個潘鬢沈腰。摇落悠悠千里。

【園林好】想新秋重來帝畿。喜殷勤相過慰遠離。慢追省分襟風雨。只落得兩猜疑。只落得兩猜疑。

【江兒水】緩步秦樓悄。挑燈珊枕欹。啓朱唇道我忘恩義。撲簌簌淚眼頻凝睇。一聲聲怨把新人繫。願托終身依倚。三載丹誠。惟有皇天鑒取。

【玉交枝】披衷數語。信芳心金石堅持。當初盟誓今猶爾。豈區區薄倖男兒。鵾鵬若擬奮天逵。鴛鴦管取浮波裡。歎年來雙魚信稀。悔今朝相逢較遲。

【玉抱肚】前歡幾許。感卿卿皓首爲期。又何須緑綺傳情。端的望舉案齊眉。教人暗憶。雖然故國有明妃。肯效虧心辜負伊。

【玉山供】[五]西風鎩羽。憑危樓如醉如癡。困英雄兩字功名。滯姻緣桃李芳姿。一般偃蹇。兩下同擔凄楚。對掩黄昏雨。涕交頤。啼痕破粉更因誰。

【三學士】只指望早遂于飛。却難道拆散東西。霜風未得乘鸞翥。麗日應教跨鳳吹。拋閃暫時非容易。千金諾忍相違。

【解三酲】甫約定春宵連理。幸良媒感慨恩私。押衙自古誰爲侶。虞侯而今獨有渠。只爲行囊羞澁蠅頭利。翻令翠館淹留燕爾期。休憂慮。謝君家疏財成就。須有日足繫紅絲。

【川撥棹】念你孱孱體。溷風塵濁水泥。但從今要珍重蘭閨。但從今要珍重蘭閨。莫顛頟玉腕香肌。挨寒冰六出奇。瞬息間鬭芳菲。

【嘉慶子】我〔六〕懶將心事向人題。我叮囑都詳一首詩。看玉墜今已牢携。看玉墜今已牢携。覩物休教越慘悽。盼關山衰草迷。儘恓惶寄尺書。

【僥僥令】香囊花勝縷。羅帕斷腸辭。道是月下燈前親針指。付與我好開懷日夜隨。

【尾聲】船頭細把風流紀。字字恩情字字悲。真箇地久天長永不移。（群音類選）

南北雙調合套

繡　鞋

【新水令北】半弓裁就綉羅輕。巧銜花鳳頭雙襯。剛剛三寸整。款款十分春。裙底風生。佩叮噹相掩映。

【步步嬌南】緩步蘭房回顧猩紅影。且喜金蓮稱。休誇一捻成。幾日香閨。刺綉才端正。羅襪樣兒新。蓮花瓣落雙鈎並。

【折桂令北】惜花心早步園林。點檢芳菲。來往殷勤。脚踪兒花陰庭畔。空自傳情。堪憐的踏殘紅開些笑靨。堪怪的濕蒼苔攢了眉痕。默默沉吟。細細追尋。只得向西窻晒趁着晚晴。

【江兒水南】立處纖纖並。行來步步輕。一團嬌越顯得身兒俊。羨浮塵不染真乾浄。見底尖窄窄偏齊整。悶把闌干閑凭。嫋嫋婷婷。尚兀自支撑不定。

【雁兒落帶得勝令北】我愛他象床前帶笑蹬。我愛他綉幃裡含羞褪。我愛他珠簾微露一鈎痕。我愛他銀燈斜插雙彎影。我愛他被底拘春興。我愛他向東風蹴踘情。我愛他南陌青春有跡。我愛他月華明夜無聲。卿卿。契緊的難親近。若得個相也麼親。好教人懷兒揣手裡擎。

【僥僥令南】走馬芳叢混落英。翠盤上錦烟生。倒掛鞦韆垂楊外。似點點流霞天際明。

【收江南北】呀。須信這般樣堪愛呵真個是值千金。昭陽掌上舞輕盈。凌波出洛步精神。色娟娟可欽。時聞得一陣暗香生。

【園林好南】底樣遮瀟湘翠紋。月牙兒輕籠采雲。猛地支頤暗省。跌綻了幾回嗔。跌綻了幾回嗔。

【沽美酒帶太平令北】〔七〕愛春眠露綉衾。動春心撥醉人。似對對鴛鴦逐浪輕。乍一見使人驚。才一轉便消魂。説甚麽潘妃步穩。誇甚麽太真束緊。我呵叫一聲麗人玉人。其實喜人。愛人。呀。急攘攘把春心勾引。

【清江引南】章臺竊來翻惹憎。好助高陽飲。重諧霍夢靈。徑軟崔娘印。百顆珠堪贈伊香塵静。（群音類選）

佳　遇〔八〕

【南正宫刷子序犯】花落武陵寂。漁郎問津。空自棲遲。任滿目芬芳。難展一簇愁眉。休題。秋漸老飄蓬無寄。東隣畔紅樓堪醉。乍驚百媚。再追隨傾城傾國更論誰。

【山漁燈犯】眼盈秋眉含翠。面比芙蓉。鴉整宫髻。飄摇似垂柳腰肢。春纖彷佛。櫻唇樊素渾無二。天生就玉骨冰肌。嗔喜。看娉婷揔宜。多想夜月魂歸後。又幻跡長干絶代姿。情牽繫。結鸞儔鳳侣。並香肩錦堂歡讌樂無涯。

【普天樂犯】漫呼盧酡顏膩。焚寶鼎沉烟細。寄幽情一曲冰絃。相思調午夜如悲。巫峽夢懶憑雲雨。軟玉温香分緣契。訝酥胸香汗淋漓。端的嬌怯怎支。試挑燈凝眸不語意孜孜。

【朱奴兒犯】悔今日相逢已暮。幸兩兩合歡魚水。自是湘江紉蘭蕙。綢繆處行偎坐倚。司花吏。占河陽一枝。趁西風碧雲華月好葳蕤。

【尾聲】連理種比翼飛。長願在天在地。只怕江上孤帆唱别離。（群音類選）

按：此套犯調均末句犯【玉芙蓉】，曲牌原均無「犯」字，且【山漁燈犯】誤寫作【錦纏道】。

〔一〕此曲另有張叔周改刻稿，見本書張栩卷。

〔二〕此曲另有張叔周改刻稿，見本書張栩卷。

〔三〕本套亦有張叔周改刻稿，見本書張栩卷。

〔四〕彩筆情辭題作「寄頓青娥」，疑亦係張栩改刻稿。兹並見兩家曲中，不出校語。

〔五〕「玉山供」，原作「玉山頹」。

〔六〕「我」，原作「懶」。

〔七〕此調原僅書「沽美酒」。

〔八〕彩筆情辭題作「喜諧王姬蕊珠」，張栩亦有改刻稿，兹並收。

喬臥東

喬臥東，生平不詳。

小令

【南羽調排歌】

閨怨四首

野渡扁舟。垂楊亂鴉。可憐春在天涯。看看落盡海棠花。又見鴛鴦睡煖沙。腸堪斷。病轉加。恨人何事苦離家。情無限。夢轉賒。覺來紅日又西斜。（群音類選）

枕列珊瑚。裀鋪簟紋。愁看消盡爐薰。緑陰清晝掩重門。咫尺關山勞夢魂。春無剩。日未曛。落花飛絮正紛紛。千行淚。萬疊雲。不知何地再逢君。〔二〕（群音類選）

鐵馬簷前。終宵驟風。難禁響〔三〕遏簾櫳。朱絃聲裹〔三〕錦屏空。淚滴羅襟恨轉濃。吴山外。楚水東。一番風雨寂寥中。書一紙。意萬重。行人臨發又開封。〔四〕（群音類選）

鬢落金鈿。寒侵綉幃。江梅已放南枝。天涯海角有窮時。此恨綿綿無了期。風塵遠。信息稀。雲横秦嶺馬遲遲。篷窻月。茅店鷄。板橋霜跡路東西。（群音類選）

〔一〕此首南宫詞紀題作「春怨」，注喬卧泉撰。類選奪「緑陰」、「掩重」四字，據詞紀補之。
〔二〕「響」，原作「嚮」，兹改。
〔三〕「裏」，原作「静」，兹從南宫詞紀。
〔四〕此首詞紀題作「秋怨」，亦署卧泉著。

楊德芳

楊德芳，南直隸（今江蘇）揚州人。生平不詳。

小令

【南仙吕皂羅袍】

贈妓四美

髮

愛你緑雲垂秀。甫蘭膏新澤。縷縷香浮。東風斜彈玉搔頭。舞酣瑶席金釵溜。梳籠新月。和誰上樓。春縈小枕。憑誰慰愁。最憐翠幌摧殘後。（彩筆情辭）

眉

愛你春山横秀。翠盈盈兩葉。穉柳香柔。纖纖低鎖玉臺秋。日鈎清暎梨花瘦。輕匀新黛。雲間是儔。平歌子夜。張郎謾愁。最憐蹙損春歸後。（彩筆情辭）

眼

愛你秋波凝秀。傍粧樓窺鏡。月畔星流。憶初相見採蓮舟。隔花偷覷情何厚。長亭羞望。垂楊玉樓。羅巾微拭。山横暮愁。最憐閣淚花殘後。（彩筆情辭）

肌

愛你凝脂毓秀。浄娟娟清潤。軟玉温柔。汗生新睡轉風流。海棠浥露嬌紅透。輕衫掩暎。春融翠樓。寒衾展轉。香消暗愁。最憐瘦怯鵑啼後。（彩筆情辭）

套數

懷舊[二]

【南仙呂解三酲】憶長安少年遊冶。錦裘輕光耀晴霞。醉餘挾彈章臺下。金勒馬逐香車。珊瑚錯落珠簾掛。雲斂青樓出杏花。多瀟洒。分明是西陵風月。楊柳蘇家。

【前腔】金雀押鬢人似玉。俏倚東風翠袖斜。雙蛾巧勝張郎畫。援錦瑟緑窗紗。春情偶被流鶯惹。唱徹新詞玉樹花。多瀟洒。好似浣花溪上。黄四娘家。

【前腔】靚靨含羞嬌欲語。笑把團紅小扇遮。口脂香腮飄蘭麝。渾念我在天涯。風流長憶東山謝。拚取歌鍾醉落花。多瀟洒。更愛他金箋彩筆。似薛濤家。

【前腔】綺席香消春寂寂。花影横闌月已斜。珮環緩解羅襦卸。樓兒上鼓三撾。春宵一刻千金價。吹落銀釭數點花。多瀟洒。爲愛他秋娘風韻。忘了歸家。

【尾聲】别來幾見花開謝。燕山回首暮雲遮。愁絶潘郎兩鬢華。（群音類選）

宴賞

【南商調金絡索】朱花疊錦池。瑶館浮香細。水榭風軒。小酌清煩暑。娉婷試玉纖。

笛低吹。香減微紅褪口脂。珮環幽響諧仙吕。簾捲中庭午日遲。清音沸。碧梧枝上鳳聲微。〔合〕看花倚芳姿。柳舞羅衣。似與人争麗。

【前腔】榕陰結翠幃。密葉新蟬語。香徑迂回。流水涵庭宇。錚錚響玉筝。促紅絲。寶柱斜分朔雁飛。凄凄似訴相思。竟花落深閨玉筯垂。天風細。江空月朗鶴聲遲。〔合前〕

【前腔】新篁遶玉墀。紅藥侵闌媚。繡箔銀屏。低隔花陰碎。筵前擁玉釵。羽觴揮。酒暈凝紅半醉時。陽春一闋黄金縷。撩亂春情不自持。潛聽處。隔花鶯語最高枝。〔合前〕

【前腔】垂雲翠幰低。隔斷塵千里。香袖飄飄。寶釧明花底。驚鴻弱態狂。緑雲欹。錯落金釵小鳳垂。盈盈無力筵前竚。不怕東風扇底吹。渾相類。蹴花飛燕拂屏歸。〔合前〕

【節節高】驕鴉匝樹啼。月來時。絳河清淺天如水。繁華地。人笑嬉。珠簾内。花生寶炬明羅綺。紅衫酒浸生香細。〔合〕好花偏插少年頭。金尊浮白捹沉醉。

【前腔】長安豪俠兒。利名羈。黄塵歘段多顛躓。傳觴觶。孰若兹。花叢内。金釵十二横高會。銅駝金谷笙歌萃。〔合前〕

【尾聲】席家春色寒烟裏。舊日風流何處歸。騎從從教再四催。（群音類選）

閨　怨

【南商調黄鶯兒】紅閣晚調笙。紫雲閒玉漏平。轆轤聲斷銀瓶綆。知他在灞陵。知他在茂陵。花牋兒不遞風流信。自逢春。容光減盡。鸞鏡半凝塵。

【前腔】金鴨夜香沉。怯春寒坐到明。象床豹枕花辰冷。鵲兒又鳴。燕兒又鳴。被兒紅疊鴛鴦錦。自逢春。風流減盡。瑶琴半凝塵。

【六幺梧桐】垂楊。小亭。緑陰濃冰簟涼生。卑枝繁葉短巢鶯。猛見風兒吹絮。撲上紅枕屏。好夢難成。幽夢難成。細雨芭蕉四五聲。

【前腔】瀟開。玉扃。唤紅兒伴出中庭。薔薇花刺絆羅裙。剛把香兒燒罷。又早夜已深。好夢難成。幽夢難成。風弄湘筠四五聲。

【鴈過燈犯】銀河。影瀉澄澄。猛聽烏鵲夜驚。雙星兒天上佳期近。馬蹄兒何處胡行。更長漏永。閃得我新來多病。往事頻思省。愁轉深。揾不住衫兒上。重重疊疊。數行淚痕。

【前腔】西風。幾處寒砧。愁殺邊衣未成。銀燈兒明滅紗窻静。團扇兒委在埃塵。瑶階露冷。鞋底兒蒼苔濕盡。往事頻思省。愁轉深。羞見那花兒上。嬌嬌滴滴。半鉤月痕。

【琥珀貓兒墜】層樓十二。斜日幾回登。一抹寒山隱隱青。分明似我眉黛顰。難禁。萬恨和千悶。煩惱呵鵲聲兒不準。懊惱呵金錢兒無準。

【前腔】危闌十二。斜月照閒凭。一樹疎梅素影横。分明似我容瘦生。因循。掩鏡抛脂粉。煩惱呵燈花兒没準。懊惱呵夢魂兒無準。

【尾聲】憶多才□□命。金屏敲斷玉釵聲。月下花前空待等。（群音類選）

青　樓〔三〕

【南商調山坡羊】羡烟花章臺幽雅。憶秋娘千金聲價。繡重重羅幃□春。香飄飄十里聞蘭麝。團扇遮。東風彩袖斜。金鉤錯落錯落珠簾掛。楊柳風軒梧桐月榭。堪誇。鳳釵頭插杏花。堪誇。繡鞋尖蹴落花。

【五更轉】燕子樓。雕甍詫。綺窻春捲幔紗。長安年少年少雕鞍卸。看取惜玉憐香。牡丹亭下。香篆消。日轉過。荼蘼架。淋漓酒溢酒溢黄金斝。舞回黛減雙蛾。笑倩檀郎頻畫。

【江兒水】冉冉東風蝶。淒淒暮雨鴉。春來秋去泉東瀉。芳顔不似前瀟洒。鏡鸞春曉流塵惹。門外不來鞍馬。㴸雨尤雲。一筆從今勾罷。

【玉交枝】幽情閒寫。抱琵琶臨風怨嗟。三千珠履金屏下。到如今都在誰家。翻雲覆雨難怨他。色衰愛寢從來話。憶西陵松陰露華。嘆潯陽江聲月華。

【解三酲】緑紗窻春閒繡榻。夜迢迢帳冷梅花。香車油碧憑誰駕。空悒怏淚如麻。歌闌白雪知心寡。裙褪團花皺紫霞。頻驚訝。嘆芳容渾似。白璧生瑕。

【川撥棹】舉目無聊藉。嫁商人不戀家。似楊花飄泊天涯。似楊花飄泊天涯。恨殺當初一念差。望青樓道路賒。盼鄉關雲霧遮。

【僥僥令】翠鞋行草野。彩袖涴塵沙。誰想錦瑟瑶筝零落後。今日裡聽城頭奏暮笳。

【尾聲】衰榮人世花開謝。不獨平康可嘆嗟。須信東陵有種瓜。（群音類選）

閨　怨[三]

【南仙吕入雙調步步嬌】簟展湘紋新涼透。睡起紅綃皺。無言獨倚樓。一帶寒江。幾株疎柳。牽惹别離愁。天迴蒼山瘦。

【香羅帶】匆匆憶去秋。送他遠遊。兩情惜玉難分手。頻將絲線繫蘭舟也。淚洒湘江雨。恨悠悠。蘋花點點迷白鷗。誰知一別經年也。教我望斷孤帆落鷺洲。望横塘情亂鴛鴦偶。

【醉扶歸】揾啼痕濕透紅衫袖。壓雲鬟斜軃玉搔頭。對西風心逐伯勞飛。音書三月隔南州。向清波誰把雙魚剖。

【皂羅袍】想起緑窻鬭酒。正一鈎新月。楊柳梢頭。心兒相洽意相投。羅襦紐解黄金扣。銅壺幽響。銀箭暗浮。薰爐香膩。鴛衾翠柔。枕兒紅軟釵兒溜。

【好姐姐】恨他。心不應口。把歡娛翻成僝僽。情兒泛泛。渾如江水流。風兒驟。胭脂冷落芙蓉秀。十二珠簾懶上鈎。

【香柳娘】看烟斜霧横。看烟斜霧横。夕陽時候。天空倦鳥歸林藪。笑他行浪遊。笑他行浪遊。擾擾不知休。鸞凰冷琴奏。聽猿啼遠岫。聽猿啼遠岫。月(四)色江聲漸收。不堪回首。

【尾聲】西風倚遍闌干久。荻花楓葉冷颼颼。玉笛誰吹出塞愁。（群音類選）

複出

套數

閨情

【南中呂瓦盆兒】西陵渡口。

吳騷合編題作「閨情」，注楊德芳撰。南宫詞紀注史叔考撰。兹已輯入史氏卷中，不重録。

〔一〕彩筆情辭題同，注楊德芳撰。

〔二〕彩筆情辭題作「青樓志感」，注楊德芳改刻。

〔三〕南宫詞紀題作「秋懷」，吳歈萃雅、詞林逸響、古今奏雅題作「閨怨」，俱屬劉東生。昔昔鹽題作「逢秋憶舊」，樂府名詞題爲「閨怨」，俱不注作者。樂府先春無題，署名陳大聲。吳騷集無題，曲文前注劉東生著，但該書目録注陳大聲作，惟不見陳大聲樂府全集。群音類選題作「閨怨」，注楊德芳撰。洞雲清響此曲題作「題情」，歸吳國賓，吳集曲文與曲選各集文字差異較大。兹姑互見吳楊兩家曲中。

〔四〕「月」，原作「岳」，兹改。

齊小碧

齊小碧，生平不詳。

套數

賞雪

【南南吕梁州新郎】陰風寒悄。同雲密布。頃刻撒鹽飛絮。碧檐朱户。粧成玉砌珠鋪。只見光摇銀海。凍合瓊樓。蝩翅飛無數。貂裘人醉也。擁紅爐。東郭先生履半無。〔合〕時已昏。歲云暮。看兔園妍逞相如賦。霏玉屑。燦璣珠。

【前腔】鶴翎輸色。白鷳失素。沙渚深藏鷗鷺。長空鵠羽。寂然半點全無。只見扁舟漁叟。獨釣寒江。戴得盈簑去。灞橋詩已就。尚騎驢。爲問前村賣酒無。〔合前〕

【前腔換頭】怨蘭房寂寞空居。更無奈穿窗入户。聽飢烏啞啞。向人求哺。那更征人千里。枕冷衾單。欲控憑誰訴。孤燈挑欲盡。夢回初。寒到君前衣到無。〔合前〕

【前腔】羡袁安僵卧非迂。恁甘貧不干人助。更何如牧羝。胡庭辛苦。自分嚙氈爲餌。束帛傳書。不把忠心負。十年持漢節。使匈奴。望斷天邊雁足無。〔合前〕

【節節高】瀰漫遍大都。散瓊珠。豐年自不封條樹。飄歌席。穿舞裾。稱觴處。玉山頽倒人扶住。夜深掩映窗如曙。〔合〕只恐東風送春來。紛紛暗把流年度。

【前腔】青山色盡殊。失坵墟。負薪樵子迷歸路。前途阻。鳥語無。人踪没。高低遠近埋狐兔。斷橋野艇無人渡。〔合前〕

【餘文】人生有興休辜負。趁良時日日歡娛。莫學山陰訪戴徒。（群音類選）

趙近山

趙近山，生平不詳。

小令

【南仙呂羅袍落粧臺】

閨怨四首

畫樓幾陣東風峭。閑庭一樹海棠嬌。羅衣初試玉肌消。春夢裡。多顛倒。天涯人遠。雲山路遥。草生堦砌。鶯啼柳梢。晝長人静愁多少。珠簾不捲。殘紅亂飄。可憐寂寞又今宵。（群音類選）

涼亭風送荷香細。緑槐韻轉鳥聲微。去年共賞碧筒巵。空悔恨。輕抛去。齊紈小扇。離懷懶題。香脂金粉。心煩懶施。幾曾經此愁滋味。池塘蛙鬧。黄梅雨霏。南軒鎮日晝簾垂。（群音類選）

西風落葉疎林外。淒清聲韻入愁懷。黄花依舊傍籬開。無意上。雲鬟戴。碧天霞斂。晴空雁排。梧彫金井。蛩鳴玉堦。誰曾解把相思害。眉消遠黛。淚界粉腮。倚樓遥望没書來。（群音類選）

粧臺懶整青鸞暗。鴛幃冷落綉衾寒。小爐獸炭且重添。休斷了。金猊篆。妾身吴地。郎居玉關。别是容易。相逢最難。愁聞庭樹棲鴉亂。思量千遍。懊恨幾番。殘更一點一心酸。（群音類選）

鄭墟泉

鄭墟泉，生平不詳。

套數

賀　節[二]

【北仙呂點絳唇】節屆新春。臘寒將盡。風俗混。人事紛紜。來往街前迸。

【混江龍】除夕將近。常言道黃土長三分。無錢的愁眉蹙蹙。有錢的喜氣欣欣。賀節酒殽須待客。當家柴米不饒人。仟張要酬答天地。三牲要祭祀龍神。禮物要追陪親友。香燭要供養宗親。男子要新鞋新帽。婦人要新襖新裙。女娘要頭箍耳墜。兒童要茇摺包巾。少不得辟瘟的蒼朮。更和那逼勝邪的桃仁。筭來不是歲華臨。看來勝似公差緊。都要放些火炮。札個松盆。

【油葫蘆】幾日之前掃除了塵。黃錢兒貼滿門。更有那掛鍾馗排荼壘換將軍。一壁廂春下糍糕粉。一壁廂浸了屠蘇醞。春盛兒將果品裝。湯鍋兒把殽饌陳。更有那金花巧剪簪雲鬟。無邊光景一時新。

【天下樂】五夜羣僚拜紫宸。人民。神香到處焚。各家兒遍將大小分。爲僧的參拜僧。爲道的朝禮神。都則是睡不安坐不穩。

【那吒令】思量那遠親。一分分都上門。尋訪那故人。一處處都到門。趨敬那近隣。一家家都進門。走的個腿脚酸。拜的個精神困。没來由枉費殷勤。

【鵲踏枝】自清晨。至黄昏。浪酒閑茶。叉手躬身。一個醉醺醺行着打盹。一個仰扒叉倒在埃塵。

【寄生草】有那等閑遊子。戲耍人。將瓜子兒磕着排門兒混。核桃兒飄的沿街兒滚。蓮子兒打了當場兒準。大都是銀錢花費逞風流。一弄兒衣冠濟楚誇英俊。

【幺篇】快樂殺莊家漢。輕狂殺匠作人。一個戴糨糊頭粗氈帽扯的齊眉緊。一個把蒲包樣大套鞋拖着隨脚褪。一個穿荷葉片硬布衫箍的渾身坌。或羣兒支着脚。舞着手。挨挨擠擠慢相隨。鎮陣兒打着牙料着嘴。來來往往遥相認。

【賺煞】你看那賣卜的把人招。設帳的將人引。相面的誇張埶孫。看廟的索取錢財叉住了門。蹴踘的三五成羣。打談的扯喉唇亂道胡云。剪縷的專尋鬧裡人。吊白的誆錢騙銀。打拳的撇鎗耍棍。他每都一年之計在于春。（群音類選）

嘲假斯文[二]

【北越調鬭鵪鶉】踽踽涼涼。摇摇擺擺。弄月調風。勾朋引客。調謊粧幺。幫閑喝采。會巧言。能令色。子曰詩云。之乎也哉。

【紫花兒序】敗壞殺歐蘇字體。玷辱殺韓柳文學。賣弄殺李杜詩才。昂昂而去。悻悻而來。何該。惹得親朋隣友怪。假粧成士夫尊大。德行全無。禮義全乖。

【金蕉葉】皮着臉把徠兒拐揣。嗛着涎與嬌娘往來。這壁廂挨人的飯摁[三]。那壁廂將人的酒索。

【幺篇】常子在秦樓聽差。幾曾向金門獻策。孔子嘗聞着見責。賢者每看着不睬。

【小桃紅】平生無意向書齋。空把時光捱。問字人來便推害。羞殺了棟梁材。但逢報考攢眉額。大學漫猜。中庸不解。信口說胡柴。

【幺篇】全憑戲耍適情懷。强把風流賣。說法安身伴豪邁。是不是趁船歪。偷寒送煖偏疾快。呵叱了又來。搶白着不怪。一覓笑盈腮。

【天浄沙】戀賭場擲色翻[四]牌。怕當家辦米供柴。按時景穿紗衣帛。到處裡尋人趨拜。夜深不返家宅。

【調笑令】我見他走來。眼慵開。呀。恰便似傀儡提携上戲臺。平白地買頂方巾戴。穿的是闊領衣異樣儒鞋。顧覓的保兒不離側。把相公聲價高擡。

【禿廝兒】說不盡輕狂性格。看不上蠢劣形骸。本是那驢騾裡出駑駘。少教訓欠丁提。惹禍招災。

【聖藥王】弄慣乖。拉慣獃。思量堪笑亦堪哀。打不開。罵不改。交遊一夥小朋儕。纏的不清白。

【尾聲】從來討盡爺娘債。慣逍遥不尋些買賣。早年間逞英豪。下場頭受窮迫。（群音類選）

嘲庸醫新詞

【北南吕一枝花】依經内外科。道地生熟藥。門前堆箯簍。梁上吊蒲包。眼裡�着。見醫者連聲叫。遇病人把手招。是不是用當歸芍藥調和。動不動下羌活升麻發表。

【梁州】末藥兒不分粗細。丸藥兒怎辨低高。把方術自誦如神効。生涯冷淡。鋪面蕭條。塵生盤秤。銹上扎鍘刀。喜的是躉買零包。怕的是看貨成交。詐稱呼鍾乳空青。亂攙和牛黄片腦。假捏合血結阿膠。胡纏。到老。鍬猪的善馬原不妙。兩文錢一貼藥。脱貨求財利息薄。那里知脉理分毫。

【尾】醫的個張三眼腫扶着牆叫。治的個李四頭疼拄着拐嚎。常見人來亂打鬧。一個將銀子貼倒。一個買棺材葬了。仔細冤魂將命來討。（詞珍雅調）

〔一〕詞珍雅調題作「賀節新詞」。
〔二〕此曲亦見詞珍雅調。
〔三〕「摠」，原作「嗯」。
〔四〕「翻」，原作「番」。

蘇子文

蘇子文，生平不詳。

小令

【北仙吕寄生草】

集常談

猪銜柴狗燒火。羊上樹馬䮶撬。蛇鑽的窟窿蛇知道。佳人有意郎君俏。巧人兒做了拙人兒笑。這山望着那山高。黄梅不落青梅落。（北宫詞紀）

【北雙調河西六娘子】

詠拄腰

軟玉温香抱滿懷。護定了小可身材。嬌羞常掩輕盈態。呀。同心結解開。香羅帶放開。纔見多情小奶奶。（北宫詞紀）

【南仙吕入雙調玉抱肚】

詠貨郎鼓

摇摇將近。小聲名面皮頗村。雖然是兩耳垂肩。止不過一腔風韻。擔頭擔盡洛陽春。勾引調脂傅粉人。（南宫詞紀）

【南雙調鎖南枝】

集常談

識迴避。躲是非。路上行人口似碑。雞兒不撒尿。魚兒不喫水。門裏人。地裏鬼。馬蹝着車。鬼扯着腿。（南宮詞紀）

休搗鬼。莫出神。打着燈籠没處尋。跳在麵粉盆。撞入迷魂陣。差打帳。錯上墳。悔氣星。糊突運。（南宮詞紀）

現世報。活倒包。過了橋兒就拆橋。人牢物也牢。心高命不高。湯澆雪。火燎毛。窮似煎。餓似炒。（南宮詞紀）

一家貨。差不多。冷鋪門前没半哥。船家打老婆。水深人不過。撥不倒。没奈何。弄死人。笑殺我。（南宮詞紀）

不能勾。且罷休。此處無魚別下鈎。女大不中留。外甥多像舅。秦不管。魏不收。稂不稂。莠不莠。（南宮詞紀）

套數

集常談

【南仙呂桂枝香】坐壇遣將。隔壁告狀。没來由打水不渾。平白地無風起浪。我是賣醋的老王。我是賣醋的老王。入門三相。人有相像。物有相像。細思量。誰人打籮誰喫麵。那個偷牛那拔樁。

【黄鶯兒】有麝自然香。鷄窩裡出鳳凰。秀才好不在頭巾上。栽葫蘆傍牆。養女兒像娘。别人肉貼不在你頰腮上。莫輕狂。不疼不痒。説得你透心涼。

【僥僥令】道三不着兩。四下亂倡揚。取得經來唐三藏。再莫管他人瓦上霜。

【前腔】未來休指望。過去莫思量。土地老兒没肩膀。敢自有傍人話短長。

【催拍】那曉得三綱五常。只知道七青八黄。圓鴨蛋裡棹槳。竹竿空長。肚裏無穰。前人栽樹。後人乘涼。撞東墻只撞東牆。上不得廟和堂。

【不是路】賣狗懸羊。驢糞毬兒外面光。瞞天謊。清涼瓦屋呷稀湯。受恓惶。前生少欠冤業帳。大熟年成隔壁荒。何須講。□□弄得緣兒樣。七損八傷。七損八傷。

【解三酲】那管他娘兒姓蔣。聽不上鬼念文章。我買了炮仗〔一〕別人放。前月支過後月糧。精瞎帳。不願麞麅鹿兔。只願細犬還鄉。

【掉角兒】〔二〕看了他結交四方。看了他日月三光。那些個金玉滿堂。那些個綾錦千箱。買猪頭。饒尾巴。喫虱子。留後腿。做模打樣。烟燻佛像。掛在壁上。這樣施主。這樣和尚。

【尾聲】人心不足蛇吞象。惹得狼來屋裡藏〔三〕。一箇雷聲天下響。（群音類選）

〔一〕「砲仗」，原作「砲煺」。

〔二〕「掉角兒」，原作「調角兒」。

〔三〕「藏」，原作「狼」。

李集虚

李集虚，生平不詳。

套數

閨怨

【南中呂瓦盆兒】教人對景無言。終日減芳容。恨蹙破兩眉峰。未知他垂楊何處繫青驄。多只是近鶯花。冷淡了芙蓉。空教我爲他時。終朝悶轉增。好教我越添疾病。枉了我行時思。坐時想。成孤另。我駡你個薄倖没前程。

【榴花泣】相思終日有十二個悶時辰。空目斷楚臺雲。聽得寒鴉聲裡噪黄昏。香消誰問。被冷向誰温。無言自忖。料同交寡宿孤辰運。一天愁兩下平分。教人怎生安頓。

【喜漁燈】幾回欲把金錢問。恐無定準。今春病不減似㈡前春。多一半爲君。爲君好處縈方寸。東風掃春夢勞魂。因循。看看瘦損。比梅花消瘦幾分。

【尾聲】重占卜。屢問神。暗憶當初錯認真。好似楊花水上萍。（群音類選）

按：盛世新聲、三徑閒題、樂府争奇、盛世詞林無題，雍熙樂府題作「感舊」，舊編南九宫譜、南九宫十三調曲譜録喜漁燈，俱不注撰人。群音類選題作「閨怨」，署賈仲名作。吴歈萃雅、詞林逸響、南音三籟、古今奏雅題同類選，俱注鄭虚舟撰。樂府先春無題，屬李集虚。未知孰是，兹姑以之歸李氏。

〔一〕「似」，原作「是」，兹改。

張春陽

張春陽，生平不詳。

套數

【南越調綿搭絮】玉梅春曉。紅影妒多嬌。繡閣金屏。塵積箜篌。對寂寥。度春宵。幾度魂消。只恐怕靚粧春老。蝶夢無聊。醒來時袖上湘斑。印滿香腮紅雨飄。【前腔】瓊簫聲杳。鶴影冷金翹。品玉題香。春鎖蜂房。問阿嬌。度花朝。緑隱紅妖。正是妬梅風雨。雪褪瓊銷。無人處倚檻凝眸。只見蝶送殘英過畫橋。【前腔】南枝清俏。粉額點花妖。好似脂掩瑤笙。殢殺南都。粉欲消。董嬌嬈。半濕紅綃。正是碧霞映面。酥雨垂腰。撩人處額上紅心。學得昭陽别樣嬌。【前腔】西施顰效。點綴粉容嬌。白璧紅霞。雪滚胭脂。恰寶槽。喜春宵。紅雨眉燒。好似榴横玉甲。血滴冰綃。新粧試粉黛無顔。誰向鸞臺競媚妖。【尾聲】花神撑眼窺人妙。故遣紅英綴緑翹。各自向銅雀臺中過永宵。（樂府先春）

張峒初

張峒初，生平不詳。

複出

套數

【南仙呂八聲甘州】玉盤金餅。

樂府先春無題，注張峒初撰。新編南九宮詞、群音類選、吴歈萃雅、詞林逸響、南音三籟、樂府珊珊集、古今奏雅、南詞新譜俱注祝枝山撰。兹已輯於祝允明卷中，此不重出。

陳五岳

陳五岳，生平不詳。

套數

泛湖[一]

【南南吕梁州新郎】長空如洗。平波如掌。兩岸青山相向。畫船簫鼓。偏宜老去疎狂。只見清凝丹鏡。影徹冰壺。冷透鮫綃[二]帳。乘風來去也。泝流光。碎擊空明桂棹長。〔合〕銀海眩。碧波漾。看瓊樓玉宇高千丈。須縱飲。莫虚放。

【前腔】停杯相向[三]。騎鯨欲往。脱落形骸豪宕。恩袍宫錦。曾依尺五清光。只見山河如舊。湖海飄零。風景添凄愴。廣寒何處是。舞霓裳。遥隔銀河一水長。〔合前〕

【前腔換頭】歎世情反掌無常。又何必官居卿相。縱繁華今日。豈無興喪。只見吴宫花草。晉代衣冠。俯仰皆榛莽。清時難屢得。且徜徉。莫待愁添白髮長。〔合前〕

【前腔】看横江白露瀼瀼。忽風來涼生仙掌。聽高樓何處。笛聲嘹亮。只見孤舟嫠婦。千里佳人。極目空惆悵。故園松菊也。已荒涼。一水牽愁萬里長。（合前）

【節節高】深潭倒玉幢。倚蘭槳。賦詩横槊風雲壯。靈槎傍。斗牛旁。星河上。九天零露仙衣爽。紫雲玉樹何足尚。百歲人生幾何時。不必世途空勞攘。

【前腔】高歌窈窕章。倚新腔。光摇琥珀飄紅浪。開新釀。飛羽觴。休推讓。猛拚一飲千鍾量。醉摇環珮傳清響。凡事區區豈由人。富貴倘來從天降。

【尾聲】乾坤萬里空凝望。且開懷一醉何妨。斗轉參横夜未央。（樂府先春）

〔一〕樂府先春無題，注陳五岳撰。吴歈萃雅、詞林逸響、珊珊集、古今奏雅，南音三籟、唾窗絨題作「月夜遊湖」，俱署沈青門作。南宫詞紀題作「泛湖」，樂府争奇無題，皆不注撰人。未知孰是，兹互見沈、陳兩家曲中，異文不校。題從詞紀。

〔二〕「綃」，原作「鮹」。

〔三〕「向」，原作「問」。

趙縠陽

趙縠陽，生平不詳。

套數

【南中呂泣顏回】想起舊姻緣。似水如魚懽忭。花前月下。雙雙竝倚香肩。誰知近日。别離多少見姮娥面。最難禁旅館蕭[二]然。捱不過長夜如年。

【前腔】害相思終日。悶懨懨恰一似鬼病來纏。鴛衾鸞枕。空有麝蘭温徧。陽臺路遠。兩情牽空把巫山盼。想神女楚岫不容。使劉郎誤入桃源。

【不是路】堪愛堪憐。兩意綢繆夙世緣。真堪羡。齊眉舉案孟光賢。意懸懸。怎得寃家到枕邊。免使我凄凉獨自眠。愁腸轉。終須有日重相見。倒鳳顛鸞。

【解三酲】我愛他粉容嬌面。他愛我學海淵源。我愛他春山淡横秋波眼。他愛我劍氣冲虹星斗寒。思量遍。果然是佳人才子。一對天仙。

【前腔】我愛他楊柳腰肢細又軟。他愛我冠世聰明亞聖賢。我愛他凌波半露金蓮淺。

他愛我鐵畫銀鈎錦繡箋。思量遍。又愛他紅袖裡半籠。春笋纖纖。

【尾聲】日初沉蟾光現。憑欄兀坐有誰憐。辦炷盟香答謝天。（樂府先春）

〔一〕「蕭」，原作「瀟」，兹改。

儲紫虛

儲紫虛，生平不詳。

套數

【南南吕香遍滿】新愁誰共。雙雙伯勞飛向東。只落得心想夜閒惟足夢。春光日自濃。容華落鏡中。粧臺上半空。看獨下仙人鳳。

【懶畫眉】麝香數度繡芙蓉。涼葉寒生玉簟風。鄂君香被夢難窮。覺來獨對人驚恐。爲想年來憔悴容。

【前腔】長卿文采冠諸公。似碧水澄潭映遠空。醉吟偏稱紫荷筒。水邊重閣含飛動。且喜琴尊數日同。

【前腔】只今誰是出羣雄。南國詞人陸士龍。飄飄才思杳無窮。杯黏紫酒金螺重。譚轉琱瑠玉麈空。

【前腔】□□流落賦歸鴻。誰傍昏衢駕燭龍。碧霄何路得相逢。不知他日華陽洞。更隔雲山幾萬重。

【簇御林】憐彤管。意未通。愧瓊琚報未恭。聊將詩句相賡詠。墨痕濃争似情深重。意何窮。芳心自解。盡在不言中。（樂府先春）

朱世徵

朱世徵，字長卿，南直隸（今江蘇）崑山人。生平不詳。

小令

【南商調金絡索】

別金陵呂小喬

西風促曉粧。殘月窺羅幌。軟語叮嚀。莫負多情望。相偎淚暗傾。斷人腸。握手論心各自傷。烟雲月露牽愁重。淮水吳山與恨長。從別後。五更夢破忽成狂。到如今心上難忘。眉底難藏。怕想起嬌模樣。（南宮詞紀）

按：此曲彩筆情辭題作「別金陵呂姬」。

兩峰主人

兩峰主人，生平不詳。

小　令

【南雙調鎖南枝】

夜　遘

千般念。萬種愁。今宵把來都盡勾。涼月半青樓。温香滿紅袖。燈兒下。波暗流。玉纖纖。先在手。（南宫詞紀）

按：此曲彩筆情辭亦録。

恒軒老人

恒軒老人，生平不詳。

套數

春怨

【北仙吕賞花時】淑氣融融柳吐烟。曉日曈曈花正妍。明媚景麗人天。輕風似翦。極目草芊芊。

【幺篇】怕對青銅貼翠鈿。懶整烏雲戰玉蟬。蜂蝶攘燕鶯喧。愁眉未展。離恨動經年。

【醉中天】烟鎖垂楊院。雲暗杏花園。縱有香醪共誰傳。清減了芙蓉面。花底黄鸝乍囀。傷情閨怨。對東風無語無言。

【金盞兒】緑苔前。畫闌邊。見紛紛亂舞桃花片。三分春色總淒然。水流殘枝上蕊。風吹老樹啼鵑。赤緊的枕閑人去遠。更那堪雲静月空圓。

【尾聲】懶覷並頭鴛。羞見雙飛燕。撚指間韶光易轉。辜負我青春誰共憐。盼多情眼望將穿。意懸懸。離恨縈牽。何日相逢列綺筵。將珠簾慢捲。金盃滿勸。成就了喜孜孜夙世美姻緣。（北宮詞紀）

按：詞林摘艷題作「春景題情」，署恒軒老人著。盛世詞林無題，不注撰人。

范晶山

范晶山，生平不詳。

小令

【南南吕六犯清音】

宫怨

仙桃霞麗。楓宸雲靄。春滿華清宫外。昭儀放直。幽情遶遍芳堦。柳色侵羅袂。苔陰怯綉鞋。愁如海。瘦似柴。長門宣詔想難諧。怎如得飄飄翠縷同心帶。怎如得錯落黄金交股釵。鸞衾乍冷。蝶使不來。甚時勾却相思債。自傷懷。宜男花種。空向隔年栽。（南宫詞紀）

芙蓉開殿。梧桐飄井。目斷羊車遊幸。佳期無準。嬌容枉自娉婷。指下閑朱瑟。燈前冷畫屏。花枝細。蝶翅輕。瘦伶仃害了相思病。怎如得團團玉宇中秋月。怎如得

皎皎銀河七夕星。黄花滿徑。落葉半庭。重陽孤負登高興。夢魂驚。天涯萬里。咫尺隔春明。（南宫詞紀）

張玉山

張玉山，生平不詳。

套數

六十自壽

【北仙吕點絳唇】百歲迢迢。六十來到。徒勞擾。誤却青袍。點檢真堪笑。

【混江龍】想當初年少。一腔豪氣直干霄。任呼盧燕市。載酒吴舠。袖底學拈王粲筆。腰間常佩吕虔刀。秋宵醉月武陵源。春風走馬長安道。常則是疎狂洒落。早難道文雅風騷。

【後庭花】樂我這蠢妻孥貧不驕。喜我這僻門牆清頗饒。一任花落填書帙。從教鶯飛礙柳條。争似我釣臺高。常則是憑臨舒嘯。愛松風捲翠濤。怕紅塵染布袍。有詩朋花下招。掇棋枰竹裏敲。張玄真屬我曹。王子猷托故交。

【青哥兒】呀。兒祝呵光耿耿南極南極星照。女祝呵明燦燦絳闕絳闕雲飄。齊唱道青鳥翩翩下碧霄。筵設蟠桃。酒泛葡萄。樂奏雲璈。香爇蘭椒。詞伯揮毫。童子吹簫。把我個樗朽的山人簇擁着。也算是人生一樂。

【賺煞】則今日好風光。佳懷抱。正值着清平聖朝。官不苛私民不擾。不知兵不苦征徭。端的是得遊遨。海闊天高。浩蕩皇恩怎圖報。願當今無疆壽考。願四方民風熙皞。我也便應黄髮老漁樵。（北宫詞紀）

張茅亭

張茅亭，生平不詳。

小令

【南仙吕一封書】

閨怨用斷腸集結尾七首

紗牕日影東。對春光思玉容。愁來仗酒攻。酒纔消情更濃。薄命可人從去也。無夢

巫山十二重。惱芳叢。怨芳叢。邃館春深柳拽風。（南宮詞紀）

紗牕日影高。柳窺青桃破苞。無心束白茅。爲懷春音信遥。薄命可人從去也。多病

書生似沈腰。怯春朝。又春朝。且與鶯花做淡交。（南宮詞紀）

紗牕日影西。惜餘春戀落暉。殘紅亂點衣。聳吟肩覺瘦羸。薄命可人從去也。多病

張郎懶畫眉。立徘徊。坐徘徊。花落花開事可悲。（南宮詞紀）

紗牕月影昏。倩誰人將翠被薰。鸞臺散楚雲。淚啼紅濕絳裙。昔日有盟憑月老。今夜無方覓錦鱗。自前春。到今春。從此蕭郎是路人。（南宮詞紀）

紗牕月影移。欲窺人穿綉幃。殘燈對酒盃。抱秦箏心似癡。澀雨慳雲尤妄想。弄玉搏香難再期。恨狼籍。病狼籍。惆悵朱顔喚不回。（南宮詞紀）

紗牕月影圓。照銀屏映翠鈿。無心弄管絃。怨風流誤少年。鴛枕麝蘭空在此。魚腹音書不見傳。好姻緣。惡姻緣。萬古知心只老天。（南宮詞紀）

紗牕月影澄。鎖雕簷冷畫屏。吟殘弔短檠。助千愁萬慮增。判柳批花人去杳。泣月悲風誰慣經。數殘更。捱殘更。斜倚薰籠坐到明。（南宮詞紀）

陶唐

陶唐，字陶區，南直隸（今江蘇）昆山人。生平不詳。

套數

詠雁

【南正宮白練序】長空渺。伴簌簌西風萬里途。迷羣處阻着半江烟雨。誰覰。隻影虛。正水國秋深月落餘。空尋侶。徘徊楚澤。逗遛湘渚。

【醉太平】孤戍。胡笳驟起。帶殘星幾點。飛度單于。攢峰峻嶺。莫忘却舊日衡廬。天衢。聲聲何事訴離居。有人在畫樓深處。倚闌凝竚。知曾與伊。寄否封書。

【白練序換頭】窮途。旅夢甦。嘹嘹夜呼。堪悲處同流落幾年江湖。蕭疎。片羽孤。奈目斷寒原盡野蕪。真淒楚。江南弊極。稻粱非故。

【醉太平】欷歔。飄零歲月。故鄉畢竟。年來何處。狂風迅雨。嗟多少舊行無序。躊蹰。虞人矰弋近何如。好約伴趁春歸去。冗愁千緒。參差願托。夜堂箏柱。

【尾聲】北海孤臣誰共語。旌旄落盡肌骨枯。須早帶書來報帝都。（南宮詞紀）

按：南詞韻選題作「題雁」，亦署名陶陶區。

湯三江

湯三江，南直隸（今江蘇）江陰人。生平不詳。

小令

【南商調山坡羊】

秋日聞季連江以都諫參西江政因寄之

急煎煎書傳驛傳。喜孜孜職專方面。愁黯黯一路寒雲。料匆匆不日重相見。意懸懸。離情鎮日牽。橫林記得記得多留戀。屈指流光又驚時變。開筵。正遇新醅泛菊天。歸鞭。可在重陽風雨前。（南宮詞紀）

套數

題唐玄宗還宮感舊

【南仙吕入雙調夜行船序】負却良宵。記當年初見。玉環嬌小。堪憐處粉黛六宮難較。誰似。雲鬢花顔。慢舞緩歌。回頭一笑。春覺。侍兒扶傍粧臺懶把青鸞高照。

【前腔換頭】無聊。憶昔繁華。任歡娱錦帳。那知清曉。高樓上花萼熒煌照耀。逍遥。羽蓋横遮。珠翠成團。旌旗前導。來報。西宫開宴多時别院笙歌喧鬧。

【黑蠊序】思之。時值清平。把涼州唱徹。飛聲嘹遶。看滿眼春嬌。念奴呈俏。尤妙。賀老絃索高。龜年象板敲。樂陶陶。最喜是日宴彤闈。無事宣麻。傳草。

【前腔】誰知。蠢蠢胡兒。把漁陽鼙鼓。等閒廝鬧。嘆霓裳羽衣。頓成悲調。堪悼。玉貌驛中凋。香魂何處招。傷懷抱。怕見的金雀玉釵。委地没人。追討。

【錦衣香】馬嵬坡。音塵杳。長生殿。生芳草。可惜白髮梨園。守宫都老。孤燈夕殿冷蕭蕭。空遺舊恨。舞榭欹傾。文牕窈窕。嘆眼前荆榛滿道。寂寞誰人到。心中煩惱。神思縹緲。不似當時天寶。

【漿水令】朝元閣西風聒噪。端正樓細雨飄飄。華清留得滑脂膏。沉香亭倒。凝碧池高。山盟秏。海誓杳。私言空托雙飛鳥。鴛鴦瓦。碎鎖鎖。先時夢兆。白蓮汗。香馥馥。尚在鮫綃。

【餘音】錦片江山都壞了。只爲姚張盡老。都緣楊李傾危。生出這禍苗。（南宫詞紀）

按：【黑蝦序】原誤作【鬪寶蟾】，兹正。

湯東野

湯東野，生平不詳。

小令

【南商調山坡羊】

夏日幽居

金鼎香消寶篆。玉匣新開團扇。清清盡日盡日閑庭院。對紅蓮。毫無俗累牽。湘簾雖薄隔斷紅塵面。想鳳閣龍樓在那邊。休纏。青山已結緣。休煎。紅鉛可度年。（南宫詞紀）

馮廷槐

馮廷槐，字德符，號二酉，别署二酉山人，浙江錢塘（今杭州）人。

小令

【南仙吕入雙調玉抱肚】

贈妓沈春兒

初會

粉瑩香膩。弱芙蓉花臨淺溪。按紅牙戲傍銀燈。展青團咲綰朱襹。瞥然一見喜難持。絶似巫陽夢覺時。（彩筆情辭）

觀戲

雙眸剪水。臉偎霞烟生翠眉。步金蓮不動芳塵。怯肌膚雅稱綃衣。朱唇纔啟遶梁飛。舞罷弓彎明月低。（彩筆情辭）

會飲

梨花標韻。繡筵開春生畫屏。似潘娘喬作吳姬。恍王郎會飲旗亭。江南應占一枝春。肯許紅兒獨擅名。（彩筆情辭）

致惜

瑤華蒙垢。把明珠等閒暗投。恨東風落盡紅香。使江洲空灑青衫。飛花片片水悠悠。花自飄零水自流。（彩筆情辭）

套數

思情〔二〕

【南越調鬬寶蟾】兩字鴛鴦。惹心頭夢裡。多少牽纏。怪分飛偏憎。月下燈前。堪憐。月圓人不見。燈寒悶較添。誤芳年。人隔三秋。又早悶縈雙眼。

【忒忒令】比人間紅樓畫欄。似天上銀河月殿。分明咫尺。緣分慳如。隔太行天塹。秋水盈。春山斷。怨情丟意閃。

【五供養】山高水遠。恨知音曲中斷絃。琴心空有調。詩句更無緣。我想桃花人面。隔朱門如今幾年。別來虛歲月。何處指盟言。怎得人心久長不變。

【好姐姐】魚鴈。水沉風斷。書和信雲遮霧掩。花飛月冷。青春誰可憐。愁和怨。愁深隱隱當心坎。怨結悠悠在眼前。

【風淘沙】古道夕陽白草烟。見疏林掛新蟾。猛可的撩人增長。嘆病根苗心上攬。鸞衾雙剖。鴛幃兩單。怕黃昏。守寒窗。孤燈一盞。幾番恨他心不淺。待丟開又沾染。

【川撥棹】無由見。陽臺上巫峽邊。似如今鬼病懨懨。到不如當初分慳。偷香手何處探。傅粉心從今懶。

【餘文】風流説慣還不慣。畢竟是爲他閃賺。怎能彀春生庭院。把孔雀屏遮離恨天。

（昔昔鹽）

賞荷花

【南大石調念奴嬌序】湖光清淺。覺風生菡萏。雨餘亭薦新涼。畫砌雕簷。光掩映一池翠羽朱裳。遥想。榴妒芳馨。葵慚旖旎。便娟如斗似花王。〔合〕惟願取。邀花醉月。共挹清香。

【前腔換頭】悠揚。嬌姿雅況。似凌波洛水。神姝艷束明粧。欲語含情。摇拽處臨風翠袖飄揚。非獎。鳳屧飛塵。獺痕暈頰。楊家妃子試蘭湯。〔合前〕

【前腔換頭】欣賞。睡鴨灘邊。戲魚波上。高擎仙掌護鴛鴦。最相宜淡雲疎雨斜陽。還想。淺碧琉璃。參差雲錦。紅裙争媚緑衣郎。〔合前〕

【前腔】晚晌。水佩沉沉。風裳襲襲。陰陰蟬柳韻笙簧。最堪憐夜深欲墮金房。休怏。縱紅衣落盡。尚留青菂。文萍紫荇共方塘。〔合前〕

【古輪臺】謾評章。百昌璀璨鬬芬芳。河陽滿縣花如許。習家池上。金谷園中。追論有幾多惆悵。含露夭桃。倚雲仙杏。呈纖賽巧鬧青陽。怎如伊淤泥不染。向朱明獨占風光。更有並蒂連枝。夜舒晝捲。披青帶素。姊妹儼分行。惟堪恨。無端白璧點張郎。

【前腔換頭】端詳。休辜負景美辰良。碧波内乘舸佳人。三三兩兩。連袂行歌。嫵婉百般嬌樣。葉借眉顰。花分口絳。笑入水雲鄉。肯教虚曠。似淵明痛飲何妨。錦浪層層。緑雲片片。雅稱攜壺載釀。醉落九霞觴。還堪賞。花神應共我徜徉。

【尾聲】太乙舟仙人舫。不妨裂芰爲裳。一醉佳人錦瑟傍。（南宮詞紀）

〔一〕昔昔鹽題作「思情」，不注撰人。樂府先春、吴騷集無題，皆注二酉山人作。吴騷合編題作「題情」，署名馮二酉。

喬卧泉

喬卧泉，生平不詳。

複出

小令

【南羽調排歌】

春怨

枕列珊瑚。

秋怨

鐵馬簷前。

南宫詞紀二首俱注喬卧泉作。群音類選題作「閨怨」，署名喬卧東撰。未知孰是，兹已輯於卧東卷中，不重出。

費廷臣

費廷臣，字勝之。生平不詳。

小令

【南仙吕桂枝香】

寄帕

鮫綃情妒。在君懷袖。明明的寫着字兒。緊緊的莫忘去後。好長攜在手。好長攜在手。莫把汗珠兒濕透。穩稱着淚珠兒湮緺。莫胡丢。恐被他人拾。將來作話頭。（南宫詞紀）

寄帕稍改

物微情厚。在君懷袖。明明的寫着相思。緊緊的防伊日後。好長携在手。長携在手。休把汗珠兒濕透。穩稱着淚珠兒湮緺。莫胡丢。恐被他人拾。將來做話頭。（太霞新奏）

趙晉峰

趙晉峰，生平不詳。

小令

【南中呂駐雲飛】

蜀中弔杜工部

萬里橋西。一道風光入浣溪。地迥茅堂閉。花落苔堦翳。嗏。遺廟與殘碑。幾經興替。仰止高賢。把酒常留滯。日暮空山鳥亂啼。（南宮詞紀）

蜀中作

一望寒烟。白帝城邊錦纜牽。楓葉紅于染。江水奔如箭。嗏。越水與巴川。驅馳殆遍。萬里程途。秋晚人行倦。雁素魚牋誰與傳。（南宮詞紀）

朱廷玉

朱廷玉，生平不詳。元人別有一曲家朱庭玉。

套數

懷妓題情

【南中呂泣顔囬】暗想配秋娘。情如交頸鴛鴦。綢繆繾綣。深恩重義難忘。似真賢孟光。喜齊眉笑舉梁鴻案。與卿卿帶結同心。效鶼鶼永遠成雙。

【前腔換頭】調和。琴瑟奏笙簧。意相投兩下無妨。誰知今日。薄情改變心腸。頓教人慘傷。豈料他反目恩成怨。悔當初不合認真。好姻緣反做參商。

【不是路】柳絮飄狂。怎比得葵花傾向陽。誰承望。桃花無意戀劉郎。細端詳。玉樓煙鎖雲江暗。危石盟言在那廂。空嗟怨。寃家忒殺不思量。薄情娘。你如今對面如霄壤。只怕久後思量。要見難。添惆悵。直待你眉兒淡了思張敞。那時節悔未從良。

恨未從良。

【解三酲】我爲你神魂飄蕩。我爲你廢寢忘湌。我爲你千金買笑平康巷。我爲你幾載浮踪在異鄉。我爲你思歸徒自勞清夢。我爲你久别鴛幃不下堂。〔合〕還思想。端的是李鵑奴。負了王商。

【前腔】你把我憐香惜玉冰和炭。你把我倚翠偎紅圓合方。你把我山盟海誓成虚謊。你把我厚德深恩當曉霜。你把我如糖拌蜜鹽落水。你把我似漆投膠雪見湯。〔合前〕

【掉角兒】悶懨懨鎮日栖惶。淚汪汪心中悒怏。爲相思病入膏肓。瘦伶仃不成模樣。只落得臉兒黄。龐兒瘦。沈郎腰。潘郎鬢。凄涼形狀。〔合〕留情癡漢。負心女娘。狠心腸。人須易負。難昧穹蒼。

【前腔】抱琵琶又過别航。折楊柳把章臺還上。記當初遂結鸞凰。到如今劃然分散。恁下得拆鸞凰。剖並頭。開連理。猶如反掌。〔合前〕

【餘文】千言萬語都休講。分付寃家自主張。終有日相逢我也不與你較短長。（昔昔鹽）

按：詞林白雪無題，署名朱廷玉，全元散曲録之，注云：「此套爲南曲，是否朱庭玉作殊可疑。」此係别一曲家，非元人朱庭玉（庭或作廷）。昔昔鹽不注撰人，兹據以輯之。

李復初

李復初，生平不詳。

套數

恨别思逢[一]

【南商調漁父第一】恨只恨難逢易别。記臨岐把歸期訂。寫信只道是真誠者。又誰知前盟頓撇。魚書鴈信皆沉滅。物换時移更歲月。無言悶倚闌。向東風錦屏花榭。傷春觸景愁城疊。追悔當初把春心漏洩。

【前腔】[二]纔識透歹心腸硬似鐵。謾臨風懊恨咬牙鉗舌。風流事頓成虚説。淅零零扯斷連環結。戛喇喇連枝輕鏟截。釵玉玲瓏鍱鑠也。瘦形骸一句啅嗻。

【前腔】記被底歡娱香肌緊貼。脂口噴檀誓盟話喋。素羅帕上猩紅惹。魚水相投情意協。似乾薪逢火烈。一團攬熱。好姻緣俄頃變週摺。盈盈望雲山烟水賒。怎彀得合歡時節。

【滴溜子】明月下。明月下。金錢問徹。粧臺上。粧臺上。靈蓍屢揲。無決難禁長夜。香奩從不問。塵封垢結。針線慵拈。鉛華久絶。

【前腔】[三]捱不過。捱不過。病危體怯。聽不得。聽不得。風簷走鐵。悲咽野猿哀月。聲聲不忍聞。寸腸欲裂。推枕無眠。兩行淚血。

【前腔】何日裡。何日裡。離鸞再合。甚時得。甚時得。斷弦再接。擺設玉爐香爇。雙雙拜上蒼。相思妥貼。效戲水鴛鴦。宿花蝴蝶。

【尾聲】綉緯錦帳花燈燁。打疊起愁煩生喜悦。地久天長相聚也。（昔昔鹽）

複出

小令

【南正宫玉芙蓉】

四景題情

殘紅水上飄。

新荷沼内翻。

東籬菊艷開。

漫空柳絮飛。

吴歈萃雅、詞林逸響、古今奏雅題作「四景題情」，俱注李復初撰。新編南九宫詞、群音類選、吴騷合編、南宫詞紀、吴騷二集、南詞韻選、南音三籟皆署名李日華著。兹已輯於日華卷中，不重出。

套　數

【南黄鍾啄木兒】秋歸後。月正明。

詞林白雪注李復初作。詞林逸響、古今奏雅俱屬杜圻山。樂府先春、吴騷集皆注文衡山撰。兹已輯於文氏卷中，此不重録。

〔一〕樂府先春、吴騷集無題，俱注李復初撰。昔昔鹽題作「恨别思逢」，不署著者。

〔二〕以下二隻「前腔」，分别作「漁父第二」、「漁父第三」，兹改。

〔三〕以下二隻「前腔」，分别作「滴溜子二」、「滴溜子三」，兹改。

張芳洲

張芳洲，生平不詳。

套數

黄昏思情

【南仙吕入雙調步步嬌】雲掩黄昏天街静。獨步穿花逕。遥尋夢裡人。行過垂楊。咫尺樓臺近。鳳凰池上月初明。被一天暮雨都遮盡。

【江兒水】且返禪林路。人家半有燈。孤齋怕見衾和枕。恨天不助風流興。把歡娱變做凄凉景。今夜相思忒甚。縱有美酒千盃。難破愁城萬仞。

【園林好】你雖占烟花首名。我須是詞林後生。兩下裡才名厮稱。今做了各巢鸞。今做了各天雲。

【玉交枝】把前情再省。恨冤家心兒欠真。當初待我雲中杏。今一似水上流萍。古今難識婦人心。痴迷莫過男兒性。欲抛離心中未忍。欲相依衷情未審。

【人月圓】整頓行囊登山邁嶺。百歲姻緣成畫餅。你聰明空似文君。空似文君。怎將那相如做路人。望長江照此心。望青天鑒此誠。

【僥僥令】見花思艷臉。對月想情真。九轉肝腸無着處。都付與江流日夜聲。

【前腔】雕梁慚燕壘。茅店怕雞聲。感昔懷今千行淚。化作床頭一片冰。

【尾聲】花香草緑年年景。雨去雲來夜夜情。且把前言盡寄與伊家。知他省未省。

（昔昔鹽）

按：樂府先春無題，注張芳洲撰。昔昔鹽題作「黄昏思情」，不注作者。彩筆情辭題作「緣阻」，署名馬孟河。未知孰是，兹姑以之屬張芳洲。

方洗馬

方洗馬，生平不詳。

套數

詠草

【南正宮白練序】春烟暖。正脈脈遥看似有無。斜陽外幾家斷橋邨塢。閑步。望眼舒。漸抹翠描青成畫圖。空懷古。池塘雨歇。夢回南浦。

【醉太平】堪覩。東風暗長。縱一般意思。妙手難摹。無媒逕路。偏映半白頭顱。馳驅。王孫何事在長途。好歸去又驚春暮。古城陰處。寂寞眼前。細柳新蒲。

【白練序換頭】糢糊。翠簟鋪。六朝舊都。南郊外有許多斷碑荒墓。辜負。霸業徂。淚滴盡虞姬奈爾乎。還淒楚。青青漢塚。怨雲泣露。

【醉太平】堪娱。芳情未歇。細粘輕襯。落花飛絮。閑門要路。曾檢點世情如故。須臾。驀將春事付樵蘇。止留下亂螢飛度。雨欺霜妒。紅塵翠陌。可憐焦土。

【尾聲】一點春暉難報補。東風野燒吹又蘇。試看取韶華遍九衢。（南宮詞紀）

按：此曲群音類選、新編南九宮詞題作「草」，南宮詞紀題作「詠草」，俱注方洗馬撰。吴歈萃雅、詞林逸響、南音三籟題同詞紀，署王雅宜作，疑非是。兹據詞紀輯之屬方洗馬。

太平野史

太平野史，姓名不詳。

小令

【北中呂朝天子】

嘲尼姑

本是個女娃。模樣兒似花。怎不把郎君嫁。多因父母念頭差。拋舍做光光乍。雲鬢全無。金蓮偌大。動春心難按納。偷摸的事發。辱没殺釋迦。倒不如還俗罷。（北宫詞紀）

老鴇

生長在教坊。熬挣做老娘。賣弄出當家樣。人來客去便拿腔。假唧噥虚謙讓。見景

生情。隔壁告狀。絮叨叨多半晌。養家雖理當。愛錢也見長。休只管蛇吞象。（北宮詞紀）

打　談

趁人烟凑集。説平話幾回。敲扇鼓叢中立。幾聲嘹喨幾聲低。有那些虛張勢。贊美唐皇。褒彈漢帝。一覓裏謅到底。厖道兒也皮。口嘴兒也疾。偌多的虧他記。（北宮詞紀）

毛蓮石

毛蓮石，生平不詳。

複出

套數

怨別

【南中呂好事近】挑底上心來。

詞林逸響題作「怨別」，署毛蓮石撰。梨雲寄傲、秋碧樂府、群音類選、新編南九宮詞、南詞韻選、南宮詞紀、南音三籟、古今奏雅俱注陳大聲作。吴騷集、吴歈萃雅、吴騷合編、萬錦清音、珊珊集俱注沈青門著。兹已輯於陳鐸卷中，此不重録。

憶所見

【北雙調夜行船】缺月風簾碎影篩。

吴騷合編題作「憶所見」，注毛蓮石作。陳大聲樂府全集月香亭稿、北宮詞紀皆屬陳鐸。茲已輯於陳氏卷中，不重出。

秋閨別怨

【南中吕好事近】風月兩無功。

吴歈萃雅題作「秋閨別怨」，吴騷合編題作「秋日閨情」，南音三籟題作「秋閨」，珊珊集題作「秋怨」，詞林白雪無題，俱注毛蓮石撰。詞林逸響、古今奏雅署名沈青門。群音類選屬李文蔚。茲已輯於李氏卷中，不重出。

伍灌夫

伍灌夫，生平不詳。

套數

閨情

【南仙呂入雙調步步嬌】風送鶯聲春閨煖。好夢驚回嬾。身孤影也單。一度傷春。減去朱顏半。臨鏡畫眉彎。漸紗窗日上新粧緩。

【山坡羊】翠庭中晴絲撩亂。碧闌前香風遍滿。雕檻外花枝撒嬌。粉牆邊蝶影偏輕欵。好時光。誰人共與懽。凝眸暗想暗想低低嘆。姊妹相携丫鬟隨伴。心酸。淚將彈不敢彈。眉攢。恨難寬强自寬。

【五更轉】不如歸。將春勸。聽聲聲杜宇閑。漫空舞絮舞絮隨風斷。只見委地殘紅。不堪重玩。把榆錢。暫去與。春光換。無情風雨風雨相催趲。任他蝶戀蜂留。匆匆難挽。

【園林好】最傷情春歸怎還。苦相思人歸又難。空落得時時捱算。終日裡盼雲山。終夜裡夢雲山。

【江兒水】綉户蕉分翠。荒苔笋脱斑。緑重重晝永槐垂幔。青簇簇水淺荷擎幹。赤炎炎白日榴花粲。欲去拈針先倦。聒耳新蟬。故將我愁腸來唤。

【玉交枝】竹窗瀟散。竹方床飄動齊紈。玉肌涼沁渾無汗。向晚來意漸闌珊。消閑獨自憑闌干。梨花素臉擡香腕。細思量奴緣太慳。轉思量伊緣也慳。

【玉抱肚】[二]薰爐茗盌。伴乘涼銀蟾一彎。誤星飛螢點飄零。誤郎歸花影翩翻。徘徊雲漢。幾番欲睡奈心煩。細數更籌夜已闌。

【玉山供】[三]秋光逼眼。戰西風梧桐早刊。羨鵲橋雅會雙星。歎人間還守孤鸞。花箋寫就。争奈寄書人罕。危樓空目斷。恨漫漫。落日寒鴉不耐看。

【三學士】清宵永閑愁萬般。孤幃裡形影盤桓。生憎蟲語連愁聽。幾次燈花帶淚删。何處吹簫並弄管。心焦燥碾鳳團。

【解三醒】枕邊盟都成虚幻。薄情種慣把奴瞞。害得我懨懨鬼病相縈絆。秋意濟晚粧殘。看黄花也學閨中瘦。明月常窺刀上環。柔腸綰。惱人的是樓頭征雁。不帶書還。

【川撥棹】紅葉翻霜案。白泠泠玉露漙。攬孤衾頓覺輕寒。攬孤衾頓覺輕寒。夢魂兒何曾少安。待抛他却怎捹。待忘他又怎捹。

【嘉慶子】六出花飛隱翠巒。見竹瘦梅踈足雅觀。似水墨淡畫林端。似水墨淡畫林端。寂寂重門拒冷關。倦梳頭半嚲鬟。撥紅爐喚小鬟。

【僥僥令】唇頭看又短。情債幾時完。堪笑浪擲韶光人未返。賺得瘦腰肢欺小蠻。

【餘文】别離滋味應嘗慣。爲記憶渾忘茶飯。看取羅袖重重繡淚瘢。（情籟）

竊　玉

【南商調黄鶯兒】花色療飢呵。煞聰明秋水波。喜憐才憐到痴情我。待金屋貯他。金蓮襯他。做活觀音還少個蓮花座。脚兒那。香塵不亂。蜂蝶護裙拖。

【前腔】月寫一簾波。綽花風度綺羅。他玉搔頭斜整申腰個。靠香肩問他。待思量睡麽。我與你鋪床疊被先停妥。療情疴。要一身花汗。勾上小凌波。

【簇御林】〔三〕聽春城漏。花外過。渴相如催渡河。一個出酥胸燈下羞無那。一個討朱唇先過些兒唾。對熱心窩。千金一刻。風月細揩磨。

【前腔換頭】看他。輕鬟亂。越風韻多。到鏡臺前打一睃。我則待好花枝再折些兒個。他則道捉空閒再把人情做。囑鸚哥。這風流罪過。休説與别人呵。

【尾聲】這冤牽都是三生果。及早風流未墮。娶不如偷你會得麼。（情籟）

春杪代友述緣

【南商調二郎神】春消緻。弔東風杜鵑來了。記那日人面桃花相映好。三生有帳。裴航渡得藍橋。簫入秦樓初合調。做求凰他聲聲不要。燭花高。正三更巫山行雨瀟瀟。

【集賢賓】雲踪雨跡經過了。女兒家散了眉稍。夜去明來貪着好。顧不得冰清玉皎。老娘知道。霹下個避秦圈套。只怕花源小。着不盡這風流煩惱。

【鶯啼序】章臺依舊臨畫橋。歎無因再挽長條。亂春心一片啼鶯。助閑愁滿城芳草。萬一那倩娘魂閃出天涯。準備着尾生橋志誠立好。無青鳥。空望斷玉京瑶島。

【玉鶯兒】文君再醮。美周郎重尋小喬。拜花燈兩地牽腸。湊花期一樣今宵。愛的是鴛鴦錦毛。丹山鳳巢。恨只恨赤繩兒繫不上閑花草。語兒曹。新人前面。休説出舊根苗。

【琥珀貓兒墜】雙星拆散。銀漢永無橋。陌路蕭郎哭暮潮。爲相思消盡沈郎腰。紅綃。倘遇得崑崙。再整鸞交。

【尾聲】暮雲春樹把愁城繞。做不出换月移雲手段高。只落得燕子西飛怨伯勞。（情

籟）

〔一〕「玉抱肚」，原作「玉胞肚」，今正。

〔二〕「玉山供」，原作「玉山頹」，今正。

〔三〕「簇御林」，原作「簇玉林」，今正。

扶搖

扶搖，生平不詳。

小令

【南仙吕入雙調玉抱肚】

傷心末二句集唐詩

深情幽怨。最傷心斷送芳年。怕魂靈不逐空花。想心窩癖結樓船。霓裳欲上大羅天。

南方歸去再生天。落日深山哭杜鵑。（情籟）

花容月面。最傷心遠嫁胡氈。想恩情望斷金門。嘆塵沙摧萎紅顏。南方歸去再生天。

青塚常無草木烟。（情籟）

佳人何處。最傷心廢塚殘碑。草芊芊珠玉塵埋。水潺潺環珮魂歸。幾多紅粉委黄泥。

時見猩猩樹上啼。（情籟）

姚小淶

姚小淶，生平不詳。

小令

【南南吕懶畫眉】

詠芙蓉

蓼花汀畔錦雲秋。露冷容光帶暈羞。翠叢深處淺紅稠。酒力三分候。醉向風前學舞柔。（情籟）

獨憐憔悴訴江頭。圓鏡慵開眼倦丢。胭脂散作紫霞浮。萍破纖鱗逗。濺玉湘宫淡艷流。（情籟）

漁歌纔唱晚烟收。無數紅粧下碧洲。蕭蕭寒影趁波流。一夜霜華透。明日飛來蝶也愁。（情籟）

關關匹鳥宿河洲。少女盈盈倚翠樓。珠簾半捲上銀鈎。嬌眼隨波溜。鎮日粧成待好逑。（情籟）

套　數

咏秋波

【南商調逍遥樂】楚臺仙姊妹。飄渺芙蓉蘸銀水。淡粧濃抹頗相宜。瀟湘都雅。洛浦漣漪。巧映清輝。

【二犯傍粧臺】明岫翠雲飛。瑞烟輕撲紫羅幃。憑窗一片粧臺麗。情波兩帶畫痕齊。非關彩筆能空黛。自是天工色秀奇。嗔郎斜睨。光摇思迷。風流無限笑中堆。

【前腔】閑展玉簫吹。精神多費燭花時。澄澄玉溜平分細。涓涓星影半藏謎。端詳錦字鴛鴦鎖。仔細穿針乞巧絲。長空望裡。沙明雁低。朦朧疑泛渭川西。

【下山虎】白蘋惹岸。紅蓼偎堤。第一傷心處。江頭話離。比目鎮相依。鷺影逗清磯。露滴珍珠濺客衣。半染丹楓淚。從此寒温看阿誰。挑盡嬌姿媚。留戀難回。一路慇勤送馬蹄。

【前腔】素流瀉練。幽艷橫披。刀剪風聲碎。愁瞞九嶷。何處認湘妃。回首故園非。瘦竹蕭蕭柳葉摧。只有孤魂殢。香霧樓前鳳影稀。一葉來天際。遥望成痴。玉筋清清病暗欺。

【小桃紅】隔簾偷覷。語燕雙窺。討幅紅絲去也。商飈漫催。憶昔多傳遞。到如今枯澁有誰知。落得綉時慵。醒時醉。彈指空凝睇也。夢到潯陽浪又遲。强掩緗紋被。淚痕怎醫。淹得峨嵋月也虧。

【尾聲】多情早犯多花祟。轉眼恩波如此岐。丢向霜天不療飢。（情籟）

張葦如

張葦如，生平不詳。

小令

【南商調黄鶯兒】

寒食雨中六景

桃

寒食小桃風。鬧盈盈水路通。紅紗帳底低聲送。雲忙興濃。雨狂態慵。一番卸下多情種。滿腮烘。還將一線。溪口殢遊蜂。（情籟）

李

清影瘦遲遲。嫁東君早自嫌。你生身好似梨魂閃。芝香嬾添。梅粧懶拈。你今生寒

薄是前生欠。雨淋纖。粧奩幾許。淡掃玉山尖。（情籟）

柳

鶯夢柳眠長。鞞纖羅拂水凉。風姿雨性隨他敞。半迴眸淚粧。半低腰病粧。朦朧〔二〕鎖下銷金帳。醉雲鄉。嘶嘶郎馬。烟雨濕絲韁。（情籟）

杏

簾色上花妖。鬧春心燕子腰。彎描淺掠多般俏。要蕭郎路口招。趕吴娼馬上抄。酒魂旛飛出相思表。雨繅繅。厭厭脂粉。和淚剪兒曹。（情籟）

玉蘭

脂粉未曾傅。小姑香貼面迎。縞衣雪氅偏端正。狂風乍驚。濃烟漫傾。俏身材頃刻無乾淨。玉卿卿。芝蘭何處。空賺白頭名。（情籟）

竹

脩竹滿溪攤。舊衣裳未改翻。丁丁个字千和萬。撇相思淚暗彈。捺相思粉暗班。則

見他雨絲纔弔下風絲挽。急梳鬟。瀟湘幾路。隨夢到關山。（情籟）

【南仙吕二犯桂枝香】

哀蛩吟

絡緯

秋娘兼總。青絲分控。程程趲上工夫。只在虛聲相哄。難容。春蠶枉費千萬功。將身碎剮湯鑊中。又誰分勤與慵。柳綿不煖。榴裙怎縫。蓮衣吹破。樹寒剪絨。線字驚邊戍。砧聲咽晚風。（情籟）

殘螢

浮生猶勁。微輝還剩。不嫌月色遮欄。且逐星花飛映。宵行。囊珠錯貨十五城。回頭一劍魂已傾。又誰分暗與明。借光無路。偏仇此兄。埋名隱㈢處。避他火坑。漫説乾坤腐。酸風捲暮庭。（情籟）

寒蟬

頹楊秋貢。餘炎煞總。不消幾撥絲桐。驚散書香清供。彎弓。心機使盡枯殼空。疎狂反罣羅網中。又誰分啞與聾。聲名已破。何須捕風。輪轅頗勁。何堪臂攻。絶續西陽下。加餐白露濃。（情籟）

蟋蟀

閒堂標韻。空堦列陣。戲他力戰三時。變態炎涼堪憤。心嗔。股肱頓作沙艸塵。摧殘羽翼飄瓦盆。又誰分武與文。啾啾寒壁。鬢眉欠伸。貪他嬌養。拘籠此身。同穴年年誓。依人別轉門。（情籟）

【南仙吕入雙調玉抱肚】

記恨

十年愁塊。死心肝依然弔囲。破芙蓉百尺樓城。掘桃源九曲香堤。天涯一夢反心疑。着甚因頭支會伊。（情籟）

【南仙吕九迴腸】

見整鬏者代友述

扇春心誰家花樣。挽靈皂褪整雲牆。腰肢扭捻風偷敞。莽遊郎怪眼相搶。尖頭早犯風魔寇。踪跡時牽落托狂。心飛痒。則見他手兒欲掉難輕放。則見他秀臉回笑轉忙。他惺惺緊護鴛鴦種。我魆魆揉寬雲雨腸。怎得付勾魂索。包纜了。還把望夫石壓住了雙雙。（情籟）

套數

彭郎娶小姑

小孤山孤峰峭拔，枕江北與南崖諸山對峙。江流至此，隘東而出。上有神女廟共彭郎磯，相望盈盈，故俗有彭郎娶小姑之語。

【南仙呂桂枝香】星期活現。冰魂推薦。清清坐落空潭。一路花鞭斜串。謝東君鍾情。謝東君鍾情。少年批選。夙懷俱剪。報人天。幾册鴛鴦譜。風流穩占先。

【排歌】柏露霑衣。松雲掃烟。幽禽解意迴旋。兩行蓮妓點華筵。嬝嬝霓裳王水邊。天花舞。天籟喧。蝦鬚無力引雙仙。香風渺。香韻翩。仙娥羞怯倚窗前。

【繡太平】〔繡帶兒〕桃花静春纖笑撚。鮮粧嬾貼金鈿。雲堂清鎖黄昏。今朝喜色嫣然。〔醉太平後〕纏綿。絲蘿控入武陵源。更美滿月華飛練。玉郎嬌顫。爲盈盈暮雨。强辭歡晏。

【三解醒】〔三學士〕髻子玲瓏峰約倩。眉山一派娟娟。半簾風拂江花影。曲檻香推碾玉輧。〔解三醒〕昨日含情偷半扇。親對梳臺倍可憐。情如線。喜蘭膏先結。錦片濃緣。

【大節高】〔大勝樂前〕流蘇挽。笑語輕便。紫簫聲偏和軟。春光醉上芙蓉面。〔節節高後〕烟霞眷。風月妍。長生院。雲香雨韻多留戀。朝烟晚翠飛花片。繡幙身輕不自持。空山静落閑釵釧。

【東甌蓮】〔東甌令前〕蕋珠殿。翠瑶軒。古樹迎風奏管絃。閑來各跨雙鸞轉。笑牛女星星願。年年抛擲錦梭眠。〔金蓮子後〕待管領蓋世間。幾椿情。花燭買千千。

【尾聲】莽巫陽今幾變。清磯玉廡自俄延。休問江干數葉船。（情籟）

姑津

小姑占有彭郎，奈何令大姑作老女不嫁乎？大姑即大孤，在東南彭蠡湖中，霧鬟雲鬢，宛如凝睇。此一衣帶水，真成姑津。

【南南呂香遍滿】武昌門阻。彎彎柳眉嬌放初。粧曉開時添鏡憮。寸絲空賺魚。魚花影也無。只差一線紆。怨瞞了迷天霧。

【懶畫眉】隔山咲語煖流蘇。此地風光冷畫圖。吴烟楚雨漲銀湖。一葦誰憐渡。古木寒涼泣鷓鴣。

【二犯梧桐樹】雙鬟帶恨梳。翠黛供羞護。尺浪排空。煞把姻緣垔。龍堂暗鎖今無主。半摺鮫絲掛了風情去。凄涼更值凄涼雨。慘慘孤燈。照起江心千櫓。

【浣溪沙】鐘漏殘。松聲呼。玉盤香枉自煎枯。星槎嬾上羊腸路。月老慵脩鵲尾書。盈盈覷。覷不出渴相如。笑吟吟贈來一帖靈符。

【前腔】雲夢賒。濤威措。聽鼉鳴直浴天衢。山頭盡種煩冤樹。海穴都栽懊惱株。横江據。喝住了粉頭顱。要迎郎霎時幻作形模。

【劉潑帽】糢糊。錯占了離魂舖。把年華伴老居諸。鴛鴦網落三星渚。空歎吁。看幾個輪新故。
【秋夜月】天天。欺負了奴。這滋味渾如醋。胃水生酸重添苦。拚將一命憑他賭。他待要活煮。却如何潑斧。
【東甌令】難開豁。甚支吾。亂撒珊瑚染淚珠。風聲瑟索攙驚怖。紙帳裡清清塑。憔顔悴色十分孤。好揉心迹訴蟾蜍。
【金蓮子】意轉輸。想前生狼籍烟霞圃。今世裡相思罰滿車。只指望舊彭城。彩鸞飛御詔下蘅廬。
【尾聲】恨崑奴不相雇。茫茫潮汐送征艫。老大何人肯嫁渠。（情籟）

桃　雨　夜代述

曲巷人烟欲静，小樓香色無塵。爰有二喬，於焉清鎖。或媒有待，或艾而孀。咸畜奇聲，共沉國選。暖閣風清，不帶一分春信；素帷香杳，閑銷幾縷游絲。詩敲月白，綉落晴陰。互印蛾眉之巧，雙勾楚殿之腰。秋以素而愈輝，春以艷而益雅。彼美同居，矢一心於十字；余懷孤賞，悲斂迹以藏名。雖不言自芳，寄幽貞於空谷；而無因難合，願秣馬於江濱。青蓮已往，敢誇白雪之章；紫燕時來，傳去烏衣之巷。

【南仙吕入雙調步步嬌】春意樓前雙雙到。姊妹花争笑。風翻燕子腰。穩住金鈎。未許蜂黄鬧。香逐綺窗飄。個中丰韻和烟裊。

【香羅帶】閑將心性調。兩容並嬌。粧成自有真色標。漫教聲價等閑高也。况是多才料。逞苗條。翩翩舞袖隨風嫋。倦倚着闌干也。笑理花前一曲簫。

【醉扶歸】一個艷精神竟日簾櫳曉。一個素心情淡灑雪天潮。一個舊桃源先送一枝春。一個未飄梅嬾上漁郎釣。茫茫何處問星軺。從容且護真珠窖。

【皂羅袍】愛你兩般懷抱。更深深清鎖。一樣情苗。王孫空向彩雲招。仙姬不惹閑煩惱。詩盟月案。花陰共敲。靈心秀腕。明窗細挑。幽閒好位風流少。

【好姐姐】英豪。非同女曹。歹巫雲風吹散了。許多情態。全向鬢雲撩。魂都掉。一梭身子憑誰靠。兩朵蓮花籠碧綃。

【香柳娘】把衷腸暗禱。把衷情細禱。玉人低叫。叫他耳熱心驚跳。盼銀河路渺。悵銀河路渺。月落楚江騷。絃斷秦箏悄。是紅塵仙島。愧紅塵仙島。年年數柳條。星星不湊巧。

【玉交枝】一簾花罩。煖融融朱圍翠翹。從天脱下迷魂稿。到頭來心迹誰描。他綺香烟静逐着紫羅濤。我筆尖華遠貼着瓊枝掃。不是他作怪粧喬。爲誰呵冰心似火燒。

【憶多嬌】我神暗交。他運未高。揀盡寒枝嬾鵲巢。金雀空啣小玉搔。想是鮫綃。想是鮫綃[三]。織造的日神遇枵。

【月上海棠】恁無聊。三生石上雙星照。請孤放了。扶你低渡藍橋。換一條錦繡心腸。博[四]一幅芙蓉紫誥。休聒[五]噪。看銅臺一座。漸落雲稍。

【餘文】貪花個個睛兒飽。第一人才[六]誰識的早。冷處裡留情咱獨叨。（情籟）

咏朱唇

【南南吕一江風】那嬌娃。丰韻偏幽雅。貼面脂香射。半籠衫。欲語無言。暗憶當初嫁。活泛小年華。回頭犯落霞。自鮮妍。不靠臙脂炸。

【紅衲襖】偏宜那鬱金傍輕點砂。偏宜那紫簫聲和恨啞。偏宜那燭花前説破疑心話。偏宜那曉鐘沉喚醒癡夢槎。最苦是渴相思頻告乏。轉立向冷粧臺含半甲。細剔出心頭百樣濃愁也。只圖個夫婿風流合璧誇。

【前腔】好似破櫻桃初濺牙。妬榴花半滴珊瑚掛。怯江干嚼碎芙蓉鮓。淺紅梅笑吐白雪芽。更添些麝蘭香風味斜。只弄得美津津檀口滑。却被多情輕囓也。這套寒温不浪沙。

【前腔】想你撲花蝶噓粉搽。想你吹金鱗紅影罅。想你剝瓜仁消得工夫暇。想你寫烏欄(七)被兔脂兒吮污些。剛則道會撩人嘴臉乂。早配上脆丁香尖巧法。好幫襯的蠻腰也。幾次沉吟欸慰咱。

【前腔】我呵願做綉殘絨沾唾花。願做筋雙雙分勸斝。願做掃眉尖要他短氣親呵畫。願做嬾鸚哥聽他囑付千千下。只貪着解春酲徹夜洽。便耐些撒嬌時含糊罵。罵道甜語温言休別處兒刁也。教我咋舌吞聲倒半榻。

【大影戲】萬金高價。是誰做伐。腮底印驗無差。情慵不奈相和答。輕可也惜羞擔怕。更着幾句。美情詞芬韻交佳。好倩雙丫。譜入琵琶。

【前腔】佯嗔作耍。隔簾語譁。陪姊妹叫留茶。偷寒送煖休嫌寡。須避却閒遊話靶。盈盈一笑。儘教他破國傾家。幾陣寒鴉。鬧舞空衙。

【尾聲】十三學放人情假。我只道憐香惜玉粧謎啞。却占了雲雨關津仔細揸。(情籟)

贈　妓

【南南吕香遍滿】瞥然相見。烟花隊中誇少年。宮樣眉兒雲鬢淺。粉容誰比妍。梨花帶雨鮮。柳腰欸欸旋。似燕子風中顫。

【懶畫眉】一般丰韻賽非烟。紅暈微微印玉顔。倚風無力怯秋蟬。嬝娜真堪戀。掌上珍珠畫裡仙。

【二犯梧桐樹】貪情半嚲肩。送意斜窺眼。俏語低聲。宛是鶯簧軟。嫣然一咲嬌無限。滿座生春。驀地令人思欲顛。凝羞故把東風怨。曳動羅裙。好一似飛花風捲。

【浣溪沙】芳心暗牽。蘭情最善。算風流占斷人間。偏宜逸客來相眷。未許村夫也溷纏。名姝選。你看那瘦龐吹得轉。低徊自可人憐。

【劉潑帽】娟娟密態忘矜衒。淡梳粧冷落釵鈿。相逢不做春風面。情性偏。俗套兒都休串。

【秋夜月】山水有緣。陪不了歡娛宴。咲舞花前飄香遠。輕行月下弓鞋倦。遥望自蹁躚。細看尤婉孌。

【東甌令】挑情興。伴清閒。意外温存筆不傳。秦樓楚館何須羡。只落得巫山便。紗窗月滿繡衾掀。春入枕兒邊。

【金蓮子】聲價懸。風塵鑑賞應還鮮。俺只愛儀度天然。轉笑那效颦的。强搽眉描臉向人前。

【餘文】試把青樓評遍。妍媸品定若天淵。偶醉後揮毫賦短篇。（情籟）

〔一〕「朦朧」，原作「矇曨」。
〔二〕「隱」，原作「穩」。
〔三〕疊句中二「綃」字原作「鮹」。
〔四〕「博」，原作「愽」。
〔五〕「聒」，原作「刮」。
〔六〕「人才」二字模糊不清，似爲「人才」，兹姑補之。
〔七〕「欄」，原作「幱」。

徐士俊

徐士俊，原名翽，字三有，號野君，别號紫珍道人、西湖散人。浙江仁和（今屬杭州）人。好樂府，工雜劇，與同里卓人月詩詞賡和。有雁樓集，散曲附。生於明萬曆三十年（一六〇二），卒於清康熙二十年（一六八一），年七十九。

小令

【南南吕楚江情】

次袁鳧公韻

春風掠鬢涼。花飛滿床。堤頭戲馬鞭太揚。踏殘芳草落紅香。也把珠簾高捲。瑶琴細張。逗得咱耽眠乍起如緑楊。綰住垂絲莫向行人蕩。你看煙青罩小窗。煙青罩小窗。山青凝短牆。鎖不斷春愁況。

【南中吕尾犯序】

四美寓言

銀燭繡簾明。一束紅絲。無限牽情。昨夜香閨。聽珊珊珮聲。佯整。驚羨煞穠桃豔李。卻湊着鴛稠鳳枕。銷魂處。雙眉畫就深淺問低聲。

小婦更娉婷。例做傍州。權亞夫人。恐怕他嫌。向花間定情。眉影。一般是雙蛾細柳。立遍了苔階梧井。星兒嘒。宫閫景色辛苦並甘心。

團扇倍關情。往日芳姿。忽地交承。婢妾雙魚。結三生水因。廝倖。香馥馥含桃素口。軟怯怯楊枝小影。還堪伴。風流雅謔不負鄭康成。

夫婿狹斜行。野渡鴛鴦。三豔齊傾。可惜珍珠。擲紅樓户桯。豪興。聽不厭瓊簫象板。抱不盡花魔酒病。專待取。春風領袖馬首看分明。

【南小石調罵玉郎】

豔　情

只索温柔鄉内棲。揭起芙蓉帳。處處迷。佳人絶代正相宜。裙羅襦。暢好是鴛枕斜欬。對銀燈笑吹。對銀燈笑吹。怎便熱臉羞偎。傍酥胸細思。傍酥胸細思。當不過他粉香滑膩。忍不住蜂黄狼藉。驀忽得顫動流蘇。驀忽得顫動流蘇。金釵溜下。蟬鬢葳蕤。揹雙鈎舞三眠雨亂雲飛。愛只愛櫻桃綻玉津偷遞。度盡春花秋月時。算這相思簿。肯動移。教人恨殺五更雞。夢初回。報道是麗日紅閨。乍閑行又隨。乍閑行又隨。生就並蒂雙枝。借金莖一杯。借金莖一杯。暫解俺病懷渴味。怕都是水痕花氣。被人説兒女情長。被人説兒女情長。銷魂粉陣。半臂難推。做殷勤助温存淚眼愁眉。那裡討滿園春霎時同聚。最苦歡濃又別離。寂寞長亭路。折柳稀。年年斷送幾娥眉。怪鶯啼。偏湊着燕子來時。捲珠簾恨誰。捲珠簾恨誰。遺盡落月深帷。怕吹薦嫁衣。怕吹薦嫁衣。準備着裏朱外翠。好幫襯豔粧新髻。這時節人在樓頭。這時節人在樓頭。幽懷逸思。感動紘徽。縱題名與傳臚和那駟馬高車。怎比得被窩兒那般滋味。

按：右曲牌原作【北罵玉郎帶過上小樓】。簡譜云：「試思，罵玉郎爲南吕宫曲，上小樓爲中吕宫曲，如何帶得過去。況此曲聲譜，完全南音。」據吴譜正。

【北雙調二犯江兒水】

贈弦索施誼之

蘭陵風韻。傾倒煞蘭陵風韻。乍驚花芳信緊。看香檀按雪。慧舌流雲。賽張娘紅豆穩。楚楚奏新聲。依依戀舊人。煙月精魂。絲管清芬。便周郎應讓恁。秋宵雁群。怕吹落秋宵雁群。春初鶯嫩。學得個春初鶯嫩。這相逢似旗亭一樣聞。君家聰俊。羨的是君家聰俊。抱秦箏閒自品。甚吳歈浪比。越調堪矜。下流泉纖指吟。今夜客中聽。他年夢裏尋。十二時辰。三五黄昏。助相思單着枕。勝國施君。休只羨勝國施君。東吳豪興。還剩卻東吳豪興。縱天涯肯忘伊一片情。

套　數

詠　桃　花

【南大石念奴嬌序】江南媚景。看桃花滿樹。新粧妖冶春工。十里西湖。光掩映驕煞人面微紅。相共。朱户雕欄。畫簾銀蒜。鶯呼護在小衾擁。〔合〕君對此。休嗟緑瘦。

攀住春風。

【前腔換頭】仙種。天台路逈。問當時劉阮。歸來回首悲痛。去後誰栽。端的是前度劉郎玉洞。遙夢。上苑春明。宫鶯啣出。御街踏遍馬蹄紅。〔合〕君對此。休嗟綠瘦。攀住春風。

【前腔換頭】寒凍。我欲剪出春衫。裁成半臂。夜深燈火月華濃。閒比並似半朶佳人簾櫳。爭寵。第一橋邊。吹簫明月。嬌嬈佔斷兩湖中。〔合〕君對此。休嗟綠瘦。攀住春風。

【前腔】愁送。犬吠花源。雞鳴桑樹。夾林惆悵捕魚翁。人世上難駐脂肉芙蓉。驚恐。倩女魂歸。夕陽花影。一時啼老杜鵑紅。〔合〕君對此。休嗟綠瘦。攀住春風。

【古輪臺】小車中。金鈿自鎖翠眉濃。隨他露浥閑招颭。生來矜重。怕陌上相逢。三五閨心挑動。之子于歸。古人祝誦。把桃夭都譜入管弦中。如今一統。算從來化起深宫。漫嗟薄命。不禁狼藉。煙花塵冗。白鼻與青驄。風流種。耆卿墳上酒杯湧。

【前腔換頭】神通。幻出纖影芳蹤。荒園内李妹桃姑。一班供奉。幡影摇空。未許金鈴風動。更有换蕊移枝。真人撮弄。白日青天破幽夢。三生果種。況王家小婦姿容。

桃根桃葉。秦淮渡口。流連目送。豔異古難窮。但願春光永。被窩穩似燕泥封。

【尾聲】風情亂星眼朦。畫不出遙山翠聳。細寫鴛鴦花瓣中。

湖上偶然作

【南仙呂桂枝香】朝煙山罅。鋪來如畫。正當門楊柳雙株。搖曳處晴絲風掛。是芙蓉舊居。是芙蓉舊居。圖書盈架。峰巒幽雅。夕陽斜。可有誰家美。招儂去喫茶。

【不是路】油壁香車。蘇小西陵松柏芽。今誰亞。松陵柳子號吟家。得逢他。兩湖春色千金價。一段風流半縷斜。樓頭話。墨光鬢影驚飄灑。似玉床初下。玉床初下。

【長拍】爲雨爲雲。爲雨爲雲。不雲不雨。惹起六橋喧吒。清箋浪擲。趁西風雁落平沙。柳絮天涯。記那時堤畔。共卿閒踏。愁殺西湖明鏡裏。留不得一枝花。依舊爇孤鶯寡。歎門前柳色。惟有啼鴉。

【短拍】翠掩重門。翠掩重門。新詩手把。這其間薄粉輕紗。酒醒夢難加。逐句句端相真假。漫説置書懷袖。看他個三歲尚含葩。

【尾聲】讀書燈紅生蠟。美人環珮護雲霞。方通道柳汁青青染嫩芽。

南北雙調合套

集曲牌名

【新水令北】御林春色繞河橋。十二時擔煩受惱。六幺新令舞。三疊舊歌飄。懶畫眉梢。聽賣花聲唱過了垂楊道。

【步步嬌南】思憶王孫何時到。水底魚書杳。四園春自嬌。薄倖不來。一枝花老。羅帳裏坐無聊。玩仙燈不覺天將曉。

【折桂令北】意難忘再訴心苗。多敢是沉醉東風。忘念奴嬌。幸負俺銷金帳裏。梅花酒好。幸負俺錦堂月下。寶鼎香銷。恨繞紅樓針線箱拋。助人愁的玉漏遲遲。四邊靜悄。

【江兒水南】何處迎仙客。空傳碧玉簫。章臺柳漫賦青青好。祝英臺恨殺來生杳。虞美人死向烏江道。金谷園生荒草。月照西江。不見夜行船到。

【雁兒落帶得勝令北】還想甚傍粧臺把翠黛描。還想甚剔銀燈把羞容照。還想甚石榴花裙着腰。還想甚香羅帶同心好。還想甚金蓮子垂雙耳。還想甚玉交枝插翠翹。金焦。做不得海棠花供歡笑。小桃。卻趁那桂枝香雲外飄。

【僥僥令南】鬧樊樓上戀多嬌。愁殺我獨鎖寒窗怨寂寥。纔見漢宮春信早。又不覺金索掛梧桐秋色饒。

【收江南北】呀。本待要駐雲飛去呵。不是路怎相邀。只落得滿江紅淚似波濤。哭相思這遭。哭相思那遭。青衫兒温透好無聊。

【園林好南】梧葉兒庭前亂飄。玉芙蓉江邊開早。刮地風恁般寒峭。誰寄去皂羅袍。誰寄去皂羅袍〔二〕。

【沽美酒帶太平令北】風馬兒簷前鬧。掛玉鉤聲韻巧。俺只道雁過南樓有信稍。元來是吹畫角霜天曉。好教我意遲遲心轉焦。倘秀才何方流落。好姐姐共誰歡笑。罵玉郎問伊知道。哭皇天玉山頽倒。我呵這相思雲高。月高。節節的高。呀。一封書倩誰傳到。

【尾聲南】聲聲慢唱多情調。得稱人心在那朝。但願得永團圓同到老。

小婦詞

【南商調十二紅】〔山坡羊〕乍相逢銀燈一笑。亞夫人贈伊封號。問芳年亭亭有餘。破瓜期此夜才知道。〔五更轉〕滴秋波。捱暮雨。襄王到。低頭小語小語釭花俏。恐怕援例傍州。被娘子軍聲驚哨。〔園林好〕記當初韋郎玉簫。賀佳配周郎小喬。桃葉渡寒波輕棹。〔江兒水〕羞酒停歌。伴學士茶香雪照。〔玉交枝〕朝雲吹杳。剩西湖笙歌畫橋。愛他通德伶玄好。怪不得紅暈眉梢。〔五供養〕驀忽五更雞叫。没亂裏衣裳又顛又倒。櫻桃樊素口。楊柳小蠻腰。羞殺是低聲手語紅綃。〔好姐姐〕窈窕。玉床斜靠。渾一似芙蓉夜嬌。相如福分。添個茂陵琴操。〔玉山頹〕金爐煙影瘦。意飄蕭。曉風兒吹起夢魂消。〔滴滴金〕紫釵翠翹。行來珮環隨步摇。新穿杏子衫豔嬌。〔川撥棹〕那更長裙繞。襯瀟湘水色遥。愁只愁一束春條。愁只愁一束春條。向百尺樓頭帶月描。〔嘉慶子〕把風姿覷個周遭。把風姿覷個周遭。心字香濃鴛鴦被怎教。〔僥僥令〕蠙珠傾六斛。燕尾喜雙桃。走馬章臺花巷小。肯换卻花間騮馬驕。

【尾聲】小孤山色青來好。奈小婦新官初到。怎禁得一紙降書在城下招。

集鳥名

【南南吕梁州新郎】鴛鴦雙宿。鸞鳳齊跨。對對收香倒掛。金衣公子。長陪燕尾年華。試聽催歸杜宇。勸酒提壺。百舌枝頭話。數行雁字也寄天涯。行不得哥哥可憶家。〔合〕隨鳥使。來花下。碧桃紅杏相低亞。傳綵筆。譜雲霞。

【前腔】伯勞東去。鷓鴣南下。野鶴横江半夜。西雝振鷺。昭陽日影寒鴉。只見桑間鳩婦。籠内鸜哥。鎮日相思話。白頭翁老也染霜華。秦吉了生來識漢家。〔合〕隨鳥使。來花下。碧桃紅杏相低亞。傳綵筆。譜雲霞。

【前腔換頭】步摇輕翡翠横斜。羽觴飛鸕鷀傳把。更海青搏兔。雲白鷺蛇。可是畫眉未了。姑惡頻催。盍旦心猶詫。一聲啄木也莫驚訝。野鶩山雞總一家。〔合〕隨鳥使。來花下。碧桃紅杏相低亞。傳綵筆。譜雲霞。

【前腔】執金吾辟惡驅邪。山和尚行飛坐化。做竊脂糊口。老鸛彈牙。何日鷦鷯夢穩。孔雀屏開。金翅光無價。得過且過也儘風華。萬里鵬程自返家。〔合〕隨鳥使。來花下。碧桃紅杏相低亞。傳綵筆。譜雲霞。

【節節高】連朝鵲語譁。竹雞啞。臨池放筆驚鵝鴨。鶺鴒者。鸂鶒耶。流離也。争傳吐綬文光射。雙鳧點點隨波下。〔合〕莫使歌殘鳥聲悲。春來又把桃花罵。

【前腔】葱鶯水面過。雪姑嗟。溪頭沙嘴鴳鶺話。晨風乍。戴勝加。泥滑滑。文山鴻豹難停踏。江東桔□群飛下。〔合〕莫使歌殘鳥聲悲。春來又把桃花罵。

【餘文】繇來花鳥同評跋。何處秋蟲得近他。指點芳名堪□雅。

花月美人合詠

昔云：世無花、月、美人，不願生此世界。余深喜茲語，倣古樂府三婦豔之意，按拍歌之。

【南黃鍾畫眉不盡】花瓣美人頰。不惜珍珠浪輕捨。喜盈盈三五。自堪比絜。按紅牙錦幃重施。握青管機絲三絶。春江正好。花陰月斜。秋娘未老。花房月遮。温柔鄉裏尋周折。

【羅袍再穿】生怕幾番開謝。更瓊樓高處。霧渺煙賒。美人家住畫橋斜。小名掛在壚頭者。莫咨嗟。駕香車。打起鶯兒驚夢蝶。

【封書另修】撩亂滿天涯。笑回頭都是也。風流債欠些。略奇擎齊帶挈。但使是鄉吾老矣。何事他行得並耶。絆瓜瓞分明三婦。小大莫争些。

【黄鶯有偶】高髻學靈蛇。礙花梢不住斜。開簾拜倒新生月。花兒姐姐。月兒姐姐。幾時同會瑤臺闕。休浪説。那裡是三分鼎折。

【集賢會友】繡腸幾曲千萬結。生來不分癡呆音耶。鏤玉雕瓊光照徹。肌和骨疏影横斜。釵分綺列。配得上個中枝葉。無年夜。没倒斷弄月争花。不禁狼藉。

【醉翁未醒】看者。清世界三無一缺。況象板銀箏。相催不迭。佳絶。小立在屏前。半露出雙頭紅錦靴。勾惹。禁不得枕上顛狂。紫釵清跌。

【琥珀回文】歌殘玉樹。美酒滿紅椰。管領春工花鳥帖。青青柳色芳菲節。且且。且與那舊日佳人。斷香重接。

【尾聲】情根一點春成屑。花福還宜消受些。莫道君家心性野。

春　懷

【南仙吕入雙調步步嬌】初試單衣餘寒裏。一抹香肩嚲。堤頭鶯燕多。覆着衾窩。愁殺閨中我。樹裏乍聞歌。問青春怎地因循過。

【沉醉東風】草如茵鋪來翠窩。剛没有香車碾破。朱欄下轉回波。影兒雙個。鏡臺邊舞鸞羞那。花間笑呵。人前慢哦。閑將柳帶輕輕摘着細搓。

【園林好】丢一簇春山淡螺。分半面胡伶漾波。數寸鞋痕輕挪。單接着珮環拖。單接着珮環拖。

【江兒水】何處深閨豔分明。林下娥。自然風韻宜花朶。曲曲紅橋牽衣坐。直欄橫檻華生唾。怎知道有個人兒心可。揣着風流。等待佳人抛果。

【五供養】傷心怎麽。有限韶光占定春窩。花房蝶夢冷。樹底鳥聲和。留儂若個。甚處裏閑衾擁臥。過了花朝也。線添多。勸娘莫去踹紅靴。

【川撥棹】相思課。正初開詞女科。湊將來雙美無多。湊將來雙美無多。恰好似鶯花舞歌。襯湘裙六幅波。看緗絇兩點梭。

【尾聲】閒愁掛在紗窗左。但斜月欄杆清坐。欲報私書怎奈何。

〔一〕此句原僅書「〔又〕」，兹據曲譜補。

汪膺

汪膺，字元御，號玉淙，南直隸長洲（今蘇州）人。汪琬父。天啟丁卯（一六二七）舉人。卒年三十一。有寸碧堂稿。

套數

除夕

【南仙呂入雙調步步嬌】暗逗瓊葩韶光轉。玉砌香猶淺。良宵共綺筵。銀箭初傳。欲別情還繾。白苧試新弦。仗清歌喚起春如線。

【醉扶歸】暖溶溶翠袖籠香篆。燦紛紛銀花散彩煙。浪愁多情。債惹鴛鴦。但年來心事隨飛燕。無端春興入流年。徘徊還向燈前見。

【皂羅袍】堪羨玉梅低捻。問東君消息。眼底誰傳。瑤華凝駐彩雲邊。東風漫過閒庭院。寒歸何處。簾垂暮天。陽回何處。枝籠淡煙。紅樓一夜笙歌遍。

【好姐姐】從今。莫教意牽。總今宵破除銷遣。閑愁舊悶。都送入殘年。添新戩。瀛洲壽算河陽選。更金谷風流鄴下賢。

【香柳娘】願春來盡駢。願春來盡駢。賞心誰羨。玉簫吹徹餘寒淺。聽鐘聲欲傳。聽鐘聲欲傳。離別有誰憐。一杯且教餞。撥寒灰更然。撥寒灰更然。無計流連。只得放伊回轉。

【尾】天公耐把芳辰展。可是去年人面。待看取妝點春華出上元。（寸碧堂稿）

端　陽

【南商調二郎神】薰風爽。傍雕欄正葵傾日漾。玉壘巢空新燕長。低飛掠水。欣逢時序端陽。遍結香蒲懸翠幌。逗離情又添新況。是誰行。竹西歌吹偏度與淒涼。

【鶯啼序】喧闐何處哀楚湘。蘭橈雙趁桂槳。怎做得桃葉迎郎。空自有椒花催浪。看投糈龍沫波浮。悲沉黍彩絲輕颺。都虛謊。剛載得暮愁千丈。

【簇林鶯】心自怏。念怎忘。問懷沙人那廂。平蕪天遠渾難望。新知味長。別離意傷。生譜出斷腸情況。騷辭上。路微茫。夢魂飛渡。欲附彩雲航。

【啄木兒】倦追游。懶下床。玉秫炊香無意想。掩珠簾艾虎懸鈎。引清飈紈扇回涼。更難忘榴心細束千重絳。蘭湯輕沐三生浪。紅袖雙纏一縷長。

【滴溜子】横煙暮。横煙暮。哀些楚江。凌波渡。凌波渡。笙歌晚涼。玉燕鏤成新樣。奈飛不到瀟湘。空懷悒怏。怕對宜男。懶帶雄黄。

【水紅花犯】又是佳期虚枉。倒芳樽誰與嘗。裁昌歜疊絳囊。總添將相思魔障。靈符驅辟。未全降住膏肓。層層續上。恰還如花繒縈臂。一絲絲綰斷腸。只落得淚成行也囉。

【尾】花箋寫就丹書樣。分付靈蜍持上。待問取月窟嬋媛甚日雙。（寸碧堂稿）

李　清

字映碧，一字心水，晚號天一居士。南直隸興化（今江蘇興化）人。崇禎四年（一六三一）進士，歷官刑、吏、工科給事中，大理寺丞。明亡不仕，閉門潛心史學。康熙間徵修明史，辭以年老不至。有女世説、澹寧齋集史論、史略正誤、南北史合注、南唐書合訂、三垣筆記、南渡録、明史雜著等；著有小説明珠緣，又名檮杌閑評。生於萬曆三十年（一六〇二），卒於康熙二十二年（一六八三），年八十一。

小　令

【南南吕梁州新郎】

緑茵鋪綉。紅英卻掃。雅襯腰肢纖小。焦桐横膝。試將玉指輕調。只聽高山流水。別鶴孤鸞。盡聽鍾期妙。朱弦聲續處。軫微抛。無限春情個裡消。宫將换。移他調。暗中忽作求凰操。情脈脈。許誰道。（明珠緣）

楸枰閑對。石床斜靠。玉筍驚飛風雹。分邊入腹。何妨坐老仙樵。只見凝眸審視。

握子沉思。各運神機巧。人人争國手。慢推敲。先後惟求一着高。齊拍點。同歡笑。局終不減商山樂。分勝負。見奇妙。（明珠緣）

【北雙調二犯江兒水】

宫花争笑。見無數宫花争笑。盈盈掌上嬌。美香茵襯穩。蓮瓣輕翹。細腰肢一捻小。回雪滿林梢。輕風颺柳條。衣蝶齊飄。釵鳳頻摇。小弓彎合拍巧。西施醉嬌。絶勝那西施醉嬌。小蠻清妙。[一]好一似舞霓裳一曲小。（明珠緣）

歌喉清峭。百轉歌喉清峭。似流鶯花外巧。更舒徐嫣潤。圓轉輕揚。比驪珠一串小。白雪調須高。陽春曲自操。聲振林皋。響遏雲霄。按中州音韻好。梁塵暗消。直繞得梁塵暗消。吴歈清妙。直個是吴歈清妙。又何須娱秦晉返駕邀。（明珠緣）

〔一〕「小蠻清妙」下脱一疊句。

陳子龍

陳子龍，字卧子，亦字懋中，又字人中，號軼符、大樽，别署於陵孟公，南直隸華亭（今上海松江）人。工舉子業，兼治詩賦古文，取法魏晉，駢體尤精妙。崇禎初，參加「復社」，並與夏允彝等組「幾社」，以文章氣節相砥礪。崇禎十年（一六三七）進士，選紹興推官。以定亂功，擢兵科給事中。命甫下而京師陷，乃事福王於南京。以時事不可爲，乞終養去。南都失，遁爲僧，更名信衷，字瓢粟，别號穎川明逸。尋以受魯王部院職銜，結太湖兵，欲舉事。事露被擒，抗志不屈，乘間投水死。明萬曆三十六年（一六〇八）生，清順治四年（一六四七）卒，年四十歲。著有安雅堂文集、陳忠裕公全集，並輯經世文編。

套數

為宋尚木題梅下美人像〔二〕

【南正宮傾盃賞芙蓉】唤起生香軟玉屏。無奈春風冷。只見他萬縷雲鬟。十樣眉峰。百種多嬌。一種多情。恰似生成金屋冰心映。莫待飛上瑶臺對月明。清虚境。有雲璬玉磬。更五銖仙佩。星下坐調笙。

【玉芙蓉】雕闌只自憑。綺閣曾相並。奈夢兒縹緲。畫裏分明。生憎玉蘂春前影。淡寫臙脂雨後情。誰同病。有梅花半醒。可憐他玉人和月夜亭亭。

【普天樂犯】踏花茵情中景。倚鮫綃身後影。巧丹青一一生成。翻認做兩兩娉婷。夜闌人静。輕雲半吐巫山嶺。有情人著意端詳。空擔了兩下消停。

【朱帶錦】描得出風流傾城。畫不就斷腸情性。無限新愁任醉醒。怕東風紅粉飄零。滿紙寫幽情。也應珍重。麝蘭香暗生。添個人兒也。喚真真。末後兩三聲。

【尾聲】漢宮圖畫真難定。打疊起鳳釵鸞鏡。只願你秋雨彈琴伴茂陵。（棣萼香詞）

此闋如姑射神仙，不食烟火。今古文人，作者林立，兹固絶唱層霄之上，猿鳥之路盡絶。偶與家弟轅文閒論此曲，惟「澹寫胭脂」句，有涉生造。然乃是宋人語，不爲杜撰。猶憶曩時，戲與大樽鬬詞，余有「待月鳳樓人惜别，吹笙鷄塞夢初回」之句。大樽方之「春城月出人皆醉，野戍花深馬去遲」之作，爲推賞不置。既而大樽得「蟲唧新粉畫樓空」之語，則又幽艷不從人間來，洵風流之極致矣！夫高山流水之調，所貴能移性情。自子期既歿，終伯牙之世，不復鼓琴，豈徒傷心感舊，將毋賞音實難。則我等從此燒焚筆硯，又何疑乎？

尚木

詠柳

【南商調集賢賓】東風細吐春影微。那堪明月披離。如夢和烟嬌半起。更無端情性誰知。飄零始矣。莫暗度艷陽空翠。全不記。曾攀折舞腰餘幾。

【黃鶯兒】猶憶把鞭歸。走章臺晚路迷。綰來多與傷心會。長條掃地。香絲亂飛。好將移植靈和内。想依依。風流放誕。時拂玉人衣。

【簇御林】鶯閨小。緑未齊。弄輕黃勻落暉。蚤春風雨雙憔悴。便付與閒桃李。在樓西。星寒霧暖。都是攬愁眉。

【琥珀貓兒墜】奈成輕薄。又逐曉雲迴。盡日空濛吹絮未。一江摇曳化萍飛。相疑。尚是春深。暗驚秋意。

【尾聲】可憐今日飛花易。莫怨當年繫馬遲。灞岸行人不做美。（棣萼香詞）

飛夷所思，却妙在情中意中。幽閒窈窕，文中之美人也。子建

〔一〕陳忠裕公全集題作「爲宋尚木題像」。

陸人龍

字君翼，浙江錢塘（今杭州）人。生卒年不詳，約生活於明晚期。著有小説遼海丹忠録、峥霄館評定通俗演義型世言。齋名峥霄館，型世言約刊刻於崇禎五年（一六三二）。

小令

【南商調黄鶯兒】

砂石走長空。響喧闐戰鼓轟。銀墻一片波濤涌。看摧檣落篷。苦舟欹楫横。似落紅一點隨流送。叫天公。任教舴艋。頃刻飽魚龍。（型世言）

【南仙吕桂枝香】

雲流如解。月華舒彩。吐清輝半面窺人。似笑我書生無賴。笑婆娑影單。婆娑影單。愁如天大。悶盈懷。何日獨把宫蟾桂。和根折得來。（型世言）

學深湖海。氣凌恒岱。傲殺他綉虎雕龍。寫向旁人怎解。笑侏儒與群。侏儒與群。

還他窮債。且開懷。富貴原吾素。機緣聽天付來。（型世言）

【掛枝兒】

吴朝奉作本來極臭極吝。人一文你便當作百文。又誰知落了煙花井。人又不得得。没了七十金。又惹了官司也。着甚麽要緊。（型世言）

翁吉煾

翁吉煾，字裴郎，福建永春人。崇禎年間貢生。曾官儒學訓導。有石佛洞榷倀小品。

套數

七夕

【南商調二郎神】相別久。到今宵尚將新話舊。記往年鵲步情偏幼。蟾宮簾捲。瑤娥獨坐寒橋。爲什麽佳情病花酒。一段恩愛曾消受。念奴嬌。多更是天帝玉敕九霄。

【鶯啼序】仙官絳闕日逍遥。但恨參辰卯酉。錯把姻緣隔遼。不是姻緣差謬。相對淚罷盈盈休。説世上情還比仙家有。雨落花開人浪口。

【簇林鶯】望北斗。景瀟瀟。説甚高唐把夢挑。銀河水流不斷。星宿怎把情休。千秋萬載。因此上傳道。牛郎織女。弄玉吹簫。支機石畔敲卻月明條。

【啄木兒】曾梭落。垂珮條。七月七夕長聚首。記玉妃晝掩清扉。想河前碧漢槎舟。更憶他寄語羞看羅花袖。欲歌又罷君郎右。望郎莫把這情僥。

【鬭雙雞】天台近。天台遠。桃源女伴不知路。桃源女伴結輕綃。最惱花間緣就。花間是何處。送郎落後。把年年春風一旦盡邀。

【念佛紅花】何須七七九九。被何人阻逗留。奈嚴命恨飄飄情飄飄。卿卿惜否。多應媒舌失配。緣似水飄。天門難扣九霄。光陰不迅思量起。幾旌摇。殷勤囑付話難也囉。（二）

【尾聲】漫低徊莫低徊。低徊卻把相思焦。直待要王母月娣會西瑤。（石佛洞榷倀小品）

懷　人

【南南吕石竹花】佳人何處情鬼肝魔。只爲傷情情傷多。怎惹着相思禍。濃花怎麽。叢閒館空擲玉梭。教卻斷腸斷若何。懨懨愁倒。昏昏月□。料應是春去花乖。弄得我思病沉疴。

【前腔】想當日春夢春羅。幾時特地愁消破。漫蹉跎。翻教我挫磨。方纔得碧落雲山懶臥。數日裏殷勤較可。無奈朝暮思量何。流水何趕落花舵。眼成穿何曾把悶過。怎知道楚臺秦樓。甚時也相思安妥。

【漁家傲犯】莫不是月明浪雲波。莫不是斜日西鎖。莫不是丹霞布未和。莫不是隔牆花笑罪犯他。我爲你心醉眼癡被親友呵唾。我爲你蘭冰雪玉都變是火。我爲你盡日思難到。我爲你暗歎輕呵。

【前腔】愛殺你鳳鶴舞和。愛殺你螓首燕肩雙眉蛾。愛殺你相將梨花杏花歌。愛殺你奇香貼腮親弟哥。這深情耐何。割着銀雁擔磨挫。未識甚時節相見。枉如今思滿心羅。知麽。這恩情是人人經過。設錦箏未訛。計徘徊□語向我温存。想也應相憐我。

【尾聲】衷腸幾度玉娥。訴把心懷坎坷。我也繡槎泛銀河。（石佛洞榷倀小品）

〔一〕此句原作「殷勤囑付也付話難囉」。兹改。

沈嵊

沈嵊，字孚中，號會古，别署唵庵、唵庵孚中道人，浙江錢塘（今杭州）人。善詞曲，好談兵。明亡時（一六四五），因誤傳清兵南下消息爲里人毆斃。所作傳奇除宰戌記已佚，現尚存綰春園、息宰河二種。

套數

秋夜懷程文卿

【南小石調漁燈兒】從那日冷桃源漁艇空撐。便領下没頭由花月文憑。凄凉路獨自個黄昏帶淚行。經歷盡斷腸邊境。纔知道相思郡路接愁城。

【漁家燈】呆呆地石人般没緒無情。倒貶做了不語西來面壁僧。還堪笑生平浪説肝腸硬。到此地不由人不熱痛寒疼。滿心窩。盡填漫一個文卿。

【錦漁燈】陪伴俺只留得半莖冷影。斷送俺還不消幾下寒更。再不點夜夜生花説謊燈。竟無靈填橋鵲一聲聲。

【錦上花】人説道醉了寧。我孤酣愁幾醒。對霞觴反恨不雙擎。人説道睡了停。我思眠愁要醒。只被幾聲長嘆到天明。夢也竟何曾。

【錦中拍】書生輩椿椿薄命。拿不穩前程。剛着足花村柳徑。便做了下梢頭領。一首合歡詩稿兒未謄。單思案誰來折證。斷腸譜空來掛名。幾句情詞。一杯香茗。是愁壘萬千層。

【錦後拍】偏要向斷藍橋起工程。燬祆廟重建牡丹亭。縱藥方靈應。縱藥方靈應。不割捨怎醫痊這般佳病。就個中日月住今生。没僥倖。拚耐心而等。不來呵難道便丢個不惺惺。

【尾聲】把癡情牢守定。權發付衾寒枕剩。須有日花前共證盟。（吴騷合编）

陳子升

陳子升，字喬生，號中洲，又號南雪、智山，别號中洲居士、智山道人，廣東南海（今廣州）人。年十五，應童子試，爲文典古，目曰「奇童」。隆武改元（一六四五）於閩，拜中書舍人。永曆立，由吏科給事中，遷兵科右給事中。性鯁直，直不能行，拂衣而退，惟事吟咏以終其年。能曲，善鼓琴，兼擅印章詩畫。有中洲草堂遺集二十六卷及金琅玕傳奇等。生於明萬曆三十九年（一六一一），卒於清康熙十年（一六七一）以後。

小令

【南商調金絡索】起一字至萬字

閨思

〔金梧桐〕一堆灩澒愁。二女瀟湘瘦。罵盡三春。四柱琵琶扣。輕衫試五銖。〔東甌令〕罷鸐裘。恰惹得細嵌玲瓏六面骰。七襄暗記得年前有。〔針線箱〕八字將無命不猶。

〔解三醒〕眠清晝。〔懶畫眉〕捱得過春光九十。急切又怕悲秋。〔寄生子〕我爲你百歲綢繆。把千葉紅榴。疊出箇萬遍桃花咒。

【前腔】起萬字至一字

花封萬户侯。粉買千金廒。百輛于歸。十指年光溜。仙丹費九還。這病根由。怕不爲八斗多才。凑上了七國憂。六朝人去花如舊。指望得五馬君來日照樓。春還幼。蒼茫四海不必太遨遊。待訴與三寶風流。將二水中洲。現放出一座巫雲岫。

【南南吕楚江情】

贈繁華子

〔香羅帶〕雙飛未必甘。專房也堪。越裳授車原指南。龍漦一樣合瓊函也。繁華特館。屠蘇小菴。巫山舊夢青出藍。〔一江風〕粲粲朝霞翻覺秦樓暗。絲絲馬與蠶。絲絲馬與蠶。卿卿爵是男。進退箇觴非濫。

套數

題別

【南仙吕桂枝香】緑楊三月。春風傷别。可憎龍馬銀鞍。堪惱鷁舟蘭檝。聽一聲去也。聽一聲去也。陽關三疊。柔腸千結。你是豪傑。怎灑著臨歧淚。全無一句説。

【不是路】一望無遮。孤鳥飛飛矰繳絶。重城堞。蒼然平楚杳林樾。亂山疊。登山臨水此去何方歇。怎得箇長房縮地訣。這裏聽山鷓。你那邊廂若是憐鶗血。快歸茅舍。快歸茅舍。

【長拍】虎豹長關。虎豹長關。鴛鴦春社。你心狠我卻心怯。勤勤千萬。一一珍重。望書紳不厭重疊。穩踹皂羅靴。那野花閒蔓。閃得人跌。莫學齊王求大欲。遵海去放瑯琊越。寬褪我楚腰衣褶。總此情抵住。石爛波竭。

【短拍】妾總憐君。妾總憐君。君還念妾。守盟言莫誤文牒。你宋玉忒歪邪。慣把那雨雲來沾惹。没亂煞風姨月姐。浪做箇牆外戲花蝶。

【尾聲】君行徑休胡劣。我魂夢兒隨君去也。剩得寂滅在空閨向佛爺。

閨望

【南羽調四季花】花下緑茵鋪。恁胭脂溼芭蕉破。做祕帳流蘇。模糊。輕烟遠先窺綺疏。暗絲裊空牽繡裾。一枝花移絳趺。錦屏深處。鴛鴦有無。金塘自飛雙小梟[二]。或者那亭隅。悄與那人兒相遇。儘鶯語燕語花語月語眉語。

【集賢賓】秦樓此時日照初。不輕採蘼蕪。那些乳燕雛鶯相爾汝。全不知鳳隻鸞孤。風衣自舉。累沾惹落花飛絮。絲繡取。諧緑綺馬卿卓女。

【簇林鶯】〔簇御林〕川誇洛。雲豔巫。這搭兒泥了奴。春風著處情堪赴。〔黄鶯兒〕考同心甚書。咒相思甚符。一般兒花發鶯啼處。怎不如。河洲匹鳥。沙暖一雙魚。

【琥珀猫兒墜】碧烟紅雨。香膩到肌膚。採了明珠又拾翠羽。問他施粉定施朱。春服。枉自做顛倒花前。一捻身軀。

【水紅花】畫帘招颭酒家胡。惹香車。時來時去。隔牆聞喚小奚奴。策龍駒。不酸不醋。我有箇簾前鸚鵡。可會把十郎呼。不如歸鎖阿甄鋪也囉。

【尾聲】幾多魂傷南浦。幾多香夢繡房。孤生生的剔起蘭釭清夜徂。

客居閏十一月和方密之

【南正宫玉芙蓉】初爻小半添。三畫平分欠。信行藏不必向易求占。竹因棲鳥低成點。柳似穿魚拖到尖。鷄聲店。盼來僮久淹。亂山風引將人眼故衝簾。

【尾犯序】重拈。八字寫丹蟾。寸寸葭灰。刻刻燈焰。手掇寒衣。念縫裳摻摻。招颭。旗亭冷沽來酒薄。桑樹老嗟無婦黶。將薄暮。看看一日搓斷幾根髯。

【朱奴兒】暫僑寓高樓廣簷。門外是遠水危塹。剥菜畦邊煮白鹽。聲軋軋蔗醡漿甜。佳須漸。江心洗縑。休洗却猩紅染。

【尾聲】月重十一人重念。千里離家月幾瞻。惹人懷最是置酒飛籤。

懊儂有序

清曲曰懊儂者，亦閨情之流也。清曲爲閨情，大率自言嬿婉，且敘别思而已。此作自嘆其不丈夫，若有所懊恨於己者，亦有聞而寫之也。故因夫古樂府之稱焉。

【南中吕瓦盆兒】宫砂小印。茶蘼[二]鏤漢月書秦。漫急就拜封新。早琢成連環小鈕象回文。總則是一索爻。八箇字氤氳。怎輸了渡銀河。黄姑不女身。自稱做女郎閨隱。

那些箇賣風流。弄書法蘭亭本。他還去學那衛夫人。

【榴花泣】〔石榴花〕總玉麟彩鳳附得起鬢青雲。些兒不信忒乾坤。既然鳥飛魚入妒羣分。怎巫雲是髻湘水又拖裙。〔泣顏回〕張良婦人。就陳平冠玉雌兒近。體飛鳧燕燕鶯鶯。面桃花葉葉根根。

【喜漁燈】那人把我琴心問。似絃共軫。白頭怨兀自尚青春。怎能勾變身。變身若帶嫖姚嫩。麾雌隊曳雪牽雲。清塵。明脂現粉。獵陽臺八九已吞。

【尾聲】芙蓉語隱自云恨。舞鶴飛龍骨象分。自覷情天有一痕。

贈歡

【南中吕榴花泣】〔石榴花〕心窩一幅圖畫著你俊龐兒。烟生美玉氣通犀。深深湘管染千回。中央錦字特地款銀題。〔泣顏回〕桃花雪水。轉轆轤照出鴛鴦對。愛親親失我燕支。惜惺惺醉倒酴醿。

【喜漁燈】莫非自做羊欣婢。投交甫珮。托孳尾得與你爲妃。自從你艸兮。艸兮我便相思。你花印信玉作文移。花媒。卿卿唤壻。你看玉山兒因卿久頹。

【攤破地錦花】俏魂飛。三十三天裏。四百四疾。只害得箇如醉如癡。别又難禁。見又生疑。燕差池。莫使我憐朝日伴鸞啼。

【麻婆子】馬嘶馬嘶芳草地。樓中玉一圍。魚尾魚尾郎須食。甘脣妾似飴。好翻將一百首比紅兒。正撞著五百年會真記。釵股釵股檀郎臂。深護遠山眉。

【尾聲】桃葉我桃根你。共梅花二十五絃知。再莫勸我鴿鵰入酒杯。

定情

【南中吕粉孩兒】巴巴的盼君家捱子夜。隱芙蓉霧露口生石闕。銀牀後園梧樹遮。金彈兒打向林樾。想繡幃中罷了盤蛇。問雪衣娘因甚眠麝。

【紅芍藥】眠著麝。夢著蝴蝶。啼著血罵著鶗鴂。我算你紅鸞照庚帖。臂痕兒守宫休借。春紗。白燕乳若耶。枉擔閣錦鴛春社。爲鸝鸝裘犬子能獵。我敢做赤鳳來烏兒曾射。

【耍孩兒】赤鳳休歌傷姐姐。不學黄姑怯。花馮婦莫笑重疊。乜邪。央你打幾萬箇丁香結。早則是心坎上沈香爇。怕的是梅香泄。

【會河陽】就倩梅香。半癡半呆。王家小婦字桃葉。做帖。搭一箇銀鈎。在練裙細褶。白團扇應多謝。快些。二十四番花節。慢些。二十五絃彈月。

【越恁好】五絃彈月。七絃彈雪。雁柱十三列。胡笳十八。霓裳譜識得第三疊。一聲絳樹曲自別。雙聲合也。訴得來一字字琵琶説。記得來一點點相思訣。

【紅繡鞋】相思柳嚲花斜。花斜。懷人玉也烟耶。烟耶。風動了。女青葉。花到了。丙魚穴。涎寶馬膩香車。

【尾聲】香車寶馬春雲熱。爲你囀鶯鶯一闋。傳與那鶯鶯顛倒寫。

喜　遇

【南南吕香遍滿】春風吹至。羞花閉月你箇尤物兒。不遠在東鄰來到此。出牆花一枝。催花風幾時。臨風樹萬絲。鉤搭這青春是。

【懶畫眉】一見教人喜孜孜。看久翻然似夢思。相看相對欲何之。面面低低視。只得要席地遮天著意私。

【梧桐樹犯】〔梧桐樹〕親親合口脂。隱隱粘懷字。築起情壇。發箇紅心矢。一團玉體卿休恃。百感瓊漿這般教我焉敢辭。〔五更轉〕鳳求凰不是輕嘗試。我叫你文君。你倒叫相如犬子。

【浣溪沙】[三]欺帳紗。瞞窗紙。鎖銅鋪掩過罘罳。幽來不必專褒姒。騷極居然勝楚辭。潛舉趾。管甚麼被鴛鴦水瀲灩。厮混著不辨雄雌。

【劉潑帽】皇娥沐浴歌文梓。甚青溪獨宿專祠。人間做了天仙事。這首詩。總出落相思字。

【秋夜月】織女絲。端的是牽牛使。竝蒂芙蓉真相似。鶼鶼請自今爲始。笑楊家大姊。惱周家小史。

【東甌令】傳青鳥。比紅兒。西子名施定姓施。潘郎果有烏椑柹。戲擲箇櫻桃紫。横將玉臂枕鼅鼄。封你做娵氏。

【金蓮子】金屈卮。心星一點在房星駟。借一把廣寒宫鑰匙。不教你對蟾蜍。怨清暉空倚桂花枝。

【尾聲】你常是憐小生身獨自。把詩經展過記乎而。須信道浪子風流忒三思。

贈眉雪子

【南商調二賢賓】〔二郎神〕春深也。倒青樽對酴醾醉纈。君是我高歌青眼者。風流意氣。升沈莫問龍蛇。〔集賢賓〕天荒地闕。只隱約同心一結。歌按節。贈一箇小字兒好藏衣褶。

【啄木鸝】〔啄木兒〕便數著雲間月。山上雪。的的冰絃傳白雪。看人兒玉樹臨風。題詩句柳絮飄雪。繁華卻對梁園雪。孤清獨自袁郎雪。只羨子似娥眉山頂雪。〔黃鶯兒〕端合字眉雪。

【水紅花】記得梅花月影遶窗斜。是君邪。相思昨夜。置書懷袖没多些。幾重遮。十年不滅。看盡了翻雲覆雨。人事儘堪嗟。高山流水自清切也囉。

【三段子】唾壺叩缺。拂霜花無魚有鋏。貂裘敝者。惱春風輕羅數疊。霜兒露兒點滴蒹葭節。星兒月兒明白天河瀉。風兒雨兒不變也。

【意不盡】書空曼倩春顔熱。倩幼婦輕裁黃絹寫。更分付雪兒記者。作歌人陳子南雪。

相　思

【南商調山坡羊】梅花絃一絲一片。藕心錢一絲一串。織秦機抽絲幾回。裂齊紈製就絲絲扇。絲可牽。相思不可言。些些素綆弔得銀牀轉。簌簌龍鬚枕痕一線。花箋。花心寫幾篇。香烟。香魂靠一邊。

【水紅花】拉星扯月問天天。縱神仙。他還不免。推時算日怕年年。正嬋娟。奴怎不怨。真箇是月明珠淚。日暖玉生烟。風花雪月總埋冤也囉。

【梧桐葉】這裏妾相思。君不見。自守著君心見不得面。今朝喜子尋窗遍。倒不及吴蠶儘著三眠。更休問月冷梨花那一院。算同心何物是烟花翦。

【尾聲】鶴毛輕絮春心選。屈戌銅鋪鎖半邊。且悶過了春三二月天。

按：曲牌【梧桐葉】原作【梧桐花】。

憶　昔　隱括唐人詩句

【南商調集賢賓】清歌午夜月滿樓。想昔日曾遊。露滴桃花濃到酒。繡檀痕玉枕雕鎪。珍珠在手。當筵有千金爲壽。如斂帚。全襯得舞兒長袖。

【大勝樂】銀筝二八輕搊。甲第歌鐘樂五侯。聽鶯策馬嬉春晝。芳草路木蘭舟。西園公子名無忌。南國佳人字莫愁。此事今如夢也。剩娟娟戲蝶。片片輕鷗。

【不是路】漢水東流。晉代衣冠成古邱。山依舊。閒雲潭影日悠悠。莫登樓。舟人漁子歌回首。獨上高城萬里愁。雲連岫。斯須改變如蒼狗。只見白楊烏桕。白楊烏桕。

【掉角兒序】嘆東陵瓜邱故侯。悶西風夜遊田竇。爲干戈雪應滿頭。怪陰陽柳生於肘。試問那素馨田。呼鸞道。白雲山。南園社。最增僝僽。〔合〕人烟橘柚。蕭條素秋。看汀洲。江南江北。總使人愁。

【前腔】怕不教江州淚流。更誰禁沈侯腰瘦。謝交情名呼馬牛。悵詩書字迷蝌蚪。只落得笑秦皇。悲楚霸。弔屈原。懷阮籍。一場虛謬。〔合前〕

【尾聲】林猿爲我啼清晝。羨殺桃花洞口。天入滄浪一釣舟。

離　思集句

【南中呂榴花泣】〔石榴花〕自君之出矣不復理殘機。洞房簾箔至今垂。小園花暖蝶初飛。春蠶方曳緒。新燕正銜泥。〔泣顏回〕王孫歸不歸。憶君淚落東流水。爾不是居帷帳焉施。爾不是照華燭何爲。

張九齡　李商隱　羅隱　王筠　王維　李頎　秦嘉

【喜漁燈】此情可待成追憶。我心匪石。願爲雙黃鵠比翼戲清池。君家誠易知。易知一去無消息。愁來不理鬢。春至更攢眉。淒淒。唧唧復唧唧。打起黄鶯兒。莫教枝上啼。

李商隱　詩經　魏文帝　古樂府　估客樂　王僧孺　卓文君　木蘭辭　蓋嘉運

【撲燈蛾】徒勞紅粉粧。不見青絲騎。回袖掩芳春。簡取石榴裙淚也。看朱成碧。爲憶君憔悴支離。覓封侯悔教夫壻。戒之慎勿忘。廬江小吏仲卿妻。

劉孝綽　費昶　則天后　王昌齡　無名氏　李白

【尾聲】相思相見知何日。思君昔去柳依依。門外蕭郎白馬嘶。

李白　蕭子顯　温庭筠

嬪歙題詞

予弱冠時，嗜聲歌，作傳奇數種，因經患難，刻本散失，僅存清曲數闋，名曰嬪歙。今從枯槁寂寞中，舉此綺語，不堪再覽矣！况令傳諸玉兒，按以紅牙乎？亦以志吾過也。嘗作絶句四首，并録而存之。其一曰：「九節琅玕作洞簫，九宫腔板阿儂調。千人石上聽秋月，萬斛愁心也總銷。」其二曰：「蘇州字眼唱崑腔，任是他州總要降。含著幽蘭辭未吐，不知香豔發珠江。」其三曰：「青藤玉茗浪填詞，餘子紛紛俚且卑。我愛吴儂號荀鴨，異香偷出送歌兒。」其四曰：「遊戲當年拜老郎，水磨清曲厭排場。而今總付東流去，剩取潮音滿懺堂。」南越中洲居士書於桄榔樹西之鉢地。

〔一〕「皛」，原作「臬」。

〔二〕「藤」，原作「藤」。

〔三〕「沙」，原作「紗」。

二酉山人

二酉山人，姓名不詳。

複出

套數

【南正宮普天樂】對西風。愁清夜。

吴騷集無題，注二酉山人作。樂府先春屬申瑶泉。玆已輯於申氏卷中，此不重出。

馮延年

馮延年，字千秋，浙江錢塘（今杭州），一作嘉興人。鄉試兩充副車，崇禎十三年（一六四〇）特典貢士，得選臺省，見時事不可爲，歸隱秋月庵，爲復社耆宿，有秋月庵稿。

小令

【北仙呂一半兒】

贈王姬小素

嬌癡不解向春愁。爲睹芳英逐伴遊。臨行懶整玉搔頭。强相留。一半兒回嗔一半兒睬。（彩筆情辭）

【北雙調沈醉東風】

同小張娘陪諸公宴沈宅

桃花渡佳人流翠。楊柳樓學士傳杯。頻添沈水香。慢剪銀燈蕊。玉玲瓏張娘沈醉。水調歌頭曲又推。直恁的沈郎情美。（彩筆情辭）

套　數

携孫姬雁來繡鞋有序(二)

燕姬孫月，小字雁來。棋酒娱人，琴書自樂。時人共傾其佳麗，夙昔自負乎情癡。弱足纖腰，是吴門之趙女。清歌妙舞，真北方之佳人。予落魄詞場，偶浪遊麗館。解我紉蘭之佩，竊彼緑絲之屬。戲詠新詞，聊以慰牢騷云爾。

【南商調金梧桐】春風蘇小家。夜月徐卿榻。携得春歸。香惹鮫綃帕。似奇葩瓣欲飄。半月光初發。白縠輕緗。底樣些兒大。千金一捏真非假。

【東甌令】心兒念。口兒誇。忙裏偷看分外佳。鳳頭啣出珠兒滑。滿繡猶如畫。芳蘭一朵襯梅花。緑萼映紅霞。

【大勝樂】向燈前影弄窗紗。道成雙還是假。記前朝竝立紅裙下。似一對牡丹芽。抵多少芙蓉帳底鈎春話。楊柳樽前舞玉珈。到手非容易也。且虚空摹擬。權當杯斝。

【解三酲】料他們春眠纔罷。把香衾仔細搜查。江南枕上雖行踏。些箇事落誰家。怎知我留香賺玉剛多霎。翻做隻影孤鸞路已賒。情無那。守着他半絲紅線。兩處波查。

【尾聲】明晨再續花前話。依舊雙飛在碧沙。權守今宵一夜寡。（吴騷合編）

〔一〕彩筆情辭題作「携孫姬繡鞋」，注馮千秋改刻。太霞新奏題作「携孫娘繡鞋歸戲賦一套，」注馮千秋撰。

梁孟昭

梁孟昭，字夷素，浙江錢塘（今杭州）人。茅九仍妻。才敏英慧，工詩文，自成一家；善書畫，被譽爲一代作手，女中元（稹）白（居易）。著有繡墨軒吟草一卷、山水吟一卷、山水憶，以及相思硯傳奇等。

套數

七夕感懷

【南商調集賢賓】雲霞阻隔天際頭。更何心貪玩牽牛。銀漢河殊江海溜。卻教人目斷芳洲。魂消情逗。只落得兩眉空皺。愁難宥。止有個對星低呪。

【前腔】滿懷離恨無限[二]憂。何心爲晝牽牛。月裏佳人能自守。笑多情織女偏愁。今宵生受。卻也是眼前消受。愁難宥。更有個對燈低呪。

【黄鶯兒】星月一天幽。炤人間乞巧羞。何曾乞得些兒有。終朝樂遊。何須倣尤。綢繆無過添杯酒。逞風流。形骸對面。一味是胡謅。

【前腔】對面弄虛頭。鬼胡謅最可羞。人間天上皆差謬。他猜我愁。儂疑你憂。三星不及雙星透。好因緣。天長地久。難昧許多時。

【琥珀貓兒墜】雙星相會。欲閏幾更籌。離合悲歡一夜週。相思都在舌尖頭。休休。總説不盡。那許多僝僽。

【前腔】一年懷抱。堆積萬千愁。那句先堪起話頭。不如不説到還休。堪羞。露水樣夫妻。也當廝守。

【尾聲】恩情總是休窮究。一點關心難誘。天上人間各自繇。（名媛詩緯雅集）

中秋月色隱現朦朧寓中感懷

【南商調黄鶯兒】明月也含羞。把重雲密佈週。嫦娥獨自蟾宫守。天成素秋。人耽景幽。人間天上都消受。想因繇。盈虛圓缺。總是一般愁。

【前腔】蟲也會吟秋。似傳儂心上愁。相思都被他説透。嗟嗟語悠。聲聲淚流。應心出口何其溜。好清謳。幸他月裏。還少這些幽。

【前腔】雲重怕擡頭。恰年年就此憂。今年更比年年又。輕浪浪遊。孤身旅愁。天涯骨肉應翹首。恨悠悠。離居時節。圓得月兒羞。

【前腔】織女罵牽牛。怎無能家室謀。羨他月姊能圓透。牛郎勸休。何須怨尤。笑他也只空圓就。究因繇。清光雖滿。元氣似還偷。（名媛詩緯雅集）

感　懷

【南商調山坡羊】雨瀟瀟涼秋時節。韻啾啾寒蟲嗚咽。便做是好襟懷也要啤嗻。况兼着悶懷兒恰怎生寧貼。空自嗟。雙蛾能重耶。自恨一時短計做了輕離別。今日旅底凄涼淚珠凝血。愁些。望家鄉雲又遮。癡呆。似曾天杯影蛇。

【前腔】淚汪汪難支的歲月。恨悠悠怎能得歡悦。每日假好夢兒都把魂賒。恰教人呪得心兒熱。恨更嗟。愁來無計遮。自嘆一生冷面不慣逢迎訣。今日怎會無端粧神粧也。悲耶。好雙蛾簇壞些。悲耶。景蕭條燈影斜。

【前腔】歎兒郎愛做的西風客。使儂嗟薄命的東風妾。羞殺了託妻孥千里停車。獨自個又作天涯別。嗟更嗟。人離鄉賤耶。可憐也是侯門葉。今日怎地無端乞隣餔啜。悲些。兒飢夢喚爹。悲耶。遥憐女念爺。

【前腔】眼睁睁歸期難説。一行行雁聲凄切。没忽地憶來時囑付些些。怕如今料也都忘者。愁似呆。渾如着乜邪。幸他筆解些兒也。悶來時便把短篇長寫。嗟嗟。對寒

風絺紟嗟。嗟嗟。采蘼[三]蕪憶五笳。（名媛詩緯雅集）

十七夜喜月代嫦娥

【南商調黃鶯兒】整貌出蟾宮。問人間可識儂。紅塵青眼徒驚哄。冰姿自容。丰神自融。清虛獨坐情珍重。夜溶溶。安排雲霧。好待受天風。

【前腔】星宿侍西東。展光華夜未中。纖雲不剩些兒奉。香生露濃。煙飛影空。沉沉萬籟無聲動。步雍雍。臨虛分付。好閉斗牛宮。

【前腔】皓魄馭長空。喜今宵度數沖。太陽不厭山川擁。時相炤儂。期將望隆。何愁晦朔精神懂。露濛濛。一天佳氣。都在廣寒宮。

【前腔】不做美天公。度霓裳曲未終。參横斗轉鷄聲動。寅辰候躬。啓明俟恭。婆[三]娑樹愛雙柯共。影曈曨。月兒西向。紅日自升東。（名媛詩緯雅集）

秋夜感懷

【南南吕懶畫眉】蕭條時節怕黄昏。又蚤黄昏唤掩門。斜風細雨鬧紛紜。履綦羞蹋蒼苔印。深院無人泣淚痕。

【前腔】燈輝無焰影沉沉。蟲語聲聲生弔人。西風韻冷暗驚神。尋眠又奈衾兒潤。斜倚熏籠拭淚痕。

【前腔】朦朧孤枕恨纔真。夢繞天涯幻片雲。驚鴻隨影過江濱。仙風似把塵魂引。吹醒羅浮花底身。

【前腔】夢迴鷄塞遠無聞。細雨濂瀸孤雁嗔。悽悽楚楚似呼羣。乍增琴思忙和軫。離恨難消弦亂捫。（名媛詩緯雅集）

中秋後三日寄懷

【南南吕一江風】杳茫茫。一派煙雲障。錢塘在那廂。何方是故鄉。空教淚眼成痴望。西風淚兩行。西風淚兩行。離居鄉夢長。天涯心事偏怏掌。

【前腔】夜初長。月漸牆東上。蟲聲字字傷。相呼訊句忙。似儂夢語詢親樣。傳聞歲作荒。傳聞歲作荒。奚如災與祥。田園蕪盡誰爲掌。

【前腔】暗思量。底事閒中想。愁容日減芳。菱花不管央。眉兒命帶崎嶇相。勞人詢故鄉。勞人詢故鄉。修書望雁行。幾番消息傳來誑。

【前腔】快時光。雁又嘹雲唱。羅衣怯晚涼。西風送雨狂。砧聲韻得人癡想。離居在

遠方。離居在遠方。誰裁稱體裳。寒衣欲寄誰齎往。（名媛詩緯雅集）

端淑曰：詩才易，曲學難，苦心吴歈，皓首難精。夷素才敏英慧，女中元白，每拈一劇，必有卓識。七夕感懷，破黄姑之妄；中秋月色，逗月姐之愁。感懷坡羊，寫兒女之衷腸；喜月黄鶯，盡蟾宫之佳趣。秋夜畫眉似蛩嗥而慘切，秋後三日剪寒衣而自傷。傳神寫炤，雄視騷壇，能不爲之擊節於雲欐之上也。

〔一〕「限」，原作「恨」。
〔二〕「蘼」，原作「蘪」。
〔三〕「婆」，原作「娑」。

吴無咎

吴無咎，生平不詳。

套數

題情[一]

【南仙吕入雙調步步嬌】玉人遥憶秦樓上。朝夕空凝望。關河路渺茫。欲見無由。幾多魔障。想他丰韻世世無雙。只疑神女巫山降。

【醉扶歸】乍相逢惹起風流況。得相交似鳳求凰。兩相憐便欲結良緣。恨相離遠隔如天樣。記相携吐膽説衷腸。誓相從莫把他撇下。

【皂羅袍】無奈諸般鞅掌。把愁心一片。做淚雨千行。相思滋味好難嘗。設來盟誓成虚誑。他把烏雲剪下。爲誰罷妝[三]。瑶琴絶響。爲誰懶張。教人種種添惆悵。

【好姐姐】愛他。温柔體香。吐清音情懷歡暢。芙蓉爲面。秋波注兩眶。真難狀。書生有福同鴛帳。何事緣慳不久長。

【香柳娘】痛分離各方。痛分離各方。如萍逐浪。虚無雲雨增悽愴。這愁懷怎當。這愁懷怎當。拚得爲伊亡。他生再依傍。寄傾城女娘。寄傾城女娘。伊心既堅。我決不厮放。

【尾聲】天憐你我諧隨唱。做一對夫妻不枉。月底花前盈盈笑舉觴。（吴騷二集）

此無咎爲趙家女郎寄情作也。趙家女嫺於文墨，長於謳詠，而觸類妍媚，令人相對絶塵。無咎之與别，今數年矣！猶忽忽不忘，且以其失身俗子爲惜。噫！無咎固情之癡者，近因余有是選，迺以前作見擲，閲之情事宛然，而音韻無忤，遂致帙中，作青樓一段佳話云。

〔一〕此曲詞林逸響亦收，但不録跋語。

〔二〕「妝」，原作「粧」。

何西來

何西來，生平不詳。

小令

【南南吕六犯清音】

冬閨

玄陰叠發。林霜飄散。滿目蕭條無限。孤燈挑盡。可憐角枕空閒。勵石盟冰節。飛蓬減玉顏。鸞羞舞。恨轉添。乘危徒見凍雲旋。甚時得緡綸竿釣寒江上。甚時得執籥招繇煖閣閒。折梅拂雪。問月臨軒。金罍消不盡填胸障。病淒涼。薰籠斜倚。紅淚滴青衫。（吴騷合編）

按：此曲吴歈萃雅亦收。

馬綬

馬綬，青樓女。

小令

【北仙呂醉扶歸】

贈張生

向幽窗坐憶河陽貌。笇風流不數六郎嬌。乍時相見便相抛。好教人鎮日縈懷抱。笑情癡空自悶無聊。怕君心不戀我閑花草。（青樓韻語）

清河漁父

清河漁父，生平不詳。

套數

步香詞其一

【南商調二郎神】偏僥倖。早步絶人間第一塵。見掩映瀟湘弓樣整。香纏軟玉。風流淺拔兆跟。幾度迎風纖着影。步瑶堦許多娉婷。徙倚謾停。倩郎扶脚跟難定。

【前腔換頭】還省。洛浦凌波。昭陽掌擎。未必如伊渾厮稱。似旋風弱羽。嬌來步步蓮生。明珠小壓春尖病。顫步摇不耐花鈴。憐怯自寧。怕人瞧繡幫偷整。

【集賢賓】幾回結束臨灝景。喜鳳頭巧製天成。窄印輕塵千媚逞。步蒼苔弱態誰憑。水明花徑。浸一瓣蓮花孤影。纖勾瑩浄。恍月上初弦光映。

【前腔】嬌癡悄護羅襦冷。裏條兒寸許纔零。似鳬舄飛來當日影。宛仙娥鳴佩瑶京。

飄飄御泠。剛半折籠金剪勝。香填翠凝。湊丰韻錦氈花蹬。

【前腔】無端屈曲撩春興。更勾人殘夢初醒。尖瘦幫柔燈下影。盼情踪着痒知疼。權加鴛頸。眉兒上承當嬌倩。擎奇交併。掌心窩笋香蓮並。

【琥珀貓兒墜】起來携手。蹴踘漫娱情。意態翩翩舉趾輕。纖塵頻捉錦兜裩。卿卿。將息香芽。休教慣經。

【前腔】鞦韆庭院。尤喜試輕盈。寸板稜稜底樣精。紅痕嬌露不勝情。卿卿。俊步凌風。人間未經。

【尾聲】風流若個誰堪並。顧影尤憐力不勝。抵多才軟欵偎依萬種情。（吴騷二集）

步香詞其二

【南中呂駐馬聽】瀟灑兔家。促就金蓮一瓣花。看你臨風尤怯。展步還停。倚欄無那。瘦尖兒暗撥雨雲芽。纖勾兒潛把相思掛。緗綺凝霞。婷婷自喜。風流無價。

【前腔】庭院重遮。懶去招携向踏沙。暗想行雲。嬌顫步月。委蛇逐隊爭差。怯春寒坐偎手中拿。愁多露偷把幫兒拔。最是憐他。文衾宛轉。撩人清夜。

【前腔】嬌倩兒家。徙倚香塵倦轉加。看他印泥淺破。窄底頻那。羅襪輕遮。鞦韆欲上力先乏。戲球舉足心先怕。珍重香芽。石橋花燈。文茵錦帕。

【前腔】品酒論茶。傳送鞋兒飲興賒。想他鳳頭嬌露。鸞翔妙轉。鶴舞欹斜。千般媚都向掌中誇。許多情禁不得些兒大。看看酥麻。春思亂揉。纖纖一把。

【前腔】點綴奇葩。笑把尖頭剔齒牙。一似嬌蓮初脱。檞筍凝香。嫩玉生芽。宛凌波驚把洛川誇。駐朝雲早向陽臺下。影蕩燈花。腰兒婉束。肩兒檠架。

【清江引】俏冤家抵事多風雅。嬝娜難圖畫。温柔步步嬌。結束光光窄。數着他脚踪兒教人斷送也。（吴騷二集）

張文介

張文介，字惟守，浙江龍游人。諸生。喜交友，好游逸。嫻於詞賦，卓然成家。著有少谷集、題行集。

小令

【南中呂駐雲飛】

湖上看桃花

日日看花。不惜金貂付酒家。堤上花如畫。湖上山如畫。嗏。爛醉我生涯。玉堂金馬。瑣瑣浮名。久視同飄瓦。争似俺見在狂簪兩鬢花。（太霞新奏）

日日看花。一二煙霞伴絶佳。不説朝廷話。也不説山林話。嗏。但共倚春葩。賦詩閒耍。斗酒纔空。已草遍鮫綃帕。一字歌來一字花。（太霞新奏）

【南南吕懶畫眉】即事

春晴載酒出南郊。蚤喜啼鶯滿露梢。更憐絲柳線條條。鋪茵且共依纖草。先醉桃花第一橋。（太霞新奏）

套數

代謝姬送來山人之鍾陵

【南商調二郎神】黄花底。正好共邀歡日舉杯。無可奈王孫却憶歸。夢醒紅閣。愁聽那窗外鳴鷄。殘月瀟瀟半繡帷。非怯着曉寒慵起。從今去。念何時再得月底同棲。

【集賢賓】攬衣推枕天大曙。金扉初日輝輝。欲問登程將與未。閣不住眼眶珠淚。畫眉何意。衹將那别離愁繫。心怎慰。消魂處半肩行李。

【鶯啼序】相憐相愛似汝稀。只爲恁才貌雙奇。羨行來擲果盈車。詩成蒲紙珠璣。温存處韋令多情。信約似嵇康高誼。尤聰慧。更丹青絶似王維。

【啄木兒】相珍重。勝掌上珠。好一似鶼鶼不暫離。奈今朝忽爾分開。駕扁舟千里何期。歡娛一旦成輕棄。戀君無計留君住。只落得玉筯盈盈相對垂。

【黄鶯兒】載酒鳳城隈。共郎乘油壁車。驚看紅葉紛紛墜。泠泠碧溪。溶溶玉杯。相看未飲心先醉。大江西。問君何處。免使我夢魂迷。

【琥珀貓兒墜】新辭賦就。一字一相思。白練裙兒細自書。贈君常繫瘦腰肢。依依。願看作無雙。曉暮相隨。

【意難忘】西湖自昔同西子。最可愛春堤桃李。專望你乘興重來不可遲。（吴騷二集）

辛巳坐風射蛟湖憶桃花美人（二）

【南南吕懶畫眉】玉人家傍碧湖頭。楊柳青青一徑幽。白桃花裏露紅樓。輕輕試把門兒扣。只見他正捲朱簾上玉鉤。

【不是路】漸整搔頭。乍見花前尚害羞。分離久。登高回首又經秋。共登楼。把相思細説同携手。不覺傷心淚暗流。全消受。這真情豈似章臺柳。怎生擔受。怎生擔受。

【掉角兒序】囀春鶯重聽歌喉。向朝雲再依紅袖。可憐人皎皎冰肌。更如葱纖纖玉手。且邀懽弄銀筝。調寶瑟。度新詞。翻舊曲。共傾春酒。櫻桃笑口。秋波兩眸。

繡床前。醉鬆羅帶。何異瀛洲。

【尾聲】風情尚喜全如舊。枕上月明時候。話舊論新未休。（吴騷二集）

對桃花爲犯美人賦

【南商調二郎神】從那日。醉裏看卿向玉樓。正月上梅梢踈影透。碧闌干畔。對月笑携纖手。各敍着春來兩地愁。烹紫蟹同傾緑酒。意綢繆。何異着花間兩兩雎鳩。

【前腔換頭】别後。誰知遂作。珠分玉剖。忘海誓山盟天共久。偶戀着山鷄。輙棄鸞儔。從此蕭郎淚暗流。過秦樓幾空回首。縱新人勝舊。也須應。一别灑淚登舟。

【集賢賓】知他去後安妥否。奈金閨踪跡深幽。尺牘空題誰可授。又不是雁來時候。念同衾共裯。問今生可還能勾。天須佑。但願你心兒莫負。

【黄鶯兒】最是比湖陬。對芳春更繫愁。傷心怕見花和柳。想當年看花共舟。嘆今朝含情倚樓。相思害得伶仃瘦。緑楊洲。相親相近。翻不及水中鷗。

【琥珀貓兒墜】薄情忒甚。全没下稍頭。竟抱琵琶過别舟。空嗟張緒漫風流。休休。却及作多情。宋玉悲秋。

【餘文】狂蜂浪蝶終非偶。試看着章臺楊柳。竟折在韓生手内頭。（吴騷二集）

復出

小令

【南仙吕桂枝香】

曉思

來驚天熱。

夜思

堦前空葉。

太霞新奏題作「曉思」、「夜思」，注張少谷撰。名媛詩緯雅集署名蔣瓊瓊。兹已輯於蔣氏卷中，不重出。

〔一〕彩筆情辭、吴騷合編題作「訪桃花美人」，兹據吴騷二集録之。

張伯瑜

張伯瑜，生平不詳。

小令

【南仙吕月雲高】

四時閨怨

〔月兒高〕意中人遠。芳魂逐飛燕。幾度登樓望。雲山一片。忽聽啼鵑。又惹得添哀怨。那桃花驚落盡。看芍藥都開遍。〔渡江雲〕不禁紅淚涓涓如湧泉。那些個春宵人月圓。（吴騷合編）

晝長人倦。徙倚閒庭院。緑映堦前樹。空驚時變。羞浴蘭湯。愁解那雙金釧。寂寞殺珊瑚枕。辜負了齊紈扇。柰寸寸愁腸似火然。怎能似雙鴛浪裏眠。（吴騷合編）

井梧風剪。落葉驚籬犬。疑是他來到。忙抛針線。迎出羅幃。悄没個人兒見。空立

徧蒼苔露。紅映却桃花面。望斷歸鞭信杳然。羞覩雙星夜夜懸。（吴騷合編）

獸寒香篆。永漏催銀箭。怕入芙蓉帳。和誰留戀。兀坐懵騰。驚墮落梅花鈿。繡被裏愁滋味。饞口内涎空嚥。願你一夜春風返故園。早難道藍關馬不前。（吴騷合編）

套　數

癸巳冬日秣陵道中題情(二)

【南南吕朝天子】歌罷鶯簧舞罷鸞。打不破風流寨。離恨關。别時容易見時難。悵緣慳。無端度日如年。惹新愁萬般。惹新愁萬般。

【前腔】怪他風雪耐他寒。無奈羊腸險。行路難。想小樓吹徹玉簫寒。倚欄杆。暗將珠淚偷彈。倩誰人與傳。倩誰人與傳。

【不是路】鬼病懨懨。任滿院楊花不捲簾。情無限。分明十二晚峰前。在眉端。愁縈萬縷難消遣。花隔簾櫳月在天。空相盼。冰霜歷盡陽和轉。有時如願。有時如願。

【掉角兒序】想當初秋波頻傳。怕如今春風消減。待緘書衡陽雁艱。盼携雲楚臺天遠。洛陽金。緱山月。合浦珠。延平劍。甚日重圓。千迴萬轉。風流業冤。問蒼天。

怎生消受。月下尊前。

【前腔】俊龐兒枕痕添綫。弱腰肢帶圍應减。聰明性新詞幾篇。旖旎人舊情休淺。玉生煙。珠有淚。柳含羞。花凝怨。多少愁煩。知心意千難萬難。問蒼天。怎生成就。枕上燈前。

【尾聲】相思未得常相見。盼殺也恩情美滿。酩酊的貞心鐵樣堅。（吴騷二集）

〔一〕三徑閒題題作「志恨」，彩筆情辭題作「情阻」，俱屬張伯起。南音三籟題作「道中題情」，作者同二集俱注張伯瑜撰。未知孰是，兹互見二人曲中。

張君平

張君平，生平不詳。

套數

閨情

【南商調十二紅】〔山坡羊〕愛春宵千金難討。對燈花手怯頻挑。暗數去跡來踪。不移時一定黄昏到。〔五更轉〕聽譙樓。鼓罷敲。人睡飽。多情却被無情惱。你看半枕推殘。夢破梅花一覺。〔園林好〕覷空庭月過花梢。全没個影兒相掉。〔江兒水〕和衣擁越添静悄。羞入鴛衾。枉繡出並頭雙抱。〔玉交枝〕魚沉雁杳。懶添上寶鴨香消。眼兒失睡重蛾繞。羡他人貼腕鮫綃。〔五供養〕他自追懽買笑。反教我意攘心勞。梨花門閉雨。鐵馬逐風摇。空禱向三星。層漢重霄。〔好姐姐〕恨着。他心難料。怎結果怨種愁苗。見南飛烏鵲。早向疎林三繞。〔玉山供〕鄰鷄忽唱曉。眼誰交。流蘇猶掛減蘭膏。〔鮑老催〕中心似擣。春光漏泄柳千條。絲絲不綰離恨饒。〔川撥棹〕衣裳顛倒。舊蛾眉休淡掃。空辜負月夕花朝。空辜負月夕花朝。〔前腔〕把密約幽期一旦拋。豈教人絃續鸞膠。豈教人絃續鸞膠。暗中思忖。怕續來終不牢。〔僥僥令〕鶯啼春易老。花落恨難消。無擺劃相思何日了。怎能彀歸心折大刀。

【尾聲】年年歲歲花常好。空目斷王孫芳草。誰信人間有鵲橋。（吴歈萃雅）

按：此曲樂府珊珊集、古今奏雅亦録。

張孺彝

張孺彝，生平不詳。

複出

套數

惜別

【南商調集賢賓】懷珠袖璧空暗投。

吴騷二集、詞林逸響題作「惜別」，俱注張孺彝撰。吴騷合編署名張熙伯。未知孰是，姑從合編録於熙伯卷中，此不重出。

董如瑛

董如瑛，青樓女。

小令

【南仙吕入雙調步步嬌】

贈友

燈前笑擁芙蓉面。鬢軃雲鬟亂。偏喜夜如年。夢怯陽臺。自覺情兒倦。欹枕竝香肩。喘吁吁不奈多嬌顫。（青樓韻語）

董貞貞

董貞貞，青樓女。

小令

【南南呂懶畫眉】

喜裴生見過

相逢花下乍停鑣。便覺傾心愛楚腰。春情能不爲君拋。片時相對相傾倒。何必琴心暗裏挑。（青樓韻語）

葉小鸞

葉小鸞，字瓊章，一字瑶期，號煑夢子，南直隸（今江蘇）吴江人。紹袁第三女。美而慧，與姊紈紈、小紈俱能爲詩詞，而以小鸞最工。有返生香一卷。萬曆四十四年（一六一六）生，崇禎五年（一六三二）卒，年十七。

小令

【南商調黄鶯兒】

有一女年甚長而未偶衆共笑之戲爲作此

倚遍玉闌干。數春愁幾日閑。香肌瘦盡腸還斷。羅衫漸斑。鶯花漸殘。紅顔老去空長嘆。掩重闗。玉簫聲怨。何日駕雙鸞。

謝雙

謝雙，生平不詳。

套數

曉思

【南商調集賢賓】高城漏盡天欲曙。疎簾殘月依依。此際離情知幾許。真箇是寸腸千縷。憑誰拆與。從此後空擔愁緒。〔合〕還自悔。緣底事輙教分去。

【前腔】花陰半窗猶懶起。幾番夢裏歡娛。最恨簷前烏鵲語。把好夢將來兜住。羅衾似水。不由人更添珠淚。〔合前〕

【琥珀貓兒墜】落梧盈砌。朔雁數行飛。遊子長途尚未歸。菱花驚覷瘦龐兒。蛾眉。幾月含愁。未點胭脂。

【前腔】白雲紅樹。何處是京師。昨日人來報捷書。黄花應不負佳期。東籬。何日追歡。共把金巵。

【尾聲】深深拜禱窗紗裏。但願蒼天祐取。惆悵花前只自知。（吴騷二集）

薛素素

薛素素，青樓女。

小令

【南仙吕桂枝香】

示李生

緑窻烟暝〔一〕。蒼堦月泠。向多情欲訴衷腸。又恐怕傍人私聽。低低唤郎。低低唤郎。與你濳行花徑。把心期偷訂。更叮嚀。莫向人前語。空躭薄倖名。（青樓韻語）

〔一〕「暝」，原作「瞑」。

薛常吉

薛常吉，生平不詳。

套數

閨怨

【南正宫普天樂】閉月容。羞花貌。這幾日懶把菱花照。憶多才山長水遥。恨薄倖魚沉雁杳。如痴似醉。對景傷懷抱。有甚心情將蛾眉掃。最苦是明月初高。最苦是殘燈倦挑。最苦是鄰鷄報曉。

【鴈過聲换頭】愁聽。落葉風亂攪。愁聽得寒砧夜敲。愁聽四壁寒蛩鬧。更愁聽鴈嘹嘹。愁聽窗外雨灑芭蕉。愁聽。枝上鳥。因他幾樣將人惱。瘦得奴腰肢兒越纖越小。

【傾盃序换頭】前宵。鶯燕友。鳳鸞交。羅帳裏相偎靠。似誤入桃源。喜逢洛浦。樂賦高唐。争知您别調。把離情謾檢。這回却比。舊時多少。算將來積壘似山高。

【玉芙蓉】垂楊映畫橋。小逕迷芳草。急回頭又早。秋滿林皋。薄情遠別長安道。目斷關河魂暗消。懨懨病。甚般樣妙藥可調。料芳容不比昔年嬌。

【小桃紅】默默地將人惱。鬾鬾地催人老。冷冷清清香閨悄。悲悲切切無歡笑。這般滋味有誰知道。幾時得使我離却煎熬。

【尾聲】星月下香夜燒。深深拜頻頻祈告。早遣情人續舊好。（吴歈萃雅）

按：吴騷合編題作「秋閨」，注文三橋撰。吴歈萃雅、詞林逸響、古今奏雅皆題爲「閨怨」，俱署名薛常吉。未知孰是，兹姑以之屬薛氏。

顧長芬

顧長芬，青樓女。

小令

【南商調黃鶯兒】

贈陳生

一自結盟言。感卿卿心最專。西陵松柏時相念。祝蒼天見憐。願和諧百年。守堅貞肯逐風花轉。結良緣。今生永好。比翼效鶼鶼。（青樓韻語）

傅玄泉

傅玄泉，生平不詳。

套數

深秋芸窗清趣

【南仙吕入雙調步步嬌】斗室許大閑天地。静裡無邊趣。架插聖賢書。硯磨銅雀。筆揮免尾。床頭堆李杜詩。壁上掛羲之字。

【孝順歌】甘淡飯。樂黄虀。富貴浮雲等太虚。悶來呵一局棋。興到也幾聯詩。客至時清茶旋煮。高卧北窗。耳不聞亂理。長嘯東墟。口不言興廢。棄傅岩。釣渭水。結山月隣。作松菊主。

【前腔】架藥蔓。鋤菜畦。小圃花繁樂有餘。飲芳泉荷葉爲盃。寫新詩芭蕉當紙。時有幽禽共語。樹静風歇。一簾花香細。雲破月來。滿徑竹陰砌。詩徐吟。酒慢煮。只待酒樽空。詩興已。

【香柳娘】喜喜幽地僻。喜喜幽地僻。庭院網蛛絲。蝸篆蒼苔無屐齒。有誰來到此。有誰來到此。鳥影過茅廬。敗葉扣柴扉。和誰作伴侶。和誰作伴侶。一個青麟。三尺綠綺。

【前腔】見夕陽影裡。見夕陽影裡。鬬鳥墜還飛。落葉散復聚。看西風陣裡。看西風陣裡。鴻雁待風歸。白鷺冲霄起。是何物聒耳。是何物聒耳。寒蛩四壁。疎鐘幾杵。

【園林好】虛心交凌霄竹幾株。歲寒交傲霜菊滿籬。與暮靄朝烟同一契。約鷗鷺盟泉石。

【前腔】釣魚灘離城七里。參天柳迎門五株。案頭焚香烟一縷。湖山上種三芝。

【江兒水】翫一會窗前草。盆内魚。研硃坐點周易句。兩扇門關住是和非。一鈎簾隔斷名和利。誰識淡中滋味。弄月嘲風。便是生涯活計。

【前腔】且自安貧賤。守栖遲。高堂菽水承甘旨。閑中養就治平術。静裡調成鹽梅味。用舍行藏惟已。知命樂天。那管他遇而不遇。

【僥僥令】門徑任荒凉。形影縱岑寂。我是個怕見人恬静貧寒士。不管他眼青白口黄雌。

【前腔】短牆圍紅樹。矮屋遶清溪。聳壑昂霄人不識。我一心嫌地小恨天低。

【尾聲】數椽屋偎林偎水。一介儒無繫無拘。身似雲閑心似洗。（詞珍雅調）

南北雙調合套

題　情[一]

【步步嬌南】孽擔千鈞愁城大。瘦怯怯難擎架。無言謾憶他。剔透玲瓏。温柔俊雅。受不得分外意兒佳。忘不了幾句着人話。

【折桂令北】霎時間不見如花。却便是隔歲經年。海角天涯。夢化蝴蝶。魂迷杜宇。腸斷歸鴉。這些時睡魔神在我眼皮上住扎。相思鬼在我心坎上安插。形影難改。愁緒如麻。只落得鏡裡容枯。帶裉消乏。

【江兒水南】掛一角姻緣號。給一張離恨劄。何時繳了淒凉假。想他的美儀容。想得我如呆傻[二]。思他的俏心腸。思得我如聾啞。獨掩書齋淚洒。只爲他絶世丰姿。教我千般牽掛。

【雁兒落帶得勝令北】[三]俺也曾偎着肩把手腕掐。他也曾隔着人使瓜子兒打。俺也曾在席上偷眼瞧。他也曾過尊前低聲罵。只爲你知熱痛俏冤家。拖逗得我書怕展筆慵拿。你若無意傳紈扇。怎留題托絳紗。嬌娃。我爲你捱一刻如一夏。嗟呀。閃得我飯不飯茶不茶。

【僥僥令南】只爲你風流情萬種。惹下我冤業病一榻。慾火燒心撥不下。又遇着愁泰山在我眉上壓。

【前腔】〔四〕相思何日罷。合眼夢見他。安得今生都是夢。和你兩團圓到白髮。

【尾聲南】慇懃寫就衷腸話。封付征鴻莫寄差。我想他是真情休當假。（彩筆情辭）

〔一〕彩筆情辭題作「題情」，注傅玄泉改刻。樂府先春無題，注顧涇陽撰。詞珍雅調題作「憶美人」，羣英類選題作「男相思」，俱署名傅玄泉。昔昔鹽題作「懷遠題情」，不注撰人。兹互見顧傅兩家曲中。

〔二〕「傻」，原作「欠」，兹改。

〔三〕曲牌原僅作「雁兒落」，兹補。

〔四〕「前腔」原奪，兩隻曲文亦不分開，兹補正之。

〔五〕「髮」，原作「髮」，兹改。

湯傳楹

湯傳楹，字子輔，更字卿謀，南直隸吳縣（今江蘇蘇州）人。諸生。才思敏妙，風馳電發。詩古文辭，爽邁自喜。著有湘中草（散曲附）、閑餘筆話。生於泰昌元年（一六二〇），卒於崇禎十七年（一六四四），年二十五。

套數

秋夜

【南南吕懶畫眉】河斜斗轉度横星。恰似織女支機墜小螢。窻紗閃閃隔燈青。金鈎掛夢簾衣冷。又蛩一葉秋聲到枕屏。

【前腔】瀟湘環佩曉雲輕。漫捲珊瑚玉簟清。佳人團扇撲卿卿。憑肩私語提鞋襯。怪底是黠婢迴廊悄步聽。

【尹令】暢好是夜涼人静。猛聽得墜梧飄井。恰可與個人同病。絲兒小魂。怎當他叫月棲烏閃一驚。

【品令】秋蛩細訴。一片別離情。欄杆靠穩。暗露點衣明。淩波微印。蹴碎眠花影。怪隔牆渴睡漢。抛得粧殘酒醒。喚覺江郎。縱夜永還祈閏一更。

【荳葉黄】嘆悲秋宋玉。說甚聰明。便湘中哭殺騷經。須洛下雕殘鬢影。巫山荒磴。河陽廢城。空剩下夢觀中的行徑。空拾得擲果中的鞭鐙。一往風流。祇見烟摇霧横。

【玉交枝】佳期不定。似風翻荷珠乍傾。曼卿消受芙蓉聘。證盟兒闘合花精。吹羌笛漁舟浪生。敲砧杵雁樓人憑。聽城頭三更四更。望樓頭三星四星。

【三月上海棠】花露深。蕭蕭秋草平幽徑。蛩羅衣清怯。偎捻香篝。消領。這衾鐵稜稜全不穩。恰似夜來雨打梨花病。臨去寢。收拾眉梢。風月閒評。

【江兒水】熱搵珍珠淚。低呼小玉名。香魂一縷香初定。花身一捻花還隱。鶯喉一囀鶯難佞。月下端詳小詠。澁澁閒行。手勒芭蕉持贈。

【川撥棹】簾櫳静。海棠魂喚不醒。又何須夜雨霖鈴。又何須夜雨霖鈴。蛩則是梧桐亂鳴。斷腸花爲甚生。斷腸人作麼生。

【尾聲】釵鈿钃就檀郎印。平分破風批月領。小立粧臺弄玉箏。

此卿謀閨中清課也。似此凄凄切切同病相憐，一往傷心，能無薄命！尤侗

南　峰

南峰，姓名不詳，生平無考。

小　令

【北雙調對玉環帶清江引】

遣　懷四首

酒館吟樓。一生不解愁。閬苑瀛洲。一身先判休。談笑取封侯。時來還自有。采石磯邊。謫仙誰與疇。赤壁山前。子瞻堪共游。〔清江引〕黄金任多咱不求。散誕常如舊。青衫〔二〕破不縫。甘落他人後。風波競途無妙手。（北曲拾遺）

服藥求仙。幾人能百年。斗酒開筵。幾人能百篇。世事苦縈纏。有懷當自遣。人笑詞章。怎生值個錢。我看金珠。怎生值個錢。〔清江引〕兩家勿論誰是賢。且把香醪勸。

醉裏萬事宜。平等無恩怨。鸞簫臥聽山月轉。（北曲拾遺）

苦讀詩書。科場不用多。苦挣功名。史篇無處着。後擁與前呵。到頭成甚果。任你才高。誰開丞相閣。任你談雄。誰營安樂窩。〔清江引〕烏兔兩輪同織梭。百歲霎時過。

不飲待如何。枉自將春蹉。桃花笑人空數朶。（北曲拾遺）

愛酒劉伶。自來常不醒。慕色張生。自來人所輕。若比利和名。較量無二等。世有三閭。牙籌終日營。世有孤眠。危途不住行。〔清江引〕酒能喪身色污名。名利多陷穽。

四般一不除。仙籍何由證。大家廝瞞同自省。（北曲拾遺）

〔一〕「衫」，原作「山」，兹改。

湖西主人

湖西主人，姓名不詳，生平無考。

套　數

和馬東籬韻

【北雙調夜行船】一世功名如(二)夢蝶。成和敗到大休嗟。綠鬢刁騷。朱顏衰謝。似螢火霎明霎滅。

【喬木查】嘆先朝殿闕。傾倒在寂寞蓬蒿野。只落遊人作笑説。想當年争用功。陣擺長蛇。

【慶宣和】亡命捐軀入虎穴。漢國三傑。四海纔安自摧折。數也。命也。

【落梅風】初得些志。意便奢。恣顛狂不分明夜。傲人心只恁堅勝鐵。一味裏醉花邊月。

【風入松】日移簾幙又欹斜。光景轉天車。堆金積玉湯澆雪。宦情淺翻掌更別。遁跡林泉自拙。細思量誰巧誰呆。
【撥不斷】俗緣竭。舊情絶。乾坤到處無干惹。午樹團陰滿徑遮。青山蘸影浮萍缺。忽聞的酒香村舍。
【離亭宴帶歇指煞】〔二〕看六龍捧鏡天邊貼。賣雙魚移艇溪頭歇。豁然間頓徹。名〔三〕似水中漚。勢如風裏絮。利是刀頭血。結南陽隱士廬。入西洛耆英社。仗精神樂些。正翠縷裊爐香。黃花撩飲興。白酒浮蕉葉。除悲歡聚散中。得幾個閑時節。趁早的回頭看者。打疊起是非心。老先生悟了也。（北曲拾遺）

元夜春情寓京師作

【北商調集賢賓】賞元宵鳳城春意好。芳塵擁暗香飄。鬧叢叢行行珠翠。笑吟吟隊隊妖嬈。和新詞月底潛行。送春情燈下偷瞧。使司空一時腸斷了。勾引的意穰神勞。恨不的佳期傳綠綺。仙夢赴藍橋。
【逍遥樂】通宵歡樂。社火縱橫。鰲山縹緲。蠟炬齊燒。動人情燈月光交。舞東風袖羅噴麝腦。髻高盤帕裏鮫〔四〕綃。看那沉魚貌美。飛燕身輕。吹鳳聲嬌。
【金菊香】則看那滿城燈火照青霄。沿路簫韶按六幺。繡球燈影粧其實巧。蠟炬〔五〕高挑。風色暖燭花摇。

【醋葫蘆】則看那琉璃燈萬碗明。則看那翡翠燈千盞著。縱蓬萊仙境也難學。捲珠簾玉人憑畫閣。端的是郎才女貌。醉乜斜眼俊利如刀。

【幺篇】則看那月兒㵐〔六〕灔圓。則看那花兒爛熳好。多情花月故相撩。猛可裏鬧中廝撞着。不由的莞然失笑。酩子裏閒把話兒嘲。

【幺篇】則看那春山八字斜。則看那金蓮三寸小。則看那纖腰妬柳一團嬌。結絲蘿幾時成就了。我和他相偎相抱。我和他生死不相拋。

【梧葉兒】對面燈兒下。擡頭月兒高。執手與兒飄。不得鴛鴦會。無能琴瑟調。惹怨與添焦。頃刻把休文瘦了。

【後庭花】則看那放花燈直到曉。列珍筵連數朝。火樹銀花綻。星河〔七〕錦浪潮。今夜長怎生熬。你處覓紅綃密約。翠衾寒睡〔八〕不著。寶香殘。細烟裊。影兒孤魂暗銷。病兒命未保。這相思何日好。這相思何日好。

【青哥兒】呀。〔九〕終有個同歡同歡同樂。雨雲雨雲齊效。月底花前歡〔一〇〕宴酌。春滿眉梢。情逐心苗。燈結蘭膏。絃屬鸞膠。擲千金一刻也難消。天順了人之好。

【浪來裏煞】慶豐〔一一〕年良夜迢。喜燈期芳景好。更那堪聰明俊俏。兩逢□助風流。一

天星月皎。我和他撚香的道。願團圓百世鳳鸞交。（北曲拾遺）

〔一〕「如」字原缺，兹補。
〔二〕原僅書「離亭宴煞」，兹補。
〔三〕「名」字原缺，兹補。
〔四〕「鮫」，原作「絞」。
〔五〕「蠟炬」二字原缺，兹補。
〔六〕「潋」，原作「瀲」。
〔七〕「河」字原缺，兹補。
〔八〕「睡」字原缺，兹補。
〔九〕「呀」字原缺，兹補。
〔一〇〕「歡」字原缺，兹補。
〔一一〕「豐」字原缺，兹補。

虞味蔗

虞味蔗，生平不詳。

套數

慶壽

【北黄鍾醉花陰】一點長庚現天表。騰瑞靄連宵徹曉。五雲聚碧天高。海外青鸞。王母離蓬島。來塵世慶生朝。端的有世外諸仙(二)會俊髦。

【喜遷鶯】衆神仙早到。玳筵上獻蟠桃。簫韶。一派仙樂。我則見舞女歌童音韻標。慶的是長生不老。見了這綸巾羽扇。更和那草履麻縧。

【出隊子】但開懷歡樂。有靈芝並瑞草。花容般美麗百千嬌。柳樣似輕盈嫩緑條。奏一曲新詞按六幺。

【刮地風】壽酒注金壺頻傾倒。這的是美醖葡萄。正芳辰紅紫争相笑。歲月相饒。閬苑逍遥。望西池迥似天高。見東華幾番封詔。玉體獐。錦背猿。紅頂仙鶴。王子晉好吹簫。謝康樂掌着仙樂。喜群仙箇箇皆年少。見鸞輿下九霄。

【四門子】正氤氳寶鼎香霧裊。寫新詩慶壽考。面色如童眉帶霜〔二〕毫。養黄芽一粒丹服却。福禄崇。風景饒。壽同他天地共老。

【古水仙子】見見見漢鍾離年〔三〕壽高。看看看跨白驢龍鍾張果老。來來來藍采和精神。喜喜喜吕純陽歡笑。有有有徐神翁素布袍。他他他曹國舅高擎着籬笊。獻獻獻韓湘子牡丹顔色嬌。呀呀呀鐵拐李手執着靈丹藥。賀賀賀一個個醉醄醄。

【尾聲】南極星宿增光耀。注芳名蓬萊三島。壽祝南山一樣高。（北曲拾遺）

〔一〕「仙」字原奪，兹補。
〔二〕「霜」字原奪，兹補。
〔三〕「年」字原奪，兹補。

李翠微

李翠微，陝西米脂人。闖王李自成女，曾隨父從軍。起義失敗後，逃到楚地，被某生之母鄔氏收留。某生返楚後，納爲妾，埋名隱居。後不知所終。

套數

元宵艷曲

【南正宮山漁燈犯】〔山漁燈〕燈如晝。人如蟻。總爲賞元宵。粧點出錦天繡地。抵多少鬧攘攘笙歌喧沸。試問取今夕是何夕。這相逢忒煞奇。輕輕説與他。笑聲要低。雖則是燈影堪遮掩。也要慮露容光惹是非。愛殺你。果傾城婉麗。〔玉芙蓉〕害相思。經今日久。甫得效于飛。

【錦庭樂】〔錦纏道〕笑他們振盈盈。村的俏的男女混相攜。更喧譁打着燈謎。〔滿庭芳〕且和你離芳街步星橋。略尋徒倚。遞歌聲梅落穠李。響銅壺玉漏頻滴。〔普天樂〕一任他攘攘熙熙。偏咱巧遇是這上元之夕。

【朱奴兒犯】〔朱奴兒〕一處處燈輝月輝。一陣陣喧闐鼓鼙。一曲曲昇平賀聖禧。大家羨皇都佳氣。從今後。歲歲如斯。〔玉芙蓉〕願和伊。一雙永擬鳳鸞棲。

【六幺令】夜闌。風起。蕩春衫香靄遥飛。金鞭欲下馬頻嘶。歸去也月西移。聽雲璈噫噫朱門裏。聽雲璈噫噫朱門裏。

【尾聲】歸來重把闌干倚。慢慢的唱和新詩贈月姨。直等那斗轉參横始掩扉。（名媛詩緯雅集）

顧木齋

顧木齋，生平不詳。

套數

咏柳[一]

【南正宫白練序】窺青眼。漸葉葉顰眉效淺妝。渾一似想着故人張敞。摇颺。萬縷長。翠織就新愁縈斷腸。偏宜向。朱門羽戟。畫樓[二]遊舫。

【醉太平】惆悵。藏鴉未穩。早攀來[三]贈别。空與人忙。隋堤漢苑。都非舊日風光。堪傷。三眠春夢謾悠揚。有誰問灞陵無恙。倚闌凝望。消得幾番。暮雨斜陽。

【白練序换頭】淒涼。古道傍。青青數行[四]。消魂處驀聽得幾聲鶯簧。蕭郎。信渺茫。謾留下當年繫馬樁。空悒怏。傷春瘦得。楚腰宫樣。

【醉太平】輕狂。花飛似雪。乍高欲下。隨風飄蕩。抛街傍路。無拘管市橋村巷。端詳。香毬滾滾散苔牆。好飛度繡簾朱幌。送春南浦。遺踪化作。翠萍溶漾。

【尾聲】流水游魚吹浪響。舟横野渡清晝長。勾引蟬聲噪晚涼。（詞林逸響）

〔一〕吴歈萃雅、南音三籟題作「詠柳」，俱注高東嘉撰。群音類選題作「柳」，南宫詞紀、南詞韻選題同萃雅，樂府争奇無題，皆不注作者。新編南九宫詞題同類選，注古詞。詞林逸響、古今奏雅題作「詠柳」，俱注顧木齋作。兹據以輯之。

〔二〕「畫樓」，原作「畫橋」，兹從詞紀。

〔三〕「攀來」，原作「攀離」，兹從類選。

〔四〕「數行」，原模糊不清，兹據他本補。

王謨

王謨，字玉陽，浙江蕭山人。生平不詳。

套數

訪美

【南商調集賢賓】西陵百里雲樹渺。春來魚鴈蕭條。一葉扁舟初破曉。訪你個多情蘇小。蘭房窈窕。猶自擁羅衾未覺。靈鵲噪。忽驚醒畫簷春早。

【前腔】朦朧恰訝郎已到。殷勤遠慰無憀。强起牕前梳洗好。還彷彿舊時風調。海棠花老。對綺席歌聲嬌小。翻懊惱。忽憶着那人消耗。

【黃鶯兒】四首楚天高。兩三年似萍梗漂。傷心只有卿知道。留連幾朝。悲悽幾宵。臨岐淚濕青衫袖。恨難銷。記花牋血染。書倩指尖嬌。

【簇御林】風波起。羽翼飄。嘆東西道路遥。你年時猶得追歡笑。他經春難更通音耗。喜今朝。卿卿繾綣。猶似見那根苗。

【琥珀貓兒墜】[二]章臺楊柳。愁殺短長條。祇爲多情瘦沈腰。尊前休更唱櫻桃。難拋。縱賦得郵亭。又夢到藍橋。

【尾聲】年來枉自傷懷抱。這孽債幾時償了。且把春心寄彩毫。（彩筆情辭）

懷美

【南南呂香遍滿】玉人何處。桃花水流消息疎。恨一夜郵亭歸信誤。休言三斛珠。羅敷自有夫。悔憐一繡襦。把盟約成孤負。

【懶畫眉】朱樓邂逅憶當初。秀色真看畫不如。似芙蓉一朵出秋渠。幾回拖逗心相許。記待月東牆杏一株。

【二犯梧桐樹】你棲枝未入吳。我賦夢長留楚。幾夜燈前。悄問低低語。念文禽豈是山雞侶。便九死從君誓不渝。把香雲生剪絲一縷。未卜郎心。啼不盡雙雙紅雨。

【浣溪沙】緣分慳。風波阻。却無奈變起須臾。將長條摧擲東流去。望斷歸舟哭未甦。親囑付。這時節繫遊轀在何地。儘埋怨[三]薄倖相如。

【劉潑帽】畫圖悔被千金誤。陡分開比目雙魚。蛾眉自昔人爭妬。恩愛虛。刪抹了姻緣簿。

【秋夜月】長嘆吁。羞自詠青青句。我落得千般閒凄楚。你空勞半載躭辛苦。如隔在洛浦。却何能羽渡。

【東甌令】愁時序。病身軀。淚點青衫兩鬢濡。恨今生端爲多情忤。人面逐春風去。當時贈我錦襜褕。點檢舊香疎。

【金蓮子】金屋孤。傷心怕過西州路。惱人意是青林夜烏。可堪這曲房中。一聲聲驚起夢糢糊。

【尾聲】方信道合與離皆前數。空教遺恨失吞吳。難寄蕭娘一紙書。（彩筆情辭）

〔一〕原僅書「琥珀貓兒」，兹補。

〔二〕「怨」，原作「寃」，兹改。

朱鏡如

朱鏡如，生平不詳。

套數

贈景姬楚華有傳〔二〕

楚華姓景，鹿城人。及笄時，誤落侯門長鬣手，其妻奇妬，洶洶不能相安，欲重窘楚華，轉受一不逞子。家既壁立，勉嫁東風，甫一兩月名走七邑，訪楚華者，日户外屨滿，夜至丙刻猶剥啄無停晷。楚華苦之，多寄跡水雲鄉。余春暮得望顔色，相見若平生，歡韶姿艷態，密語幽思，不勝旖旎。性絶慧，呼盧六博之戲，靡不了了。作酒糾寬猛俱得衷，真一時之女英也。

【南商調集賢賓】楚材憶昔推景差。英英獨艷章華。派毓佳人鶩羽化。恍連城明玉無瑕。花嬌柳姹。描不就真真圖畫。多瀟洒。似瑶水紫雲初駕。

【前腔】記盈盈十五纔破瓜。誰知彩鳳隨鴉。更嫩蕋何堪摧折乍。却教人又抱琵琶。

緣踈愛寡。一枝任東風旋嫁。君莫訝。看南國芳名初掛。

【黃鶯兒】鬉鬢擬堆鴉。掃雙蛾淡柳芽。秋波玉溜春無那。瓊枝似他。夭桃似他。清輝玉臂銀蟾下。襯裙鞦。弓弓繡鳳。芳徑印蓮花。

【前腔】衫子杏紅紗。稱腰肢弱柳斜。櫻唇嚦嚦花前話。鸚鵡似他。流鶯似他。撩人私語偏風雅。飯胡麻。脂凝蕙馥。白雪射朝霞。

【琥珀貓兒墜】玉簫金管。長笛落梅花。撥阮彈箏堪羨殺。高山流水韻伊呀。還誇。唱徹伊州。巧按紅牙。

【前腔】呼盧坐隱。鬬草與催花。酒社詩壇孰敢譁。辨絃賦雪未爲姱。堪亞。結綺臨春。學士仙娃。

【尾聲】風流萬種難描畫。似洛水神姝非假。真個是傾國於今有麗華。（彩筆情辭）

贈雲間張姬幼琰有詩〔三〕

誰道楊環素有肌，乘風吹去態迷離。劇憐杏蘂分嬌靨，未許旃檀襲舞衣。解語慢誇蘇小小，知音恰似蔡文姬。揚州酣却青樓夢，那肯尋春去獨遲。

【南仙呂入雙調步步嬌】笑語花前情綿邈。巫岫晴雲杳。窺人整翠翹。秀毓雲間。靈分三泖。素質襯冰綃。恍疑姑射飛來姣。

【醉扶歸】綠垂垂蟬翼雙鬟掉。碧涓涓波横秋水嬌。嫋亭亭腰怯柳絲風。暖融融玉瑩梨花貌。步依依蓮瓣襪羅蹺。嫩纖纖春笋瓊枝皎。

【皂羅袍】堪愛翩蹮年少。似臨春結綺。玉樹飄飖。懷春幾度意中消。含情怕向人前告。如蘭馨氣。湘靈遜嬌。如花解語。楊環讓標。凝粧自覺多波俏。

【好姐姐】更誇。冰絃一操。志高山臨流浩渺。子期何處。中散韻空高。添煩惱。慧心偏賞鸞凰調。幽思堪將綠綺挑。

【香柳娘】怪兒郎儇薄。怪兒郎儇薄。誰憐窈窕。小名兒不枉敦娘叫。我何緣覷着。我何緣覷着。一片彩雲撩。幾折柔腸遶。漫尊前容與。冷處偷睛。暗中調笑。

【尾聲】花前一見人幾老。金屋何曾貯阿嬌。拚醉飛觴不覺曉。（彩筆情辭）

贈劉姬蔻生有序[三]

蔻生劉姬者，清心暎玉，秀擅寰中。芳氣飄蘭，聲騰曲裏。但校書名重，緣冷迷香。而楚客愁多，會疎問柳。何期新夏，巧值湖濱。垂翠袖以無言，掩齊紈而凝態。既而方舟聯席，含嬌若不勝情；間出纖語撩人，滿座殊爲動色。蔻生素自珍歌，是夕一索即應。低鬟振響，唾玉洒珠。啟口流音，調鶯鳴鳳。感新知於迴盼，賡俚句以報瓊。雖刻月鏤風，詎增麗華之艷；任摹花擷鳥，安罄玉環之妍。

【南商調山坡羊】蹙雙蛾不耐煩的情況。側香軀難禁架的形狀。誰似你比不來的異姿。只教人想得煞的嬌模樣。秀色揚。溶溶若夜光。鏤冰琢玉人清朗。貞靜幽閑璇珪無兩。端詳。芬菲毓異香。顛狂。行雲殢楚王。

【五更轉】似芙蓉擎仙掌。擲胭脂轉碧眶。遠山淡掃臨邛樣。還怕多露宵行。幾番惆悵。似葉底花。海上珍。春前釀。令人一見千般想。不覺五色俱馳。迴腸半晌。

【園林好】羨盈盈凌波渺茫。步纖纖湘裙珮鏘。曳輕裙畹蘭飄颺。端的是冠瀟湘。端的是冠平康。

【江兒水】鴛枕辭巫夢。鸞臺試號粧。玉亭亭皓腕菱花漾。秀涓涓剪水星眸爽。緑垂垂墮馬蟬鬟障。月下花前凝望。總有丹青。描不盡風流倜儻。

【玉交枝】珠輝月昶。展霓裳天孫七襄。梨雲唱徹歌喉亮。吐丁香換羽移商。鸞披紅袖玉笋長。蓮生羅襪檀痕蕩。似當年華清曉粧。喜人間瓊花載芳。

【玉山供】[四]清江畫舫。透輕綃薰風送涼。羨玉人膚瑩凝脂。又何須紈扇輕颺。破顔流哂。不覺平添幽況。傾國非虛獎。意徬徨。背人私語倚筠窻。

【三學士】困人醹醁傳犀盃。紅潮半暈嬌龐。迷離月底翻雲幌。〔五〕綽約風前睡海棠。旋汲新泉消渴湙。龍團嗽瓠齒香。

【解三酲】動人處名魁繡榜。動人處艷絶閨房。動人處淺顰微盼情勞攘。動人處彈翠流黃。動人處瓊簫引鳳秦臺響。動人處檀板催花漢殿香。金波滉。愛傾來美滿。纖手携將。

【川撥棹】相偎傍。對雙星夜未央。水沉烟裊裊雕床。水沉烟裊裊雕床。賦情多才容兩當。解羅衣貼繡軀。襯酥胸挹蕙芳。

【僥僥令】錦幃春意熳。珊枕夢魂香。帶結同心將盟誓講。惟願取好姻緣共久長。

【尾聲】乍歡娛情難放。天來好事不尋常。看被底分明鴛與鴦。（彩筆情辭）

〔一〕原注：「明朱鏡如改刻」。

〔二〕原注：「朱鏡如改刻」。

〔三〕原注：「朱鏡如删改」。

〔四〕「玉山供」，原作「玉山頹」，今正。

〔五〕「幌」，原作「禊」，兹改。

沈清狂

沈清狂，生平不詳。

套數

夜懷

【南仙吕入雙調步步嬌】暮雨孤帆瀟湘遠。淚滿青衫濺。山城畫角諠。燈燼黄昏。漏催銀箭。欹枕未成眠。把天涯海角思量遍。

【孝順歌】分離易。會晤邅。人生聚散非偶然。萍水是良緣。痴心望週全。奈姻緣分淺。雖是路柳牆花。未必相輕賤。誰道今朝。天不從人願。咱怨天。料伊也怨天。兩處怨蒼天。不肯賜方便。

【香柳娘】想嬌容粉面。愛嬌容粉面。櫻桃紅倩。章臺細柳腰肢軟。被他人亂攀。怪他人亂攀。魚水共誰歡。枕衾爲誰薦。嘆風流少年。爲風流少年。時刻何曾放閒。衷心迷戀。

【園林好】須記得盟言在耳邊。明説道佳期在眼前。今日裏書沉鴻雁〔一〕。桂枝香人未圓。菊花殘人未旋。

【江兒水】想起歡娛日。翻成離恨天。夢悠悠路隔巫山遠。焰騰騰火烈祆神殿。白茫茫水溢藍橋堰。總有懽情難遣。悔殺當初。相見争如不見。

【僥僥令】心香焚寶篆。意旨問金錢。卜得個應動才空官爻變。好事料難成。卦亂傳。

【前腔】若能諧繾綣。再結並頭蓮。自古佳人多水性。只恐抱琵琶過别船。

【尾聲】千思萬想恩成怨。把個利名心撇在麗春園。只怕花落香消空自憐。（彩筆情辭）

〔一〕「雁」，原作「燕」，兹改。

張　栩

張栩，字叔周，號蕚子，別號清河長、天臞齋主人。浙江仁和（今杭州）人。

小　令

【南南吕賀新郎】

宴　娱

有個人人。問家居小桃幽徑。算丰標素娥堪並。雙眸轉。細剪層波秋水明。愛膩玉圓搓皓頸。歌綺席。珠喉逞。天邊歷亂雲愁凝。言語似鶯乍囀。悄堪聽。（彩筆情辭）

飲散華堂。洞房深繡簾人静。晃鴛幃燭摇紅影。金鼎内。慢爇沉檀篆藹青。擁翠被歡情兩稱。乘酩酊。狂心競。風流漸已遊佳境。兀自道秋夜短。怨雞鳴。（彩筆情辭）

【南仙吕入雙調江頭金桂】

復歡

〔五馬江兒水〕憶昔日房櫳遥見。渾如隔九天。非是我尋桃漾李。愛弛情偏。自古道好姻緣不兩全。〔淘金令〕别後恨種愁綿。懷慚啣怨。做了青樓薄倖。再世冤牽。總有口難將心事傳。〔桂枝香〕喜今宵重面。喜今宵重面。驚疑夢轉。慢留連。劍自豐城配。珠從合浦還。（彩筆情辭）我自分今生緣淺。豈料鸞膠再續絃。將離情重訴。舊恨都捐。這歡娱有萬千。看枕鳳衾鴛。羅幃低展。謾自凌波欵褪。寶襪輕褰。月色穿窗殊可憐。更香温玉軟。更香温玉軟。蜂迷蝶戀。鬢雲偏。着雨桃腮潤。臨風柳帶翩。（彩筆情辭）

【北商調梧葉兒】

春 思

褪粉梅粧浄。舍脂杏靨舒。又只見燕返故巢居。不改章臺路。因思碧玉姝。嬌小乍窺閶。斜映袖盈盈咲語。（彩筆情辭）

【南商調山坡裏羊】

前度劉郎重聚。尋訪同時歌侶。但只有秋娘聲價還如許。記得彩筆書。燕臺好句餘。而今事與孤鴻去。盡是探春傷別緒。趦趄。池塘暮雨濡。庭除。風簾柳絮紆。（彩筆情辭）

【南黄鍾侍香金童】

懷 舊

簾炙淚珠乾。酒壓愁城破。防飲渴冰壺宿火。想着他粉淺朱輕蟬鬢嚲。殢人嬌永夜

摩挲。日三竿尚戀衾羅。我如今寂寞章臺只病臥。記舊日情深愛妥。今日裏也須憐我。甚情悰一旦便忘呵。（彩筆情辭）

套數

秋夜有懷

【北中呂醉春風】檻菊蕭疎展。庭梧零亂剪。霎時微雨灑層軒。炊〔一〕晚烟顫。顫。却正是落日溟濛。飛雲黯淡。薄寒初薦。

【幺篇】臨水登山遣。青楓碧草變。昔年宋玉感懷篇。暢好是緬。緬。更值那蛩響空階。蟬鳴敗葉。應聲凄怨。

【醉高歌】孤亭度日如年。永夜和襟暫偃。長天静悄銀河淺。皓月澄澄一片。

【喜春來】那堪對景思縈轉。直念當時若孽冤。未名未緑恣狂顛。紅樓宴。歲月任俄延。

【普天樂】帝里好風光。少日多留戀。秦樓姻眷。楚舘嬋娟。醉舞筵。迷歌扇。狂朋怪侶追歡遍。今到來迅景推遷。江關屈遠。舊遊祇羨。往事從煎。

【賣花聲煞】只聽得銅壺漏點點箄枕畔擲。胡笳韻嗚嗚愁内牽。名利蹇。空憔悴衷腸繾綣。無眠敨𢚩𢤱。慘銀缸曉風殘脱。（彩筆情辭）

憶　美

【南商調山坡裏羊】露春葱桃腮紅嫩。綻櫻唇芙蓉額印。海棠顏色江梅韻。秋水湮。春山八字匀。微拈翠靨花生暈。斜插犀梳月破雲。斌斌。束纖腰翡翠裙。侁侁。顫凌波鳳嘴新。

【五更轉】他有百様嬌。千般俊。喜相逢煞可人。良宵占斷青春分。賦粉嬌香。柳營花陣。莫不是蘇小卿。再世裏。丰姿趁。多應是西廂月下崔娘引。總有丹青。止畫得他霧鬢雲鬟。

【簇林鶯】這些時閒春晝。冷繡裀。抱衾裯聊自薰。金盃不洗心頭悶。梨花閉門。譙樓漏頻。青鸞望斷雲邊信。思慇慇。迴紋暗省。曾得見意中人。

【琥珀貓兒墜】㈢想當初一宵歡愛。期結百年姻。柳映花遮曙色分。花穠酒釅鳳幃春。因循。今做了千里關山。斷夢勞魂。

【尾聲】有一日佳人重把菱花認。倚玉偎香翠被温。將我受過的凄涼證了本。（彩筆情

辭）

留别金陵王姬蕊珠

【南中吕好事近】雲雨正堪親。誰知遭際沉淪。驪駒纔賦。黯然對面斜曛。慇懃。斗酒樓頭將進。蛾眉月恰又早窺人。自覺愁添恨引。怕宫商哽咽。杯斝逡巡。

【錦纏道】擁重裀。剪孤檠衷腸細詢。寂寞楚臺雲。奈蓮籌遞來點點。永夜徒嗔。慢褰帷河漢漸隱。臨鸞鏡淡粧偏新。送送擬江津。情濃意懇三生有宿姻。任是非災妬。自飄然同棹座生春。

【普天樂】水波澄。漁燈近。栖鴈唳寒蛩韻。更商飈夜激丹楓。這些時怎不傷神。香濛酒暈。有歡娱一枕。教我别怨難陳。

【古輪臺】望嶙峋。朝霞燦爛氣氤氲。燕磯執手徘徊處。叮嚀難盡。可奈風波。須臾拆散鴻羣。影畔追隨。眼前留戀。未知良會是何晨。我臨岐低訊。恐西湖挈伴遨遊。盟言無準。春風一騎。秦樓夢斷。何處覓芳塵。重思省。雙雙流血漫沾巾。

【尾聲】回車盼睞空勞慇。鼓楫徬徨客裏身。莫惜音書慰錦鱗。（彩筆情辭）

惜别

【南商調二郎神】纔歡媾。又信宿分飛不暫留。正孤舘斜陽添線候。壁車目斷。喜慰我殷勤良友。把酒層軒冥靄收。看寒月亭亭光溜。〔合〕腸迴九。這軟玉嬌香不盡風流。

【前腔換頭】銀鈎。湘簾控處。堪傾百斗。怕酩酊青罇無翠袖。拚個斷送。黄昏戌鼓譙樓。莫笑我身心不自由。倘君知還加僝僽。〔合前〕

【集賢賓】論心展轉難斷頭。謾攜手行遊。早是閒街人静後。送河梁重引離憂。天邊寡宿。廝伴我歸途掩逗。〔合〕門掩扣。尚縹渺餘香輕透。

【前腔換頭】偏棲不穩。孤衾怎就。况對暗慘燈篝。淅瀝悲風激未休。舞摧殘木葉颼颼。寒侵敝裘。正凛冽霜飛鴛甃。〔合前〕

【黄鶯兒】鴻雁共綢繆。頃參商兩地秋。迢迢永夜難消受。我思如荳蔻。他心同繫舟。悔今宵何事風波驟。〔合〕恨悠悠。青衫暗拭。千點淚盈眸。

【前腔】吟望竟誰酬。一聲聲嗟雉雊。口兒作念眉兒皺。棲禽自啾。離人自守。陽臺

路杳魂迷謬。〔合前〕

【琥珀貓兒墜】銀河咫尺。那是阻牽牛。莫認恩情逐水流。銷魂此際苦追求。〔合〕含愁。甚日得跨鳳乘鸞。雨殢雲尤。

【前腔】幾回重省。萱草可忘憂。欲折披衣搜苑囿。已看萎落不禁秋。〔合前〕

【尾聲】鳴雞殘漏卿知否。忍下得憐新棄舊。忽聽牕外雙呼羨野鳩。（彩筆情辭）

按：此套亦爲改刻張叔元稿，題同。茲並收兩家曲中。又：次曲「挤」下面「個」字據叔元曲補。

贈薛姬

【南南吕懶畫眉】芙蓉如面柳如眉。嬝娜行藏冰雪肌。無言倦倚綺牕西。半嗔半喜傷春思。教我堪愛堪驚一晌迷。

【東甌令】鸞鳳伴。燕鶯期。擬結今宵連理枝。休辭瘦削風流體。欲就還凝睇。生憎靦覥步輕移。雙鳳絳裙低。

【賞宮花】端詳問伊。正芳年未及笄。驀聽朱唇啟。悄似乳鶯啼。想宿世蛾嵋鍾得秀。到今生人頌校書宜。

【降黄龍】啣盃愛殺人。雙頤暈妬夭桃。粉融脂膩。移燈試眠。更憐他一種性格嬌痴。魂飛。儘追歡客裏。又何須蝶使蜂媒。不枉了跨鶴腰纏。翠倚紅偎。

【大勝樂】瑞鑪中香裊金猊。錦衾明鴛帳斐。晚粧輕蹙春山翠。鬆寶帶解綃衣。温香軟玉千金意。怨雨愁雲五夜雞。含羞怯語。端的似深閨艷質。暫落淤泥。

【解三酲】恍夜來堪爲比翼。凴京尹日畫雙眉。只愁你嬌花不慣風摇曳。誰遮護嫩葉柔荑。我浪遊幸遇姻緣美。分淺空令怨别離。伊須記。西湖春滿。自可依棲。

【尾聲】何當許俊來飛騎。莫使長條趂馬蹄。我有日買棹金陵是握手時。（彩筆情辭）

寄頓青娥[三]

【南仙吕入雙調步步嬌】目送香車投東疾。悶赴孤舟裏。分離頃刻時。正是咫尺天涯。無盡相思。這滋味有誰知。空教懊恨長亭地。

【山坡羊】碧騰騰江雲紛翳。軟颼颼金飈乍起。那正值霜朝試寒。更堪憐令節重陽霽。見遠籬。黄花開滿枝。何緣落帽枉卻登高事。回首茫茫前征靡靡。嗟咨。似孤鴻嘹嚦飛。凄其。伴孤鴻蘆荻栖。

【五更轉】石頭城。烟霧底。早疎林月影低。臨觴獨自長吁氣。且索强酒支吾。奈愁腸不㣊。擁寒衾。慢屈指。更籌遞。高唐夢杳賦就成何濟。捹得個兩鬢潘絲。寬褪了休文帶衽[四]。

【園林好】想新秋重遊帝畿。喜相過温存遠離。記分袂雨疎風細。空落得兩猜疑。空落得兩猜疑。

【江兒水】緩步秦樓悄。挑燈鳳枕欹。啓朱唇道我忘恩義。撲簌簌淚眼頻凝睇。一聲聲怨把新人繫。願托終身依倚。三載丹誠。惟有皇天垂視。

【玉交枝】衷腸誰似。信芳心金石堅持。當初盟誓今猶爾。豈區區薄倖男兒。鶡鵬若擬奮天池。鴛鴦管取浮波底。嘆年來雙魚信稀。悔今朝重逢較遲。

【玉抱肚】[五]前懽有幾。感卿卿殷勤念兹。又何須緑綺傳情。端的圖皓首佳期。中心暗計。雖然故國有新知。還向章臺覓柳枝。

【玉山供】[六]可奈西風鎩羽。憑危樓如呆似癡。困英雄兩字功名。滯姻緣桃李芳姿。一般偃蹇。兩下同擔愁思。暮雨重門閉。冷凄凄。啼痕破粉淚交頤。

【三學士】只指望早遂于飛偕故里。難道又拆散東西。霜風未得乘鸞翥。麗日應看效鳳棲。抛閃暫時非容易。千金諾。忍睽離。

【解三醒】訂山盟三春比翼。欣媒証一綰連枝。押衙自古誰爲匹。今日個青眼憐伊。

我只爲行囊羞澁蠅頭利。因此上翠舘淹留燕爾期。休憂憶。謝君家疎財成就。須有日足繫紅絲。

【川撥棹】念你孱孱體。溷風塵濁水泥。但從今好自支持。但從今好自支持。莫憔悴朱顔玉肌。捱寒冰六出奇。盼韶華瞬息時。

【嘉慶子】我謾把心情彩筆題。盡在叮嚀一首詩。看玉墜今已牢攜。靚物休教越慘悽。望關山衰草迷。儘恓惶塞鴈馳。

【僥僥令】香囊花勝子。羅帕斷腸辭。道是月下燈前親針指。付與我繫晨昏千里思。

【尾聲】船頭細把風流紀。字字恩情字字唏。真個是地久天長永不移。（彩筆情辭）

丙辰元夜序甫弟招飲座中贈郭姬步摇有序

勝賞觀燈之會，昆季與偕；瓊筵選妓之宵，鬟釵雲集。此郭姬者，冰肌瑩潔，渾疑洛水之姝；麗質翩躚，不減華清之嬪。歌喉一振而遏雲，魂消入耳；酒政再申而如鑑，目瞬傾心。刺史空斷腸，惜相見之何暮；佳人正青鬟，恰追歡之可期。賦就宫商，聊以書貽素箋；詞成南北，可堪記入青樓。愧我嚶鳴，瞻卿色笑。

【南北雙調西湖兩六橋】〔步步嬌南〕火樹烘春冰輪皎。市陌笙歌鬧。華筵駕六鰲。忽訝仙姬。彷彿來蓬島。〔水仙子北〕試端詳謾咏嘲。是汾陽別院紅綃。〔江兒水南〕記良宵三五姻緣好。寶鏡低懸羞照。爲問今日行藏。可是前身風調。〔得勝令北〕只愛你檀口綻櫻桃。霞臉殢紅潮。碧澄澄秋水橫波溜。青靄靄春山拂黛饒。〔柳搖金南〕只愛你鬢雲絲嚲。釵燕裊雞翹。愛花鈿星靨。冰肌玉嬌。〔掛玉鉤北〕愛你淹潤裙衫麝腦飄。更鳳嘴銜花小。〔川撥棹南〕鎮歡酬金鐏玉醪。慧心靈逸興豪。狎春風樂醉醄。〔太平令北〕聽歌韻梁塵輕遶。覷歌容分外妖嬈。端的跨鸞鳴鶴嘯。羞殺那蛙喧蟬噪。〔錦衣香南〕三千隊裏敢争高。却正是花繁麗日。月滿清霄。論伊家分福。總蘭堂畫閣能消。乍見憐傾倒。一腔幽抱。〔梅花酒北〕空落得赴燕請鶯招。趂蝶驟蜂撩。混皷暮鐘朝。〔漿水令南〕慢自把馮魁錢傲。肯自隨司馬琴挑。憐香惜玉是我舊丰標。重拈翠黛。爲寫眉稍。從前事。休縈腦（七）。

【尾聲】我看你慽慽瘦減風流貌。只怕是緑葉暗子滿柔條。若是羅敷有匹不難抛。管教使君有婦能諧老。（彩筆情辭）

贈王姬才哥有序與王玉漢同

王五名才哥，字小素。王大名玉漢，字楚生。二姬者，係籍廣陵，僑居牆曲。誰云十步之豐草，直是千葩之艷英。勝節上元，集嘉賓乎滿座；尋春花隊，欣彩袖以當筵。爰摭佳名，用填舊譜。辭慚下里，詎能增重於娉婷；響動梁塵，差可佐歡於盃斝。

【南商調金絡索】〔金梧桐〕岷峨孕薛濤。明聖傳蘇小。此日平康。忽覩傾城貌。相逢未及笄。〔東甌令〕鬬丰標。笑語温柔性格調。一泓秋水含情悄。〔針線箱〕半點花鈿星靨嬌。〔解三醒〕蘭薰繞。〔懶畫眉〕盤鴉雲髻彈金翹。〔寄生子〕只看他淡拂眉稍。緊束纖腰。三寸的弓鞋巧。

【五更轉】謾自憐。千般俏。許誰誇百技超。看你這金緘繡線鸞凰耀。試理冰弦。清音綿邈。聽子夜聲歌振處停雲緲。更翩翻舞袖游龍矯。有時暗寄新詩。却訝迴紋織稿。

【簇御林】春風候。皓月宵。楚雲橫巫雨撩。秋枰謾把嬴（六）輸較。探鈎射覆知偏早。最魂銷。情深酒釅。偷弄紫鸞簫。

【琥珀猫兒墜】生香解語。瀟洒出塵囂。莫道秋娘聲價高。會憐雙漸俏心苗。妖嬈。真個是一刻千金。無福也難消。

【尾聲】惺惺不枉名兒好。須早覓個同心翡翠巢。莫誤丹青泣漢朝。（彩筆情辭）

贈王姬玉卿序同王才哥

【南南吕巫山十二峰】〔三仙橋〕彩勝迎祥巧剪。喜年華歲除轉。章臺柳色。醉來閒覓遍。〔白練序〕驚見。一絳仙。是鬱鬱璠璵二八年。人間鮮。荆山孕璞。那愁三獻。〔醉太平〕婉孌。生香質軟。看春山淡掃。秋水涓涓。櫻桃一顆。微暎緑鬢低蟬。尤憐。〔普天樂〕梨花帶雨盈盈面。皓齒冰肌無瑕玷〔九〕。露柔荑瑩澈春纖。瘦腰肢風前柳轉。步凌波却疑浪裏紅鴛。〔征胡兵〕吴綾抹額花枝顫。釵頭雙璧燕。鳳簪半嚲玲瓏。倚粧羞翠鈿。〔香遍滿〕袖羅寒碧展。湘裙稱體編。帶鬆噴麝烟。臂玉籠金釧。〔瑣窗寒〕一團嬌生就嬋媛。名冠春風夜月筵。任招雲惹雨。十二樓前。〔劉潑帽〕弄春情漏泄星眸薦。莫謾傳。祇恁教人留戀。〔三換頭〕藍田故墟。崑崙深巘。飛瓊此日。恍來從九天。試問秦樓姻眷。是何人何日裏共乘鸞。紫簫聲遠。〔梁州序〕愛連城至寶輝光絢。應不讓。後庭選。〔節節高〕鶯喉嚦嚦圓。舞衣蹁。迴風白雪堪人羡。丁香淺。荳蔻妍。嬌還倩。

枝頭未許東風戰。〔東甌令〕藍橋覓杵好姻緣。休説武陵源。

【尾聲】前身曾抱琵琶怨。到如今環珮空疑月下旋。好着我感起春愁萬縷纏。（彩筆情辭）

贈妓女蹴踘

【南黄鍾啄木兒】眉彎翠。鬢彈蟬。玉潤釵横燕子翩。襯紅霞兩頰香凝。稱生來絶色嬋娟。歌殘舞罷花前宴。揀擇下雕牆日午花陰轉。謾試齊雲天下圓。

【賣花聲】只看他綵袖雙垂。玉纖低展。欵蹴金蓮。柳腰巧顫。占官場徐站人争羨。甚天風吹得仙姬現。滚香塵多嬌倩。

【歸仙洞】合扇拐誇撇演。鴛鴦扣真輕便。更回步撒披肩。對泛處粧翅遍。花露惹絳裙紅軟。猛然聽聲微喘。愛粉勾香汗。拂落花鈿。

【尾聲】若成就了洞房中憐香願。六片兒香皮做姻眷。管教你永傍荼蘼架底圓。（彩筆情辭）

爽　約改刻〔一〇〕

【南仙吕桂枝香】蕭森雨夕。凄涼客邸。偶從友伴尋春。瞥見東隣殊麗。看亭亭玉肌。亭亭玉肌。芳容旖旎。使我神摇情殢。效雙栖。翠幄凝香暖。巫雲入夢迷。

【不是路】金井鵶啼。無柰朝來塵鞅羈。急披衣。忍辭畫閣匆匆裏。贏得餘香滿袖攜。叮嚀記。莫將鴛侶看容易。再續鸞膠已有期。這千金意。誰知平地風波起。把人抛棄。把人抛棄。

【長拍】萬種綢繆。萬種綢繆。千般偎倚。都付將大江東逝。雖只是一宵緣契。論溫存小可難知。展轉暗思維。早難道遊子可堪牽繫。女俠當今推執拂。多應是計阻沙吒不自持。到如今何處覓章臺騎。閃得人孤身千里外。形影悽悽。

【短拍】無夜無明。無夜無明。如癡似寐。紙牕兒淡月頻移。獨坐恁呫題。一似銀河牛女。怎效得鶼鶼比翼。頓覺腰圍寬帶。羞畫眉爲你棲遲。

【尾聲】懨煎病難醫治。與宋玉悲來無異。甚日重逢笑語低。（彩筆情辭）

喜諧王姬蕊珠有序　改刻〔一〕

蕊珠王子，小字壽兒。體態婷婷，綽約風前弱柳，姿容皎皎，夭妍露底名花。逸氣薄雲天，任是陽城晉惑；慧心凌粉黛，應知下蔡魂迷。芳名特冠於一時，幻跡偏逃乎六院。余也嘆武陵之漲綠，不禁花落鳥啼；偶御水之流紅，幸遂秦期晉約。得成比目何辭死，豈欺我哉；願作雙鴛不羨仙，有是言也。第佳人難再得，可無託諸詠歌，而良會豈尋常，合以諧乎宮徵。忘其蕪陋，綴以情詞。

【南正宮刷子序犯】花落武陵寂。漁郎問津。空自棲遲。任滿目芬芳。難解一段悲悽。休題。秋漸老飄蓬無寄。東隣畔紅樓多麗。乍驚旖旎。慢追隨傾城傾國自憐伊。

【山漁燈犯】眼盈波眉含翠。面比芙蓉。鴉擁宮髻。櫻唇噴檀屑霏微。春纖皓齒。楚腰似垂柳風前憩。還堪愛玉骨冰肌。嗔喜。看娉婷總宜。應想夜月魂歸後。又幻作長干絕世姬。情牽繫。結鶯儔燕爾。並香肩夜堂華宴樂新知。

【普天樂犯】謾呼盧酡顏膩。焚寶鼎沈烟細。寄幽情一曲冰絃。相思調午夜如啼。巫陽雨握和雲殢。軟玉溫香分緣契。詡酥胸粉汗淋漓。怯交歡芳姿婉嫕音意。試挑燈凝眸無語悄如癡。

【朱奴兒犯】悔今日初逢客邸。幸兩兩彩鸞同翙。蕙馥蘭馨更誰擬。綢繆處翠偎紅倚。司花吏。占河陽紫緋。趁西風。裁宮合呂興無涯。

【尾聲】連枝種比翼飛。長願在天在地。只怕江上孤帆唱別離。（彩筆情辭）

按：〔山漁燈犯〕原作〔漁家傲犯〕。此套犯調末句均犯〔玉芙蓉〕。

歡　情改刻(三)

【南南吕宜春令】梅霖霽。燠暑烝。正蕭齋抛書倦評。黑甜初醒。南薰颼颼松濤應。病文園苦茗時傾。歌解愠七絃聊整。試聽。鳴蜩樹底。助人幽興。

【太師引】遍園林。緑樹參差映。有榴花紅裁茜巾。儘捱徹空堦聲碎。偶喜共良友閒行。西湖十里浮烟艇。來往處芰荷香迎。原何的。慵調飲冰。那些個納涼時雪藕佳人。

【瑣窗寒】恠無般野蔓閑藤。繚繞瓊枝妬玉英。看端詳舉止。婉孌丰神。姿容艷冶。肌膚冰瑩。好留連惜花心性。乍迎。凝眸嘿嘿背雲屏。果然宜喜宜嗔。

【三段子】那方幻身。是秦淮芳叢占名。甚年試春。是明妃深宫妙齡。想前生胡馬琵琶恨。今生環珮歸魂逞。混跡風塵。畫圖誰省。

【東甌令】纔相見。便關情。眉語心挑暗設盟。歌翻子夜鶯喉俊。麝馥蘭芬凝。奈幽期欲偶又參辰。孤影盼空庭。

【三換頭】相思頓縈。寸腸難罄。愜愜悶也。這憔悴可經。其間猶幸。感娘行早暮裏送殷勤。話投情順。忍負千金悃。常懷百夜恩。着熱知疼。想是業債風流宿世姻。

【劉潑帽】金飈涼透中秋令。見湖波浩渺光澄。扁舟擬結同心勝。厮挽行。向松柏西陵逕。

【大勝樂】段家橋乍擁冰輪。暝烟收人已静。休題繡幄香衾並。只這欄杆外遠纖塵。盈堦祇聽啼螿韻。遶樹猶憐宿鳥驚。風清月冷。恍疑是襄王楚峽。作雨爲雲。

【解三酲】。彈宫鴉腮欹枕印。鬆鴛扣腕約湘紋。嬌滴滴酥胸汗溼陽臺醒。意孜孜語怯歡殷。愛你蘭心自是舒芳畹。愛你蕙質偏宜媚晚春。還堪省。不羨那秦樓簫史。跨鳳瑶京。

【節節高】重陽巀辥登。謾携罇。山樓更擬諧秦晉。霜風緊。霜葉零。霜華耿。朝來朱粉閒青鏡。春山淡拂偎京尹。緩步庭除遍秋容。天香笑折簪蟬鬢。

【三學士】羅幃燒燭香初燼。横波誓訴丹誠。今宵洛下投魚水。甚日湘陵鼓瑟琴。自慶蒹葭依玉樹。蜂和蝶莫浪争。

【大迓鼓】間闗。惜燕鶯。雙飛並宿。美滿恩情。臨粧懶覩盤龍影。顰蛾羞説寶釵分。繾綣柔腸。棲遲夕曛。

【撲燈蛾】吟同桃李華。賞共銀蟾眪。暑雨過漣漪。又早瓊瑶飛墜也。有許多佳景。任章臺别舘共温存。既相逢肯教孤另。都休哂。藍橋指日會雲英。

【尾聲】從來好事皆前定。華堂一入喜盈盈。願效鶼鶼永共親。（彩筆情辭）

寄楊姬幼真有序[三]

緬維戊子，縱步秦淮。偶度虹橋之楊氏，欣逢閬苑之玉娟。盈盈十五芳春，皦皦三千絕世。嬌來笑語，渾疑一騎塵飛。倦倚迷離，卻訝沈香亭畔。方幸繡幃之春暖，俄驚錦纜之秋風。寂寞扁舟，嘆文鴛之暫隻；淒涼寶瑟，傷彩鳳之常孤。斷弦何日續鸞膠，朔風茲厲；錦字一朝傳雁足，芳草向榮。重以血淚詩新，加之繡囊練素。鍾情獨至，寓意良深。圖報愧乏瓊瑤，寄意聊賡律呂。庶雙簪玉鳳，期髻綰乎青絲；而六幅名花，詎帶寬於團扇。

【南南呂紅衲襖】記初逢秋月盈。乍相看紅玉映。兩點涓涓眼波淨。雙彎藹藹眉黛輕。展羅襦飄麝冰。啓朱唇語燕鶯。那更額印芙蓉臉暈桃花也。霧鬢雲鬟翠靨明。

【五更轉】教我意馬馳。心猿競。他掩青團衹笑迎。筵開玳瑁金樽罄。一曲清歌。碧天雲静。背畫欄。偷自把。香肩並。心招目允幽期訂。有分劉郎。已入天台佳境。

【浣溪沙】龜甲重。流蘇整。裊薰籠一縷煙凝。輕拈荳蔻嬌還倩。細吐丁香欵不驚。幽夢醒。不覺得透酥胸浥香汗。喘吁吁槈槈低聲。

【東甌令】迷香窟。殢花營。一片春心不恁撑。朝雲暮雨歡無竟。又重九西風冷。蕭蕭落葉短長亭。執手暗叮嚀。

【大迓鼓】扁舟。度石城。花濃帝里。莫負深盟。鴛鴦隊散憐孤影。鸞凰巢拆痛哀鳴。死別生離。音沈路冥。

【節節高】雙魚千里程。語叮嚀。生綃血淚斑斑剩。新詩哽。音律清。揮毫正。香囊萬縷裁花勝。鍼鍼線線堪人敬。寄語湘裙六幅花。腰圍未必剛相稱。

【金蓮子】賦別情。花箋天樣應難罄。把紈扇共烏雲付卿。更看這鳳頭簪。一雙雙綰髮誓今生。

【尾聲】一緘書權折證。抵多少同心兩兩結西陵。怎做得薄倖王魁負桂英。（吴騷合編）

〔一〕「炊」，原作「骨」。
〔二〕原僅書「琥珀貓兒」，兹補。下同，不另注。
〔三〕群音類選題作「紀情」，注張叔元撰。未知孰是，兹互見二家曲中。
〔四〕「衽」，原作「襏」。
〔五〕「玉抱肚」，原作「玉胞肚」。
〔六〕「玉山供」，原作「玉山頹」。

〔七〕「腦」，原作「惱」。
〔八〕「羸」，原作「羸」。下同，不另注。
〔九〕「玷」，原作「琠」。
〔一〇〕原作張叔元所撰，兹並收。
〔一一〕原作見張叔元卷，兹並收。
〔一二〕原作見張叔元卷，兹並收。
〔一三〕此套彩筆情辭亦收，題爲「寄酬楊姬」。

張景嚴

張景嚴，字瀨濱，南直隸（今江蘇）溧陽人。工作曲，著有分釵記傳奇。

小令

【南仙吕入雙調六幺令犯】

喜諧蕊仙

〔六幺令〕春生。曉堂。半簾風細。一榻花香。夜來餘韻尚悠揚。雲錦新裁宮樣。雙綰鴛帶長。〔憶多嬌〕咲問仙郎。哄倩仙郎。無奈蜂鬚蝶翅狂。（彩筆情辭）春生。曉堂。燕嬌鶯姹。眷戀韶光。儘教歡認杜秋娘。一片芳心飄蕩。勾引人斷腸。再唱霓裳。再舞霓裳。不待西風半夜涼。（彩筆情辭）

方氏

方氏，張文介（少谷）妾。

套數

秋閨曉思墨憨齋改本

【南商調集賢賓】高城漏盡天漸啟。疎簾殘月依依。此際愁懷無可比。早擔憂長日遲遲。憑誰訴你。但獨對空房摸擬。〔合〕還自悔。緣底事輙教分離。

【前腔】花陰半窻猶懶起。還思夢到天涯。最恨簷前鵲語沸。把夢魂幾遍驚回。羅衾似水。怎當得更添珠淚。〔合前〕

【琥珀貓兒墜】落梧盈砌。朔雁數行飛。遊子長途尚未歸。菱花驚覷瘦龐兒。蛾眉。幾月含愁。未染蘭煤。

【前腔】白雲紅樹。何處是京畿。昨日行人有信回。黃花應不負佳期。東籬。料共追歡。笑把金杯。

【尾聲】深深禱拜紗窻裏。但願私心早慰。細語花前娘暗知。（太霞新奏）

王厚之

王厚之，生平不詳。

小令

【南仙吕桂枝香】

贈伎

十分恩重。千般嬌捧。實指望根葉連桃。肯認做雨雲移夢。奈佳期未諧。佳期未諧。鸞簫方弄。又蚤鷗波驚動。且從容。碧玉缾兒脆。公輸怯九攻。（太霞新奏）

【南仙吕入雙調玉枝供】

繡鞋傳杯〔一〕

〔玉交枝〕一勾纖軟。效流觴凌波試傳。輕携〔二〕愁把花幫濺。分明露濕金蓮。〔五供養〕休辭量淺。金谷罰從教千遍。恨不和他嚥。把杯懸。送些風味入丹田。（太霞新奏）

〔一〕此曲南詞新譜亦收，注「新入」。

〔二〕「輕携」，新譜作「輕移」。

王　異

王異，一名權，字無功，陝西郃陽人。善作曲，與許自昌交厚。撰有傳奇弄珠樓、花亭記、水滸記、靈犀佩、看劍記、保主記、瑪瑙簪、種玉記、檢書記九種，今存前三種。

套　數

咏戽水婦

【南商調漁父第一】嫁夫壻農莊務瑣。易田疇灌輸事大。少婦從教懦。肯相容霎時偷惰。載來野艇依舊㮇。消得村粧映水波。桔槔原上群爲夥。犢鼻褌間肩共摩。肩[二]共摩。試粧忙髻螺輕裹。褰裳促帶圍半拖。轉如環。逐迴腸一般婀娜。倚衡偏腰肢無那。臨流倒影搖裙衩。濺沫微塵生襪羅。瞥見行人路傍過。也解斂羞蛾。

【刮地風】水色新添疾似梭。頻換眼鷗鷺[三]驚臥。那移不禁鞋弓跢。涓滴争如汗雨沱。谿雲娘鬟髻。顫得嵯峨。聽吴歌雜漁歌。布穀聲相和。嬌癡。喘吁吁語短篔。暫停車肯許奴麽。

【滴溜子】炎敲劇。炎敲劇。酥胸半裸。虹霓見。虹霓見。愁眉對鎖。作棚疏簾低。凌波上下間。縠紋捲破。裙摺風開。急遮未妥。

【尾聲】班鳩喚雨徒然哆。使機杼因之罷課。終日裡忖量陰晴語隔坡。（太霞新奏）

無功才甚捷，詞多率意而成，此其最推敲之作也。墨憨齋

〔一〕「肩」，原作「眉」，兹改。

〔二〕「鷺」字原奪，兹補。

賀五良

賀五良，生平不詳。

套數

贈金陵伎李元

【南仙吕入雙調步步嬌】葉翠英黄天香秀。芬馥因風透。清霄月映樓。桂魄冰魂。人憶嫦娥久。時序正中秋。暫留連忽又逢重九。

【香羅帶】平康遇舊遊。心期已酬。生身信是汧國儔。覷天然萬種態温柔也。四座春生滿。更風流。章臺有緣成好逑。真是種得良姻也。今日相逢兩意投。

【醉扶歸】恩山情海難消受。盟深誓懇願須酬。爐添沉水篆烟浮。辦真誠共説神前呪。把生辰八字細推求。算郎庚恰與儂相偶。

【皂羅袍】念你鳳嬌鸞幼。恨别離傾刻。欲住難留。玉鈎手與結綢繆。詩題素練心相授。曉風殘月。蛩聲轉啾。暮雲疎雨。砧聲轉稠。凄凉百事歸途有。

【好姐姐】別來。孤眠小樓。病魔侵把人僝僽。憑高眺遠。人兒在天盡頭。無心奏。冰絃指澁蛛絲繡。經史慵親塵暗浮。

【香柳娘】憶匆匆去秋。憶匆匆去秋。臨岐執手。淚花搵濕青衫袖。掛輕帆順流。掛輕帆順流。飛渡遠汀洲。那堪更回首。要相思罷勾。要相思罷勾。直待雙雙匹儔。天長地久。

【尾聲】堅心定得姻緣就。消息佳期在此秋。不枉從前盟誓留。（太霞新奏）

劉氏

劉氏，楚人。生平不詳。

小令

【南越調浪淘沙】

新秋二曲

昨夜雨綿綿。寒澁燈烟。薄衾蹺足不成眠。曉起床頭看歷日。換了秋天。（太霞新奏）

緑葉尚新鮮。猶想争妍。遣他知道也凄然。眼底韶光容易改。樹且堪憐。（太霞新奏）

注云：劉氏製作甚多，少年夭殁，因無好事者，盡化神物飛去，惜哉。此係同邑梅惠連口傳，染指一臠，可想其餘矣。

夏完淳

夏完淳，原名復，字存古，號小隱，又號靈首（一作靈胥），南直隸華亭（今上海松江）人。生於明崇禎四年（一六三一），七歲能詩文，有「神童」之譽。明亡，從父允彝、師陳子龍抗清，受魯王封爲中書舍人，參謀太湖吴易軍事。事露被擒，於南京痛駡洪承疇，終遭殺害，時順治丁卯（一六四七），年僅十七。所撰詩賦詞曲雜文，清嘉慶十二年（一八〇七）王昶、莊師洛輯爲夏節愍全集十四卷。今重編有夏完淳集。

小令

【南商調金梧桐】

送沈伯遠出獄

西風落葉繁。有個愁儂伴。湖海窮途。卻恨相逢晚。平生一片心。斗酒英雄膽。兩鬢黄花。翦燭清宵短。情深不覺秋光换。

【南商調金鶯轉】

金陵雜詠

三江襟帶寬。萬里風塵阻。疊浪崩雲。一線通吴楚。奇雲小孤。輕烟大孤。猛聽得麗譙敲過[二]三通鼓。白雁風前。月冷霜華苦。

【南仙吕入雙調江兒水】

前題

望青烟一點。寂寞舊山河。曉角秋笳馬上歌。黄花白草英雄路。閃得我對酒銷魂可奈何。熒熒燈火。新愁轉多。暮暮朝朝淚。恰便似[三]長江日夜波。

套數

自敍

【南仙吕傍粧臺】客愁新。一簾秋影月黄昏。幾回夢斷三江月。愁殺五湖春。霜前白雁樽前淚。醉裏青山夢裏人。〔合〕英雄恨。淚滿巾。響丁東玉漏聲頻。

【前腔】兩眉顰。滿腔心事向誰論。可憐天地無家客。湖海未歸魂。三千寶劍埋何處。萬里樓船更幾人。〔合〕英雄恨。淚滿巾。何年三户可亡秦。

【不是路】極目秋雲。老去秋風剩此身。添愁悶。悶殺我樓臺如水鏡如塵。爲伊人。幾番抛死心頭憤。勉强偷生舊日恩。水鱗鱗。雁飛欲寄衡陽信。素書無準。素書無準。

【掉角兒序】我本是西笑狂人。想那日束髮從軍。想那日霜角〔三〕轅門。想那日挾劍驚風。想那日横槊凌雲。帳前旗。腰後印。桃花馬。柳葉衣。〔四〕驚穿胡陣。〔合〕流光一瞬。離愁一身。望雲山。當時壁壘。蔓草斜曛。

【前腔】盼殺我當日風雲。盼殺我故國人民。盼殺我西笑狂夫。盼殺我東海孤臣。月輪空。風力緊。夜如年。花似雨。英雄雙鬢。〔合〕黄花無分。丹萸幾人。憶當年。吴鉤月下。萬里風塵。

【餘音】可憐寂寞窮途恨。憔悴江湖九逝魂。一飯千金敢報恩。

感懷

【南仙吕甘州歌】興亡盛敗〔五〕。歎英雄黄土。俠骨荒邱。千秋萬歲。無限爲龍爲狗。

君不見六朝烟草餘芳樂。幾片降旗上石頭。青天外。白鷺洲。暮鴉殘照水悠悠。斜陽裏。結綺樓。湘簾半掛月如鈎。

【前腔】新寒入敝裘。想霜韉駿馬。飄零難偶。江花江草。秋來翦出離愁。想著我弓開楊葉胡雲冷。劍拂蓮花漢月秋。愁三月。夢九州。歸期數盡大刀頭。人千里。淚兩眸。西風雁字倩誰收。

【前腔】吞聲哭未休。悵荒烟古渡。衰蒲殘柳。清宵無寐。漫將往事追求。珊鞭風軟金條脱。寶劍霜生錦臂韝。飆威駛。露影流。隔牆人唱小伊州。杯中物。鬢上秋。夢回酒醒月空樓。

【前腔】南冠客楚囚。望雲山萬里。那禁回首。丁丁曉箭。難爲心坎眉頭。幾番的空簾翦雨三更夢。我待要望海乘風萬里遊。雨空逝。水自流。寒江積霧放孤舟。空中影。浪上漚。玉關何地覓封侯。

【餘音】我那人呵影何方。書在金陵客夢西樓。一樣西風兩地愁。

〔一〕「敲過」二字原奪，兹姑補之。
〔二〕「似」，原作「是」，疑誤，兹改。

〔三〕「霜」原作「霸」，疑誤，兹改。

〔四〕「柳葉衣」，原作「衣柳葉」，疑誤，兹改。

〔五〕「盛敗」，原注「一作『盛朽』」。

李文瀾

李文瀾，生平不詳。

套數

題情

【南仙吕醉扶歸】聽敲窗夜雨知多少。好一似愁人枕上淚珠拋。熱急急心頭惡根苗。看他兜底都來到。可憐虚度可憐宵。矻琤琤恨把牙關[二]咬。【江兒水】點點燈花落。沉沉香篆消。冷清清幾陣風兒峭。滴溜溜雙眼何曾合。悶懨懨一枕愁腔調。想想思思顛倒。幾轉柔腸。一寸寸因他斷了。【皂羅袍】夢到何曾身到。兩頭單落得。意綰心交。口調滋味實難消。眼傳恩愛知多少。東牆咫尺。相逢路遥。西廂何處。相思病熬。哄心腸沾得些兒好。【香柳娘】看青青柳條。看青青柳條。牽人懷抱。韶華肯逐東風老。這些兒掛着。那些兒掛着。見景兒便偷瞧。借名兒將他叫。把絲桐謾調。把絲桐謾調。孤鸞自嘲。

離鴻誰噪。

【尾聲】花星一點空相照。銀漢何時渡鵲橋。把今世裡姻緣心上了。（吳騷合編）

〔一〕「闕」，原作「尖」，兹改。

林石崗

林石崗，生平不詳。

套數

閨怨

【南商調十二紅】〔山坡羊〕照孤衾寒燈半滅。捱譙鼓三更初歇。要什麽夢兒中見他。蚤醒來添箇新離別。〔五更轉〕恨鐘聲。和鷄唱。催殘月。幾番眼上眼上空流血。守着露冷霜寒。衾枕何曾寧貼。〔忒忒令〕囀流鶯枝頭韻切。催花雨朝來凛冽。〔二〕寒料峭曉風。把繡户偏推拽。〔江兒水〕惱人半晌心頭熱。剩枕閒衾堆疊。雲鬢鬅鬆。挣不住起來嬌怯。〔玉交枝〕香奩頓撇。剖雙鸞菱花半缺。瘦龐兒粉褪胭脂謝。賣花聲空自嘔咽。〔五供養〕你看雲收雨歇。弄新晴花影半斜。時過五十刻。腸斷兩三折。情在心頭。人還離別。〔好姐姐〕生惹。相思病拙。挨一刻如挨半月。〔玉山供〕沉思倦想。忘却坐來時節。暮雲扶日色。又回車。疎林掩映夕陽遮。〔鮑老催〕登樓慘切。争喧渡頭人歸也。恨他何處貪歡悦。〔川撥棹〕看投林鳥。疾如梭不暫歇。照紗窗又見新月。照紗窗又見新月。〔嘉慶子〕更照我孤星偏皎潔。把相思空掛唇舌。把相思空掛唇舌。幾箇黄昏經挫折。〔僥僥令〕却憐更漏永。那得繡衾熱。展轉無眠成瘦怯。便合眼莊周飛浪蝶。

【尾聲】十二時中成萬結。奈離别經年動月。却教我晝夜思君空自説。（吴騷合編）

按：樂府先春無題，南音三籟題作「閨情」，俱注沈青門撰。吴騷集無題，曲文中不注著者，目録注沈青門。吴騷合編題爲「閨怨」，署名林石崗作。未知孰是，兹姑以之屬林氏。

〔一〕「凛冽」，原作「凛冽」，兹改。

秦冰澳

秦冰澳，生平不詳。

套數

閨思白雪齋改刻

【南羽調勝如花】從他去春幾更。愁積層巒疊嶺。記當初春煖銀屏。到如今鴛衾夜冷。對好景越添心病。〔合〕愁殺人薰籠短檠。哄殺人燈花鵲聲。雨意雲情。記陽臺夢醒。怎捱得這般孤另。背人前淚雨頻傾。背人前淚雨頻傾。

【前腔】是奴差別不慣經。肯容易分開交頸。到如今井墜銀瓶。又似那風飄斷梗。怎下得虧心短倖。〔合前〕

【三段子】相思已成。瘦腰肢憑誰肉疼。盟言似冰。語臨岐憑誰證明。幾回强把衷腸硬。怎禁驀地心無定。空對柔條惜舊鶯。

【滴溜子】春歸去。春歸去。紅殘緑零。人何處。人何處。雲迷霧凝。寄書鱗鴻難倩。天長一樣箋。欲言難罄。拚一箇癡心。終身耐等。

【尾聲】連宵夢裏迎歸艇。醒後依然影共形。何處覓鸞膠續舊盟。（吴騷合編）

羽調較各宫標目，爲數最隘，而名作亦復晨星。今擇其尤者，悉以公世。隋珠趙璧，正不以多多見勝也。至若勝如花一套，原稿用韻多訛，特爲删潤，與墨憨齋改本各異，敢爾録刻，以政知音。

許彦輔

許彦輔，生平不詳。

套數

傷　秋

【南商調金梧桐】堪悲宋玉秋。秋老梧桐瘦。月滿疎林。又是黄昏後。砧聲幾處收。敗葉敲南牖。雁唳鵶驚。颯颯寒風透。人兒不見空僝僽。

【東甌令】捱更漏。數更籌。紙帳梅花相廝守。蛩吟四壁聲偏驟。叫出箇愁時候。文床不寐思悠悠。無語擁衾裯。

【大勝樂】憶當初邂逅綢繆。在花間携素手。尋芳拾翠消白晝。閒鬬草戲藏鈎。只指望朝朝暮暮陽臺右。誰知道前世燒香點斷頭。天涯人遠。似銀河阻隔。織女牽牛。

【解三酲】想着您[二]龐兒依舊。想着您那聲咳嗽。想着您燈兒前鬆却鴛鴦扣。想着您欹枕凝眸。想着您眉彎雙蹙頻頻皺。想着您鬢軃雲鬟一段羞。愁還又。兀的是雲消楚館。夢斷秦樓。

【尾聲】洛陽花章臺柳。想殺人卿卿知否。何日把兩字相思一筆勾。（吴騷合編）

〔一〕「您」，原作「恁」，兹據下文改之。

陳石坡

陳石坡，生平不詳。

套數

秋閨

【南正宮白練序】相思擔。漸覺道秋來重許多。憔悴了解語一枝花朵。重山。壓翠蛾。千萬結愁腸無奈何。偏難過。黄昏細雨。緑窗深鎖。

【醉太平】追慕。丰姿俊雅。在奴行未敢。醉酒高歌。燈前枕畔。幾回把花月消磨。災魔。平空鴛帳起風波。比目魚雙雙分破。忽驚秋暮。魂斷空階。敗葉殘荷。

【白練序换頭】香雲。散一窩。臨鸞懶梳。思君恨堆積起塞海填河。光陰。暗裏過。霜落梧桐冷鳳窠。今宵個。玉釵敲斷。有誰知我。

【醉太平】婆娑。簾虚桂影。見水簾輕碾。碧天秋破。清光到處。不知他那裏如何。

嗟哦。凄涼最是月中娥。也得照客窗人臥。紅綃淚抹。桃花萬點。玉珠千顆。

【尾聲】對青燈呆呆坐。煙冷金爐獸火。愁聽寒蛩聲絮聒。（吴騷合編）

虞交俞

虞交俞，生平不詳。

小令

【南南吕六犯清音】

冬閨[一]

〔梁州序〕小窗雲重。凍鴻聲短。忽見牆頭梅樹。似去年花滿。今年人遠江南。〔桂枝香〕好雪迷桃渡。陰風塞玉關。〔排歌〕時將晚。路轉頑。貂裘敝盡您孤單。〔傍粧臺〕怎能勾征袍夜絮持郵發。怎能勾疋馬寒飛戴角還。〔皂羅袍〕獸紅銷易。心灰較難。眉頭舉不起冰來飯。〔黄鶯兒〕筆尖寒。甚時呵煖。重畫舊春山。（吴騷合編）

〔一〕吴歈萃雅題同，亦注虞交俞撰。

駱永叔

駱永叔，生平不詳。

套數

秋閨對月

【南商調山坡羊】碧雲窩冰輪初上。畫闌前珠簾微漾。巫山外凝眸漸遥。繡幃中種種添惆悵。玉鏡明。香奩照晚粧。想年時共飲蒲萄釀。到如今冷落銀屏獨與姮娥相向。凄涼。冷蕭蕭對月光。寒蛩。語啾啾錦砌傍。

【五更轉】浸樓臺。銀波漾。掛梧桐映粉牆。鴛鴦瓦冷寒浸幌。聽吹笛關山。聲聲凄愴。悶倚闌。慢自把。心兒想。鸞簫已斷秦樓響。未審蕭史何方。空負風清月朗。

【園林好】露華濡團花繡裳。雲樹隔萍踪渺茫。恨耿耿銀河相望。人何處月當窗。秋已半鬢驚霜。

【江兒水】影映蓮花白。清浮桂子香。水晶宫冷鮫綃帳。彩雲歌徹瑶天上。霓裳舞罷裙空颺。砧搗長安深巷。縱有天風。吹不到玉關情況。

【玉抱肚】沉吟半晌。霧空濛花陰轉廊。歎烏鵲飛遶南枝。盼青鸞目斷西廂。冰壺珠箔冷銀牀。瑟瑟金飈送夜涼。

【川撥棹】薄倖知誰向。辦虔誠叩上蒼。拜三星倍慘參商。拜三星倍慘參商。斷人腸悲笳韻揚。思悠悠夜未央。漏沉沉恨轉長。

【僥僥令】金鈴村犬吠。錦字塞鴻翔。月落霜飛鴛被冷。縱携手陽臺夢一場。

【尾聲】月重圓梅應放。願歸鞭冉冉返衡陽。共擁紅爐再舉觴。（吴騷合編）

沈凌雲

沈凌雲，生平不詳。

套　數

小十面凱歌[一]

【北黄鍾醉花陰】非是俺統三軍滅楚降秦的本事能。俺漢國中有幾個猛將謀臣。有一個蕭何老丞相。月下三更。追轉那國士無雙的韓信。當日個築高壇。拜做了大將軍。腰掛着三齊王金印。

【喜遷鶯】他將那囊沙策背水陣。十大功勞一椿椿一件件幹得驚人。又有那博浪沙打秦王的張子房。手摇着羽扇。頭戴着綸巾。他在俺漢陣裏做軍師。捧天書吹鐵笛。楚歌聲吹散了江東子弟八千人。

【側磚兒】便和那韓將軍設計施謀定在九里山前。按着那九宫八卦擺下了一個十面埋伏陣。把一個拔山舉鼎的楚重瞳緊緊的困住在垓心。

【古水仙子】陣東上九江王英布。擺着一隊長鎗手的兵。陣南上大梁王彭越。領着一隊明晃晃金甲銀盔的高頭駿馬軍。陣西上俺椒房親樊噲。他也曾鴻門宴上撞轅門。今日裏狠糾糾的把住了營。陣北上韓元帥手捧着令箭銅符。統率了大小三軍親自來押陣。

【刮地風】四下裏鐵桶一般的圍兵。殺得他八千人一個個無投無奔。閃得他疋馬單鎗沒處存。欲待往前行。又遇着高山峻嶺。欲待要往後行。四下裏漢軍兵擂鼓篩鑼。搖旗吶喊。追得價緊。四下裏難行。這其間難前可也難進。

【竹枝兒】一直到烏江渡口。見一個年老漁翁。駕着一葉小舟兒刁刁頓頓。口兒裏絮叨叨。只說道渡人不渡馬。又說道渡馬不渡人。悔當初不聽范增。悔當初不用韓信。悔當初失算在鴻門。

【收尾】激得那氣昂昂八面威風的伯王。撇下了千嬌百媚的虞姬。把青鋒寶劍在烏江上自刎。（絃索辨訛）

按：此套納書楹曲譜無牌名，注云：「此套牌名全然不合，故不録」。又：按律【竹枝兒】（竹枝歌）位置亦應接【側磚兒】後。

〔一〕原題：「松陵適軒主人沈寵綏君徵甫訂」。

郝湘娥

郝湘娥，生平不詳。

小令

【南商調黄鶯兒】

月夜

今夕是何年。向南樓月正圓。相看總是嬋娟面。霞觴競傳。陽春共聯。盈盈笑語皆生豔。且調弦。莫教沉醉。争倚玉郎肩。（名媛詩緯雅集）

玉宇迥無煙。到更深興益添。庾樓樂事還應淺。人圓月圓。歌喧笑喧。石家金谷何須羨。漫留連。平分秋色。狡兔乍離弦。（名媛詩緯雅集）

桂魄自娟娟。笑嫦娥鎮獨眠。何如一隊同心串。冷冷管弦。霏霏篆煙。金杯競把檀郎勸。更堪憐。今宵清夢。知道阿誰邊。（名媛詩緯雅集）

楚　妓

楚妓，教坊中人，姓名不詳。

小　令

【南商調黄鶯兒】

寄　友

風月擔兒拴。上肩時難上難。挑得的便是真鐵漢。壓得人腿酸。喘得人口乾。半途中又苦怕繩索斷。耐些煩。一場辛苦。脱卸了没相干。（名媛詩緯雅集）

按：太霞新奏題作「風月擔」，注蘄州妓撰。

蔣瓊瓊

蔣瓊瓊，教坊中人。

小令

【南仙吕桂枝香】

閨思有序見文緯

春思[一]

澄湖如鏡。濃桃如錦。心驚俗客相邀。故倚繡幃稱病。一心心待君。一心心待君。爲君高韻。風流清俊。得隨君。半日桃花下。强如過一生。（名媛詩緯雅集）

夏　思

碧蘭將綻。紅蕖初展。空憐金屋清幽。不共玉人歡宴。喜南薰可人。喜南薰可人。把珠簾盡捲。獨憑池檻。候郎船。試把郎新曲。微吟三兩篇。（名媛詩緯雅集）

秋　思

詩篇久廢。秋涼應會。雖無白雪相酬。頗有黄花堪對。許多時未來。許多時未來。有書難寄。悶懷如醉。問花枝。何日東籬下。陶然共舉杯。（名媛詩緯雅集）

冬　思

寒深翠幕。夢醒烏帷。生憐雪片紛飛。宛似梨花亂落。更思君想君。更思君想君。無緣共酌。獨吟紅閣。望君河。怎得殘煙外。扁舟帶雪過。（名媛詩緯雅集）

曉　思〔三〕

來驚天熱。嘗乘曉月。城頭已盡更籌。湖上早多鳴楫。這些時好來。這些時好來。

東方動也。北門開者。七香車。莫過荷香渚。先爲小玉遮。（名媛詩緯雅集）

夜　思〔三〕

堦前落葉。烟中鳴楫。窗〔四〕含萬疊青山。簾捲半湖初月。倚紅樓正思。倚紅樓正思。此心如結。金錢懶跌。喜君車。扶醉還來也。忙將繡被揭。（名媛詩緯雅集）

端淑曰：紅矚高聲，須有一段出人情思，不然是啞閼氏在白登城頭也。瓊瓊於四時曉夜，無時無妙思繞繚於花禽雪月之際。沉吟之下，腔板自生，不待搦管而搜索也。

〔一〕吴騷二集題作「閨思」。
〔二〕太霞新奏注張少谷撰。未知孰是，兹姑以之屬瓊瓊。
〔三〕太霞新奏注張少谷撰。未知孰是，兹姑以之歸蔣氏。
〔四〕「窗」，原作「總」，兹從太霞新奏。

陸廣明

陸廣明，字無界，號青章，南直隸長洲（今江蘇蘇州）人。工筆札，多才藝。臨書能亂真，吴中假古董多出其手，而寫祝京兆尤當行。

套數

七十自壽詞

【北南吕一枝花】不採商山芝。不栽新甫柏。不邀駕鹿車。不竪棲鴉格。一盞清泉。向東皇稽首。對南山拱揖。人頌我是廣成子鶴算千年。老彭聃駐顔八百。

【梁州】我是個有兒孫獨孤鰥夫。我是個没錢財五陵豪客。我是個白鬚黄髮維摩詰。荷芰衣裳。竹皮巾幘。翰墨躬耕。詩書心織。端守著半畝蓬蒿近似他仙靈窟宅。端愛著半瓮虀鹽勝似他瓊漿玉液。覺來時聽一曲樵歌漁笛。倦來時看幾卷稗官野史。興來時畫一幅雲林竹石。車塵。馬迹。休污我苔階翠色。無辱無榮。匪朝伊夕。

【尾聲】怪的是鬧茸茸龍沙鶴浦排瑶席。怕的是熱騰騰峨冠博帶誇通籍。一任伊滄桑變易。者麽恁跨海的牙籌。遍街的銅狄。總不如俺暗記梅花爲歷日。（識小録）

沈滄雨

沈滄雨，生平不詳。

套數

歌姬避亂

【北正宮端正好】趁良宵。離蘭户。故宮粧粉作麗姝。思量欲奔出羊腸[二]路。急煎煎怎趲金蓮步。

【滚綉毬】那顧得夜行時愁沾露。剪霜風避無安處。望都城兵馬喧呼。只見那鎖愁雲迷冷霧。□冗止孤單逆旅。亂紛紛兩淚抛珠。好教我長辭金屋貯。輕別囊琴架上書。不由人不感歎嗟吁。

【呆骨都】到如今無可奈天涯去。向天涯有馬無輿。空教人斷樓頭殘夢五更鐘。空教人悵花間離愁三月雨。誰惜俺多嬌女。怨悵殺青年誤。衡[三]一味對雲山愁没人。恰便是□□皋窮鳥苦。

【伴讀書】再休題當年趣。雪庭中裁詩絮。女伴兒水緑城南嬉遊聚。擲金錢鬭草還歌舞。一時似有蒼天妬。囬首成虚。

【叨叨令】因此上出孤城乘着天初曙。上浮橋扶着危欄。漫滿衣衫盡惹飛塵污。掠雲鬢[三]浸個□兒與。忽聽得呼噪聲也麽歌。忽聽得吆喝聲也麽歌。早已是到轅門那戈戟如鱗布。

【笑和尚】諕諕諕諕得人魂斷無。驚驚驚驚殺我心揈鹿。愁愁愁愁殺人怕做了無頭虜。捹捹捹捹黄土。怨怨怨怨聲孤。提提提提將起越越傷心曲。

【鮑老兒】願得箇征戰功成大。火夫纔好將名標天府。看千秋萬古。餘如碑口傳芳譽。休道我怯怯嬌嬌。停停嬝嬝。噤噤需需。還勸您觴泛琥珀。劍韜萍緑。席敞氍毹。

【煞尾】需看那冰輪兒剛沉到西。早東山上彩鳥迎[四]着這如水的韶光真可懼。堪憐我悽凉何處覓歡娛。捹做個飄花逐水燕分雛。（萬錦清音）

〔一〕「腸」，原作「陽」，兹改。

〔二〕「衝」，原作「鎮」，兹改。

〔三〕「鬢」字原奪，兹補。

〔四〕「迎」字原奪，兹補。

邵涵遠

邵涵遠，生平不詳。

套數

春暮感花

【南黄鍾啄木兒】春歸路。花遍栽。艷李穠桃取次開。喜微雲稍蔽驕陽。更輕風漸散陰霾。乍晴乍雨春堪愛。能紅能白嬌無奈。絶似粉黛三千睹絳腮。

【滴溜子】可怪青陽老。青陽老。零紅滿堦。朱明近。朱明近。殘香未敗。念園叟精神攸賴。不争花謝來。待還枝千金怎買。願蒂固根深本諧。

【神仗兒】花神何懈。花神何怠。東皇不睬。從教花壞。一任花魂無賴。兀誰憐。頃刻朱消粉解。空笑我做花獃。空笑我做花獃。

【鮑老催】闌珊可哀。遊蜂浪蝶嗟運哀。殘粧委露空感慨〔一〕。休疑猜〔二〕。漫疑〔三〕猜。須寧待。明年春到花還再。依然錦繡迎嬌睞。但可惜人將邁。

【三段子】愚衷[四]自揣。似春花榮枯數該。穹蒼命排。藉清樽難消夢懷。相逢何必攢眉黛。但教胸次長無礙。儘生平雅操堅持。順手天終須泰來。

【歸朝歌】英雄的。英雄的。銷沉□□。嘆朱顏還愁頓改。花嬌艷。花嬌艷。凋殘寶臺。鬬纖□何曾半載。雄心千古增悲慨。乾坤强作人坑械。且牢護花枝□再開。（萬錦清音）

南北雙調合套

選淑嫁娶

【新水令北】流言選淑侍瑶宫。霎時兒江南摇動。曠夫思得偶。怨女喜相從。媒妁聞風。看街道如雲擁。

【步步嬌南】嫁娶紛然交虚哄。滿耳笙歌送。桃源觸徑通。説甚麽花錦良緣。多做了梨雲錯夢。這的是美惡混其中。靈蠢争胡弄。

【折桂令北】有幾個露纖纖十指春愁。少小嬋娟。嫁着箇白髮龍鍾。有幾箇村姑俗姊。翻匹[五]配年少翩翩。俊雅儒童。有幾箇富家的子歸了村販。有幾箇知壽的伉儷看

□工。有幾箇閥閱峥嶸。誤追隨下賤貧〔六〕窮。有幾箇俏〔七〕姐兒走不穩蘭房。有幾個矮郎君摸不着簾攏〔八〕。

【江兒水南】百歲姻緣事。須□陌路逢。慌張張那把年庚總。亂紛紛誰倚門楣重。磣可可〔九〕不待粧奩送。衕一味肩推皆從〔一〇〕。硃轎花燈。不誆價一時增□。

【雁兒落帶得勝令北】有幾處不和諧生怨忡。有幾處相詬詈成冤訟。更幾處皆銀燈把連理做參商。更幾處婿孤貧要娘家貼供奉。那曾見兩心酬適遂衷。那曾見誼優閑眉案恭。那曾見女和郎才貌均。那曾見誓鴛盟皓首從。和同。雖没甚恩情共。歡也麽濃。煞强似掩重門深院東。

【園林好南】沸笙歌纖迴繡叢。喧爆竹流星蔽空。鬧轟轟填街塞衖。擠斷了小衚衕。看來往綺羅中。

【收江南北】呀。早知道一番虚信呵誰待要恁匆匆。甚的佳人〔一一〕到房櫳。還教銅雀笑春風。儘歡娱腰寬帶鬆。儘歡娱腰寬帶鬆。一番春意透酥胸。

【僥僥令南】脂香猶在〔一二〕口。粉膩尚黏肱。枉看您一點温柔輕磨弄。會有日向西風淚洒〔一三〕紅。

【沽美酒帶太平令北】似春深花霧濛。似春深花霧濛。怕春去也逐飄蓬。年少兒郎運偶通。笑市井也生榮。儘對鏡□修容〔一四〕。早脱下綿袍補□〔一五〕縫。且删些鬍鬢□□。□□兒身軀斜縱。儘自揚衣衫尊重。恁呵無非是傭兒賣翁。料不到名流鉅公。呀。爲新婚恁般崇奉。

【尾聲南】笑訛傳真如夢。抵多少驚怯流蘇粉汗〔一六〕融。挤〔一七〕今夜藍田争下種。（萬錦清音）

〔一〕「慨」字原缺，兹補。
〔二〕「猜」字原缺，兹補。
〔三〕「疑」字原缺，兹補。
〔四〕「衷」，原作「哀」。
〔五〕「匹」字原缺，兹補。
〔六〕「貧」字原缺，兹補。
〔七〕「俏」字原缺，兹補。
〔八〕「着」，原作「看」，兹改；「簾」字原缺，兹補；「櫳」，原作「龍」，兹改。
〔九〕「磣」，原作「慘」，兹改；「可可」二字原缺，兹補。
〔一〇〕「從」字原缺，兹補。

〔一一〕「人」字原缺，兹補。
〔一二〕「在」字原缺，兹補。
〔一三〕「灑」，原作「酒」。
〔一四〕「容」，原作「客」。
〔一五〕「縫」字原缺，兹補。
〔一六〕「汗」字原缺，兹補。
〔一七〕「拚」字原缺，兹補。

嵇一庵

嵇一庵，生平不詳。

套　數

咏憐才女郎

按女郎者，馮姓雲仙字，生於明萬曆中，吴門人也。身雖女流，雅好翰墨。其種種始末因繇，具見本傳，姑不再述。而第思夫憐才二字，迄今鬚眉，且概置之不講，况巾幗乎。何物雲仙，乃復爾爾。因慨然爲作南曲一闋，被之管絃，使聽者知其非文君輩，乃哀王孫之流，夫復何恨。

【南雙調錦堂月】名閣金釵。抛脂戀史。天生慧性憐才。他感書聲。豈慕書生情態。多分是仙子臨凡。將湔祓文人行歹。〔合〕相欽愛。做了梅月交知。色香無礙。

【前腔换頭】堪駭。磊落襟懷。蕭疎興致。還兼一種詼諧。他守孤幃。已識破鴛鴦宿債。但留心翰墨之中。豈有意琴書之外。〔合前〕

【前腔】難再。洛浦形骸。明粧淡抹。何曾漆着塵埃。他護嬌容。豈屑爲春傷害。因此上未損春山。却教那畫眉人耐。〔合前〕

【前腔】瀟洒。共飲書齋。聯吟繡户。休教錯認陽臺。他會牽牛。偏不解合歡羅帶。只和你雁字成行。誰許你蜂情稱快。〔合前〕

【醉公子換頭】和諧。願交契百年莫改。再休學前宵。月明無賴。欵待。漫道是嫦娥逗引。蟾宮折桂材。〔合〕讀書客。遇了這知音。那處沉埋。

【前腔】高懷。屢將這寒儒贈賚。與漂母當年。飯韓同概。感慨。量着那流鶯枉妬。青蠅玷〔一〕其來。〔合前〕

【僥僥令】連枝嘗漫托。並蒂肯輕栽。惟有對菊徵詩閑評解。真個是翠閣求賢女總裁。

【前腔】綵絲雖似繫。錦帳實艱開。始信有影無形空恩愛。消遣殺急色風流一茂才。

【尾聲】熱腸千古常如在。方寸冰心何禀哉。説與那輕薄狂且莫浪猜。（萬錦清音）

〔一〕「玷」，原作「坫」，兹改。

嵇行若

嵇行若，生平不詳。

套數

秋思

【南商調金梧桐】淒淒夜色清。颯颯雨風緊。人静昏黄。明月穿窻冷。相思萬緒縈。怕值三秋景。梧葉飄零。天際銀河耿。欄今倚遍和誰並。

【東甌令】魚箋阻。雁書停。遠寺疎鐘斷續聲。攪愁蟀蟋何悲哽。況復殘更永。夢魂躑躅向誰憑。千里暮雲横。

【浣溪沙】夜衾并。秋霜凛。勒將咱好夢難成。全不管啼痕屢拭芙蓉瘦。待廝强薄命翻同柳絮輕。思更省。今後那落花妝遠山眉。再休似舊日娉婷。

【尾聲】念舊日愁中梗。海誓山盟總□情。一任花枝憔悴損。（萬錦清音）

嵇高也

嵇高也，生平不詳。

套　數

歡　變

【南商調金梧桐】罡風猝〔一〕地騰。默倏〔二〕平空震。絶壁飛濤。陡起千層噴。我只道今宵醉玉人。不減前宵興。誰料狂狙擺。落紅成陣。香消玉慘愁難近。

【東甌令】淒涼煞。後庭扃。欸語央他渾不應。盟山誓海曾相訂。竟不把前情準。蘭因絮果總無憑。何處寄愁城。

【大聖樂】踏花街柳巷何曾。足趦趄心懊恨。瑶衢月色侵肌冷。愁悶悶恨盈盈。雖見兩行紅粉如花錦。誰去一曲霓裳月下聽。巫陽未穩。我只歎好天良夜也。那裡歡然交頸。

【解三醒】頓忘了夜闌相等。頓忘了披星向曉行。頓忘了危橋誤走幾顛隕。頓忘了冒雨漓淋。頓忘了蘭橈日暖清明景。頓忘了梓里争猜心暗驚。空思省。枉朝朝暮暮。去送來迎。

【尾聲】前魚未泣先刀蹬。祆廟須知火定焚。還怕他年誤尾生。（萬錦清音）

〔一〕「猝」，原作「魁」，兹改。

〔二〕「倏」字原奪，兹補。

程豈一

程豈一，生平不詳。

套數

再娶感懷

【南商調金索掛梧桐】風流不讓他。薄倖還推我。一刻淒涼。一夜如年過。青春再幾何。有蹉跎。覷得分明跳網羅。想緣身惹潘郎果。不見誰拋謝女梭。心頭火。遭他情劫耐他魔。真箇是悲也歡多。歡也悲多。且證了悲歡果。

【前腔】車乾恩愛河。推轉相思磨。越話歡娛。越把衷腸剉。無端老執柯。再三挪。引逗男兒受折磨。梁鴻重整千秋案。張敞更描兩道蛾。安□賀。悠悠往事付南柯。却又是悲也歡多。歡也悲多。攪亂得相攙和。

【前腔】盈盈眼角波。隱隱眉頭鎖。兩樣軀兒。一樣吹彈破。燈前却怎麽。慢延俄。底事關心着意睃。依舊偎紅粉。角枕重新展翠螺。非閒可。人生兩度小登科。早漸漸歡也歡多。悲也歡多。把歡字渾身裹。

【前腔】雖然歡裏過。還向悲中坐。夢裏依然。夢醒和誰卧。依然夢裏呵。軟衾窩。記得星星却是他。低頭忽聽音聲異。信口傳來小字訛。悶浮大白。願千載幾娑婆。到如今悲也無多。歡也無多。早瞧夢兒破。

【尾聲】古來奉倩無多箇。一例價蚩蚩□快臨。恁休把薄情兒埋怨我。（萬錦清音）

按：原刻本將後頁【新水令】「除夕追悼」套中的［太平令］［川撥棹］［梅花酒］［收江南］四曲及［清江引］之曲牌竄入本套第三、四曲之間；第三曲第七句下誤接［川撥棹］「綉衾翠便一片小窗敲」句；「依舊偎紅粉」以下七句則誤作爲【清江引】曲文，今據曲律及文意正之。

中秋憶舊

【南商調梧桐樹】推開月面愁。慘淡秋容瘦。一點如錢。放出光如晝。長歌自製詞。痛飲新篘〔一〕酒□□。清光月印粘於口。桂花香襲襲身前後〔二〕。

【東甌令】情無已。恨怎休。嘆庾亮而今也□丘。當初曾把秋消受。信得今雅又□。雲淡淡水悠悠。觸處使人愁。

【大勝樂】一家兒骨肉團圓。願長齊眉非舊偶。兒家心性剛年幼。和子女話□□。我傷心偷墮樽前淚。他停語低垂[三]月下眸。□□未久。問還記得。舊人兒否。

【解三酲】一般的天長地久。一般的恩愛綢繆。一般的貧家荆布□將就。一般的體態温柔。一般的高堂藹藹看承好。一般的膝下滚滚□字周。無多候。又看看過了。兩個年頭[四]。

【前腔】忘不得糟糠共守。忘不得柴米同憂。忘不得十年甘旨親操受。忘不得意氣雙投。忘不得風風雨雨朝還暮。忘不得草草花花春又秋。閒窮究。一樁樁記取。忍付東流。

【尾聲】笑兒童畢竟無機彀。兀自手指看天河話斗牛。我有情人且學個醉劉伶常害酒。（萬錦清音）

除夕追悼

【北雙調新水令】梅花枝上鵲聲高。又頻頻幾聲佳暴。奉萱親猶緑鬢。携稚子尚黄髫。攘攘年朝。寂寂春朝。揾不住淚珠兒弔。

【折桂令】别人家携了知交。挈[五]了芳樽。遊了春郊。偏只俺伴了靈兒。坐了無聊。

扯淡的把香也燒燒。磬也敲敲。燈也挑挑。一霎時風也蕭蕭。雨也飄飄。影也寥寥。碧油油綠陰天罩。

【雁兒落】靠山湖稀疎了。載酒舠上山蹊零落了燒香轎。暖洋洋薰風拂面。瓦盆兒盛着粽茭。

【得勝令】短檐兒低簇(六)火榴。高膽瓶兒斜插錦葵嬌。粉壁兒掛幅鍾(七)馗畫。心焦。羨糊□醉花梢。魂消。姤鴛鴦□暮潮。

【沽美酒】鏤瓜心截藕腰。簪茉莉搧芭蕉。十里荷香暑氣纔消。數點起林間。

【太平令】有幾個團頭歡笑。有幾個抱影悲號。總然是離多會少。也不比斷絃絕調。俺呵願做個韋臯。玉簫。再相逢一遭。呀。是姻緣總難猜料。

【川撥棹】剔團圞月漸高。算清光今夜好。座有妖嬈。曲有笙簫。酒有香醪。味有霜螯。插人頭桂花陰倒。繡衾翠便一片小牕敲。簇擁着一詩豪。

【梅花酒】且尋山步水泑。與農父話青苗。收新稻好炊糕。便拈將糕字添詩料。我攜好友共登高。見丹楓滿樹梢。又橙橘帶霜饒。采茱萸策杖挑。歸去也樂淘淘。

【收江南】呀。卻教俺半世夫妻没下梢。只落得自煎熬。回頭恩愛虛飄。熱心兒火燒。冷心兒水澆。不由人一拍一號咷。

【清江引】一年日日風光好。容易愁人老。憪憪悶轉加。獨坐殘更悄。一聲雞又明年

春到了。（萬錦清音）

按：本套原刻本將［太平令］［川撥棹］［梅花酒］［收江南］四曲及［清江引］之曲牌誤入［金索掛梧桐］［再娶感懷］套中的第三第四曲之間，其中［川撥棹］［綉衾翠］句誤接其第三曲「底事關心着意睃」句下；［清江引］之曲文誤接在［沽美酒］末句之後；［太平令］順序則與［川撥棹］錯置，今均據曲律予以糾正。又：［沽美酒］疑有脱句；［川］［梅］二曲似與前後文意不合。

絶命詞

【北正宫端正好】笑蒼天。真無謂。百忙裏孕下人兒。死生男女如郵遞。總賺得人憔悴。

【滚繡毬】恨黄童讓得遲。怨青春老得疾。美中年快活無幾。大都來只有夫妻。魚兒隊隊遊。鴦兒對對飛。魚鳥也共涵斯□。纔曉得點綴生機。狠閻羅又催別去。早知如是問天生他怎的。此恨悠悠不忍進提。

【叨叨令】想他睁愁眼〔八〕三翻四翻。幾時要昏昏沉沉的閉。擁寒衾一絲兩絲。空留下温温暾暾的氣。看將來十分九分。要拆散我團團圞圞的配。不由人千行萬行。透心肝嗚嗚咽咽的淚。兀的不嚇殺人也麽哥。兀的不痛殺人也麽哥。悶的俺七慌八慌獨自箇逍逍遥遥的逝。

【脱布衫】揾香腮涕泗交頤。枕兒邊執手臨岐。你千萬幾時來夢裡。那冤家了無答對。

【小梁州】惱得俺咬住牙關説與知。便百歲也只有三萬六千日。眼睁睁。他捨得便拋棄。

【幺】臭皮囊雖則終須棄。却何苦早惹悲啼。忒無情。下得眉間眼底。漸減了舊丰儀。

【上小樓】叮嚀未已。號咷無奈。不覺的捱盡殘燈。曉徹疏鐘。又報晨鷄。雖然是明夜的相親。□繼也還美。好姻緣盡頭時會。

【幺篇】□豪華容易撇。歷銀□難軒擲。最苦是半世恩情。十載時光。一旦分飛。俺□皇幹功名。贈你箇鳳冠霞帔。既不得共歡□。又圖甚狀元及第。

【滿庭芳】蓋棺將次。急吁兒女。再拜庭幃。這是你嫡親娘揾啼痕。詳廝□翼日的。□他人母氏依依。趁今朝相見得一時半刻。也不枉報劬勞思深罔極。惱怠時晨至。倉惶摟不起。已化做望夫石。

【快活三】將來的生獨自。倒不若死同棲。總然不能够死同棲。這些時一寸寸肝腸碎。

【朝天子】煖轟轟酒杯。冷溶溶淚垂。點滴兒何曾喫。紙錢灰也只當虛名虛利。下場頭酬恩義。蝴蝶青錢。杜鵑紅雨。悔當初不如不娶你。生的這壁。死的那壁。短多少萬古英雄氣。（萬錦清音）

〔一〕「𥨷」字原缺，兹補。
〔二〕「後」字原缺，兹捕。
〔三〕「垂」字原缺，兹補。
〔四〕「頭」字原缺，兹補。
〔五〕「挐」，原作「絜」。
〔六〕「簇」字原缺，兹補。
〔七〕「鍾」字下原衍一「情」字。
〔八〕「眼」字原缺，兹補。

郭丸封

郭丸封，生平不詳。

小令

【南商調黄鶯兒】

嘲黑妓

明末名妓李三，以姿容詞曲擅名，而色甚黑，善一廣陵富賈，亦以黑著。郭丸封調黄鶯兒嘲之。

水墨李三娘。黑旋風兄妹行。張飛昔日同鴛帳。纔别霸王。又接周倉。鍾馗也在門前闖。尉遲幫。温將軍賣俏。勾搭了竈君王。（堅瓠首集）

錢古民

錢古民，自號林屋道人。生平不詳。

小令

【南商調黄鶯兒】

乙卯丙辰歲交

除夜雨蕭蕭。掩雙扉歎寂寥。山餚野簌辛盤妙。把銀燭高燒。把金尊滿澆。慇慇忙禮毛錐道。祝來朝。硯田豐稔。大有勝今宵。（堅瓠四集）

爆竹響連宵。慶豐年賀歲朝。桃符新換千門曉。玉綴梅梢。金舒柳條。宜春接福窗前報。石灰描。平安吉慶。添箇大元寶。（堅瓠四集）

楊景輝

楊景輝，生平不詳。

小令

【北黄鍾者刺古】

揀山林深處居。蓋草舍茅廬。引巖泉入圃渠。澆野菜山蔬。窮生涯自足。遠是非榮辱。鑿石栽松。鋤雲種竹。無所拘。樂自如。（元明小令抄）

【南南吕生查子】

嵐光濕布袍。竹杖掛椰瓢。行過小溪橋。誰家青旆摇。（元明小令抄）

按：此曲正音譜及廣正譜均作【搗練子】，吴梅指其「按句法是南吕生查子，非搗練子也。」今據吴譜正之。

漁隱主人

生平不詳。又稱西湖漁隱主人，約生活於明末清初。著有歡喜冤家、豔鏡等小說。

【南南呂東甌令】

真嬌豔。果娉婷。一段風流畫不成。羞花閉月多丰韵。天就嬌柔性。猶疑仙女下蓬瀛。喜殺繡衣人。（豔鏡）

按：首三句出自「浣紗記」第二十三齣【東甌令】一曲。

【南商調黃鶯兒】

妾命木星臨。一人身兩截分。松杉裁剪爲圓領。脂難點春。頸交不成。低頭不見弓鞋影。好羞人。出頭露面。難見故鄉親。（豔鏡）

花發不能簪。奈無罷梳鬢雲。並肩人難把身相近。香腮怎温。櫻桃怎親。畫眉兒無計難幫襯。忒新文。風流邑宰。獨車宴紅裙。（豔鏡）

金木散人

生平不詳。著有小説鼓掌絶塵。卷首有題辭，落款爲「崇禎辛未（一六三一）歲之元旦閉户先生書於咫園之烹天館」，據此可推知其生活於明末。

小令

【南南吕梁州新郎】

御林鶯囀。小桃紅遍。夾道柳摇金錢。珍珠簾内。佳人上小樓前。只見金衣公子。福馬郎君。繞地游來遠。殷勤沽美酒。上小重山。拚醉花陰一覺眠。逍遥樂。排歌管。須知十二時光短。休負卻。杏花天。（鼓掌絶塵）

按：曲牌原書【梁州序】。

【南仙吕桂枝香】

春衣初换。春晴乍暖。聽枝頭春鳥緡蠻。又間着春鶯宛轉。想青春有幾。青春有幾。

惹得人春情撩亂。春心難按。這暮春天。只愁翻起傷春病。斷送春閨人少年。（鼓掌絶塵）

花開滿眼。花飛滿面。問長安花事猶饒。想洛陽花期將半。奈惜花早起。惜花早起。花神何晏。竟不管花英零亂。這賞花天。只愁幾陣催花雨。斷送花枝在眼前。（鼓掌絶塵）

套數

【南正宫四塊玉】石爲誓金爲盟。因鳳詠成鸞配。恁見我意馬奔馳。我見恁心旌摇曳。那花前月下總是留情地。無奈團圓輕拆離。眼難抬秋水迷迷。臂難移玉筍垂垂。步難移金蓮踽踽。

【雁過聲】和伊。恩情誰擬似。錦水文禽共隨。無端驟雨陰霾起。一思量一慘淒。恨啼鵑因别故叫窗西。將愁人聒絮。幸須垂惜玉憐香意。怕等閒化作望夫石。

【傾杯序】傷悲。最關情是别離。受寂寞。從今夜想影暗銀屏。漏咽銅壺。煙冷金猊。問此際誰知。休戀着路旁村酒。墻畔閑花。和那野外山雞。怎教人不臨岐先自問歸期。

【小桃紅】共執手難分袂。書和信當憑寄。低語細叮嚀。莫學薄情的。舊恨新愁已被千重繫。相歡復受相思味。霎時間海角天涯。

【意不盡】願郎君功名遂。早歸來與奴争氣。再莫向可意人兒共詠題。（鼓掌絶塵）

按：曲牌【雁過聲】原誤作【大聖樂】，【小桃紅】原作【山桃花】。

吴拱宸

吴拱宸，字襄宗，號華陽散人。明崇禎九年（一六三六）舉人。丹徒（今江蘇鎮江）人。「肆志山水，終於茅山」。明遺民詩卷十四有吴拱宸詩「豐城兵火後荒涼竟無客舍」、「離虎丘」兩首，描述明末清初戰亂顛沛之苦。著有小説鴛鴦針，又名覺世棒。

小令

【掛枝兒】

送書的腳步兒放輕些。一霎間冷汗傾。債主冤家不住的齊奔命。殺人的賞首領。出塞的去長征。既不是降臨飛星也。緣何恁様怕得緊。（鴛鴦針）

方汝浩

方汝浩，號清溪道人。洛陽人，寓居杭州。活動於明末。著有小説禪真逸史及禪真後史。

小令

【北雙調二犯江兒水】

瓊官玉府。卻離了瓊官玉府。新翻風月譜。你可也辨着青州從事。紫誥真符。改衣裝來混取。翠館莫冠笏。紅樓不用呼。俺自有鱧帥驅魔。湯氏當爐。甚酸甜堪救苦。你是繡衣士夫。好一個繡衣士夫。正配着這缸邊吏部。又何須踏魁罡做了挈壺。（禪真逸史）

【南商調黄鶯兒】

洞口澀難攻。仗將軍津唾功。一槍戳透相思縫。情和意融。靈犀暗通。金蓮高舉深深送。興何濃。渾身暢快。一陣熱泉沖。（禪真逸史）

爲子娶偏房。奈頹齡勢怎當。愿將麗色齋和尚。恣風流興狂。擬恩情久長。好姻緣誰想成魔障。沈家娘。花心蹂破。一旦夢黄粱。（禪真後史）

【南仙吕桂枝香】

代上官氏駡夫

愛你龐兒俊俏。怪你心兒奸狡。不念我結髮深恩。反道那無端惡㬥。心旌自摇。心旌自摇。慢駡你薄情輕佻。耽誤奴青春年少。暗魂消。幾番枕冷空夜。縮脚孤眠獨自熬。（禪真逸史）

代管呵脬答妻

雖憐你腔兒窈窕。可惜你性兒粗糙。嘴喳喳一味研酸。怎當我心兒不好。更紛紛草茅。紛紛草茅。這些關竅。有何風調。那通宵。恁般空闊深如海。争似陸地行舟去使篙。（禪真逸史）

上官又駡夫

深情厚貌。心同虎豹。只圖那少艾風流。全不顧旁人嘲誚。淚珠兒暗拋。淚珠兒暗拋。拚得個今生罷了。兩分張各尋羅耀。小兒曹。木稚花戴光頭上。受這腌臢惹這樣躁。（禪真逸史）

管呵脬又答妻

心雄氣暴。終朝聒噪。大丈夫四海襟懷。豈屑與裙釵争鬧。羨當今宋朝。羨當今宋朝。愿與他死生傾倒。難回你别諧歡笑。慢推敲。任予延納三千客。讓你黄家一草包。（禪真逸史）

【掛枝兒】

着青衣進門來大呼小叫。兩小弟奉公差哪怕勢豪。不通名單單的稱個表號。有話憑吩咐。登門只這遭。明早裏拘齊也。便要去點卯。（禪真逸史）

吃罷茶就開科道其來意。有某人爲某事單告着伊。莫輕看他是個有錢的豪貴。摸出

官牌看。一字不曾虛。急急的商議也。莫要耽誤你。（禪真逸史）

吃酒飯假做個斯文模樣。我在下級愚直無甚智獐。他告伊没來由真真冤枉。説便這等説。還須靠白鏹。不信我的良言也。請伊自去想。（禪真逸史）

酒飯畢不起身聲聲落地。這牌生限得緊豈容誤期。有銀錢快拿出何須做勢。若要周全你。包兒放厚些。天大的官司也。我也過得水。（禪真逸史）

接銀包才道聲適間多謝。忙扯封估銀水如何這些。我兩人不比那窮酸餓鬼。輕則輕了已。不送也由伊。明日裡到公庭也。包你爛只腿。（禪真逸史）

楊爾曾

楊爾曾，字聖魯，號雉衡山人，又號夷白主人。錢塘（今杭州）人。生平不詳。約萬曆四十年前後在世。編創有小説東西晉演義、韓湘子全傳，及海内奇觀、圖繪宗彝等。

小令

【南仙吕桂枝香】

鶴童覺悟。師來看顧。一自去年送汝到昌黎。至今日又離丹府。汝不要啼哭。汝不要啼哭。聽咱吩咐。目今安否。暫拘束。久已後升騰紫霄。名鐫洞府。（韓湘子全傳）

鶴兒寧耐。暫居天外。歎循環暑往寒來。捻指間光陰二載。想韓門小孩。想韓門小孩。非常氣概。端的棟樑才。本是大羅天上客。思凡下玉街。（韓湘子全傳）

【北中吕上小楼】

我愛的是山水清幽。我愛的是柴門謹閉。我愛的小小曲曲。悄悄静静。茅菴底。我

愛的喜孜孜仗數杯。如癡如醉。我愛的日三竿鼾眠未起。（韓湘子全傳）

【北仙吕那吒令】

我若做大人。佩金魚掛紫袍。若做客人。秦莊妄有親。我若讀三史書。也須學車胤。我若做个道人。步霞臥雲。這三人惟道獨尊。（韓湘子全傳）

【北仙吕鵲踏枝】

我只待住山林。整絲綸爲道人。草舍茅菴過幾春。巨富的大厦高門。居官的位尊臺鼎。都不如草履青巾。（韓湘子全傳）

【南南吕五更轉】

一更裏端坐。慢慢調龍虎。潤轉三關。透入泥丸路。龍盤金鼎。虎咽黄庭户。得些功夫。等閒休訴。等閒休訴。（韓湘子全傳）

二更裏。二點敲。陰陽真氣妙。上下三關。莫教錯了。嬰兒姹女。得黄婆。自然匹配了。自然匹配了。（韓湘子全傳）

三更裏。月明正把乾坤照。産藥根苗。只在西南邊。鉛遇癸生。急彩方爲妙。海底龍蛇。自然來相盤繞。自然來相盤繞。（韓湘子全傳）

四更裏更妙。坎離要顛倒。晨昏火候合天樞。子在胞中。萬丈霞光照。位産玄珠。此法真奇奥。此法真奇奥。（韓湘子全傳）

五更裏天。籠内金雞叫。有个芒童。拍手呵呵笑。喂飽牛兒。快活睡一覺。行滿功成。自有丹書詔。自有丹書詔。（韓湘子全傳）

按：此五首與諸譜【五更轉】句式均不符。

【南商調梧桐葉】

一更裏。調神氣。心猿意馬牢拴繫。莫學閑遊戲閑遊戲。昏昏默默煉胎息。開卻天門地户閉。果然通玄理通玄理。（韓湘子全傳）

二更裏。傳宇宙。一道靈光漸通透。龍虎初交媾初交媾。提防三關莫要走。莫要走。（韓湘子全傳）

三更裏。一陽動。金鼎將來玉鼎共。煉就真鉛汞。戊已配元紅。鼎内金花吽。金花吽。（韓湘子全傳）

四更裏。月當空。玉鏡高懸處處同。照見海東紅。隔山取水鬧哄哄。鬧哄哄。（韓湘子全傳）

五更裏。雲收徹。靈圭弄新月。處處瓊花結瓊花結。火候抽添按時節。氤氳降紅雪。

莫把天機洩天機洩。（韓湘子全傳）

按：右五曲原題作【梧桐樹】，首曲同【梧桐葉】，餘四曲句式略有異。

【北雙調沽美酒帶太平令】

想爲官有甚好。看富貴似波濤。不如俺色空清浄破衲襖。掩柴扉静悄。也不戀雎雞叫。紫羅袍煞強如傀儡棚中喧鬧。榮華的似瑞雪湯澆。閑伴着仙童采藥苗。悶把瑤琴操。操的是古調。鶴鳴九臯。一任旁人笑。（韓湘子全傳）

按：【太平令】原誤題【清江引】。

【南商調黄鶯兒】

慢慢自沉吟。下深功受苦辛。經行日夜眠不穩。要見本來那人。把心猿緊縶。三運轉透入黄庭經。煉真精。刀圭不用。天理自相生。（韓湘子全傳）

忽見那牛奔。鼻撩天吼一陣。摇摇擺擺擒不定。拽住了那繩。休教亂行。往來日夜跟隨緊。牧牛人。丹田界。管取稻花生。（韓湘子全傳）

【南商調山坡羊】

想人生空忙了一世。攢家財都成何濟。看看年老漸漸把你容顔退。親的是你兒。熱的是你女。有朝一日無常來到。那一個把你輪回替。傷悲。不回頭待幾時。傷悲。葉落歸根在那裡。（韓湘子全傳）

【南仙吕桂枝香】

至今日便離城。訪仙家做好人。看你爲官爲宦图些甚。辭别了六親。跳出了火坑。把酒色財氣都休論。兩離分。華堂精舍都不愛。我愛臥松陰。（韓湘子全傳）

天清月皎。白雲弄巧。脱離了業海波濤。不顧家中老小。把家缘棄了。把家缘棄了。逕往山中學道。日勤勞。但得成功就。飛升上九霄。（韓湘子全傳）

【南越調浪淘沙】

酒醉眼難開。倒在長街。人人笑我不咍咳。動問先生居何處。家住蓬萊。（韓湘子全傳）

【南黄鐘畫眉序】

兒封母拆書。霜毫未染淚如珠。幼年間遭不幸。父母雙徂。多虧叔嬸撫遺孤。養育我二八青春富。雖然娶妻房林氏蘆英。抛撇了去出家修行不顧。算將來六載有餘。煉丹砂碧天洞府。謹附書拜覆。嬸娘萬匆空憂慮。萬匆空憂慮。（韓湘子全傳）

【南越調浪淘沙】

貧道乍離鄉。受盡了悽惶。抛妻恩愛撇爹娘。萬兩黄金都不愛。去躲無常。（韓湘子全傳）

生我離娘胎。鐵樹花開。移乾就濕在娘懷。不是神天來庇佑。怎得成孩。（韓湘子全傳）

白髮鬢邊催。漸漸猥衰。腰駝背曲步難移。耳聾不聽人言語。眼怕風吹。（韓湘子全傳）

得病卧牙牀。疼痛郎當。妻兒大小盡驚慌。曉夜不眠連叫苦。拜禱醫王。（韓湘子全傳）

人死好孤悽。撇下夫妻。頭南脚北手東西。萬兩黄金將不去。身埋土泥。（韓湘子全傳）

死去見閻王。痛苦彷徨。兩行珠淚落胸膛。上告閻王慈悲我。放我還鄉。（韓湘子全傳）

瓜子土中埋。長出花來。紅根緑葉紫花開。花兒受盡千般苦。苦有誰哀。（韓湘子全傳）

【北雙調雁兒落帶過得勝令】

看青山綠水沉。見松柏常依舊。石崇萬貫財。彭祖千年壽。究竟來歸何有。我每日常安樂。朝朝得自由。快活無愁。萬事皆成就。舒展那自由。飲數杯長生不老酒。（韓湘子全傳）

按：曲牌原僅書【雁兒落】。下同，不另注。

【南中呂駐雲飛】

壽誕開筵。壽果盤中色色鮮。壽篆金爐現。壽酒霞杯豔。嗏。五福壽爲先。壽綿綿。壽比罔陵。壽算真悠遠。惟願取。壽比南山不老仙。（韓湘子全傳）

壽靄盤旋。壽燭高燒照壽筵。壽星南極現。壽桃西池獻。嗏。壽雀舞蹁躚。壽萬年。壽比喬松。不怕風霜剪。惟願取。壽比蓬萊不老仙。（韓湘子全傳）

壽祝南山。萬壽無疆福祿全。壽花枝枝豔。壽詞聲聲羨。嗏。海屋壽籌添。壽無邊。壽日周流。歲歲年年轉。惟願取。壽比東方不老仙。（韓湘子全傳）

壽酒重添。壽客繽紛列綺筵。壽比靈椿健。壽看滄桑變。嗏。得壽喜逢年。壽彌堅。

壽考惟祺。蟠際真無限。惟願取。壽比昆侖不老仙。（韓湘子全傳）

【南商調黃鶯兒】

明月杖頭懸。論清閑誰似俺。蒼松翠柏常爲伴。看岩前野猿。聽枝頭杜鵑。青山緑水真堪羨。嚮林泉。心無掛念。山澗下自留連。（韓湘子全傳）

【北中吕上小樓】

我今日單來度你。你快撇了家缘家計。我和你挽手挨肩。抵足談玄理。再休執迷。速抽身。躲是非。隱姓埋名。一地裏在首陽山壽與天齊。（韓湘子全傳）

【南商調山坡羊】

將羊兒長收在圈兒裏。休惹得狼來戲。飽了怕癲狂癲狂防走失。問大人。知不知這消息。誰省得你養的嬰兒姹女。盡都是你元陽氣。吁嗟。亡精又敗髓。傷悲。粉骷髏是追命的鬼。粉骷髏是追命的鬼。（韓湘子全傳）

【北雙調清江引】

将羊兒養在丹田裏。休教狼偷去。你戀美嬌娃。損你真元氣。這樣玄言說與你。這樣玄言說與你。（韓湘子全傳）

將羊兒養在圈兒裏。休等狼馱去。財是殺人刀。色是偷羊鬼。問大人這消息可曾知未。這消息可曾知未。（韓湘子全傳）

【南越調浪淘沙】

小小一花籃。長在桃源。玉皇殿前一根紫竹竿。王母破篾三年整。魯班編了整十年。（韓湘子全傳）

【北中吕上小樓】

人道我貪花戀酒。酒內把玄關參透。花裏遇神仙。酒中得道。自古傳留。煉丹砂。九轉回。陽身不漏。只管悟長生與天齊壽。（韓湘子全傳）

【南商調黄鶯兒】

勸大人莫猖狂。烈烈轟轟總一場。吉凶禍福從天降。站立在朝堂。誰人敢相抗。那个高官得久長。細推詳。君王怒發。遣戍在他方。（韓湘子全傳）

【北仙吕混江龍】

位冠群僚。官居極品身榮耀。果然是清廉律己。正色當朝。殿上待君懸玉帶。家中宴客續蘭膏。自恃雄豪。名揚八表。從古官高禍亦高。船行險處難回棹。只恐怕一封朝奏。夕貶不相饒。（韓湘子全傳）

【南仙吕皂羅袍】

軟弱的安閑自在。剛強的惹禍招災。閑争好鬬是非來。閉口藏身無害。安然守分。愁眉展開。光陰有限。青春不來。功名得意終須耐。（韓湘子全傳）

勸大人且從容。春花能有幾時紅。堆金積玉成何用。歎金谷石崇。笑南陽卧龍。今來古往都成夢。細研窮。歸湖范蠡。他到得安榮。（韓湘子全傳）

按：此二曲句式與皂羅袍諸格均有異。

【北南吕一枝花】

山林中山鳥飛。山頂上山雞叫。滿山川盡都是芭蕉。緑蔭蔭高松古柏。紅燦燦山果山桃。明晃晃落下些青鸞翠鶴。鳥燕皂雕。我只見山雞兒一來一往。山猢猻倚定青楷。神龍行處。霹靂東閃。虎離窩擺尾伸腰。只聽得山寺裏鐘聲不斷。山觀裏法鼓忙敲。山和尚議論些經文佛法。山道士貪戀着清高。又見一个打柴的樵夫。手執着大斧呵呵笑。笑着的是巔頂高峰巒巧。忽抬氣。見那酒望子摇。酒店裏村姑俏。喚山童。急急忙忙沽入酒瓢。同吃一个飽。（韓湘子全傳）

按：曲牌【一枝花】疑誤題。

【北仙吕寄生草】

你休得再胡言。勸修行徒枉然。俺官居禮部身榮顯。俺君臣相得人争羡。俺簪纓奕世家聲遠。俺朝朝优笏上金鑾。誰肯呵棄功名忍飢寒去學仙。（韓湘子全傳）

【南商調山坡羊】

路迢迢藍關不到。恨悠悠飢寒難保。白茫茫馬不能前。步遲遲進退多顛倒。夢魂消。些辭難遠招。終年結果真難料。命蹇時乖忠心天表。蕭條。滿荒山雪亂飄。林臯。苦迎眸鴉叫號。（韓湘子全傳）

【北仙呂寄生草】

家住在深山曠野。又無東鄰西舍。只見些山水幽清。禽鳥飛鳴。麀鹿忙奔。到晚來人煙稀鳥聲静。冷冷清清。做伴的是樹梢頭殘月曉星。（韓湘子全傳）

【南商調山坡羊】

想當初有駟馬高車。爲恁麽到藍關險地。今日英雄在何處。只怕要馬倦人亡矣。心慘凄。夫妻兩處飛。更添那雪積雪積如銀砌。回首家鄉一路迷。傷悲。此際艱難誰替你。孤恓。早早回頭也是遲。（韓湘子全傳）

【北雙調清江引】

一更裏昏昏睡不成。對影成孤另。我意秉忠貞。誰想成畫餅。只落得腮邊兩淚零。（韓湘子全傳）

二更裏不由人不淚珠拋。雪擁藍關道。回首望長安。路遠無消耗。想當初話兒莫錯了。（韓湘子全傳）

三更裏又刮狂風雪。門外有鬼説。馬兒命難逃。孤身何處歇。想韓愈前生多罪業。（韓湘子全傳）

四更裏雞叫天未曉。聽猛虎沿山叫。三魂七魄蕩悠悠。生死真難保。没計出羊腸只得把神仙告。（韓湘子全傳）

五更裏金雞聲三唱。不覺東方亮。忙起整衣裳。要到藍關上，怎當那風雪兒把身軀葬。（韓湘子全傳）

【南中吕駐馬聽】

我痛改前非。再不去爲官惹是非。撇却了金章紫綬。象簡烏靴。錦繡朝衣。想君恩

友誼若灰飛。花情酒債俱拋棄。脱却藩籬。一心只望清修善地。（韓湘子全傳）

【北雙調雁兒落帶得勝令】

下一局不死棋。談一回長生計。食一丸不老丹。養一日真元氣。聽一会野猿啼。悟一会參同契。有一時駕祥雲。游遍了五湖溪。誰識得神仙趣。得清閑是便宜。嘆七十古來稀。笑浮名在那裏。（韓湘子全傳）

【南商調山坡羊】

想人生光陰能有幾。不思量把火坑脱離。每日價勞勞碌碌。没来由。争名奪利。無一刻握牙籌不算計。把元陽一旦都虛費。直待無常。心中方已。總不如趁早修行。修行爲第一。（韓湘子全傳）

【南仙吕不是路】

歡笑淘淘。暫駕祥雲下玉霄。遍游海島。看樽中有酒盒内堆肴。忒逍遥。且到長安市步一遭。度那人功行非小。（韓湘子全傳）

按：據譜此曲疑少四句。

【南中呂駐馬聽】

鶯兒最多。百千之中難學我。我從南海飛來。勸你回心。你還貪着笑歌。怕只怕無常來到。任你珠璣萬斛難逃躲。不回頭要受磨。縱你是好漢英雄。也要學韓愈秦川受饑餓。（韓湘子全傳）

【南商調山坡羊】

老夫人不須焦躁。看看的無常來到。你縱有萬貫家財。到臨終没有下梢。誰似我。無榮無辱也。散誕逍遥没煩惱。聽告。不如棄了繁華好。苦惱。戀塵寰怎得長生不老。（韓湘子全傳）

【南雙調醉翁子】

勸夫人得休便好休。榮華水上漚。雖然月享千鍾粟。何不抽身早轉頭。早轉頭。免心憂。若是不知進退。直等待。洪水漂流。母子南北實堪愁。路逢猛虎難行走。勸

你修時你不修。那時懊悔。空把神仙叩。（韓湘子全傳）

按：曲牌疑誤。

【北雙調清江引】

一更裏汪汪珠淚拋。離別了長安道。回首望家山。路遠無消耗。想當初把好話兒錯聽了。（韓湘子全傳）

二更裏呼呼怪風起。刮得我肝腸擠。兩眼望空瞧。魂靈上紙橋。告蒼天把竇氏兒將就了。（韓湘子全傳）

三更裏夢兒還不醒。見湘子形和影。說我不思量。途中滋味長。這是我不回頭惹禍殃。（韓湘子全傳）

四更裏看蒼天尚未曉。忽然見湘子到。規模總一般。衣服都破了。一聲聲埋怨我回頭不早。（韓湘子全傳）

五更裏見湘子來救咱。他說話全不啞。醒來不見他。拍手空嗟呀。只怨崔群不辨真和假。（韓湘子全傳）

布袍寬袖誰能夠。說恁麼金章和紫綬。吃的是淡飯并黃齏。受用的青山共綠水。看

人生名和利猶如水上漚。（韓湘子全傳）

【北雙調雁兒落帶得勝令】

我也曾遇明師傳妙訣。指與我天邊月。月圓時玉蕊生。月缺時金花謝。三五按時節。老嫩自分別。送入黃婆舍。休教輕漏洩。這是我的訣。你看靈龜吸盡金烏血。下一個烈訣。做一個長生不老客。（韓湘子全傳）

有一個鐵牛兒扶過江。有一個泥馬兒山中放。有一個石獅子咬住繩。怎的枯井裏翻波浪。有一個泥土地念文章。木羅漢誦金剛。畫美女能歌唱。有一個紙門神会舞槍。眼見的蛇吞象。非是俺謊。家住在南洋。信不信二三更顯太陽。（韓湘子全傳）

【南南吕羅江怨】

春天百草生。滿眼皆生意。正好去游方。却坐在團瓢内。静裏鬧喧除。指望成真易。誰知道緣慳分淺人難會。（韓湘子全傳）

夏天漸漸炎。心在清涼地。棄了子共妻。去住茅庵裏。尋幾個道心人。把天地時蟠際。鸞飛鶴舞上瑤池。眼見鳶魚妙趣。（韓湘子全傳）

秋天日漸涼。出家人閑游蕩。走够了數十年。才遇着明師講。傳與俺内外丹。心地裏明朗朗。不覺的三年陽神降。（韓湘子全傳）冬天雪亂飛。出家人心自知。寒暑不相犯。神鬼不相欺。困來時曲肱枕之。饑來時棗果支持。澗泉常解渴。此是妙玄機。（韓湘子全傳）

【北雙調沽美酒帶太平令】

傳與汝進道功休暫輟。説與汝修真路要烈訣。得守元陽休漏洩。我與汝天邊月。月圓時金花自結。月缺時紅鉛又卸。任姹女嬰兒歡悦。看白雪黄芽茁。我呵把工夫下着。剔塵垢。做一個蓬萊仙客。（韓湘子全傳）

按：曲牌原僅書【沽美酒】。

【南越調浪淘沙】

那日下天門。騎鶴飛臨。登壇祈雪雪紛紛。指石爲金多變化。要度你回心。（韓湘子全傳）

兩度慶生辰。頃刻花生。這巡酒滿賀長春。仙籃仙果神通大。要度你回心。（韓湘子全

傳）

佛骨獻明君。貶你潮城。漁樵耕牧話平生。狼虎縱横傷人命。要度你回心。（韓湘子全傳）

茅屋暫安身。馬死難行。卓韋山上見真人。屈指算來十二度。才得你回心。（韓湘子全傳）

【南商調黄鶯兒】

日月轉東西。嘆人生百歲稀。如何棲息玄門裏。頭梳雙髻。身穿布衣。芒鞋漁鼓隨身計。笑嘻嘻。雲遊海島。看破世人癡。（韓湘子全傳）

【南南吕步蟾宫】

坎離坤兑分子午。須認取自家祖宗。地雷震動山頭雨。要洗灌黄芽出土。（韓湘子全傳）

捉得金精牢固閉。煉庚申覆生龍虎。雙開夾脊過昆侖。得氣力時思量我。（韓湘子全傳）

套數

南北雙調合套

【步步嬌南】苦海茫茫深萬丈。今古皆淪喪。英雄没主張。特駕慈航穩載爾離風浪。今日裏若不悟無常。凡魚終墮青絲網。

【新水令北】你若肯一朝揮手謝君王。脱朝衣把布袍兒穿上。早離了金鑾殿。即便到水雲鄉。兩袖飄揚。兩袖飄揚。覓一個長生不死方。

【寄生草北】歎富貴風中燭。想浮名水上泡。勸你把包換了烏紗帽。袖衣漁鼓祥雲罩。仙家妙境誰能到。只這个五湖四海恣游遨。煞强如王家一品花封誥。

【煞尾】風急浪花浮。鼠嚙枯藤倒。便從此撒手回頭猶欠早。莫等到席冷筵殘人散了。一沉苦海中。永劫難撈。但靈消難認皮毛。鬼窟翻身知幾遭。平生意气豪。只争一些兒不到。这時節那裏尋貴王公官品高。（韓湘子全傳）

按：此套前後二曲用韻不一。

周　楫

周楫，字清源，別署濟川子，錢塘（今杭州）人。生平不詳，約生活於明萬曆末。編纂有西湖一集、二集。

【北中呂朝天子】

離人艤畫船。馬鞍上錦韉。催赴瓊林宴。塞鴻裏暮秋天。緑酒金杯勸。留意方深。離情漸遠。到京廷中選。今秋是解元。來春是狀元。拜舞在金鑾殿。（西湖二集）

按：曲牌原題【正宫謁金門】。【朝天子】又名【朝天曲】、【謁金門】，屬中呂宫，亦入正宫、雙調。

醉西湖心月主人

生平不詳。有小説弁而釵和宜春香質。

小　令

【北仙呂憶王孫】

無端一見便關心。何事關心直恁真。將心問口自沉吟。這牽情。三生石上舊精魂。（弁而釵）

【南商調二郎神】　贈燕含杏配杏花　空勞神女下陽臺

文葩葉。正芳菲在韶春半度。似一片紅霞枝上護。驚眸。濃豔天然色相難圖。【女冠子】不向牆頭顯麗膚。高陽臺還自向上林裏露。怎許那無情蜂蝶等閒相妒。（弁而釵）

贈黃海棠配海棠花　黃鸝飛上海棠花

【南商調黃鶯兒】春色透芳枝。沁瓊肌淺淡脂。臨風盡把新妝試。【月上海棠】分明是櫻桃含顆。金彈垂絲。今日裏此地棲遲。不枉卻錦江來至。探花使。爲一種輕盈。惹動情思。（弁而釵）

贈桃有華配桃花　人面桃花相映紅

【南仙呂入雙調江頭金桂】向只道武陵溪遠。怎知在目前。只著門中一朶。群芳都賤。更何須玉洞中萬樹鮮。【一江風】自愧分薄。三生何幸迷劉阮。芳心喜正聯。別情苦倏言。【柳搖金】愿明年相見。相見明年。不減去時嬌面。（弁而釵）

贈左湘蘭配蘭花　美人顏色嬌如花

【南大石調念奴嬌】胎含幾畹。比尋常豔冶。名花別自清奇。向日迎風。飛舞處香散故來沾衣。還異。惟願參枝。不賺伴草。潛蹤幽壑少人知。【賽觀音】真占盡萬旖旎。

【玉芙蓉】更須知。擅名金谷自相宜。（弁而釵）

贈金金蓮配荷花　紅裙争看緑衣郎

【南南吕香柳娘】羡亭亭雅妝。清奇堪賞。出泥土不出着泥塗相。【虞美人】綴緑蔭九夏生春。舞幽風十里聞香。【好姐姐】嬌羞。一段從教輸六郎。【朱奴兒】凌波上。無窮相思長。【賀新郎】囑蘭舟仙客輕摇槳。怕容易也減紅芳。（弁而釵）

贈梨花月配梨花　正值窗欄月一團

【南南吕鎖窗寒】迴群芳不闘精神。掩重門味自真。投淡月夢冷。閒雲雪虧。清瘦亞一等。香含玉藴。【人月圓】閒尋綸元幀詩句。錯贈他人。（弁而釵）

【南雙調桃園憶故人】

殷勤盟誓今宵整。窗外寒鴉爲證。床前明月知情。願死生同衾。（弁而釵）

【南南吕西江月】

面似芙蓉月映。神如秋水湛珠。威儀出洛自稀奇。藐姑仙子降世。（弁而釵）

【南南吕梁州新郎】

遭時不偶。歎命多磨。男兒犯了淫魔。墮身南院。一任東君弄播。最狠將男作女。賣笑追歡。一味相輕保牢騷。問天公知道麽。巾幗原何加丈夫。〔合〕愁似織。恨轉多。半是思鄉半奈何。生平志。怨裏過。（弁而釵）

按：曲牌原書作【梁州序】。

套數

【南商調二郎神】强游遨。見彤雲遮斷相逢道。問桃源何處覓春曉。無限相思。徒自心中懷抱。癡魂時傍情圍繞。志誠經讀得心焦。他去了。無音無耗怎禁淚珠拋。

【集賢賓】伊行已隔碧天遥。審覷處恍結丰標。耳邊似把離情叫。再三聽是自口相嘲。意攘心勞。料他們相思瘦倒。揉碎薛濤。忍見他斷腸詞調。

【黄鶯兒】輾轉愈無聊。倚蓬窗怕遠眺。愁峰蹙眉離人貌。詩賦慵敲。經史懶瞧。清淚臨風落衣袍。音信杳。鍾情我輩。怎不掛心苗。

【琥珀貓兒墜】狂風驟雨。何事恁催攙。連理枝頭拆散了。妒花不管花窈窕。悲號。幾時得延平劍合。好友從交。

【尾聲】相親相愛關心竅。吞聲忍氣強別了。復仇時斷首剜心絶境梟。（弁而釵）

按：【琥珀貓兒墜】原僅書【貓兒墜】。

【南商調集賢賓】窗前細雨瀝亂飄。正人事蕭條。猛聽流鶯聲漸老。又新生一種愁苗。如何是好。第九十霎時又到。良計少。留不定晝春勘道。

【不是路】望墳魂摇。着處縻芫蔟翠袍。蒼煙繞。我於何處索春橈。謾牢騷。柔紅個個眠芳草。新綠重重鎖畫橋。空長笑。軟香信斷憑誰忍。憮然凝眺。

【江兒水】轉訝韶光迅。翻疑逆旅消。看天公萬事都推調。芳菲不戀花容貌。時光不顧人年少。弄出無窮機巧。還是爲甚來由。攪得個世情顛倒。

【滴溜子】從他是。從他是。恁般顛倒。空辜負。空辜負。連城重寶。嘿料。襟懷孤傲。漸同向火裹炎燠。不若是東海潛鱗。南山隱豹。

【雙聲子】自今朝。自今朝。一片雄心托大刀。難禁受。難禁受。蓴鱸興豪。何時返卻山陰棹。

【尾聲】餘生恨乏防身諾。只得向玄冥小□。無奈春去秋來攢俊髦。（弁而釵）

按：曲牌【雙聲子】原僅書【子】，句式與【滴溜子】或【雙聲子】均有異，疑有脱句。今據前三句句式作【雙聲子】。

七樂生

又稱東吴畸人七樂生。生平不詳。著有小説三教偶拈。

【南商調梧葉兒】

爭甚麽名和利。問甚麽咱共伊。一霎時轉眼故人稀。漸漸的朱顏易改。看看的白髮來催。提起時好傷悲。吃緊的可堪。擋不住白駒過隙。（三教偶拈）

無名氏

中和樂章 録自太和正音譜

小令

【北黄鍾興隆引】〔一〕

龍馬獻圖。鵷〔二〕鸞篷羽。後從揚戈。前驅負弩。平秦下隴。收吴定楚。握乾符撫安中土。疆宇大過前古。

【北大石調百字令】

太平時序。正山河一統。皇家全盛。宫殿風微儀鳳舞。翠靄紅雲相映。四海文明。八方刑措。田野傳歌詠。風淳俗美。庶民咸仰仁政。

【北仙吕雙雁子】〔三〕

萬年千載樂雍熙。尚謙沖防僭侈。家國安寧保榮貴。聽歌謡。稱頌美。定山河十萬里。

【北仙吕太常引】

紫薇華蓋擁蓬萊。聖天子帝圖開。曆數〔四〕應江淮。看五色雲生鳳臺。

【北仙吕柳外樓】〔五〕

中和聖德定三才。涣汗洪恩潤九垓。賢哲訪求辭草萊。阜民財。琴奏南薰丹鳳來。

【北越調糖多令】

躍馬定神京。王師取太平。發神機雨砲〔六〕風霆。十萬鐵衣同効力。開水寨下江城。

【北越調雪中梅】

真主武功成。四海覩文明。韶濩咸英。虞廷獸舞。岐山鳳鳴。〔七〕

【幺　篇】

五彩慶雲生。看海宇戰塵清。朝野歡騰。文謨武烈。四方揚頌聲。

【北商調秦樓月】

王師倏起風雲從。風雲從。一揮黄鉞。浄掃羣雄。〔八〕

【北商調桃花浪】〔九〕

朔南貢賦通。萬方朝覲同。兩階干羽奏笙鏞。黎民感恩雨露中。乾坤開泰。頌歌王業告成功。

〔一〕此曲九宫大成南北詞宫譜亦録，註明朝樂章。
〔二〕「鴳」，九宫大成作「鴛」。
〔三〕此曲北詞廣正譜、九宫大成均收。九宫大成注明朝樂章。下同，不另注。
〔四〕「曆數」，九宫大成作「天運」。
〔五〕此曲亦見北詞廣正譜、九宫大成。

〔六〕「砲」，廣正譜、九宫大成作「雹」。
〔七〕此曲九宫大成亦録。
〔八〕按律缺首句三字一句。
〔九〕此曲廣正譜亦録。

無名氏

諸佛名曲 題永樂御製

小令

【南仙吕入雙調五供養】

華嚴海會之曲

至心頂禮釋伽牟尼佛。南無須彌光明佛。南無法光佛。功德輪佛。南無華香佛。至心頂禮普光明佛。南無法施莊嚴佛。南無大明佛。清浄身佛。南無栴檀佛。至心頂禮大瑠璃佛。南無法峰雲幢佛。南無寶山佛。無盡光佛。南無功德佛。至心頂禮善華王佛。南無虚空光明佛。南無普賢佛。無量聲佛。南無歡喜佛。至心頂禮法光明佛。南無摩訶提闍佛。南無大幢佛。如意光佛。南無無量佛。

至心頂禮大然燈佛。南無光明莊嚴佛。南無普明佛。盧舍那佛。南無須彌佛。
至心頂禮大光明佛。南無毘羅那王佛。南無普光佛。無礙輪佛。南無多寶佛。
至心頂禮淨嚴身佛。南無雲王光明佛。南無慧燈佛。清淨根佛。南無師子佛。
至心頂禮大莊嚴佛。南無阿難陀聲佛。南無妙聲佛。普照觀佛。南無金光佛。
至心頂禮大修行佛。南無虛空莊嚴佛。南無寶光佛。無勝香佛。南無無畏佛。
至心頂禮大精進佛。南無菩提光明佛。南無寶幢佛。歡喜王佛。南無華光佛。
至心頂禮大牟尼佛。南無無邊光明佛。南無法王佛。師子聲佛。南無然燈佛。
至心頂禮妙莊嚴佛。南無摩訶羅他佛。南無妙香佛。無垢勝佛。南無光輪佛。
至心頂禮喜莊嚴佛。南無提婆羅多佛。南無大稱佛。成就光佛。南無天華佛。
至心頂禮妙光明佛。南無修盧遮那佛。南無淨王佛。無礙稱佛。南無龍天佛。
至心頂禮普然燈佛。南無無上光明佛。南無淨聲佛。師子幢佛。南無名稱佛。
至心頂禮智光明佛。南無然燈勝王佛。南無大通佛。自在光佛。南無堅固佛。
至心頂禮寶莊嚴佛。南無普香光明佛。南無梵聲佛。無垢光佛。南無明闇佛。
至心頂禮普華光佛。南無修樓毗香佛。南無淨天佛。成就堅佛。南無無垢佛。
東方衆佛堅王華佛。南無光明莊嚴佛。南無阿閦佛。一切諸佛。不可思議佛。

南方聚佛師子聲佛。南無住持疾行佛。南無威王佛。莊嚴王佛。南無聲稱佛。
西方衆佛無量壽佛。南無香手奮迅佛。南無寶山佛。香積王佛。南無光王佛。
北方衆佛金色王佛。南無智日普照佛。南無自在佛。金上威佛。南無栴檀佛。
至心頂禮無量諸佛。南無光華敷身佛。南無悲行佛。自在幢佛。具足功德佛。
至心頂禮最上諸佛。南無寶山莊嚴佛。南無燈明佛。無量光佛。一切成就佛。
至心頂禮善世諸佛。南無波頭摩王佛。南無娑羅佛。諍怖幢佛。普蓋光明佛。
至心頂禮金色華佛。南無邊精進佛。南無賢身佛。蓮華名佛。一切善行佛。
至心頂禮妙勝諸佛。南無無邊威德佛。南無日光佛。恒河沙佛。無量功德佛。
至心頂禮妙光明佛。南無總持得名佛。南無月華佛。世淨光佛。一切種照佛。
至心頂禮無垢光佛。南無平等思惟佛。南無無量佛。妙樂尼佛。不動寂靜佛。
至心頂禮金剛堅佛。南無寶聚光明佛。阿樓那勝佛。放光明佛。善住調智佛。
至心頂禮平等行佛。南無清淨光明佛。然燈堅固佛。快莊嚴佛。日月無垢佛。
至心頂禮解脱幢佛。南無甘露清淨佛。樂心教聲佛。寶住持佛。供養華光佛。
至心頂禮法勝王佛。南無樹王豐長佛。南無淨光佛。慈力王佛。南無龍天佛。
至心頂禮無憂懷佛。南無雲王光明佛。南無海豐佛。毗舍浮佛。南無觀方佛。

至心頂禮作諸方佛。南無波羅羅堅佛。南無慧燈佛。如淨王佛。南無堅才佛。
至心頂禮寶燈王佛。南無毗羅闍光佛。南無大光佛。功德成佛。南無華須佛。
至心頂禮火光明佛。南無羅多那光佛。南無滿賢佛。然寶燈佛。南無常鏡佛。
至心頂禮梵光明佛。南無虛空平等佛。南無法明佛。無垢幢佛。南無天智佛。
至心頂禮智香勝佛。南無盧遮那稱佛。南無勝光佛。功德華佛。南無龍月佛。
至心頂禮放光明佛。南無法財聲王佛。南無海香佛。甘露光佛。南無香山佛。

華。清淨菩提華。供獻十方法。千紅萬紫映芳華。斷除諸幻見真葩。一蘂一葉攝河沙。佛恩深廣海無涯。
香。清淨菩提香。供獻諸覺王。祥煙裊裊散悠揚。一爐熏徹遍十方。普沾法力濟慈航。含靈蠢動被恩光。
燈。清淨菩提燈。供獻十方僧。星輝日麗彩光騰。照徹須彌最上層。靈山會上演三乘。紫金光聚焰稜稜。
涂。清淨勝妙塗。點滴瑩如珠。奉獻十方無量佛。海波一泡衆味俱。静體不動自如如。敬爲法雨咸沾濡。
果。妙果出仙柯。奉獻阿羅訶。青黄紅紫勝頻婆。梵志園中菴没羅。阿摩勒及居釋迦。普供十方諸佛陀。樂。清浄妙音聲。金石戛和鳴。宫商角徵羽相成。奉獻如來表至誠。我佛慈悲來證盟。願祈功德普衆生。

【北南吕金字經】

金字經之曲

敬禮諸摩尊。無盡受光佛。南無衆勝解脱佛。無染佛。南無普現佛。色光佛。南無智慧佛。

敬禮毗迦摩。不害法王佛。南無無量自在佛。清浄佛。南無善往佛。善香佛。南無不住佛。

敬禮槃頭華。無盡智藏佛。南無法慧增長佛。華智佛。南無妙勝佛。日燈佛。南無普照佛。

敬禮闍耶天。二寶法燈佛。南無善勢自在佛。無滯佛。南無大聖佛。法華佛。南無妙色佛。

敬禮毗舍浮。不動尼陀佛。南無智日普照佛。調勝佛。南無廣救佛。勝賢佛。南無

浄上佛。

敬禮諸方天。成就光明佛。南無賢智不動佛。華勝佛。南無普護佛。吉沙佛。南無

住智佛。

敬禮那伽天。功德莊嚴佛。南無成就智德佛。龍步佛。南無勝意佛。梵天佛。南無

普行佛。

敬禮菩提光。最勝香王佛。南無一切作樂佛。光焰佛。南無不動佛。梵光佛。南無

法像佛。

敬禮金光明。無量翼從佛。南無寶勝功德佛。無住佛。南無最上佛。善明佛。南無

廣照佛。

敬禮光明王。無量慧稱佛。南無法體決定佛。龍勝佛。南無大德佛。上慈佛。南無

智勝佛。

敬禮須尼多。無量執持佛。南無諸寶上德佛。賢勝佛。南無不壞佛。浄根佛。南無

寶月佛。

敬禮婆羅王。無量慧雄佛。南無種種色相佛。吉祥佛。南無實相佛。浄魔佛。南無

寶藏佛。
敬禮因那陀。善寂成就佛。南無智慧自在佛。歡樂佛。南無覺悟佛。帝幢佛。南無淨垢佛。
敬禮須菩提。無聚會王佛。南無境界自在佛。普雄佛。南無寶相佛。妙明佛。南無智喜佛。
敬禮須彌王。無礙普現佛。南無大衆自在佛。南無大力佛。妙華佛。南無善智佛。(二)
敬禮摩尼珠。無量思惟佛。南無無勝最妙佛。尊寶佛。南無上善佛。法空佛。南無衆妙佛。
敬禮婆伽羅。帝釋光明佛。南無大衆上首佛。華蓋佛。南無解脱佛。覺王佛。南無妙髻佛。
敬禮栴檀雲。覺悟衆生佛。南無智慧讚嘆佛。無量佛。南無大藏佛。十方佛。南無出現佛。
敬禮毗尼稱。無量寶王佛。南無一切善友佛。大慈佛。南無滿月佛。地光佛。南無現住佛。
敬禮菩提王。無量辯才佛。南無衆相轉化佛。離垢佛。南無寂滅佛。梵王佛。南無善寂佛。
歸命東南方。無量無邊佛。南無治地自在佛。常樂佛。南無法慧佛。法思佛。南無善臂佛。
歸命西北方。無量無邊佛。南無日光莊嚴佛。月光佛。南無華聲佛。勇猛佛。師子聲王佛。
歸命下方。如是[三]無量佛。堅固王金剛齊佛。寶行佛。南無師子佛。功德佛。南無黠慧佛。
歸命未來。無量無邊佛。南無未來普賢佛。彌勒佛。觀世自在佛。寶聲佛。得大勢至佛。
稽首摩尊。無量莊嚴佛。南無師子奮迅佛。成就佛。方天寶勝佛。智光佛。無邊寶積佛。
稽首大慈尊。無量光明佛。南無勝聖高行佛。無畏佛。金華自在佛。海智佛。諸方上首佛。
稽首覺王尊。清浄光明佛。南無功德勝藏佛。難勝佛。聞名善眼佛。大衆佛。無邊無識佛。

稽首阿彌陀。寶藏香王佛。南無慧智清浄佛。離闇佛。光明見細佛。稱上佛。無崖際見佛。稽首金剛仙。幢蓋彌留佛。南無上首勝積佛。無盡佛。南無封治佛。覺浄佛。身光普照佛。稽首彌留光。大慧光明佛。南無普照香聚佛。依止佛。南無妙畏佛。日藏佛。師子渴愛佛。稽首須彌尊。慧力真聲佛。南無無量精進佛。難勝佛。南無成就佛。香上佛。無爲聲聲佛。稽首蓮華尊。喜聚金臺佛。南無月勝愛見佛。幢相佛。南無浄命佛。普蓋佛。虚空功德佛。稽首栴檀尊。波頭摩王佛。南無三昧奮迅佛。迦葉佛。南無寶焰佛。步勝佛。無涯智力佛。稽首華光明。求勝菩提佛。南無三界供養佛。深意佛。善修果報佛。善用佛。莊嚴信行佛。南無寶光明。奮迅思惟佛。南無寶火團繞佛。寶天佛。南無寶山佛。寶堅佛。南無實力佛。南無然燈火。功德然燈佛。南無清浄然燈佛。寳照佛。南無寳蓋佛。勇施佛。南無放照佛。南無諦寳幢。摩尼勝光佛。南無無邊光明佛。金山佛。南無浄德佛。龍德佛。南無浄聲佛。南無浄妙聲。波頭摩聲佛。南無然法庭燎佛。妙聲佛。南無浄幢佛。普禪佛。南無慧聲佛。

【北雙調清江引】

證圓融之曲

歸依西方阿彌陀佛。南無寳幢佛。頂禮大悲光。南無然燈佛。妙菩提一切堅王佛。歸依東方無邊諸佛。南無不迷佛。頂禮諸摩尊。南無如空佛。妙莊嚴一切香王佛。歸依南方諸寳幢佛。南無浄王佛。稽首金剛仙。南無寳成佛。妙金蓮無盡受光佛。

歸依北方妙鼓聲佛。南無慧幢佛。頂禮曼陀羅。南無吼聲佛。妙香華無畏光明佛。
歸依西南方日藏佛。南無大光佛。稽首華王尊。南無無憂佛。妙無邊盧舍那尊師。
歸依西北方勝積佛。南無智幢佛。頂禮月中尊。南無日上佛。妙無邊化德光明佛。
歸依東南大彌留佛。南無寶祚佛。頂禮梵王尊。南無寶幢佛。妙菩提日藏金剛佛。
歸依東北方無垢佛。南無清浄佛。項禮諸方天。南無莊嚴佛。妙虛空一切名聲佛。
歸依上下方一切佛。南無火聲佛。頂禮大光明。南無師子佛。妙法幢自在稱王佛。
歸依十千同名諸佛。南無普光佛。項禮日輪光。南無大幢佛。妙蓮華一切菩提佛。
南無菩提華栴檀佛。南無慧燈佛。南無摩尼幢。南無滅根佛。優鉢羅妙德難思佛。
南無光明王華鬘佛。南無浄音佛。南無金剛王。南無十光佛。普蓮華寂滅幢幡佛。
南無須彌山光明佛。南無上聲佛。南無堅婆羅。南無上尊佛。無量觀清浄莊嚴佛。
南無波頭摩勝光佛。南無曜聲佛。南無名稱王。南無勝天佛。大修行蓮華光明佛。
南無波娑婆光輪佛。南無上光佛。南無尊光明。南無藥王佛。曼陀羅無量慧稱佛。
南無瑠璃華莊嚴佛。南無寶中佛。南無梵牟尼。南無千光佛。無名稱無想音聲佛。
南無阿難多樓波佛。南無普思佛。南無莊嚴王。南無寶天佛。目犍連無垢雲王佛。
南無拘蘇摩提闍佛。南無美聲佛。南無善毗摩。南無衆明佛。無量壽帝釋光明佛。

南無毗摩提闍訶佛。南無慈相佛。稽首無量天。金剛寶嚴佛。殊妙身無〔三〕礙光明佛。南無大須彌普仙佛。南無大能佛。南無大華佛。南無大聚佛。大莊嚴無量寶王佛。歸依西南方無量佛。南無妙聲佛。稽首那羅延。南無寶聲佛。妙香華自在天王佛。歸依東北方無量佛。南無淨聖佛。南無淨妙聲。南無善化佛。寂諸根善意住持佛。歸依上方無量勝佛。南無雲王佛。無量名稱佛。降伏魔王佛。大功德大須彌尊佛。南無遠離諸畏驚怖佛。無無華光佛。南無火光佛。南無寶上佛。無畏觀金光明王佛。南無師子乘光明佛。南無上聲佛。南無碎金剛。南無世雄佛。無量身虛空須彌佛。南無金色身常觀佛。南無寶身佛。頂禮天中天。一切聚觀佛。趣菩提閻浮光明佛。南無智虛空樂王佛。南無德王佛。頂禮賢上王。那刹多王佛。妙山王不動尼陀佛。南無清淨光明王佛。南無寂王佛。頂禮莊嚴王。歸依相王佛。散華王無量思惟佛。南無法光明勝雲佛。南無慧光佛。頂禮勝摩尼。歸依智燈佛。盧舍那普智聲王佛。

【北雙調水仙子】

廣善世之曲

南無釋迦牟尼佛。南無金剛牟尼佛。南無金剛光王佛。南無金剛功德佛。普光功德山王佛。南無拘留孫佛。南無阿彌陀佛。南無拘那舍牟尼佛。南無火光慧滅昏闇佛。金剛堅强消伏壞散佛。南無善護幢王佛。月殿妙尊音王佛。不動光觀自在佛。南無三昧喻佛。南無光明觀佛。善住智慧王無障佛。南無一切衆生導師佛。南無寶焰彌留金剛佛。南無薩婆毗浮佛。南無清淨月輪佛。南無聲自在王佛。南無無盡意佛。南無大焰積佛。南無成就一切義佛。南無善住如意積王佛。金光明師子奮迅王佛。南無斷一切障佛。南無無量光明佛。南無妙法光明佛。南無法威德佛。南無法自在佛。南無大聖天具足佛。南無歡喜自在聲德佛。虛空燈堅固自在王佛。南無衆自在刧佛。南無最上名稱佛。南無帝釋幢王佛。南無發精進佛。南無功德海佛。南無法行深勝月佛。南無降伏憍慢佛。南無虛空庫藏佛。南無樹提慈地佛。南無破淨實體佛。南無普光善化佛。南無光照王佛。南無毗頭羅佛。南無功德海無量佛。南無清淨寶光佛。南無無量功德佛。南無寶樂自在佛。娑羅華上光王佛。南無銀幢蓋王佛。南無月殿光佛。樂善光明王佛。南無摩善住山王佛。南無波頭摩華佛。無垢眼上光王佛。無垢意山上王佛。歡喜藏勝山王佛。南無動山嶽王佛。南無無量眼佛。南無不定願佛。南無俱蘇摩生王佛。

南無六十二毗留羅佛。八萬四千名自在幢佛。一切同名大幢佛。五百波頭摩王佛。一切同名日聲佛。六十功德寶佛。五百樂自在聲佛。南無日龍奮迅王佛。南無一切同名普光佛。一切同名法光莊嚴佛。南無五百歡喜佛。南無五百威德佛。百億微塵金剛藏佛。同名聲稱王佛。同名阿難陀佛。南無千八百寂威佛。南無一切同名日王佛。一齊同名雲雷聲王佛。南無千閻浮檀金佛。南無二千寶幢佛。離垢聲自在王佛。千勢自在聲佛。八千堅精進佛。南無一切名駒隣佛。南無八千威德佛。南無八千然燈佛。南無十千迦葉佛。南無十千星宿佛。萬八千娑羅王佛。四萬願莊嚴佛。浄蓮華香積佛。滿三千毗盧舍那佛。南無銀幢蓋王佛。南無雲燈幢王佛。南無無邊彌留佛。南無無量發行佛。南無發行難勝佛。南無斷諸難佛。南無不定願佛。南無無相聲妙色佛。南無精進寂静佛。南無世間可樂佛。南無隨世間意佛。南無隨世間眼佛。南無羅睺羅浄佛。南無摩尼輪佛。南無曼陀羅佛。南無無量香上王佛。南無虛空莊嚴佛。南無無畏上王佛。南無大如意輪佛。南無浄聖浄宿佛。南無網羅光幢佛。南無功德海佛。南無師子步佛。南無得世間功德佛。南無摩尼功德佛。南無莎羅華王佛。南無彌留燈王佛。南無善無垢藏佛。南無妙鼓聲王佛。南無喜威德佛。南無集功德佛。南無虛空平等心佛。南無龍自在王佛。南無住持功德佛。南無治諸病王佛。南無藥王妙聲佛。陀羅尼自在王佛。南無斷諸罪佛。南無成就觀佛。南無無量功德王佛。南無娑羅威德佛。南無大悲威德佛。南無地持威德佛。南無師子威德佛。南無無垢威德佛。南無浄威德佛。南無聖威德佛。南無日威德莊嚴佛。南無無垢瑠璃佛。南無波頭摩面佛。南無象王燈王佛。南無藥王雷王佛。自在轉一切法佛。南無轉法輪佛。南無大威德佛。南無金色形月面佛。南無倶蘇摩成佛。南無婆樓那天佛。南無光明莊嚴佛。南無清浄莊嚴佛。南無功德成就佛。南無勇猛仙佛。南無金剛仙佛。南無無障礙難量佛。南無善跡善化佛。南無善愛善行佛。南無善眼善親佛。南無善臂善聲佛。南無善華善香佛。善山功德山佛。善生善思議佛。善住清浄功德寶佛。南無見一切義佛。一切世間愛見佛。南無上妙善見佛。南無寶山普見佛。南無智山現見佛。南無不空見佛。南無無垢見佛。見平等不平等尊佛。南無度一切疑佛。南無度一切法佛。南無一切三昧佛。南無一切清浄佛。南無不取諸法佛。南無一切通佛。一切義成就佛。南無斷一切障礙佛。

南無俱蘇摩通佛。南無常滿手足佛。南無波頭摩光佛。南無得願滿足佛。南無得大無畏佛。南無常修行佛。南無常精進佛。南無尼拘律金色佛。南無無量精進佛。南無無量功德佛。至大精進究竟佛。無邊功德寶作佛。南無至大大海佛。南無大境界佛。南無大樂説佛。南無得普照清浄佛。南無功德勝藏佛。南無福德勝藏佛。南無那羅延藏佛。南無波頭摩藏佛。南無俱蘇摩藏佛。南無如來藏佛。南無金剛藏佛。南無憂波羅勝藏佛。南無華勝藏香勝藏佛。南無天勝藏大勝藏佛。南無月無垢藏佛。南無日藏照藏佛。南無賢藏普藏佛。南無如意藏佛。南無摩尼藏佛。南無勢羅藏根藏佛。南無離世間幢佛。南無月無垢幢佛。南無放光明幢佛。南無護妙法幢佛。善清浄光明幢佛。南無功德幢佛。南無普照幢佛。南無自在幢法幢佛。南無虚空光明佛。南無日月光明佛。南無無垢光明佛。南無火輪光明佛。大光明寶光明佛。南無善光明佛。南無火光明佛。南無日光明寶照佛。南無甘露光明佛。南無水月光明佛。南無寶月光明佛。南無彌留光明佛。南無金光光明佛。南無金光明佛。南無高光明佛。南無功德寶光明佛。南無放光明幢佛。南無放光光明佛。南無無畏光明佛。南無清浄光明佛。勝威德香光明佛。南無雲光明佛。南無香光明佛。南無俱蘇摩光明佛。南無法力光明佛。南無樹提光明佛。南無然火光明佛。南無羅網光明佛。無量寶華光明佛。南無稱光明佛。南無普光明佛。南無一切大願光明佛。南無師子吼聲佛。南無無量吼聲佛。南無勝妙鼓聲佛。南無色光明聲佛。南無法鼓出聲佛。南無地吼聲佛。南無普遍聲佛。南無聲滿法界聲佛。南無法無垢月佛。南無放光明月佛。南無盧舍那月佛。南無普照寶月佛。南無月輪清浄佛。南無解脱月佛。南無功德月佛。南無無障礙月慧佛。南無聚集日輪佛。般頭耆婆伽華佛。無量功德莊嚴佛。南無自在滅刧佛。南無深慧戒慧佛。南無無垢慧佛。南無難勝慧佛。阿僧祇刧修習慧佛。南無莎利羅上佛。南無波頭摩上佛。南無須彌留刧佛。南無不可説刧佛。金光明色光上佛。南無龍寂上佛。南無勝寶上佛。南無香奮迅天上佛。南無香象奮迅佛。南無多羅跋香佛。南無多伽羅香佛。南無曼陀羅香佛。南無波頭摩香佛。南無無邊香佛。南無普徧香佛。南無栴檀香戒香佛。南無波頭摩手佛。南無波頭摩眼佛。南無波頭摩起佛。南無波頭摩勝佛。同名波頭摩王佛。波頭摩上王佛。波頭摩華聲佛。南無波頭摩莊嚴佛。

南無金剛處勢佛。南無無垢處勢佛。南無三昧處勢佛。南無不動處勢佛。南無實智大勢佛。南無甘露勢佛。南無定處勢佛。南無過三界處勢佛。南無上喜實喜佛。南無龍喜寶喜佛。南無普護聖護佛。功德普護徧護佛。開悟菩提智光佛。南無精進護佛。南無精進喜佛。南無善知寂静去佛。南無善清浄慧佛。南無栴檀滿慧佛。南無滅諸惡慧佛。南無大慧普慧佛。南無上慧妙慧佛。南無滅德慧佛。南無金剛慧佛。南無清浄慧法慧佛。南無海慧住慧佛。南無善慧蜜慧佛。南無世慧快慧佛。南無稱慧廣慧佛。南無覺慧寶慧佛。南無威德慧佛。南無清浄慧佛。南無勝慧無邊慧佛。南無堅慧勝積佛。南無善清浄慧佛。南無寶髻香積佛。南無龍髻寶積佛。南無寶手柔輭佛。南無勇猛積佛。南無般若積佛。南無功德髻寶聚佛。南無金剛偏照十方佛。南無法雲十方稱王佛。南無成就功德佛。南無大衆上首佛。南無能斷一切業佛。南無莊嚴王佛。南無光明王佛。南無善清浄無垢佛。南無法界師子光明佛。南無滿足金剛住持佛。南無世間最上佛。南無世間自在佛。南無善住莊嚴藏佛。南無閻浮燈佛。南無善思惟佛。南無智虚空樂王佛。南無最後釋迦牟尼佛。南無梵勝天王光明佛。南無師子奮迅佛。南無如意威德佛。

南無清淨無垢藏佛。南無歡喜王佛。南無栴檀香佛。南無大師子莊嚴佛。南無一切龍摩尼藏佛。南無虛空輪清淨王佛。南無十方恭敬佛。南無十方生勝佛。南無成就一切稱佛。南無彌留幢佛。南無金色華佛。南無師子座善住佛。南無二萬同名拘鄰佛。南無八千同名善光佛。南無大悲雲藏佛。南無一切功德佛。南無成就如來寂佛。南無無相聲佛。南無不可聲佛。南無轉法輪勝王佛。南無三萬同名能勝佛。南無十千同名滿足佛。南無福德成就佛。南無功德供養佛。成就娑羅自在王佛。散華莊嚴光佛。師子無量音佛。南無波頭摩清淨佛。南無摩訶彌留力藏佛。南無莊嚴法燈妙稱佛。南無婆曼多智佛。南無摩樓多愛佛。毗盧遮那功德藏佛。法力自在勝佛。法智普光明佛。南無善智力成就佛。南無甘露威德光明佛。南無智勝寶法光明佛。南無妙蓮華藏佛。南無摩尼清淨佛。一切種智資生勝佛。自在因陀羅佛。自性清淨智佛。南無勝光明功德佛。

【南商調滿堂春】

仰鴻慈之曲

善思佛。大思佛。普信莊嚴妙光佛。東方滿月光明佛。佛。世間尊華光佛。大吼佛。

成就行得樂自在佛。喜聲佛。勝聲佛。清浄思惟善生佛。南方自在王諸佛。佛。法華尊高光明莊嚴佛。快可見無過智慧佛。大稱佛。大聲佛。日聚瑠璃樂勝佛。西方無邊光明佛。佛。轉法輪大威佛。高信佛。普供養梵聖法華佛。日光佛。大炎佛。普現能觀奮迅佛。北方金剛王諸佛。佛。菩提尊光明佛。甘露佛。普供養勝愛堅行佛。高光佛。勝王佛。功德圓融勝稱佛。東南師子妙音佛。佛。如意通觀藏佛。精進佛。普供養平等勿思佛。普觀佛。聖華佛。大勝修行善根佛。西南香象遊戲佛。佛。無畏光照十方種種佛。咸稽首不可思議佛。十光佛。天華佛。種種隨順威德佛。南無西北須彌佛。佛。普賢尊妙修行無垢佛。咸稽首甘露光明佛。然燈佛。尊志佛。福德無量常香佛。東北寶最高佛。佛。具神通妙法幢善至佛。咸稽首平等慈悲佛。

寶幢佛。妙光佛。自在轉輪法王佛。下方寶優鉢華佛。佛。無垢聲無邊光成就佛。咸稽首清浄摩尼佛。妙聲佛。梵聲佛。功德力堅因王佛。上方廣衆德諸佛。佛。金剛華菩提陀賒户羅。咸稽首一切光明佛。

【北中吕普天樂】

弘法門之曲

如來應供一切。三藐三佛陀正徧知。明行皆滿足。智慧中善逝。世間解及無上士。調御丈夫天人師。佛陀世尊天上人間無等慈悲。南無功德王佛。大威德聚光明幢佛。南無應信佛。法勝龍華佛。堅固希六通聲佛。世間尊解脱賢佛。大慈大慧虚空功德精進心佛。南無然光明佛。大聲功德種種光佛。南無龍德佛。勝慧賢光佛。聖固華莊嚴王佛。攝諸根甘露心佛。金剛師子無邊智積一切諸佛。南無妙光幢佛。離光聲佛自在聲佛。于世自在聲不可思量佛。智慧力娑羅王佛。妙莊嚴無畏王佛。光明王佛。無邊功德海藏王佛。南無金剛華佛。須摩那華師子幢佛。那羅延勝藏修行深心佛。法智佛金輪光佛。千香佛善住意佛。金剛寶佛。無邊無礙自在聲佛。南無金剛光佛。發行成就自在王佛。南無師子音妙吼聲王佛。普藏光彌留王佛。帝釋幢無量壽佛。百千晃耀光明滿足善度諸佛。南無摩尼王佛。寶蓋金幢師子聲佛。南無寶作佛。無量香王佛。七寶波頭摩王佛。一切衆生愛見佛。修行功德光明勝妙清浄聲佛。南無普光明佛。大海住持奮迅通佛。寶幢不動佛。妙鼓聲王佛。大勢精進修行佛。南無清浄寶輪佛。諸聞見者生歡喜佛。無量壽佛。南無彌留香佛。多羅妙勝智慧王佛。南無金蓋尊雲護華光佛。廣威德自在王佛。大慈悲救護勝佛。摩尼寶藏如來正見無量諸佛。南無月光明佛。南無天德方便心佛。南無普信佛。堅固高勝佛。功德華無畏聲佛。大莊嚴種種聲佛。清浄諸佛。成就功德一切諸佛。南無放光明佛。大聲大慧成就行佛。南無清浄心無礙聲智佛。寶地山彌留光佛。甘露誠信功德佛。南無妙法一切普智信供養佛。[四]

南無淨自在佛。大勢力善寂諸根佛。南無寂靜然佛成就意佛。降伏煩惱佛。成就堅佛。南無降伏魔梵自在佛。一切寶摩尼王佛。稽首功德寶光明娑伽羅自在山佛。毗摩意智勝大自在滿足心佛。至敬項禮一切勝佛。世間自在王佛。歸依寶燈王稱頌般若齊無量尊佛。

南無普見王佛。無垢勝梵自在勝佛。南無普門光明須彌山佛。無礙自作佛。無畏王佛。

南無自在勝廣智上佛。梵勝天王光明佛。稽首普喜速勝王栴檀違雲吼王佛。智虛空自在如是無量無邊佛。至敬頂禮須彌勝佛。普門智照聲佛。普輪法光明稽首不思議功德無量佛〔五〕。

南無大威光佛。普無量釋迦牟尼佛。南無遊戲神通寶藏諸佛。最尊勝妙香喜莊嚴佛。

南無德聚王寶成就佛。大尊大焰端嚴佛。南無不可思議功德王金剛梵聲佛。無量具足讚大力大臂導師佛。南無照曜彌樓相佛。應天師子德佛。南無世明佛。仰一切見在無量諸佛。

南無日月明佛。清淨義妙音名天佛。南無德輪光王自在幢佛。無量解脱相衆會王佛。

南無大願光具衆德佛。善濟無畏音聲佛。南無不壞大慧力慈悲無邊辯光佛。普供養上善圓滿清浄牟尼佛。南無法藏無塵垢佛。安闍那信戒佛。南無浄魔佛。仰一切世間賢刦諸佛。南無大寶輪佛。一切勝十方光明佛。南無香中尊王慧力稱佛。無礙德稱光成就觀佛。南無般若齊滿足意佛。畢竟成就大悲佛。南無無障無礙堅精進娑婆華王佛。無邊功德普照十方未來尊佛。南無大智真聲諸佛。大光明深智佛。南無勝修佛。一切寶莊嚴色住持佛。南無大吉祥佛。無比辦福德光明佛。南無寶輪虛空平等心佛。無量慧光王普現前佛。南無無畏輪疆界上佛。虛空無際寶身佛。南無堅精進思惟成就義無邊諸佛。無量德具足一切衆生愛見佛。南無寶樹須彌意佛。無邊覺海藏佛。南無未來佛。無量善根成就諸行佛。南無自在光佛。作利益波羅羅堅佛。南無慧威燈王普光明佛。無量音聲王普世懷佛。南無三界尊敬智慧佛。無爲大燄聚威佛。南無普現色身光瑠璃莊嚴一切佛。無邊大衆自在勇猛善意成佛。南無寶浄巍巍見佛。諦思惟慧悦佛。南無法光佛。仰過去莊嚴刦一切佛。天聲佛。日聲佛。南無妙聲曇無竭佛。南無聲自在無量自在佛。南無世自在法自在佛。南無轉發起善思惟佛。南無結度彼岸佛。南無名寶蓋起無畏光明師子月佛。南無名光明破闇起三昧王佛。南無名隨前覺覺佛。南無不可動佛。南無普禪佛。南無名自在護世間佛。

善心佛。善光佛。南無名法界莊嚴佛。南無發一切無厭足行佛。南無意住持地住持佛。南無住持法護法眼佛。南無觀世自在佛。南無淨幢法幢金剛幢功德住持佛。南無善行善色善識善功德佛。南無名法行廣慧佛。南無師子月佛。南無應稱佛。南無不盡甘露功德佛。

大光佛。光明佛。南無寶威德上王佛。南無名降伏魔人自在佛。南無名降伏癡自在佛。南無大勝上勝多寶勝散香上勝佛。南無住持勝善行勝不空勝佛。南無起多羅王勝佛。南無福德勝佛。南無妙勝佛。南無日輪上光明勝佛。

【北雙調牡丹春】

成方便之曲

南無大慧佛。寶蓋勝光佛。南無無量安穩佛。妙鼓聲王大莊嚴佛。華照佛。寶積示現佛。
南無廣大佛。功德轉輪佛。南無得大無畏佛。平等匆思浄光明佛。多寶佛。功德自在佛。
南無大勝佛。清浄衆生佛。南無一切通智佛。不動智光住持聲佛。調勝佛。善寂勇猛佛。
南無法寶佛。善寂静心佛。南無一切喜勝佛。不動勇步善調心佛。安穩佛。大衆自在佛。
南無法力佛。驚怖衆生佛。南無威德浄聲佛。無敬懷大功德佛。尸棄佛。善啖法妙佛。
南無滿月佛。住勝浄明佛。南無妙眼弗沙佛。無量威神稱光明佛。生勝佛。普妙智海佛。
南無大意佛。敬重戒王佛。南無法性莊嚴佛。成就義修智波娑佛。無礙佛。無浄無畏佛。
南無善意佛。浄相妙聲佛。無障無著精進佛。一切敬愛那羅延佛。稱妙佛。般若奮迅佛。

南無勝慧佛。無比藏深佛。南無種種行王佛。無恐無畏波頭摩佛。難勝佛。授記愛見佛。
南無不動佛。寶勝月光佛。南無華寶栴檀佛。澄住思惟彌留藏佛。無垢佛。得意善浄佛。
南無法性佛。内外斷愛佛。南無畢竟大悲佛。無礙思惟大神通佛。離怖佛。一切種智佛。
南無成就佛。觀世自在佛。南無無畏智觀佛。無量僖光阿礙羅摩佛。華勝佛。不可思議佛。

【善知識】

轉法輪之曲

稽首多天栴。自智梵行佛。無量光明世界普賢佛。南無勝眼佛。妙幢佛。無礙勝行佛。
稽首華光佛。普浄曜聲佛。無量威神護法幢佛。南無美意佛。德王佛。真悦政明佛。

稽首法光佛。普解德嚴佛。無邊無垢慧深聲王佛。南無思意佛。益天佛。餤面喜音佛。

稽首豐光佛。寶悦智山佛。無量元華種種奮迅佛。南無快應佛。寂幢佛。歡悦勝賢佛。

稽首天華佛。不擾趣懷佛。毗盧遮那功德藏王佛。南無慧忖佛。净身佛。如空離華佛。

稽首摩尼佛。火奮迅通佛。無量法幢空俱蘇摩佛。南無諦意佛。藏稱佛。難勝美聲佛。

稽首雲音佛。遊戲神通佛。無量吉祥金剛寶嚴佛。南無應供佛。智王佛。覺悟衆生佛。

稽首謨羅佛。自在不虛佛。不動慧光妙得難思佛。南無善業佛。樂安佛。無量辯光佛。

稽首龍音佛。無上醫王佛。清净寶名婆耆羅陀佛。南無制刀佛。梵聞佛。勇猛名稱佛。

稽首華瓔佛。無邊辯相佛。覺悟衆生種德天王佛。南無金齊佛。吉身佛。功德威聚佛。

【北正宮醉太平】

布法雲之曲

南無意稱佛。不可思議佛。娑羅華上光王佛。歡喜增長佛。南無德聚威光佛。無邊智照頂王佛。南無善寂諸根佛。殊勝相無爲光威佛。南無普現佛。三世華光佛。栴檀窟莊嚴勝佛。無缺精進佛。南無覺伏濤波佛。無邊堅固光明佛。南無極上音聲佛。天自在超越諸法佛。南無廣曜佛。無量思惟佛。無垢眼普光明佛。摩尼清淨佛。南無覺善香薰佛。無邊名稱十方佛。南無彌勒仙光佛。無比慧普照輪月佛。南無喜解佛。護妙法幢佛。普飛廣戒堅視佛。名稱恭愛佛。南無神足光明佛。無邊大力光相佛。當無火奮〔六〕迅通佛。無畏友一切無染佛。南無賢悦佛。現面世間佛。至大精進究竟佛。無勝最妙佛。南無意疆自在佛。無邊勝威德意佛。南無恬惔思惟佛。無盡德一切燄光佛。

南無寶敬佛。法智普光佛。斷一切衆生病佛。朋友光度佛。南無寂静然燈佛。無邊
帝釋幢王佛。南無無盡受光佛。尊自在一切勝天佛。
南無廣施佛。大慧力王佛。光華種種奮迅佛。能作無畏佛。南無日月珠光佛。無邊
海德光明佛。南無天所敬恭佛。無恐畏一切喜音佛。
南無普悦佛。供養廣稱佛。見平等不平等佛。世間勝上佛。南無寂進思惟佛。無邊
妙法光明佛。南無無量燄光佛。成就意一切浄王佛。
南無大護佛。慧浄德光佛。法日智轉然燈佛。無能伏運佛。南無衆生所疑佛。無邊
喜可威神佛。南無須彌最聲佛。無畏一切道光佛。
南無大聚佛。無諂名稱佛。如衆生平等身佛。無煩熱意佛。南無善眼清浄佛。無邊
梵天所敬佛。南無虚空多羅佛。無量像一切法光佛。

【北雙調雁兒落】

勝妙明之曲

至敬頂禮世尊佛如來尊佛。無量如來佛。一切世尊佛。南無佛世尊如來尊佛。一切

世尊佛。

【北雙調得勝令】

具莊嚴之曲

至敬頂禮世尊如來佛。佛世尊如來尊佛。南無佛如來世尊佛。世尊如來佛。佛如來世尊佛。一切世尊如來佛。世尊如來佛。南無佛世尊佛。

【北雙調雁兒落帶過得勝令】

勝妙明具莊嚴之曲

至敬頂禮如來利益諸有情。無我無二執最上意清淨。甘蔗王種吉祥大牟尼佛。陀希有不思議精進。至敬頂禮六佛法莊嚴。無業無怖調御明。一切義成就能除怨。尊師大梵行。南無最上燈佛。南無調伏心清淨。第一六神通。能消滅諸有情。

【北雙調雁兒落】

又勝妙明之曲

敬禮大勢力世尊無量壽佛。金明世界如來大威光佛。南無寶德世尊歡喜佛。南無法最如來吉祥佛。

【北雙調得勝令】

又具莊嚴之曲

敬禮上善世尊光燄佛。寶愛如來大明佛。天王世尊妙音聲佛。蓮華世尊佛。無量光如來佛。善現如來慈德佛。喜悦世尊佛。南無清浄照佛。

敬禮大精進世尊清浄義佛。光明世界如來喜莊嚴佛。南無寶相世尊威德佛。南無最妙如來福德佛。

敬禮海慧世尊明意佛。寶首如來世光佛。天威世尊善端嚴佛。香明世尊佛。普放光如來佛。來寶髻如來真實佛。妙義世尊佛。南無功德藏佛。

敬禮大海智世尊無量意佛。吉祥世界如來大光王佛。南無善慧世尊天德佛。南無寶力如來具足佛。敬禮智勝世尊明照佛。寶聚如來上安佛。光王世尊最尊天佛。寶明世尊佛。千上光如來佛。妙寶如來堅固佛。妙御世尊佛。南無威德勢佛。至敬頂禮喜思惟無量悅佛。清淨面月藏得大燈明佛。寶離慧勇須彌山意佛。南無一切功德備具佛。至敬頂禮無畏娛樂佛。自在光智慧來佛。南無龍種上尊王佛。無爲光豐佛。名稱幡普仙佛。願海光妙音勝佛。梵自在王佛。南無無畏友佛。至敬頂禮慧光王中上明佛。稱一切衆生念勝功德佛。堅精進思惟成就義佛。南無一切無垢光明佛。至敬頂禮迦葉導師佛。不退佛福德明佛。南無法自在不虛佛。華明慈德佛。山主王法明佛。一切天猛威德佛。清淨衆王佛。南無師子吼佛。至敬頂禮無畏輪疆界上佛。發一切衆生不斷修行佛。寶蓮華勇虛空雄巧佛。南無一切都趣衆辯佛。至敬頂禮無量應天佛。覺悟佛清淨賢佛。南無一切最尊天佛。違藍明意佛。威德王百光佛。慶日佛蓮華德佛。雲德甚良佛。南無師子相佛。至敬頂禮寶輪光明勝德佛。大講佛轉化一切牽連佛。大遊戲佛虛空輪上佛。南無一切成就誓鎧佛。至敬頂禮慈相照明佛。善月佛無量光佛。南無浄願佛慧華佛。善天浄根佛。求勝佛妙光佛。一切行善無過佛。善濟日天佛。南無師子力佛。至敬頂禮寶塲輪上尊王佛。大輪佛無念示現諸行佛。喜威德佛無量光勇佛。南無一切功德寶勝佛。至敬頂禮清浄相明佛。喜衆佛高大身佛。南無勇猛佛。浄魔佛戒明福燈佛。常月佛月光佛。一切真髻華手佛。密鉢滅貪佛。南無無量意佛。至敬頂禮虛空尊極上德佛。歡樂佛寶意佛浄音聲佛。住清浄佛虛空無際佛。南無一切功德成就佛。至敬頂禮神相喜明佛。世意佛流布王佛。南無慧道佛。度憂佛樂安愛身佛。天主佛善財佛。一切善眼珠浄佛。得利堅音佛。南無求利益佛。至敬頂禮金剛徧照十方佛。尊聚佛法寶佛浄輪王佛。寶羅網佛普光威德佛。南無一切諸寶上德佛。

至敬頂禮龍德善濡佛。衆燄佛離畏師佛。南無日藏佛。燄肩佛善明威猛佛。明曜佛梵聲佛。一切仁愛無畏佛。有意善高佛。南無師子德佛。至敬頂禮雲中自在燈明佛。尊會佛妙頂佛日輪光佛。衆尊聚佛遠方聲稱佛。南無一切吉祥有德佛。至敬頂禮明讚梵天佛。滅過佛師子身佛。南無定意佛。世明佛持鬘華藏佛。無懼佛梵財佛。一切梵壽無損佛。樂智觀身佛。南無師子頰佛。至敬頂禮寶輪威極上德佛。深智佛聖德佛大車乘佛。施豐德佛世間尊重佛。南無一切十力娛樂佛。至敬頂禮名稱梵音佛。最上佛須燄摩佛。南無勇智佛。勢行佛日名樓至佛。無動佛盡魔佛。一切妙面隨日佛。廣照香明佛。南無精進德佛。至敬頂禮日輪塲尊上德佛。華蓋佛勝積佛會中尊佛。廣功德佛娑羅威德佛。南無一切衆生愛見佛。至敬頂禮明力大施佛。愛浄佛無量持佛。南無至喜佛。滅癡佛好音微意佛。華勝佛敏持佛。一切智藏堅出佛。善寂天音佛。南無清浄義佛。至敬頂禮日威德莊嚴藏佛。長養佛得度佛金剛肩佛。最香德佛波頭摩面佛。南無一切諸種安樂佛。
至敬頂禮隨意光明佛。出現佛解脱乘佛。南無浄宿佛。炬燈佛紅蓮華德佛。方上佛
世音佛。一切觀意華出佛。無量音聲佛。南無無我眼佛。
至敬頂禮寶身佛常滅度佛。雄猛佛寂静佛曼陀羅佛。火光積佛維蓮華德佛。南無極
趣上威神聚佛。
至敬頂禮大智真聲佛。大蓋佛清徹光佛。南無作際佛。祉江佛無諍無恐佛。山德佛
日空佛。一切言音無礙佛。無量除憂佛。南無無跡步佛。
至敬頂禮寶尊佛無量眼佛。慈氏佛大貴佛法照光佛。不唐勇佛普明觀稱佛。南無不
可思議種姓佛。
至敬頂禮梵德華山佛。住義佛功德敬佛。南無德浄佛。大燈佛施明珠鎧佛。高勝佛
日觀佛。一切主錟堅法佛。無量天王佛。南無無所負佛。
至敬頂禮寶通佛無垢際佛。尊思佛見實佛普金華佛。滿足意佛無退雄勇佛。南無一
切世間自在佛。
至敬頂禮浄義開華佛。福德妙德藏佛。南無智日佛。上明佛隨時多德佛。龍步佛德
乘佛。一切難施堅鎧佛。無量高明佛。南無觀察慧佛。

至敬頂禮善生佛難勝伏佛。尊德佛寶樹佛智慧威佛。清涼寶佛無過精進佛。南無一切無決斷願佛。
至敬頂禮喜見華嚴佛。寶語佛威德猛佛。南無天力佛。弗沙佛斷疑明照佛。華相佛衆王佛。一切安穩遊步佛。無量離山佛。南無功德守佛。
至敬頂禮德尊佛無表識佛。成熟佛德現佛出顯光佛。行清淨佛無量禪德佛。南無一切無過勇步佛。
至敬頂禮不可勝幢佛。性日佛降伏魔佛。南無見義佛。勝魔佛寶賢幢勝佛。香手佛智來佛。一切世愛能聖佛。不可嫌名佛。南無功德步佛。
至敬頂禮海威佛名稱友佛。懷眼佛快見佛衆疆王佛。無動勇佛無垢離度佛。南無一切寶薩梨樹佛。
至敬頂禮無等香光佛。具足佛無畏觀佛。南無怖象佛。破疑佛俱蘇摩見佛。天面佛快身佛。下方實行離怖佛。放淨光明佛。南無修寂靜佛。
至敬頂禮上幢佛無量蓋佛。香上佛大積佛種種華佛。不空見佛無垢威德佛。南無一切普寶滿足佛。
至敬頂禮師子香稱佛。快見佛沈水香佛。南無智鎧佛。寶洲佛善思惟義佛。天愛佛善生佛。不空境界真報佛。一切同名佛。南無恭敬愛佛。至敬頂禮放光佛無比鎧佛。千近佛寶稱佛出千光佛。壞諸欲佛破無明闇佛。南無不可思議大勇佛。至敬頂禮無量名稱佛。月像佛生威德佛。南無寂過佛。樂聲佛常清浄眼佛。心智佛道光佛。十千迦葉如意佛。六十光明佛。南無清浄戒佛。至敬頂禮月威佛無量意佛。天輞佛勇悍佛摩尼輪佛。有華德佛住禪思勇佛。南無不可思議大地佛。至敬頂禮無普修行佛。日面佛無垢心佛。南無月愛佛。照光佛善根光明佛。深知佛法洲佛。龍王護衆輪手佛。功德橋梁佛。南無天供養佛。

【北雙調錦上花】

普清浄之曲

至敬頂禮勝琉璃金光明佛。妙思惟稱光明地住持佛。無量衆上首王無邊智佛。妙見火然燈滿足智佛。南無功德力佛。無畏世界寶勝佛。南無師子奮迅力佛。海彌留離貪境界善智慧佛。南無寶彌留觀光世明自在佛。

【北雙調碧玉簫】

偏十方之曲

稽首歸依南無平等思惟佛。孔雀聲佛。威德王聚光明佛。智浄佛。十方清浄善見佛。光明勝佛。普勝金剛光佛。佛。求勝菩提佛。大寶彌留光明觀佛。月色旃檀福德然燈降伏魔王安住法佛。妙法光明觀世自在佛。南無實見佛。不可量莊嚴齊頂禮師子奮迅鬚佛。供養娑羅自在王稽首歸依虚空功德佛。大吉祥佛。一切寶蓋佛。智慧威佛。威力普懷佛。普無邊寶浄佛。大雲光性日佛。無比佛。一切尊威佛。無量勇猛慈嚴佛。至敬頂禮散華光明莊嚴佛。浄彌留拘隣解脱幢佛。一切樂念順行菩提月佛。普照放光明勇猛力佛。南無功德集佛。煩惱無礙妙勝佛。南無功德自在刧佛。住持鬘觀世自在多寶勝佛。南無月光明金剛成浄上首佛。

稽首歸依南無聚寶光明佛。自在王佛。普見威德住持佛。善逝佛。華通安樂作勝佛。華威德佛。功德王光明佛。佛。無垢稱王佛。妙歷光明婆羅堅佛。無量彌留寶火然燈福德光明勇猛法佛。能破諸邪寶樂自在佛。南無勝海佛。月眼德光明齊頂禮真聲樂説王佛。供養山聲自在王稽首歸依遠離諸畏佛。無畏王佛。一切服德佛。成就觀佛。壞散衆疑佛。海須彌説義佛。德光王住慧佛。香室佛。一切幢王佛。無量臂月施威佛。至敬頂禮修行幢香彌留佛。乘莊嚴金剛聲照世間佛。無量億毗婆羅無心慧佛。浄住妙羅王成就智佛。南無功德法佛。無邊境界奮迅佛。南無功德成就勝佛。同光明無畏自在解脱義佛。南無法光明曼陀羅衆自在佛。稽首歸依南無上勝月高佛。解脱幢佛。金聖華鬘色王佛。大聚佛。無憂無量國土佛。妙聲吼佛。大信波婆娑佛。佛。拘峻莊嚴佛。智慧光明金剛齊佛。羅網光明大海然燈大樂堅才六勝名佛。善護幢王不破境智佛。南無了見佛。勝步應光明齊頂禮光王無漏稱佛。供養堅王威德身稽首歸依拘隣智炎佛。

普德光佛。一切造化佛。清淨心佛。無量勝修佛。大修行見實佛。造燈明火燄佛。求善佛。一切光輪佛。無量最上天王佛。至敬頂禮寶多羅離無明佛。稱名聲毗婆尸出淨聲佛。歡喜德意住持栴檀行佛。月愛善威儀寂静命佛。南無天國土佛。無量寶杖不盡佛。南無地住善讚歎佛。快莊嚴可樂世界現寶勝佛。南無攝菩提寶輪威德上勝佛。稽首歸依南無成就義修佛。自在幢佛。無量威德寶仙佛。聖化佛。摩尼清淨寶焰佛。須彌力佛。上首金剛堅佛。佛。南〔七〕無最莊嚴佛。十方聞名離諸憂佛。華德雲佛。寶積華香然炬王明無著智佛。力護金山龍喜日勝佛。南無信聖佛。智藏大將軍齊頂禮普賢上勝高佛。供養波頭摩勝華稽首歸依無礙香象佛。火燄身佛。一切寶敬佛。無量觀佛。普放香薰佛。慧燈明至大佛。普開光勝報佛。香蓋佛。一切星燈佛。無量不散威嚴佛。至敬頂禮光明輪成就炎佛。德世界那羅延寶作尊佛。名自在護世間無憂勝佛。普智輪光聲法自在佛。南無堅德上佛。能滅一切怖畏佛。南無普畏世界月佛。不散華能度彼岸不動智佛。南無虛空輪清淨王樂智慧佛。

稽首歸依南無智勝上王佛。大寶輪佛。甘露功德世光佛。覺慧佛。阿樓那勝普寶佛。

大金臺佛。勝上虛空天佛。佛。無量光明佛。

天蓋龍光觀十方佛。普摩尼香喜勝天王苦行覺華無垢義佛。未來普賢浄天供養佛。

南無火步佛。無量命尼彌齊頂禮上方無量勝佛。供養虛空功德聲稽首歸依東方阿閦佛。

勇猛山佛。一切道喜佛。真正幢佛。敬慧尊華佛。十方幢悦見佛。大燈光衆勝佛。

敬戒佛。一切無煩佛。無量敬上壞光佛。

至敬頂禮無量光明華王佛。自在聲香彌留堅固王佛。無量樂説光明然燈火佛。智慧奮迅王大威德佛。南無賢上勝佛。大會上首智勝佛。南無三昧奮迅勝佛。日光明無量上勝智力德佛。南無趣菩提普莎羅智慧足佛。

稽首歸依南無普信大稱佛。寶住持佛。一切威德大修佛。海智佛。甘露清浄聖眼佛。

彌留刧佛。常放光明王佛。佛。善德莊嚴佛。

護妙法幢尼尸陀佛。雲護稱幢普勝燈王百寶華光無寶上佛。清浄然燈增上勇猛佛。

南無有我佛。功德自在天齊頂禮威王五百日佛。供養西方無量華稽〔八〕首歸依無憂威德佛。

一念光佛。無量勝友佛。普放光佛。善寶懷明佛。善毗摩慧力佛。師子香等善佛。懷諦佛。一切光威佛。無量盡作堅聲佛。
至敬頂禮金光明威德王佛。波頭摩上勝五妙勝尊佛。成就義善色王金剛衆佛。善吉世間尊種種説佛。南無師子慧佛。普照十方世界佛。南無聲德大信上佛。信菩提善修果報黠慧信佛。南無大龍勝虚空聲寂静去佛。
稽首歸依南無珍寶吼聲佛。上首光佛。善住調智攝稱佛。喜愛佛。光明輪藏法蓋佛。仁威德佛。寶步龍王聲佛。佛。能與光明佛。
無礙光明香勝幢佛。功德然燈清浄月輪善意住持虚空寂佛。月殿妙尊金色境界佛。南無實體佛。無分別修行齊頂禮名龍自在聲。供養龍天手上王稽首歸依無邊精進佛。
一相光佛。無量度世佛。如樹華佛。大步懷幢佛。法燈明勝畏佛。摩尼珠廣曜佛。懷步佛。一切雲雷佛。無量浄住尊悲佛。
至敬頂禮無量天香光明佛。不空行稱思惟智慧華佛。無障礙十力王光明勝佛。智積大香光精進勝佛。南無甘露勝佛。栴檀世界上首佛。南無普畏世界月佛。不謬思度一切難火啖聚佛。南無大莊嚴威德身愛自在佛。
稽首歸依南無大海廣稱佛。希勝尊佛。無垢威德金堅佛。普至佛。波頭摩勝善意佛。

光明聚佛。梵勝彌留幢佛。佛。供養莊嚴佛。

普照雲王人天尊佛。海勝梵聲善智華身黠慧降魔無盡意佛。攝慧相王浄行勝愛佛。

南無見有佛。寳力寳光炎齊頂禮華藏善夜摩佛。供養慈悲水月光稽首歸依波頭摩

上佛。

大勝光佛。無量悦好佛。名譽音佛。最視堅華佛。人中光等見佛。月燈明寳浄佛。

持慧佛。一切天華佛。無量大聖華仙佛。

至敬頂禮須彌山無量名佛。大彌留香高山成就炎佛。不動步光華明彌留山佛。勝意

世然燈不可勝佛。南無香象王佛。功德一味善喜佛。南無色智浄去日佛。寂浄幢見

無障礙善香月佛。南無去光明如意幢供養勝佛。

稽首歸依南無善智地光佛。普照稱佛。慈勝安樂大幢佛。寳信佛。破無明闇寂行佛。

無邊智佛。普智無邊光佛。佛。功德莊嚴佛。

日藏華聲無量明佛。智聚栴檀化現彌留大地離塵一切愛佛。智報燈王月德普眼佛。

南無善化佛。普行寳光明齊頂禮西方無量華佛。供養婆羅自在王稽首歸依金剛精

進佛。

自在懷佛。無量快應佛。相好華佛。善度才光佛。慧威燈日見佛。電燈光意稱佛。

天悦佛。一切幢光佛。無量喜德成豐佛。至敬頂禮堅王華天金剛佛。妙香華阿彌多勝自在佛。常法慧善静王多羅住佛。智步截金剛菩提[九]安樂佛。南無清浄眼佛。不可思議大相佛。南無信衆上寂浄佛。住虚空斷一切障礙[一〇]大智意佛。南無樂莊嚴毘頭羅作功德佛。稽首歸依南無智勝寂光佛。等月王佛。精進功德大燈佛。善護佛。寳輪威德善見佛。無憂勝佛。大力人中尊佛。佛。歡喜龍天佛。浄日諸天光明輪佛。無相修行寳勝光明善首拘隣無量命佛。慧照天光功德自在佛。南無大鏡佛。廣護日光明齊頂禮莊嚴妙寳聲佛。供養人天大覺尊稽首歸依諸天流布佛。大願修佛。無量浄戒佛。喜悦王佛。普寳如空佛。無憂懷妙見佛。浄光明悦意佛。端緒佛。一切憘光佛。無量上寳華光佛。

【北雙調折桂令】

登般若之曲

大明佛。日浄王佛。迦葉佛。大衆輪佛。寳妙華光普藏真聲菩提王佛。功德乘佛。

無量眼摩尼寶佛。智光明自在天佛。頂禮歸依王心虔誠三界尊無量人天一切勝無量香佛。

金華佛。快勝王佛。正見佛。放妙香佛。大智莊嚴無礙王佛。寶彌留佛。解脱王佛。無垢佛。無邊德佛。智光聲寶海炎佛。法性莊嚴普勝生佛。善思惟無量聲佛。普一切自在根佛。

龍華佛。廣戒王佛。得意佛。廣法行佛。善化莊嚴智力王佛。彌留光佛。不畏言佛。無染佛。無邊寶佛。寶光明二足尊佛。三寶然燈阿羅摩佛。普無邊清淨聲佛。不思議梵勝天佛。

金剛佛。藥樹王佛。斷愛佛。成就幢佛。樂説莊嚴善護聲佛。拘那舍佛。般若幢佛。無畏佛。無煩惱佛。大神通寶地山佛。無垢光明最法稱佛。普無邊降伏魔佛。不思議成就堅佛。

仙光佛。盧舍〔二〕那佛。法勝佛。無畏觀佛。福德莊嚴能作光佛。娑羅華佛。地勇名佛。隨順佛。無垢眼佛。日光明智稱王佛。妙德難思無礙山佛。觀世音寶法勝佛。清淨藏毘舍浮佛。

應天佛。頂勝王佛。幢日王佛。寶聚分明火燄高幢華勝王佛。清淨香佛。無畏勝多功德佛。大光明堅固王佛。信衆生佛。六通聲佛。星宿王歡喜莊嚴無量照[三]明佛。人王佛。功德稱佛。藥上佛。一念光佛。清白華聲勝月光明摩尼香佛。善導師佛。不定願華成就佛。世間天無病修佛。聖弗沙佛。大殊提佛。毘舍浮一切同名五百樂自在聲佛。大天佛。無相聲佛。應供佛。奮迅王佛。無垢光明供養莊嚴蓮華香佛。善住心佛。無障智菩提願佛。寂光明度世間佛。决定思佛。甘露明佛。大旃陀十方稱名應供養自在王佛。普聲佛。和合聲佛。慧力佛。最勝聲佛。寶念華王護法明王菩提華佛。清浄光佛。威德力虛空刧佛。梵光明大蓋尊佛。不異心佛。信修行佛。堅固華聲十方快敬月上王佛。樹王佛。信聖人佛。樂吼佛。稱力王佛。善寂諸根智上光明娑羅華佛。般若齊佛。自在見金剛勢佛。弗加羅降伏貪佛。不散心佛。大山幢佛。聖吉祥第一然燈智勇猛善浄天佛。

【北正宮小梁州】

感天人之曲

稽首波頭摩上勝佛。寶光明勝月常光佛。千上光明住持佛。香華佛。無障礙吼聲佛。南無自在幢王佛。不動功德光明大月香佛。摩尼光寶愛佛。人王佛。住持甘露佛。勝一切衆生佛。

南無善護幢王佛。世自在妙鼓聲王。南無善化碎金剛。普香上。不動現如來。至雲普護明王佛。南無勝德尊佛。普讚揚。咸喜歡。大明無障礙。普照放光明佛。

稽首寶光明勝快佛。火然燈寶勝光明佛。無相修行善聲佛。因王佛。甘露聚寶華佛。南無普藏大明佛。大勝善住山王普滿華佛。菩提王實相佛。摩香佛。寶蓮華勝佛。善寂滅日然佛。

南無一切普威佛。上寶蓋現月光佛。南無無量辯才佛。香尊佛。一切寶華佛。世間可樂香薰佛。南無慧上光佛。顯現佛。最安佛。無量德性佛。無量最香佛。

稽首妙彌留住智佛。覺華幢淨聖金光佛。黠慧莊嚴妙身佛。香風佛。師子步妙歌佛。

南無勝衆樹王佛。淨德無量天光照世間佛。那羅延善識佛。多炎佛。月王希覺佛。勢自在無惱佛。
南無善護諸門佛。攝取光明寶臺佛。南無禪思須彌佛。威嚴佛。一切龍尊佛。無量境界興成佛。南無善現光佛。了意佛。寶回佛。覺虛空德佛。無想音聲佛。
稽首覺華幢智炬佛。日光明無垢月幢佛。最勝光明月高佛。香身佛。無量樂説稱佛。
南無合掌光明佛。解脱威德高修普蓋王佛。羅睺〔二三〕天寶積佛。雷王佛。俱蘇摩德佛。觀智慧起華佛。
南無水月光明佛。妙鼓聲王寶威佛。南無樂説莊嚴佛。香威佛。一切大懷佛。藏香自在離憂佛。南無微細華佛。勝命佛。總持佛。普明觀稱佛。善住中王佛。
稽首阿樓那奮迅佛。百光明行勝住王佛。妙鼓雲聲定身佛。根華佛。無量吼妙聲佛。
南無福德光明佛。不可降伏龍天寂滅安佛。盧舍那怖畏佛。多稱佛。善光明勝佛。衆上首智生佛。
南無無量音聲佛。一寶無憂異觀佛。南無無聚會王佛。清涼佛。一切好堅佛。無憂相好華威佛。南無智慧華佛。普月佛。普禪佛。蓋蓮華寶佛。過化音聲佛。
稽首廣光明智作佛。日光明清淨身幢佛。師子光明喜身佛。華高佛。清淨智善肩佛。

南無示有高稱佛。大覺功德然燈日浄王佛。無邊稱寂慧佛。銀幢佛。寶炎圍繞佛。功德性住持佛。

南無無量翼從佛。一切大如意輪佛。南無無相修行佛。香雄佛。一切極尊佛。思惟智慧深王佛。南無不動心佛。寶火佛。覺王佛。寶幢威德佛。平等心明佛。

稽首日然燈上勝佛。月然燈十上光明佛。香勝彌留覺身佛。常觀佛。莊嚴勝散華佛。

南無供養華光佛。大力清浄輪王梵吼聲佛。聞彌留善勝佛。王天佛。波頭摩聚佛。善智慧樹提佛。

南無名稱最尊佛。無量實法廣稱佛。南無成造遠方佛。光嚴佛。一切月華佛。蓮華上德香嚴佛。南無一切尊佛。静眼佛。覺雄佛。魔天相好佛。天鼓音聲佛。

稽首勝莊嚴大德佛。普思惟合聚無憂佛。解脱光明上修佛。天華佛。無量眼寶天佛。

南無智化人聲佛。浄聖堅固能仁福德燈佛。常然燈善焰佛。燈王佛。闍輪威德佛。無障礙發修佛。

南無三界雄勇佛。無量寶蓋意知佛。南無虛空莊嚴佛。幡幢佛。一切寶輪佛。蓮華應德千香佛。南無善攝身佛。最聚佛。壞疑佛。無能屈服佛。無量光香佛。

稽首喜菩提戒步佛。快光明大首雲聲佛。二億同名拘隣佛。快然佛。無量步勝王佛。

南無喜上金山佛。廣智賢勝高明自在幢佛。摩尼輪大積佛。香幢佛。無邊精進佛。決定智寶堅佛。

南無無量山王佛。一切勝慧力稱佛。南無名稱力王佛。普雄佛。離寶色華佛。月輪清淨香光佛。南無般若齊佛。寶愛佛。淨幢佛。普放香化佛。無量法空佛。稽首觀無量境界佛。智光明妙説離生佛。歡喜莊嚴勝修佛。高王佛。甘露慧上堅佛。南無地德天聲佛。普見常樂華天不住王佛。無邊華護智佛。觀方佛。大聲無畏佛。示現有愛天佛。

南無無量慧成佛。寶上德普法雄佛。南無相好翼從佛。普悲佛。無所發行佛。梵聲安穩衆生佛。南無實諦佛。慧淨佛。慧嚴佛。無常中上佛。無量慧稱佛。

【北正宫叨叨令】

慶太平之曲

南無大金仙一切世間佛。解法師子二世[一四]尊。南無自在。變化王恒。入三摩地真實降諸根。救度世間。師勇猛。大清淨。智圓滿吉祥相無怨無戲論。南無無等三有師

能斷諸結縛無垢王佛世尊。一切法自在無畏功德海。一切法自在無畏功德海。南無
善逝德。成就祕密最勝。大丈夫十力降魔軍。
南無無量法雲孔王佛。無邊功德寶作佛。日月光明。無爲思惟。一切大聲慧無缺失
佛。彌留佛。敬愛佛。常勝意佛。不可思議諸種清浄光明佛。稽首大悲尊普照普觀
師子奮迅堅心善覺佛。智自在一切大精進懷佛。智自在一切大精進懷佛。南無豐光
佛。破金剛堅佛。不可思議廣莊嚴王佛。
南無無量諸天流布佛。一切持上功德佛。寶焰山佛。金剛相佛。一切寶相天威興盛
佛。日明佛。德敬佛。持甘露佛。不可思議吉祥華天妙御佛。稽首梵王尊善守善思
珠髻慧聚應名稱諸佛。最清浄一切大音讚諸佛。最清浄一切大音讚諸佛。南無仁賢
佛。覺悟衆生佛。不可思議勇猛名稱佛。
南無無量不動慧光佛。一切不失方便佛。大現光佛。瑠璃藏佛。堅固苦行無邊威德
佛。蓮華佛。堅戒佛。無塵垢佛。不可思議多智妙色華身佛。稽首藥王尊善住善調
無熱斷惡無上醫王佛。信清浄一切衆德上明佛。信清浄一切衆德上明佛。南無羅睺
佛。無量功德佛。不可思議妙德難思佛。
南無無量金剛知山佛。一切無能映蔽佛。最勝燈佛。善威儀佛。無量名無量音一切

佛。雲音佛。月相佛。喜自在佛。不可思議多智寶網嚴身佛。稽首大光王善勝善施善義善戒多功德諸佛。大勢力大德大海智諸佛。大勢力大德大海智諸佛。南無寶瑠佛。無邊辯相佛。種種色相婆耆羅陀佛。

南無無量上師子音佛。見一切義福德佛。寶聚莊嚴無邊名佛。一切寶珍寶燈寶藏佛。多天佛。華日佛。師子月佛。梵自在佛。一切差別知見佛。稽首大天王寶相寶光寶焰寶髻寶明種種佛。不可説一切薝蔔浄光佛。南無威光佛。無邊寶名佛。美妙慧佛。無邊辯光佛。

南無至解脱善端嚴佛。功德威聚寶步佛。隨世語言頻頭摩佛。一切聖天浄天勝慧佛。光明佛。照曜佛。破有闇佛。衆清浄佛。一切歡喜上尊佛。稽首梵牟尼龍首龍明龍喜智勝珠明寶讚佛。普攝受大威力富多聞佛。普攝受大威力富多聞佛。南無珠輪佛。無邊辯才佛。具足德佛。妙明燈王佛。

南無無量遊戲神通佛。一切威德寂滅佛。妙德王佛。那羅達佛。偏見妙音莊嚴頂髻佛。無憂佛。示義佛。無量日佛。不可思議功德金剛寶嚴佛。稽首法華尊大臂大明上善上戒無量壽諸佛。法自在一切友愛衆生佛。法自在一切友愛衆生佛。南無牟尼佛。具足名稱佛。圓滿清浄種德天王佛。

南無寶月明佛。華天佛。無邊安樂金山佛。自在王佛。多聞海佛。功德聚佛。寶音利益佛。光幢佛。净目天佛。供養佛。無等意佛。一切光王妙身佛。稽首法師王大愛大慈不動不壞無量愛明佛。世供養一切寶施福燈佛。世供養一切寶施福燈佛。南無華瓔佛。妙足真實佛。高頂妙髻滿意栴檀佛。

南無孔雀音佛。天光佛。不思議無邊座佛。無畏音佛。菩提意佛。慧濟樹王虛空法相佛。謨羅佛。法樂佛。無量净佛。樂解脱佛。一切斷魔聖王佛。稽首諸天王大焰大尊大藏大見無量智音佛。最上施功德海優鉢羅佛。最上施功德海優鉢羅佛。南無金齊佛。制力威德佛。離分別海集功德蘊佛。

南無衆上王佛。端嚴佛。一切香德愛樂佛。饒益王佛。梨陀法佛。法頂吉身名聞殊勝佛。憍曇佛。勢力佛。無相慧佛。普世自在寶施無嬈相明佛。稽首無上王意願法幢廣意廣慧無量善華佛。應供養一切調御净心佛。應供養一切調御净心佛。南無財天佛。净垢常樂佛。恭敬應讚善悦天威佛。

【北雙調對玉環】

樂和寧之曲

虛空勝佛。南無妙勝佛。普蓋王佛。南無善住佛。無量自在佛。南無大威德佛。普滿華佛。南無善炎佛。光明輪佛。轉一切世間佛。

【北雙調清江引後聯對玉環】

證圓融之曲

歸依月摩尼光王佛。南無作名佛。頂禮莊嚴佛。南無言從佛。妙香音一切世光佛。最上威佛。南無廣妙佛。焰聚光佛。南無賢意佛。思惟解脱佛。南無大清浄佛。説敬懷佛。南無德施佛。月中天佛。寶正見普懷佛。歸依上彌留幢王佛。南無妙昇佛。頂禮山王身。南無樂禪佛。盤陀音一切安王佛。喜可威佛。南無善意佛。觀世燈佛。南無音施佛。威神所養佛。南無大檀施佛。甘露光佛。南無美意佛。普光明佛。最上衆慧幢佛。

歸依法虛空勝王佛。南無美音佛。頂禮雲雷王。南無江山佛。妙幢旛一切離疑佛。樂法界身佛。南無善見佛。滿足心佛。南無廣曜佛。大光炎聚佛。南無至無畏佛。樂說山佛。南無意淨佛。美音聲佛。普供養法光佛。

歸依普開蓮華身佛。南無樂雲佛。頂禮虛空幢。南無樹提佛。善橋梁一切親光佛。大名稱佛。南無戒悅佛。最焰光佛。南無普攝佛。除三惡道佛。南無見精進佛。雜色光佛。南無妙藥佛。日燈明佛。一切福德山佛。

歸依最香須彌身佛。南無善光佛。頂禮羅睺羅。南無離憂佛。趣菩提清淨莊嚴佛。善思意佛。南無日眼佛。無盡香佛。南無美悅佛。寶離慧勇佛。南無海文飾佛。孔雀聲佛。南無月施佛。寶燈明佛。三昧勝奮迅佛。

歸依虛空輪場光佛。南無大聲佛。頂禮大龍威。南無高光佛。悅音聲一切山王佛。廣大智佛。南無善事佛。調益遊佛。南無道喜佛。棄威毀惡佛。南無寂功德佛。解脫光佛。南无悅懾佛。月光輪佛。离一切染意佛。

歸依大香行光明佛。南無十光佛。頂禮天中天。南無金幢佛。寶須彌無垢瑠璃佛。三界尊佛。南無妙眼佛。普世懷佛。南無作德佛。無礙現身[一五]佛。南無最顏色佛。師子王佛。南無大聚佛。大莊嚴佛。山吼自在王佛。

歸依波頭摩莊嚴佛。南無妙心佛。頂禮真金山。南無華生佛。慧燈明無量香雄佛。堅精進佛。南無電相佛。無量明佛。南無德寶佛。無量富足佛。南無須彌頂佛。浄斷疑佛。南無等光佛。金剛軍佛。十勢力德輪佛。歸依迦陵頻伽聲佛。南無勝王佛。頂禮浮燈王〔二六〕。安善衆生佛。普香光無量寶王佛。喜莊嚴佛。南無應供佛。珠月光佛。南無梵相佛。無量善衆佛。南無寶成就佛。善思惟佛。南無山光佛。粲陀嚴佛。師子髻智王佛。歸依無邊莊嚴王佛。南無寶炎佛。頂禮雲聲王。娑婆華王佛。浄須彌一切堅幢佛。

按：曲牌原作【清江引】。【清江引後聯對玉環】，是明代民間的一種聯唱方式，接近於宋纏達遺留下的「子母」調形式，即「兩腔迎互循環」。清江引和對玉環兩首互爲一合，末曲清江引則是收煞整組聯唱的尾曲。本書無名氏「【楚江秋後聯清江引】計二十四合」也是這種形式。【對玉環帶過清江引】則與此不同，是帶過曲。

【北中呂上小樓】

隆福祚之曲

南無成就佛。寶功德佛。成就娑羅自在王佛。南無轉法輪光吼王佛。無量光焰善思意信功德成就一切稱佛。稽首普寶滿足佛。聖眼佛。化身無礙稱成就如來寂佛。百寶佛。住持大般若佛。過去未來現在諸佛。南無大衆自在勇猛佛。波羅羅堅人中尊佛。南無阿閦毘歡喜光佛。一切智慧勝開示無量智師子無量音佛。稽首智日普照佛。浄覺佛。一切無迷思寂静光明身佛。寶敬佛。無垢臂光明佛。一切法輪摩尼幢佛。浄音佛。須彌力佛。無勝佛。光明日佛。常忍佛。共遊步佛。決思惟佛。見敬懷佛。道光佛。明聚佛。光音聲佛。一切智慧燈佛。虚空雲佛。南無自在轉一切法佛。不唐精進高雷音佛。南無阿竭留香勇興佛。普見一切法平等須彌而無表識音聲佛。稽首善相善鎧佛。寶意佛。普蓋常光明一切無盡藏佛。最德佛。無念覺法王佛。滿足百千德光幢佛。浄聲佛。金剛勝佛。成就佛。威光悦佛。天喜佛。勝威德佛。雜音聲佛。快上懷佛。曜聲佛。慈藏佛。天光明佛。一切世所等佛。須彌幡佛。南無觀見一切境界佛。福德光明蓮華幢佛。南無無垢雲王德豐佛。自性清浄智成就勝無畏精進上中王佛。稽首智慧自在佛。寶室佛。一切持戒王調化無休息佛。寶樹佛。清浄功德相佛。無以發意能轉輪佛。

普明佛。虚空慧佛。懷見佛。除雲蓋佛。尊意佛。勝華聚佛。喜音聲佛。德善光佛。政明佛。山意佛。無爲華佛。一切大思惟佛。虚空心佛。南無不可思議法身佛。從蓮華德須彌身佛。南無無礙光明寶形佛。無量德具足無量勇雄猛無量德光王佛。稽首月聚自在佛。寂定佛。一切無上光壞散諸恐畏佛。法用佛。精進力成就佛。南〔一七〕無趣觀諸覺身佛。上光佛。善成就佛。真悦佛。無迷意佛。離勝佛。德名稱佛。火光身佛。普方聞佛。散疑佛。天界佛。虚空燈佛。一切神足光佛。須彌光佛。南無諸覺疆界應飾佛。覺蓮華德能仁仙佛。南無栴檀相好光明佛。善住淨境界離一切憂暗威德自在王佛。稽首智慧讚嘆佛。淨聖佛。國土莊嚴身正覺大香薰佛。寶體佛。一切法無觀佛。無障無礙精進堅佛。大幢佛。戒恭敬佛。調億佛。蓮華體佛。天蓋佛。戒分別佛。大通光佛。最勝王佛。月明佛。慈調佛。須彌多佛。一切普見王佛。堅娑羅佛。南無普照十方世界佛。善住清淨功德寶佛。南無無量名稱德光佛。德不可思議善思惟發行虚空平等心佛。稽首賢智不動佛。寶實佛。無礙德稱光極趣上須彌佛。寶智佛。威德因陀羅佛。降伏一切世間怨佛。

自光佛。浄恭養佛。解味佛。成堅固佛。金上佛。解慚愧佛。好香熏佛。月光明佛。
捨幡佛。香感佛。人音聲佛。一切最上光佛。無終燈佛。
南無無礙藥樹威德佛。不可思議德王光佛。南無畢竟成就大悲佛。攝受衆生意正覺
蓮華步堅固自在王佛。稽首法體決定佛。勝護佛。無量最中王入在無邊際佛。法寶
佛。喻如須彌山佛。發起一切衆生信佛。
大遊佛。巍巍見佛。持意佛。音聲器佛。明聚佛。德遊戲佛。最如意佛。善意成佛。
快光佛。華上佛。毘婆尸佛。一切德聚威佛。無爲成佛。
南無不可量實體勝佛。蓮華華生栴檀宮佛。南無陀羅尼自在王佛。得脱一切縛常自
起覺悟趣向諸覺身佛。稽首不住奮迅佛。慧隱佛。於諸衆中尊大光明莊嚴佛。寶愛
佛。種種無量行佛。於去來今無礙鎧佛。
慧光佛。毘摩妙佛。持德佛。淳精進佛。光稱佛。思名稱佛。離諸欲佛。滅思惟佛。
離光佛。華聚佛。神通明佛。一切世敬哀佛。瑠璃華佛。
南無大力龍翼從好佛。無能屈聲虚空巖佛。南無香趣無量香光佛。一界持覺刹寶華
普照勝無量疆稱王佛。稽首境界自在佛。善行佛。一切無際光善思惟勝義佛。法寶
佛。善無垢威光佛。不離一切法門諸佛。

大能佛。月尊上佛。深覺佛。遊光步佛。持意佛。大善日佛。最音聲佛。無畏親佛。施光佛。親展佛。尊光明佛。一切滿足心佛。無爲稱佛。南無遠離怖畏毛竪佛。無量寶華光明諸佛。南無可喜衆生覺見佛。善思願自調住持無障力一切闡華幢佛。稽首覺寶德稱佛。恐畏佛。精進伏怨勇護世間供養佛。諸寶佛。無量虛空雄佛。散華莊嚴光明諸佛。大親佛。德香悦佛。調體佛。威神力佛。尊眼佛。普娱樂佛。能仁化佛。金海光佛。現身佛。懷地佛。金華光佛。一切智慧勝佛。才光明佛。南無普光佛。智慧勝佛。山海慧自在通王佛。優曇鉢羅華殊勝王佛。海德光明佛。一切世間樂見上大精進佛。阿閦毘歡喜光佛。善意佛。瑠璃莊嚴王佛。須曼那華光佛。寶蓋照空自在力王佛。歡喜藏摩尼寶積佛。南無大慧力王佛。普明佛。賢善首佛。日月光佛。妙音勝佛。觀世燈佛。世静光佛。才光佛。南無慧威燈王佛。降伏諸魔王佛。常光幢佛。南無栴檀窟莊嚴勝佛。師子吼自在力王佛。金剛牢强普散金光佛。彌勒仙光佛。南無善寂月音妙尊智王佛。稽首不動智光佛。普浄佛。無量音聲王佛。摩尼幢燈光佛。日月珠光佛。慧炬照佛。多摩羅跋栴檀香佛。

大强精進勇猛佛。南無廣莊嚴王佛。一切法常滿王佛。大悲光佛。法勝王佛。虛空寶華光佛。栴檀光佛。普現色身光佛。須彌光佛。南無慧幡勝王佛。慈藏佛。慈力王佛。金海光佛。金剛華佛。大通光佛。才光明佛。南無見在釋迦牟尼文佛。龍種上尊王佛。摩尼幢佛。

【萬年春】

修深性之曲

至敬頂禮大金仙正等覺佛。南無一切義成就佛。敬禮如來佛〔一八〕。一切世間尊佛。稽首歸依大法王佛。吉祥大牟尼佛。
至敬頂禮南無甘蔗王種佛。南無第一法圓滿佛。敬禮世尊佛。具足三變通佛。稽首歸依調御明佛。自在變化王佛。
至敬頂禮法師子二足尊佛。南無一切世間解佛。敬禮善逝佛。圓滿吉祥相佛。稽首歸依無垢王佛。救度世間師佛。
至敬頂禮南無最上法燈佛。南無調伏心清浄佛。敬禮應供佛。十力降魔軍佛。稽首歸依天人師佛。利益諸有情佛。
至敬頂禮南無施願無畏佛。秘密最大丈夫佛。敬禮瞿曇佛。六佛法莊嚴佛。稽首歸
依明行足佛。説三乘菩提佛。
至敬頂禮南無調御丈夫佛。南無無驚無怖畏佛。敬禮日族佛。真實降諸根佛。稽首
歸依大釋子佛。聖智照世間佛。
至敬頂禮南無離過除毒佛。南無無邊無可喻佛。敬禮佛陀佛。出世爲如來佛。稽首
歸依沙門月佛。無邊利世間佛。
至敬頂禮南無無業無怖佛。南無第一六神通佛。諸佛。歸命禮圓滿諸所求佛。稽首
歸依釋師子佛。止息降諸根佛。
至敬頂禮調伏除煩惱尊佛。南無無怨無戲論佛。諸佛。歸命禮永過輪迴苦佛。稽首
歸依妙解脱佛。善意端嚴相佛。
至敬頂禮無畏浄飯王子佛。南無金色光善逝佛。敬禮降伏得。最勝説四諦佛。稽首
歸依清浄戒佛。善逝德成就佛。
至敬頂禮勇猛大清浄智佛。南無離一切垢染佛。敬禮到彼岸。度它大龍王佛。稽首
歸依大論師佛。六根清浄眼佛。

至敬頂禮六趣海到彼岸佛。希有不思議精進佛。諸佛。歸命禮最上意清淨佛。稽首

歸依除障暗佛。善持善戒相佛。

至敬頂禮人師子吉祥雲佛。一切有情利益王佛。諸佛。歸命禮滅罪無我相佛。稽首

歸依得清涼佛。無畏獨除暗佛。

至敬頂禮三明知三世尊佛。普徧有情精進者佛。諸佛。歸命禮無我無二執佛。稽首

歸依行忍辱佛。無相亦無老佛。

至敬頂禮無等大智慧尊佛。世間供養出世智佛。諸佛。歸命禮三界親慈父佛。稽首

歸依一切智佛。作善清淨業佛。

至敬頂禮調伏聲聞者尊佛。救度第一二足尊佛。諸佛。歸命禮無等三有師佛。稽首

歸依功德海佛。證理淨慧眼佛。

至敬頂禮普照一切眼尊佛。一切法自在無畏佛。諸佛。歸命禮無我最第一佛。稽首

歸依得寂静佛。能斷諸結縛佛。

至敬頂禮三慧真實眼尊佛。一切世間爲愛樂佛。諸佛。歸命禮善逾愛尊重佛。稽首

歸依滅三毒佛。無師自然覺佛。

至敬頂禮尊師大梵行尊佛。南無恒入三摩地佛。諸佛。歸命禮第一寂静樂佛。稽首

歸依能除怨佛。離世法利養佛。至敬頂禮止息一切罪尊佛。南無覽儗囉婆族佛。諸佛。歸命禮得最上涅槃佛。稽首歸依無上士佛。歸依大法王佛。

【北商調集賢賓】

斷循環之曲

敬歸依妙幢天信佛。炎勝海寂光佛。敬頂禮光遊戲佛。敬頂禮無畏王佛。摩尼幢月敬哀佛。栴檀香尊意燈佛。不思議常修行調益遊步佛。正音聲降伏魔佛。勝燈山刦佛。智滿月光佛。敬歸依火炎堅意佛。無礙勝善香佛。敬頂禮〔一九〕威神步佛。敬頂禮最上意佛。栴檀光無垢心佛。光明身捨漫流佛。不厭足無終身梵聲珠月佛。世間燈無限光佛。寶山因法佛。妙眼定光佛。

【北商調逍遥樂】

違現業之曲

蓮華香佛。法體勝佛。彌留嶽佛。决斷意尊佛。懷香風普寶蓋佛。常忍辱無量德浄佛。大自在蓮華光明佛。普覺諸佛。依最聲佛。大慧光佛。金剛齊佛。普見善佛。常光幢佛。法勇猛尊佛。毘頭羅説敬哀佛。天自在喜寂滅慧佛。勝月上尊威神佛。無礙意佛。無爲聲佛。名稱王佛。

【北商調雙雁兒】

心虚明之曲

敬歸依普現力王佛。不迷步香手佛。法作堅幢寂光佛。清浄身善住佛。德蓮華堅行佛。敬歸依度世護王佛。照三世了聲佛。大聚賢光樂聲佛。師子聲大步佛。尼尸陀安穩佛。

【北仙吕柳葉兒】

純智慧之曲

進巍巍聲佛。光明照功德輪佛。無終光寶藏離疑佛。法海説聲王佛。天所敬德憘佛。慧無涯一切尊佛。

無量遊步佛。如天悦無爲聲佛。持名稱德度華光佛。龍種上尊王佛。山王勝藏王佛。名稱王無量諸佛。

【四季春】

接法流之曲

南無龍德大心佛。天德快昇佛。大華無勝堅聲佛。持覺大龍佛。佛。德調體普信寶炎佛。

南無龍吼普稱佛。燈電樂雲佛。大思常忍天幢佛。怖勝寂心佛。佛。無迷意善見月蓋佛。

【北商調望遠行】

入圓妙之曲

敬頂禮常智作化火香佛。寶法勝決定佛。敬頂禮威慈力蓮華意月聲佛。南無堅勇猛破陣人稱佛。到究竟一乘度洪稱佛。德所至懷朋佛。海潮功德王妙佛。施天種無爲光名稱幢善住意佛。至敬頂禮具足意佛。解脱慧浄思惟法華佛。敬頂禮能度彼岸無量佛。見生死衆際佛。敬頂禮名稱悦堅固誓善思佛。南無功德捨惡趣華幢佛。善悦懌戒自在雲聲佛。好喜見除疑佛。覺滅意光好喜勝佛。住善度惟大音師子幡人自在佛。至敬頂禮度衆疑佛。覺悟本無著勝重王佛。

【北正宮呆骨朶】

真妙圓之曲

敬歸依覺無礙音大結髻可喜能仙悦佛。敬頂禮説最恭敬解脱日佛。敬頂禮如千日威佛。敬頂禮無縛喜像德鎧佛。懷智慧輪天蓮華佛。敬頂禮作利益梵音佛。盡虚空界無量慧光日佛。不思議遊戲德金眼佛。敬歸依無恐畏力聚自在普覺無際願佛。敬頂禮以浄音意世悦焰佛。敬頂禮思惟衆生佛。敬頂禮思最尊意月勝佛。無濁利大精進文佛。敬頂禮趣安樂善香佛。千百億刧智慧嶽聲德佛。大好樂月現德賢意佛。

【北正宫芙蓉花】

發真妙之曲

敬歸依恭調佛。堅奮迅香施佛。光勇報實行真佛。娱樂度觀方佛。勝鬬戰師子音佛。虚空寶華光佛。無滅慧最勝燈佛。無垢月幢稱佛。敬歸依勝親佛。尊教授剛兵佛。焰色像月見尊佛。遊入覺林華佛。自在悦智者讚佛。法雷藏王勝佛。寂敬愛自在王佛。最上業音施佛。

【北仙吕賞花時】

信常住之曲

敬禮多明滿月佛。敬禮如王焰慧佛。深自在上王佛。無比辯龍中密佛。不墮落大天佛。至敬頂禮相國人王寶上佛。敬頂禮大悦威身香濟佛。敬頂禮安穩德寶山佛。善思明菩提眼佛。大勇現華勝快光佛。敬禮天王月面佛。敬禮華冠慧國佛。堅固慧帝王佛。光普見羅睺日佛。無礙讚上聲佛。至敬頂禮上度光音大勝佛。敬頂禮蓋聚綿光慈藏佛。敬頂禮饒益慧上慈佛。静須彌栴檀色佛。贊不動歡悦德天佛。

【北仙吕醉中天】

信心住之曲

敬禮一切善友持明佛。敬禮具足讚自在天佛。至妙道堅心德上佛。至敬頂禮功德藏智山佛。不定願大相好藥師上佛。大地王上佛。在福德從蓮華無對光佛。敬禮功德自在懷天佛。敬禮不動月浄行王佛。普極上光稱大護佛。至敬頂禮網手住慈佛。決定色信如意十方上佛。見一切義佛。善寂滅極高明人主王佛。

【北仙吕金盞兒】

念心住之曲

德王佛。帝幢佛。普豐音慧悦月盛車光佛。敬禮虚空步德度不高佛。至敬禮有衆德現住佛。飲甘露聚華佛。至敬禮不散心德體佛。慧國土念王佛。聚成佛。世華佛。慧光王普像善首施光佛。敬禮虚空室敏敬月賢佛。至敬禮樂説聚智上佛。静天德快明佛。至敬禮無礙雄直步佛。善逝月上光佛。

【北雙調河西六娘子】

一精明之曲

敬頂禮波頭摩上尊佛。敬頂禮寶蓮勇樂聲佛。敬頂禮海滿牛王佛。堅自在王佛。無殊妙身佛。體如如自在佛。體如如自在佛。敬頂禮拘蘇摩勝尊佛。敬頂禮世間喜廣施佛。敬頂禮善像提舍佛。智自在王佛。雲妙鼓聾佛。念聲聲無量佛。念聲聲無量佛。

【北雙調魚遊春水】

精進化之曲

賢藥王法華浄身佛。香須彌薝蔔華佛。一切莊嚴如如佛。諸佛。尼彌住持佛。信衆生天蓋佛。功德明世雄佛。覺華佛。紅蓮華甘露音佛。無量光明種種佛。諸佛。波頭摩聲佛。衆會王華上佛。

【紅葉兒】

慧心住之曲

敬禮衆明佛。空觀嚴上佛。敬歸依寂覺寶彌留堅佛。放天威香感佛。金樹華不散帝幢佛。見一切義愛日佛。無憂國佛。衆明王佛。普明功德然燈智覺香焰佛。普明功德然燈智覺香焰佛。佛。月幢堅際佛。月賢佛。敬禮名聞佛。寶舍天界佛。敬歸依寶嶽多伽羅香佛。攝受稱華日佛。光輪場妙見勝賢佛。示一切義樂意佛。無量寶佛。色聲雄佛。勝音月輪聞王常樂堅步佛。勝音月輪聞王常樂堅步佛。佛。妙聲無比佛。慧幢佛。

【北中吕喜春來】

偏寂湛之曲

敬稽首力稱王華蓋寶莫能勝佛。敬稽首不可思議日月光明衆妙佛。至敬稽首大須彌無量自在普輪佛。敬稽首地悦賢最德佛。敬稽首與一切樂華聚浄德佛。敬稽首菩提王清浄住無量勇佛。敬稽首自在境界功德莊嚴喜上佛。至敬稽首寶明聞樂刦火勝慧幡佛。敬稽首出意明威德佛。敬稽首斷有愛垢最步德覺佛。

【北仙吕點絳唇】

凝寂妙之曲

南無善光散華佛。德山離垢光上佛。香春佛。大供養德一蓋嚴佛。平等見妙國金仁佛。南無化聲敏音佛。法臺無勝天衆佛。香明佛。大功德吉覺意華佛。不退地獨步彌留佛。

【北仙呂混江龍】

定心住之曲

稽首辯才輪尊佛。普照明深覺慧聲佛。最尊勝衆師首佛。不虛步甘露明佛。法典德施珠角佛。無礙見普觀能解縛樹提佛。敬禮辯才國佛。十力王佛。離世間佛。如衆王佛。大莊嚴佛。普照明佛。法空燈無蓋佛。敬頂禮一切虛空大聚智慧十方然燈佛。普照一切彌相佛。不隨它梵王德諸佛。稽首金剛山尊佛。具足論持德散光佛。最尊上智無等佛。德精進無量賢佛。快覺攝根尊意佛。無限力自光無垢面浄幢佛。敬禮普威德佛。無量顏佛。成作光佛。無比光佛。大音聲佛。見有邊佛。樂高音懷上佛。敬頂禮不動莊嚴善護衆相觀覺華生佛。義成就名聞意佛。無限高火炎積諸佛。

【北仙吕油葫蘆】

定光發之曲

一切諸天大海意佛。至寂滅無着慧衆佛。不破論見一切義慧德大龍佛。無比辯百光明智聚香施佛。普敬禮最上栴檀世界自在莊嚴佛。普蓮華解脱德佛。寶莊嚴寂滅意佛。至敬頂禮寶山王可樂不退地無量虛空佛。讚不動大功德吉十方佛。千上光明最勝頂佛。善定義衆德聚上佛。不墮落示一切念梵命大能佛。不定願善思明善護綿光佛。普敬禮一切菩提清淨普德王佛。香彌樓智焰德佛。寶娑羅福德意佛。至敬頂禮慧光王樂説法自在善見雲王佛。信如意名解脱行無量佛。

【北仙吕天下樂】

善悦懌之曲

敬頂禮妙見樂説莊嚴大月佛。無相聲人王佛。大勇現廣步佛。普護增上極高王施寶光不可思議佛。敬頂禮離一切憂佛。稱力王愛月佛。等定拔苦自在無憂國日藏佛。

如頂禮善住香寶光明大海佛。無量華堅心佛。功德品道悦佛。一切種照慧光王自在天具足功德佛。敬頂禮不厭足身佛。放捨華住覺佛。直步三昧奮迅身心住寶月佛。

【北越調金蕉葉】

全十力之曲

敬歸依大寶焰佛。敬歸依光明作佛。日月面善天照佛。地峰王金剛妙佛。敬歸依廣智上佛。敬歸依華威德佛。具足意寶功德佛。勝須彌無邊智佛。

【北南吕採茶歌】

離過非之曲

敬頂禮無邊莊嚴佛。寶光明奮迅思惟佛。一切同名普護佛。南無堅固衆生佛。敬頂禮法雲吼王佛。歸依娑羅自在王佛。稽首光明上勝佛。南無無垢月幢佛。敬頂禮大精進懷佛。歸依智燈照曜王佛。稽首無邊境界佛。南無不可勝輪佛。敬頂禮不思議光佛。歸依龍種上尊王佛。稽首無邊精進佛。南無不可勝幢佛。

【北南呂四塊玉】

交融攝之曲

敬歸依堅城佛。滿足金剛住持佛。敬歸依法輪峰光明佛。道場覺勝月佛。住持威德勝佛。普賢光明頂佛。

敬歸依生王佛。梵勝天王光明佛。敬歸依法華高幢王佛。清浄幢蓋勝佛。無邊功德照佛。法風大海意佛。

敬歸依堅王佛。師子光明勝光佛。敬歸依普門智照聲佛。普光明高内佛。阿彌濫波眼佛。普勝山功德佛。

敬歸依聞名佛。復有釋迦牟尼佛。敬歸依智敷華光明佛。智功德法住佛。法行深勝月佛。一切修面色佛。

敬歸依真聲佛。寶功德集勝王佛。敬歸依樂功德然燈佛。勝光明功德佛。世間自在刦佛。優波羅華鬘佛。

【北南吕駡玉郎】

無濁漏之曲

南無能與光明佛。師子乘光明佛。寶仗功德王光佛。見細佛。難勝佛。山王佛。
南無鏡像光明佛。普喜速勝王佛。法月普智光王佛。覺浄佛。賢相佛。仙光佛。
南無普智聲王佛。無盡功德諸佛。智勝寶法光明佛。普蓋佛。無漏佛。稱王佛。
南無善光大光佛。無量自在諸佛。一切佛寶勝王佛。對治佛。依止佛。賢身佛。
南無神通光明佛。無障礙見諸佛。法日智輪然燈佛。焰積佛。財勝佛。山峰佛。

【北南吕感皇恩】

不妄變之曲

敬禮[三〇]歸依普莎羅佛。南無無憂勝佛。力智威德加佛。然燈堅固佛。平等思惟佛。香山佛。定實佛。月明佛。
敬禮歸依喜菩提佛。南無無瞋眼佛。師子奮迅鬚佛。無邊威德佛。分陀利香佛。天光佛。月面佛。地光佛。

敬禮歸依成就光佛。南無天供養佛。師子奮迅王佛。無憂國土佛。人自在王佛。華

通佛。大面佛。妙光佛。

敬禮歸依界光明佛。南無無量信佛。智慧奮迅王佛。天威德面佛。尼拘律王佛。無

疑佛。善智佛。信天佛。

敬禮歸依快光明佛。南無功德智佛。無垢智戒王佛。高山王勝佛。無障礙輪佛。龍

光佛。勝積佛。上聲佛。

【北南呂採茶歌】

離過非之曲

法光佛。普光佛。無垢功德日眼佛。普智光明勝王佛。廣光明智勝幢佛。

寶高佛。寶稱佛。阿那羅眼境界佛。寂靜光明身髻佛。虛空城慧吼聲佛。

智高佛。智光佛。虛空清浄眼月佛。根本莊嚴奮迅佛。歡喜大海速行佛。

梵聲佛。妙聲佛。修行堅固自在佛。慚愧須彌山勝佛。法虛空上聖王佛。

梵天佛。勝天佛。大慈成就悲勝佛。智寶因緣莊嚴佛。力王善住法王佛。

【花桑樹】

作正觀之曲

敬禮阿樓那勝佛。南無不可量莊嚴佛。斷一切衆生疑王佛。無量樂説光明佛。〔和〕
唵嘛呢叭嘯吽。
南無智慧光明佛。普照十方世界佛。虚空尊極上德佛。敬禮歸依善德莊嚴佛。〔和〕
唵嘛呢叭嘯吽。
蓮華尊在諸寶德佛。波頭摩樹提奮迅通佛。無量光明華王佛。敬頂禮於一切衆生誓鎧無脱佛。〔和〕唵嘛呢叭嘯吽。
敬禮無垢稱王佛。不可降伏威德佛。雲中自在燈明佛。敬禮無邊覺海藏佛。過種種敵對奮迅佛。間悟菩提智光佛。自在疾住持威德佛。善疾平等威德佛。德不可思議王光佛。一切樂念順行佛。海山智慧奮迅通佛。寶輪威德上勝佛。一切同名功德寶佛。無量功德勝名光明佛。堅住世界迦葉佛。光王世界智勝佛。法境世界自在佛。

龍王世界上首佛。金剛堅强消伏壞散佛。敬歸依一切世間樂見上大精進佛。〔和〕唵嘛呢叭囉吽。

敬歸依華光佛。金剛衆寶天佛。十力王妙智佛。明王佛。無量吼聲佛。金光佛。怖畏佛。南無寶勝光明佛。一切功德莊嚴佛。〔和〕唵嘛呢叭囉吽。

敬禮無量自在佛。大明德深美音佛。智慧普照明藏佛。普照積上功德王佛。〔和〕唵嘛呢叭囉吽。

南無如來願珠髻佛。如意得名清浄佛。隨順香見法滿佛。畢竟成就大悲佛。南無雲聲然燈佛。火妙香光明勝佛。南無福德光明佛。賢無垢威德光佛。〔和〕唵嘛呢叭囉吽。

南無月中光明佛。波頭摩上勝王佛。南無十上光明佛。樂説莊嚴雲吼佛。南無善根光明佛。煩惱無礙妙勝佛。善悦增上名勝佛。寶華善住山自在王佛。〔和〕唵嘛呢叭囉吽。

【北中吕醉高歌】

超密嚴之曲

南無善寂根佛。堅固精言語佛。衆生方便自在王佛。一切龍摩尼藏佛。南無寂静光佛。堅固行自在佛。善香隨香波頭摩佛。法滿足隨香見佛。南無自在光佛。師子龍奮迅佛。大威德光明輪王佛。思妙議堅固願佛。南無得大聲佛。智集功德聚佛。梵音奮迅妙鼓聲佛。地力住持精進佛。南無一切王佛。一切衆生德佛。歌羅毘羅焰華光佛。自在因陀羅月佛。

【北雙調相公愛】

含多義之曲

敬頂禮一切義成就佛。歸依自在變化王佛。諸佛。大金仙佛。敬頂禮無邊利世間佛。敬頂禮一切世間解佛。歸依離一切垢染佛。諸佛。正等覺佛。敬頂禮吉祥大牟尼佛。敬頂禮圓滿諸所求佛。歸依覽儗囉婆[三]族佛。諸佛。一切智佛。敬頂禮十力降魔軍佛。
敬頂禮止息降諸根佛。　歸依滅罪無我相佛。　諸佛。　大釋子佛。　敬頂禮無驚無怖畏佛。
敬頂禮第一法圓滿佛。　歸依無邊無可喻佛。　諸佛。　功德海佛。　敬頂禮三界親慈父佛。
敬頂禮三明知三界佛。　歸依具足三變通佛。　諸佛。　天人師佛。　敬頂禮説三乘菩提佛。
敬頂禮無相亦無老佛。　歸依無我無二執佛。　諸佛。　妙解脱佛。　敬頂禮無怨無戲論佛。
敬頂禮調伏除煩惱佛。　歸依最上意清浄佛。　諸佛。　除障暗佛。　敬頂禮調伏心清浄佛。
敬頂禮離塵無上士佛。　歸依止息一切罪佛。　諸佛。　清浄戒佛。　敬頂禮救度世間師佛。
敬頂禮圓滿吉祥相佛。　歸依作善清浄業佛。　諸佛。　無垢王佛。　敬頂禮六佛法莊嚴佛。
敬頂禮六根清浄眼佛。　歸依第一六神通佛。　諸佛。　大法王佛。　敬頂禮無師自然覺佛。
敬頂禮善逝德成就佛。　歸依無等大智慧佛。　諸佛。　滅三毒佛。　敬頂禮恒入三摩地佛。
敬頂禮真實降諸根佛。　歸依一切世間尊佛。　諸佛。　明行足佛。　敬頂禮永過輪迴苦佛。
敬頂禮得最上涅槃佛。　歸依第一寂静樂佛。　諸佛。　得清凉佛。　降伏得最勝説四諦佛。
敬頂禮調伏聲開者佛。　歸依利益諸有情佛。　諸佛。　得寂静佛。　到彼岸度他大龍王佛。
敬頂禮聖智照世間佛。　歸依離世法利養佛。　諸佛。　能除怨佛。　敬禮法師子二足尊佛。
敬頂禮出世爲如來佛。　希有不思議精進佛。　如來。　最上法燈。　敬禮無畏浄飯王子佛。

敬頂禮善意端嚴相佛。一切世間爲愛樂佛。應供。調御丈夫。敬禮勇猛大清浄智佛。敬頂禮善持善戒相佛。一切有情利益王佛。諸佛。沙門月佛。敬禮六趣海到彼岸佛。敬頂禮金色光善逝佛。普徧有情精進者佛。日族。釋師子佛。敬禮人師子吉祥雲佛。敬頂禮善逾愛尊重佛。秘密最勝大丈夫佛。諸佛。調御明佛。敬頂禮無畏獨除暗佛。敬頂禮無等三有師佛。世間供養出世智佛。世尊。大論師佛。敬頂禮能斷諸結縛佛。敬頂禮無我最第一佛。救度第一二足尊佛。佛陀。行忍辱佛。敬頂禮普照一切眼佛。敬頂禮證理浄慧眼佛。瞿曇佛甘蔗王種佛。諸佛。大法王佛。敬頂禮三慧真實眼佛。施願無畏離過除毒佛。歸依尊師大梵行佛。善逝。無業無怖。一切法自在無畏尊佛。

【哈刺那阿孫】

解種業之曲

敬頂禮功德王寂静增上佛。帝釋幢波頭摩上大悲雲勝佛。大通智勝諸佛。大威德聚諸佛。敬頂禮堅固自在王廣智勝佛。清浄光須彌刦法海意智勝佛。自在輪法王瑠璃藏上勝佛。敬頂禮功德須彌勝大自在佛。

敬頂禮日月燈大願速勝佛。寶月光金剛師子虛空功德佛。彌留勝刦諸佛。寶炎眷屬諸佛。敬頂禮無等上彌留解脱慧佛。師子身菩提意善威德供養佛。甘露光妙聲金剛喜普現佛。敬頂禮大髻摩黎指自在聖佛。
敬頂禮善逝王功德奮迅佛。種種華娑羅樹王摩尼金蓋佛。浄王智慧諸佛。寶輪不動諸佛。敬頂禮智日最勝王常寂滅佛。堅固華山王智應供養海藏佛。解脱賢力王金剛勝寶照佛。敬頂禮大月無量壽寂静智佛。

【兀由干底里曼】

證不退之曲

南無師子喜佛。師子步佛。師子奮迅佛。南無雲王佛。善香種子佛。無畏自在佛。南無高山歡喜佛。大莊嚴佛。堅固王佛。南無思惟甘露佛。意成就佛。離憂闇佛。南無安穩愛佛。甘露信佛。花蓋行列佛。南無雲燈佛。勝威德意佛。功德海勝佛。南無寶成就勝佛。火然燈佛。信世間佛。南無遠離惡處佛。光明意佛。功德味佛。南無功德步佛。威德力佛。師子聲作佛。南無高光佛。聖自在手佛。無邊清浄佛。

南無高威德去佛。須提陀佛。不護聲佛。南無月輪清浄佛。天清浄佛。閻浮影佛。南無多寶妙佛。無盡慧佛。功德奮迅佛。南無華光佛。遠離逼惱佛。悕喜快勝佛。南無脩竹功德佛。往虛空佛。種種光佛。南無大摩梨指佛。妙光藏佛。無憂勝佛。南無華勝步佛。聲自在佛。不可量勝佛。南無山王佛。那羅延藏佛。無盡智積佛。南無光明幢勝佛。高光明佛。法界華佛。南無世間尊重佛。勝華集佛。無邊智佛。

【亦木兒塔哈】

聚灌頂之曲

至心頂禮勝聲思惟佛。快威德佛。南無智波羅婆佛。日喜佛。日藏佛。南無無障礙聲佛。妙信佛。普信佛。南無法華雨佛。智奮迅佛。善覺佛。唵嘛呢叭彌吽南無虛空然燈佛。

至心頂禮照輪光明佛。樹提勝佛。南無賢高幢王佛。智像佛。寶作佛。南無常入涅槃佛。寂勝佛。浄勝佛。南無無邊寶佛。金色作佛。廣勝佛。唵嘛呢叭彌吽南無釋迦牟尼佛。

至心頂禮天甘露光佛。尊威德佛。南無火光明王佛。勝作佛。滅過佛。南無龍自在王佛。面報佛。信意佛。南無行清淨佛。信供養佛。見義佛。唵嘛呢叭彌吽南無功德莊嚴佛。至心頂禮菩提光明佛。善思意佛。南無勝高山王佛。勝愛佛。勝意佛。南無世自在身佛。世眼佛。手喜佛。南無道威德佛。善集智佛。樂德佛。唵嘛呢叭彌吽南無功德轉輪佛。至心頂禮甘露光明佛。思功德佛。南無虛空光明佛。寶火佛。寶勝佛。南無稱自在聲佛。戒勝佛。淨髻佛。南無勝功德佛。不取捨佛。善眼佛。唵嘛呢叭彌吽南無須摩那華佛。

【也都苦巴里迷失】

傳法偈之曲

南無日龍歡喜佛。應信佛。摩尼藏王佛。南無師意無量響佛。破魔王宮佛。南無歌羅毘羅奮迅佛。一切威佛。南無梵帝釋聲佛。一切廣普稱佛。唵嘛呢叭彌吽。

南無智聲幢攝佛。見信佛。雹光幢王佛。南無如寶無垢眼佛。勝成就華佛。南無下方寶優鉢華佛。浄信藏佛。南無大精進心佛。一切妙高光佛。唵嘛呢叭嘯吽。南無力光明意佛。捨諍佛。修行深心佛。南無天地威德勝佛。華威德王佛。南無西北方須彌相佛。清浄幢佛。南無山自在王佛。一切妙吼聲佛。唵嘛呢叭嘯吽。南無能破諸畏佛。過勝佛。香波頭摩佛。南無三世鏡像勝佛。毘樓博叉佛。南無歌羅毘羅奮迅佛。離畏師佛。南無二千寶幢佛。一切甘露城佛。唵嘛呢叭嘯吽。南無離虚空畏佛。擇説佛。波頭摩光佛。南無尨吼自在聲佛。法俱蘇摩佛。南無意勇猛仙行勝佛。幢勝燈佛。南無香自在王佛。一切法光明佛。唵嘛呢叭嘯吽。

【納木兒賽罕】

得安隱之曲

南無極志上佛。開悟菩提智光佛。大地佛。南無散衆步佛。過千光佛。栴檀相好佛。南無栴檀清凉室佛。德身王德佛。進寂静佛。南無浄名佛。衆生王中立佛。廣得一切法齊佛。

南無内外浄佛。無量雄猛形法佛。在德佛。南無散衆畏佛。翼從樹佛。能思惟忍佛。南無法光慈悲月佛。在蓮華德佛。自至到佛。南無正生佛。出須彌山頂佛。無量樂説境界佛。南無極上德佛。無量覺華開剖佛。德樹佛。南無藥樹勝佛。厚堅固佛。思惟最勇佛。南無寶嚴慧中上佛。蓮華尊德佛。信如意佛。南無攝身佛。日輪光明勝佛。意味世界普照佛。南無滿足意佛。無畏離衣毛堅佛。德讚佛。南無最後見佛。寶華德佛。勝威德色佛。南無思惟尊像德佛。住禪思勇佛。住智慧佛。南無聖王佛。無邊覺海藏佛。大精進善智慧佛。南無有衆寶佛。蓮華恐畏過上佛。盡見佛。南無一切德佛。在尊德佛。在華聚德佛。南無金剛所須用佛。慧蓮華德佛。愛黠慧佛。南無大王佛。莊嚴一切意佛。不可量力普吼佛。

【拍儿答亦剌思】

樂住法之曲

南無無邊智佛。功德山藏佛。一切清浄光明寶佛。師子威德佛。佛呵佛呵。解脱奮迅佛。寶王諸佛。南無無邊寶佛。星宿山藏佛。一切功德寶光明佛。歡喜增益佛。佛呵佛呵。善眼清浄佛。寶聲諸佛。南無須彌刼佛。三昧手勝佛。一切威德因陀羅佛。般若香像佛。佛呵佛呵。普一寶蓋佛。寶天諸佛。南無金剛藏佛。三世自在佛。一切威德自在王佛。阿摩羅藏佛。佛呵佛呵。法體決定佛。寶山諸佛。南無無煩惱佛。無量威德佛。一切功德王光明佛。千日威德佛。佛呵佛呵。得樂自在佛。寶幢諸佛。

【兀沙格】

滅受想之曲

南無師子奮迅吼佛。無障礙海隨順智佛。南無自智福德力佛。諸佛。大陀羅尼自在佛。佛。色陀羅尼自在佛。

南無普見一切法佛。無以發意能轉輪佛。南無善住淨境界佛。諸佛。味陀羅尼自在佛。佛。意陀羅尼自在佛。

南無除世畏覺悟佛。無量趣觀諸覺身佛。南無自性清淨智佛。諸佛。法陀羅尼自在佛。佛。地陀羅尼自在佛。

南無無量德具足佛。平等妙功德威德佛。南無智勝善黠慧佛。諸佛。眼陀羅尼自在佛。佛。耳陀羅尼自在佛。

南無成就一切義佛。功德海光明輪勝佛。南無法海意智勝佛。諸佛。鼻陀羅尼自在佛。佛。舌陀羅尼自在佛。

【北中吕上小樓】

隆福祚之曲

南無世尊如來佛。世尊一切佛。如來佛世尊。南無世尊如來佛。世尊如來佛世尊。如來世尊佛。如來佛。如來佛世尊。世尊如來佛。世尊佛。世尊佛。如來佛世尊。如來佛。世尊佛。世尊佛。如來佛。世尊佛如來。如來佛世尊。

【北雙調雁兒落】

勝妙明之曲

至敬頂禮釋迦牟尼佛世尊。妙樂世界上德如來世尊。南無圓滿清淨佛世尊。南無無量功德佛世尊。

【北雙調得勝令】

具莊嚴之曲

至敬頂禮大焰王世尊。妙寶如來佛世尊。大光明佛吉祥世尊。蓮華德世尊。無上王佛世尊。三寶如來佛世尊。具足德世尊。須彌山佛世尊。

【北黄鍾賀聖朝】

弘三界之曲

稽首寶蓮華步如來。最踴躍諸如來。大集如來。無際世界中無量光明如來。佛如來寶英如來。南無大强精進勇力諸佛如來。

稽首金剛踴躍如來。寶德步諸如來。法最如來。哀色世界中地力持踴如來。佛如來錠光如來。南無圜遶特尊清浄諸佛如來。

稽首[三]寶大侍從如來。無限浄諸如來。寶火如來。日轉世界中蔽日月光如來。佛如來集音如來。南無一切華香自在王諸如來。

稽首無邊德積如來。上善德諸如來。上寶如來。善住世界中盧舍那藏如來。佛如來
寶華如來。南無聲聞緣覺諸佛菩薩如來。
稽首威華生德如來。上明慧諸如來。智衆如來。智力世界中釋迦牟尼如來。佛如來
寶生如來。南無初發心恐離畏起首如來。
稽首無邊德寶如來。普自在諸如來。明相如來。華勝世界中波頭摩勝如來。佛如來
香明如來。南無無量成就善劫勝護如來。
稽首無邊自在如來。智生德諸如來。香相如來。清淨世界中無量莊嚴如來。佛如來
香流如來。南無最選光明蓮華開敷如來。
稽首智生德聚如來。無礙眼諸如來。大力如來。寶首世界中羅網光明如來。佛如來
香華如來。南無安穩屬纍滿具足王如來。
稽首赤蓮華德如來。無量眼諸如來。寶積如來。賢臂世界中起賢光明如來。佛如來
香光如來。南無法光明波頭摩敷身如來。
稽首波頭摩勝如來。師子德諸如來。妙眼如來。普蓋世界中均寶莊嚴如來。佛如來
醫王如來。南無妙嚴世界無邊無量如來。
稽首十方稱發如來。師子護諸如來。寶蓋如來。難過世界中功德華身如來。佛如來

明輪如來。南無衆華世界上法自在如來。稽首蓮華最尊如來。無諍怖諸如來。浄眼如來。覺住世界中優鉢羅勝如來。佛如來離憂如來。南無三千大千世界諸佛如來。稽首毘盧遮那如來。香自在諸如來。梵德如來。無畏世界中十方稱名如來。佛如來帝幢如來。南無無邊無量恒河沙數如來。

【北雙調錦上花】

普清浄之曲

南無最踴躍如來。賢最如來。金寶光明如來。喜德如來。須彌步如來。寶蓮華如來。無垢光如來。浄光如來。無垢光明如來。華香自在王如來。浄光如來。香像如來。香自在王如來。月燈光如來。一切衆德成如來。浄輪幡如來。

【北雙調碧玉簫】

偏十方之曲

寶輪如來。世尊香光明如來。多寶如來。世尊光明尊如來。佛如來。三蔓陀犍提如來。日光如來。梵自在王如來。佛無量如來。

【北正宮叨叨令】

慶太平之曲

佛世尊如來。佛世尊如來。佛世尊佛如來。佛如來世尊佛如來。佛世尊佛世尊佛世尊佛如來。如來佛世尊佛如來。佛世尊佛如來。佛。佛世尊佛如來。如來世尊佛如來。世尊佛如來。佛世尊佛如來。佛世尊如來。佛世尊如來。佛世尊如來。佛世尊如來。世尊佛如來。佛如來。佛世尊世尊佛。世尊佛如來。

【北雙調雁兒落】

勝妙明之曲

敬禮喜悦佛如來。龍德如來。威德猛佛世尊百光如來。莊嚴頂髻世尊佛如來。南無無量寶名佛如來。

【北雙調得勝令】

具莊嚴之曲

敬禮德寶世尊佛如來。妙樂世尊佛如來。光明王佛日天如來。金剛意如來。清淨光明如來。寶積世尊佛如來。大自在如來。南無無畏如來。至敬頂禮寶英如來。佛如來。寶光明如來。寶幢幡如來。佛世尊龍自在王如來。日月光如來。身尊如來。鼓音王如來。月英如來。佛世尊阿彌如來。成就一切功德如來。寶德步如來。淨寶興豐如來。度寶光明塔如來。火光明如來。無邊功德如來。

【齊郎兒】

利自它之曲

佛如來。佛如來。南無無量寶化光明如來。無量德寶光如來。法自在如來。最清淨德寶住如來。

【北雙調沽美酒】

證自在之曲

敬禮寶海如來。世尊樹王如來。世尊寶光明如來。大光明如來。世尊月音如來。

【北雙調太平令】

斷障礙之曲

敬歸依須彌如來。世尊無量音如來。佛世尊寶英如來。佛世尊阿閦如來。無限名稱如來。世尊師子響如來。寶彌樓佛如來。娑羅王佛如來。稽首藥王佛如來。帝沙佛如來。自境界佛如來。敬頂禮普光如來。南無栴檀屋如來。敬頂禮龍天如來。無量覺華光如來。雲鼓音王如來。敬頂禮名稱如來。極高王佛如來。寶幢幡佛如來。稽首諸天佛如來。寶成佛如來。尊自在佛如來。敬頂禮寶輪如來。南無寶生德如來。敬頂禮智明如來。瑠璃光最勝如來。善淨德光如來。敬頂禮空相如來。
大須彌佛如來。火光明佛如來。稽首明王佛如來。金光佛如來。無盡月佛如來。
敬頂禮無礙如來。南無無勝相如來。敬頂禮妙香如來。善寂月音王如來。流佈力王
如來。敬頂禮風幢如來。
香光明佛如來。不虛稱佛如來。稽首香明佛如來。智光佛如來。滅意根佛如來。
敬頂禮名親如來。南無不虛力如來。敬頂禮法幢如來。無垢意寶光如來。無礙音聲
如來。敬頂禮網明如來。
妙化音佛如來。離垢嚴佛如來。稽首虛空佛如來。浄光佛如來。不動月佛如來。
敬頂禮離憂如來。南無寶體品如來。敬頂禮善嚴如來。無礙眼寶山如來。圍繞香薰
如來。敬頂禮善明如來。
無礙音佛如來。安立王佛如來。稽首方生佛如來。主領佛如來。自在力佛如來。
敬頂禮秋光如來。南無習精進如來。敬頂禮稱英如來。無量離垢王如來。信色清虛
如來。敬頂禮難勝如來。

【北雙調秋江送】

勸修行之曲

敬頂禮佛如來。世尊寶月光明如來。佛世尊諸如來。無量慚愧金最豐如來。月英豐如來。無愚豐如來。法寶燈如來。寶光明如來。金剛堅强消伏壞散如來。佛世尊無量光豐如來。

敬頂禮輪如來。敬頂禮蓮華上如來。金剛藏佛如來。上方如須彌山佛如來。無憂佛如來。拘留孫如來。龍上佛如來。大明佛如來。東南方一切緣修行如來。齊稽首寶華德佛如來。

敬頂禮衆如來。敬頂禮栴檀窟如來。安明頂佛如來。師子威寶華德佛如來。超空佛如來。大光明如來。無畏佛如來。金華佛如來。西南方一切衆生嚴如來。齊稽首無限净佛如來。

敬頂禮大如來。敬頂禮無憂德如來。離垢意佛如來。寶光明無量音佛如來。散華佛如來。無驚怖如來。無比佛如來。寶肩佛如來。西北方無邊法自在如來。齊稽首上香德佛如來。敬頂禮龍如來。敬頂禮無勝相如來。寶生德佛如來。奉至誠月音王佛如來。普觀佛如來。賢劫千如來。香積佛如來。燈光佛如來。離怖畏大勝寶娑羅如來。齊稽首紫金光佛如來。敬頂禮化如來。敬頂禮栴檀德如來。阿耨達佛如來。大名稱無量音佛如來。仙剛佛如來。月光明如來。無念佛如來。寶英佛如來。喜生德寶相婆訶主如來。齊稽首無邊眼佛如來。

【北雙調皂旗兒】

善調伏之曲

德内豐嚴王如來。世尊瑠璃光最豐如來。大名稱如來。敬禮東方佛如來。歸依大通智勝佛如來。華上光如來。敬禮西方佛如來。歸依娑婆世界佛如來。上彌樓如來。敬禮南方佛如來。歸依無邊功德佛如來。月光明如來。

敬禮北方佛如來。歸依强行精進佛如來。善宿王如來。
敬禮上方佛如來。歸依妙香世界佛如來。無礙光如來。
敬禮下方佛如來。歸依月燈世界佛如來。拘留秦如來。
敬禮十方佛如來。歸依恒河沙界佛如來。無量劫如來。
敬禮莊嚴佛如來。歸依寶成世界佛如來。最威儀如來。
敬禮瑠璃佛如來。歸依蓮華世界佛如來。善明燈如來。
敬禮慈悲佛如來。歸依妙明世界佛如來。□餤肩如來。

【哈哈孩】

報恩義之曲

佛佛佛如來。敬禮光明普十方也如來。一切虛空等如來。一切彌樓肩如來。一切牟尼佛如來。佛如來。

佛佛佛如來。歸命無邊普光明也如來。無量幢王佛如來。無量須彌王如來。無量寶明佛如來。佛如來。

佛佛佛如來。稽首大千普光明也如來。一切寶遊步如來。一切無邊香如來。一切香華佛如來。佛如來。
佛佛佛如來。敬禮十方世界佛也如來。無量金華佛如來。無量娑羅王如來。無量光王佛如來。佛如來。
佛佛佛如來。歸命釋種無上勝也如來。一切寶輪佛如來。一切栴檀香如來。一切淨光佛如來。佛如來。
佛佛佛如來。稽首真金世界佛也如來。無量虛空德如來。無量虛彌樓如來。無量破疑佛如來。佛如來。
佛佛佛如來。敬禮金剛世界佛也如來。一切香風月如來。一切無邊明如來。一切山王佛如來。佛如來。
佛佛佛如來。歸命光明世界佛也如來。無量金剛藏如來。無量世燈明如來。無量散華佛如來。佛如來。
佛佛佛如來。稽首豐繞世界佛也如來。一切不虛見如來。一切豐珠光如來。一切勝王佛如來。佛如來。
佛佛佛如來。敬禮三千普世界也如來。無邊無量佛如來。無量大光明如來。無量蓮華上如來。佛如來。

【北雙調十棒鼓】

妙因緣之曲

同聲稱佛號普勸念如來。至心歸命禮釋迦如來。東方勸善〔三〕世界那羅延如來。螺髻如來。南方常滅度如來。香德如來。上妙世界上彌樓如來。大光明如來。西方泥洹華如來。寶窟如來。

至心稱佛號稽首誦如來。照曜世界光明王如來。功德海佛無量無量幢如來。浄眼如來。西南方明輪如來。大力如來。至心頂禮頂禮聖如來。不虛見如來。歸依懺悔仰如來。即見如來。

一心稱佛號歸命禮如來。仰靈山會上釋迦如來。功德海佛無邊無邊光如來。香德如來。西方阿彌陀如來。安住如來。至心歸命歸命衆如來。不虛光如來。虔誠稽首禮如來。成利如來。

如來弘誓願誓願禮如來。禮樂成世界寶杖如來。普然照妙明燈明燈聖如來。寶王如來。北方娑羅王如來。香像如來。至心恭敬恭敬佛如來。頂生王如來。北方蓮華生如來。上族如來。稽首歸命禮無比月如來。禮上意世界空性如來。敬頂禮望青蓮青蓮華如來。寂滅如來。北方無相音如來。梵相如來。頂禮釋迦釋迦文如來。覺華光如來。北方覺華生如來。香聚如來。

【北中吕十二月】

廣解脱之曲

稽首無比威德佛如來。成就善刼勝護如來。稽首大光明如來。無礙光雲佛如來。稽首明星如來。普見佛如來。

【北中吕堯民歌】

修福田之曲

東方妙音世界須彌肩如來。南無西南方無量聲如來。南方無量光明如來。一切閻浮上如來。諸佛如來。無邊稱如來。北方雲自在王如來。稽首十方一切諸如來。善住世界師子如來。雜色寶莊嚴如來。稽首香自在如來。寶樹光明如來。樂愛德如來。稽首一切諸方無長佛如來。上清淨世界寶彌樓如來。南無盧舍那藏如來。一切分陀利如來。諸佛如來。金剛藏如來。無量寶化光明如來。稽首十方一切諸如來。樂德世界智衆如來。拘那舍牟尼如來。稽首無垢力如來。無礙音聲如來。初發意如來。稽首一切諸方智聚佛如來。廣大世界威華生德如來。南無能度彼岸如來。一切娑羅王如來。諸佛如來。無邊眼如來。無畏世界明輪如來。稽首十方一切諸如來。香等世界香相如來。日月燈明王如來。稽首無礙眼如來。炬然天師如來。寶網手如來。稽首一切諸方微妙佛如來。歡喜世界無邊德寶如來。南無無邊德嚴如來。一切尼拘陀如來。諸佛如來。轉諸難如來。華德世界寶明如來。稽首十方一切諸如來。安穩世界上寶如來。無量香彌樓如來。稽首師子德如來。無量精進如來。衆真實如來。

稽首一切諸方天德佛如來。妙樂世界離欲自在如來。南無護世知足如來。一切不虛見如來。諸佛如來。方燈上如來。寶生世界寶積如來。

【北越調慶原真】

表勝義之曲

南無日如來。大主領如來。稽首南方寶樹光明一切諸如來。下方師子頻如來。南無不虛步如來。西南方妙眼如來。如來。上方精進最高王如來。南無月如來。梵自在如來。稽首諸方善住世界世燈明如來。大精進勇力如來。南無南斗宿如來。無邊無量眼如來。如來。齊頂禮佛法自在如來。南無相如來。師子護如來。稽首諸方安立世界增十光如來。無邊功德月如來。南無善住王如來。無邊無極身如來。如來。齊頂禮安穩生德如來。南無寶如來。常滅度如來。稽首諸方安住世界須彌肩如來。蓮華敷力佛如來。南無不虛稱如來。無邊步力佛如來。如來。齊頂禮持無量德如來。南無上如來。明德聚如來。首諸方華布世界演華相如來。蓮華自在佛如來。南無智生德如來。無邊無諍怖如來。如來。齊頂禮華蓋行列如來。

【北黄鍾紅衲襖】

離衆幻之曲

南無娑羅如來。上方香光如來。波頭摩勝如來。五方五如來。稽首佛如來。西南方上德如來。一切寶華奮迅如來。稽首善見如來。西方智山如來。南無龍觀如來。上方然燈如來。阿迦頭華如來。須彌相如來。淨覺佛如來。無量師子響如來。上善世界無畏如來。稽首紫色如來。虛空嚴生如來。南無普賢如來。上方淨明如來。覺華生德如來。善思嚴如來。梵德佛如來。無量德寶光如來。月出世界智聚如來。稽首善目如來。無緣莊嚴如來。南無栴檀如來。上方明輪如來。無限名稱如來。智華德如來。明德王如來。無量自在月如來。流布世界然燈如來。稽首利益如來。無邊辯才如來。南無梵音如來。上方作明如來。地方力持踴如來。無邊力如來。寶火佛如來。無量寶彌樓如來。不思議香光明如來。稽首尸棄如來。蓮華最尊如來。

【北商調梧葉兒】

隆善道之曲

妙樂世界佛如來。莊嚴世界佛如來。大須彌上香德佛如來。須彌燈王如來。寶智首佛如來。喜德佛如來。至敬頂禮尊自在流香如來。碼碯世界佛如來。香明世界佛如來。阿彌陀智自在佛如來。蓮華尊豐如來。法自在佛如來。普世佛如來。至敬頂禮行精進仙剛如來。大德世界佛如來。無憂世界佛如來。大雲光不虛勝佛如來。梵天普華如來。衆德相佛如來。妙識佛如來。至敬頂禮不動力法幢如來。歡喜世界佛如來。吉祥世界佛如來。寶娑羅虛空住佛如來。喜幢金光如來。自境界佛如來。月辯佛如來。至敬頂禮無量覺華光如來。堅固世界佛如來。光明世界佛如來。最清浄無量幡佛如來。如須彌山如來。自在月佛如來。普願佛如來。至敬頂禮轉一切生死如來。

【北南呂玉嬌枝】

濟沈繼之曲

歸命禮明燈如來。歸命禮下方明輪如來。東南方法種尊如來。西南方阿彌陀如來。東南方不動力如來。西南方無量華如來。佛。歸命禮寶藏世界寶聚如來。覺世界寶彌樓如來。尊如來。妙如來。無畏上如來。蓮華上如來。無量劫聖如來。河沙數廣如來。諸世界淨如來。佛。清淨世界智聚如來。歸命禮燈明如來。歸命禮下方法幡如來。無憂世界善德如來。無勝世界德勝如來。東南方無量願如來。西南方常精進如來。佛。純樂世界安立功德王如來。西南方無邊像如來。雲如來。日如來。無量相如來。無量明如來。無盡徹聽如來。雷吼如意如來。清泰無動如來。佛。常照明香彌樓如來。歸命禮仙勝如來。歸命禮寶淨寶焰如來。戒光世界須彌如來。珠光世界香像如來。西南方無相嚴如來。東南方轉諸難如來。佛。西南方樂御世界智首如來。隨喜世界普明如來。前如來。後如來。無上光如來。增千光如來。福住堅固如來。金光寶窟如來。妙華浄眼如來。佛。東南方寶娑羅如來。歸命禮龍仙如來。歸命禮廣遠火光如來。梵德世界梵音如來。金明世界寶明如來。東南方佛虛空如來。西南方無邊嚴如來。佛。阿竭流香世界上香德如來。東南方無邊願如來。應如來。報如來。不虛德如來。不虛光如來。正直大集如來。堅固開光如來。樂園妙樂如來。佛。大名聞須彌肩如來。歸命禮善思如來。歸命禮瓔珞無礙如來。相德聚無相音如來。青蓮華覆華上如來。東南方無邊明如來。東南方金剛藏如來。佛。南無寶輪世界寶上勝如來。安穩優鉢羅德如來。賢如來。正如來。寶娑羅如來。一蓋嚴如來。慈悲藏聚如來。普賢勝敵如來。月光放光如來。佛。衆蓮華華生德如來。

【北商調鳳鸞吟】

現莊嚴之曲

南無香光明世界如來。敬頂禮超空如來。敬禮寶月燈光隨葉如來。善明燈如來。羅網光如來。敬歸依妙化音如來。光遠佛如來。梵音天王佛如來。敬歸依迦葉如來。

南無無量種奮迅如來。敬頂禮天王如來。敬禮阿閦金光寶海如來。紫金光如來。無垢光如來。敬歸依無眼浄如來。無着佛如來。過寶蓮華佛如來。敬歸依浄教如來。南無娑羅王安立如來。敬頂禮智明如來。敬禮善德普賢寂滅如來。聖所生如來。難伏幢如來。敬歸依須彌肩如來。多寶佛如來。時大光明佛如來。敬歸依香象如來。南無無邊空嚴德如來。敬頂禮勝王如來。敬禮寶聚金華勝衆如來。賢劫千如來。師子威如來。敬歸依安立王如來。不動佛如來。須彌燈王佛如來。敬歸依大目如來。南無十方稱世界如來。敬頂禮藥王如來。敬禮智聚流香妙眼如來。轉法輪如來。無邊嚴如來。敬歸依無憂德如來。名相佛如來。虚空浄王佛如來。敬歸依合聚如來。

【北商調醋葫蘆】

洽雍熙之曲

東南方無邊緣中現佛相如來。西北方清浄世界衆德相如來。東方諸功德處世界觀世音如來。東方喻月世界一切華香自在王如來。西南方燈明如來。北方化成世界無染如來。

歸命禮常莊嚴世界雜華如來。歸命禮普香世界香彌樓如來。歸命禮寶聚世界無邊寶力如來。歸命禮上方虛空緻世界法空燈如來。南方名聞光如來。喜世界名堅自在王如來。

歸命禮無相世界無相音如來。歸命禮堅固世界無動力如來。歸命禮東方雜華世界宿王如來。歸命禮東方無塵垢世界寶華德如來。南方大燄肩如來。雜寶相世界月出德如來。

歸命禮香聚世界栴檀香如來。歸命禮衆月世界善生德如來。歸命禮東方衆網世界網明如來。歸命禮下方無量華世界燈尊王如來。南方須彌燈如來。無邊德世界善思嚴如來。

歸命禮離塵垢世界智德如來。歸命禮極廣世界無量相如來。敬命禮東方無畏世界音梵如來。敬命禮上方堅固香世界寧泰幢如來。西方無量相如來。安隱世界優鉢羅德如來。

【北越調調笑令】

信本覺之曲

如來。佛如來。齊頂禮光王佛如來。諸方普照明如來。無邊精進善生如來。稽首星宿月如來。寶德世界寶明如來。如來。佛如來。北方不空成就如來。釋迦多寶二如來。西南方離二邊如來。稽首無處畏如來。下方無垢稱王如來。如來。佛如來。齊頂禮最高德如來。諸方善導師如來。無憂世界離憂如來。稽首無礙眼如來。無漏世界醫王如來。如來。佛如來。齊頂禮自光明如來。諸方衆德生如來。善意世界妙肩如來。稽首普自在如來。無畏世界明輪如來。如來。佛如來。齊頂禮普光明如來。諸方善德王如來。一蓋世界宿王如來。稽首喜生德如來。照明世界寶網如來。如來。佛如來。齊頂禮善明燈如來。諸方無量華如來。西南方明彌樓如來。稽首自境界如來。下方名稱遠聞如來。如來。佛如來。齊頂禮須彌明如來。諸方無量明如來。西北方須彌相如來。稽首善建立如來。下方妙善住王如來。

【北越調禿廝兒】

超無漏之曲

稽首妙喜世界諸佛如來。須彌脇世界浄覺王如來。南無一切奮迅如來。西方殊勝如來。如來。

稽首寶聚世界諸佛如來。上華光世界明德王如來。南無一切寶勝如來。妙月世界如來。如來。

東方天世界衆堅固如來。無量金明世界金華如來。衆多世界明相如來。一切事見如來。如來。

稽首栴檀世界寶像如來。優鉢羅世界香風月如來。南無一切等慧如來。不空奮迅如來。如來。

稽首蓮華世界華德如來。栴檀光世界自在王如來。南無一切忍慧如來。優鉢羅勝如來。如來。稽首住林世界寶肩如來。善行列世界不虛稱如來。南無寶積示現如來。十方稱發如來。如來。稽首一聚世界寶聚如來。諸欲浄世界無垢稱如來。南無一切妙積如來。見無恐懼如來。如來。

【北越調聖藥王】

云法空之曲

化如來。龍如來。東方圍遶世界寶輪如來。見真諦如來。佛如來。西南方金剛藏如來。西北方光照如來。聖如來。根如來。普光明世界鼓音王如來。無邊願如來。佛如來。悉歸依虛空德如來。一切憍陳若如來。德如來。慈如來。普金剛世界拘陵王如來。上善德如來。佛如來。悉歸依吉祥義如來。一切離怖畏如來。勝如來。明如來。普娑婆世界智生德如來。振威德如來。佛如來。悉歸依不虛見如來。一切須彌步如來。妙如來。華如來。普宿開世界無礙眼如來。極高德如來。佛如來。悉歸依尊自在如來。一切法名號如來。智如來。尊如來。瑠璃光世界浄光諸如來。大音眼如來。佛如來。悉歸依寶自在如來。一切菩提道如來。慧如來。寶如來。金光明世界無量佛如來。法世界如來。佛如來。悉歸依自在天如來。一切華生德如來。

【北越調麻郎兒】

依定慧之曲

敬頂禮普賢如來。上方薩羅樹王如來。南無善明燈如來。南無聖所生如來。

淨涅槃之曲

南無勝王如來。敬頂禮勝上如來。上方處法形如來。上方明彌樓如來。
敬頂禮智勝如來。過去梵首天王如來。南無示誨幢如來。南無難伏幢如來。
南無淨光如來。敬頂禮寂定如來。未來阿彌陀如來。過去世饒王如來。
敬頂禮熱光如來。上方轉如相嚴如來。南無師子音如來。南無羅網光如來。
南無帝沙如來。敬頂禮大力如來。無邊德明王如來。無邊智自在如來。
敬頂禮無上如來。月世界無量願如來。南無栴檀香如來。南無無上光如來。
南無寶生如來。敬頂禮救脱如來。須彌肩明輪如來。無邊嚴日生如來。
敬頂禮神聞如來。未來力嚴淨王如來。南無憍陳如如來。南無蓮華光如來。
南無定光如來。敬頂禮相上如來。栴檀德無驚如來。網明相妙肩如來。

【北雙調殿前喜】

勝結緣之曲

南無大勝佛如來。光明佛如來。南無廣信佛如來。阿樓那摩尼光栴檀世界佛如來。

名稱佛如來。蓮華香住清淨無恚恨普世界佛如來。寶明德佛如來。栴檀窟佛如來。稽首香燈佛如來。定光明佛如來。龍天佛如來。南無法明如來。師子威佛如來。寶彌樓佛如來。南無寂滅佛如來。香明佛如來。南無寶力佛如來。多伽樓無垢光懷調世界佛如來。衆華佛如來。香華熏度一切不虛見盡諸方佛如來。網明相佛如來。威儀幢佛如來。稽首無畏佛如來。微妙佛如來。流香佛如來。南無普觀如來。大名稱佛如來。寶蓮華佛如來。南無上衆佛如來。離胎佛如來。南無智聚佛如來。閻浮那提金光蓮華德生佛如來。流香佛如來。明彌樓蓮華響無盡月普供養佛如來。不動智佛如來。法自在佛如來。稽首然燈佛如來。浮光佛如來。離憂佛如來。南無寶山如來。善思嚴佛如來。威音王佛如來。南無寶聚佛如來。無驚佛如來。南無正意佛如來。紫金光寶幢幡觀明功勳佛如來。日光佛如來。上彌樓至精進寶上勝敬頂禮佛如來。自在月佛如來。不動力佛如來。稽首梵天佛如來。普華佛如來。金光佛如來。南無喜幢如來。大雲光佛如來。不虛勝佛如來。

南無妙識佛如來。寶英佛如來。南無普願佛如來。法輪光音聲王月英幢王佛如來。法幢佛如來。精明堂蓮華軍離闇首婆訶主佛如來。極高德佛如來。大功德佛如來。稽首净王佛如來。明輪佛如來。放光佛如來。南無山王如來。雨音王佛如來。普度空佛如來。

【北黄鍾醉花陰】

具種智之曲

敬禮諸方佛如來。不思議德生如來。普世界佛如來。善德如來。寶德成就如來。南無勝妙如來。一切大精進如來。稽首栴檀德如來。敬頂禮寶生如來。人精進正音聲普現如來。無相音佛如來。寶生德佛如來。稽首無邊佛如來。

【北黄鍾喜遷鶯】

攝有情之曲

南無寶生如來。普無邊妙見如來。如來。妙華如來。喜世界一切智上佛如來。佛如來。無量無邊諸如來。南無不壞相如來。華嚴神通如來。德明王妙眼如來。歸依普賢如來。敬頂禮超出須彌佛如來。敬頂禮星宿王衆華如來。娑羅王迦葉如來。

【北黄鍾出隊子】

長功德之曲

至心頂禮東方阿閦如來。西方智山佛如來。南方寶生諸如來。北方那羅延如來。至心頂禮金剛步積如來。智憂鉢勝佛如來。多寶金華佛如來。時大光明佛如來。

【北黄鍾四門子】

念如意之曲

稽首釋迦牟尼如來。南無梵德佛如來。普西方無量壽如來。阿彌陀如來。北方妙鼓聲如來。現見西北方如來。一切聲聞緣覺菩薩如來。愛世界佛如來。南方寶相諸如來。無量上方智光如來。一切摩訶牟尼如來。

歸命禮無邊光如來。寶威德月教如來。金剛聚世界佛如來。大勝佛如來。然燈佛世界如來。憂鉢羅世界如來。紫磨金栴檀香世界如來。上清浄寶光明無邊無量如來。天自在世界佛如來。度一切世界佛如來。

【北黄鍾刮地風】

大安樂之曲

南無空性自在如來。佛自在嚴如來。寶德世界寶明如來。南無觀世音王如來。勝如來。寶如來。大光明如來。
敬歸依諸德佛如來。日月光佛如來。極高彌樓首寂如來。敬歸依普度空如來。梵音聲妙陀羅十方稱如來。

【北黄鍾古水仙子】

持衆緣之曲

佛佛佛衆如來。佛佛佛三千大千世界如來。無量香光明如來。虚空德如來。南無無畏如來。佛佛佛不可思議佛如來。無量無邊諸等如來。普光明一切諸如來。無上無比佛如來。

日世界佛如來。月世界法世界無量佛如來。見一切義佛如來。法成就如來。名稱王佛如來。光明尊蓮華浄世界如來。敬頂禮栴檀香如來。敬歸依無上光如來。大安世界佛如來。

【北仙吕寄生草】

演甘露之曲

歸命禮釋迦牟尼如來。敬禮觀智如來。敬禮無量自在力如來。天世界最踴躍如來。敬禮波頭摩世界名波頭摩勝光明如來。歸命禮一切衆生最勝嚴如來。敬禮優鉢羅世界赤蓮華德如來。

【北仙吕六幺序】

徧法雨之曲

歸命禮下方師子如來。下方大德如來。歸命禮下方上德如來。南方虚空住如來。妙勝如來。過一切憂障礙世界名不空説如來。歸命禮功德積世界功德生德如來。東南方師子音如來。歸命禮西南方師子如來。南無最勝音如來。歸命無量光如來。大雲光如來。阿彌陀佛如來。然燈如來。燈明如來。歸命禮南方莊嚴世界嚴浄如來。北方不虛自在力如來。下方有德如來。弗沙如來。歸命禮南方金剛藏如來。東方動世界常悲如來。西南方妙寶如來。東南方師子相如來。西南方大尊王如來。東方妙世界善衆如來。

歸命禮金剛藏諸如來。栴檀窟聖如來。至心頂禮善住意如來。月世界純寶藏如來。頂禮東方浄住世界圍饒特尊德浄如來。歸命禮袈裟相世界離垢如來。普供養無塵垢世界寶華德如來。

歸命禮大震聲聖如來。至彼岸聖如來。須彌幡世界德首如來。東南方上華如來。無等如來。西南方離怖畏如來。南無東方月英世界賢幢幡王如來。歸命禮上方玉林世界至精進如來。西南方不虛勝如來。歸命禮東南方慧王如來。東北方阿閦如來。華跡世界普華如來。無量力如來。高廣德聖如來。法幢如來。法持如來。東方莊嚴世界無邊自在力如來。歸命禮下方名聞如來。下方達摩如來。迦葉如來。歸命禮西南方尸棄如來。金集世界寶遊行如來。東南方網明如來。西南方大神通如來。至心頂禮梵天如來。一蓋世界一寶嚴如來。
歸命禮雲自在聖如來。迦禪那聖如來。至心頂禮自在王如來。美音世界寶華如來。
頂禮東方無邊德嚴世界度功德邊如來。歸命禮北方諸欲無脱那如來。普供養東方堅
固世界迦葉如來。
歸命禮不虛力聖如來。不虛光聖如來。一蓋世界離怖異如來。東南方華聚如來。建
立如來。離憂世界名稱如來。東方德住世界無邊功德成就如來。歸命禮東方明世界
名聞彌樓如來。東南方無憂首如來。歸命禮西南方善住如來。東南方有德如來。西
南方吉利嚴如來。無比月如來。下方名光如來。上幢如來。喜幢如來。東方莊嚴世
界無邊自在力如來。歸命禮下方奉法如來。純寶藏聖如來。成利如來。歸命禮南方
呼那僧如來。東方樂世界日燈如來。西方諸寶般如來。東南方無定願如來。西南方
無邊像如來。離垢世界離垢相如來。
歸命禮自在力聖如來。無量華聖如來。至心頂禮德明王如來。無勝世界德勝如來。
頂禮東方雲音世界無量神通自在如來。歸命禮東方法世界網光如來。普供養南方妙
香世界月光如來。
歸命禮無礙眼聖如來。無邊眼聖如來。恐怖世界栴檀香如來。西南方諦相如來。幢

相如來。普賢中自在王如來。南無下方照明世界染青蓮首如來。歸命禮東方離垢世界智出光如來。月世界日月燈如來。歸命禮西南方網光如來。西南方明德如來。名喜世界無憂如來。無邊力如來。南無種種如來。自王如來。十幢如來。東方離垢世界無量功德明如來。歸命禮善淨幢相如來。安穩安王如來。相德如來。歸命禮東南方轉胎如來。名華世界智華生如來。北方無邊嚴如來。東南方興光明如來。寶網覆寶生德如來。華蓋世界一寶蓋如來。

歸命禮蓮華提聖如來。日月燈勝如來。至心頂禮名聞光如來。廣遠世界火火如來。頂禮華上光明世界名日輪威德王如來。歸命禮日光世界月英豐如來。普供養東方調御世界普觀如來。

歸命禮無邊嚴聖如來。虛空光聖如來。名善世界栴檀窟如來。北方無眼音如來。正行如來。雜相世界寶德如來。南無東方妙音香世界無量明如來。歸命禮東方德樂世界寶華德如來。攝處世界醫王如來。歸命禮北方離怖畏如來。北方虛空性如來。廣世界香象王如來。虛空意如來。歡喜賢最如來。預相如來。宿王如來。東方可愛世界一切功德生如來。歸命禮普光勇辯如來。照明明燈如來。上族如來。歸命禮西南方日面如來。衆善世界善出光如來。滅惡寶山勝如來。寶錦世界寶成如來。照曜世界普明如來。蓮華處世界智住如來。

【北雙調青天歌】

等無量之曲

南無一寶蓋如來。精進願首寶如來。德所見明王如來。不捨弘誓願如來。不動轉衆相如來。度寶光明塔如來。逆空光明聖如來。栴檀香神通如來。南無光浄王如來。大哀觀衆生如來。南無明相幢如來。南無無邊光如來。上法王相妙如來。無分別嚴勝如來。壞一切疑寶如來。華高生德聖如來。言音自在妙如來。華最高德勝如來。智自在王寶如來。樂星宿起聖如來。南無高妙去如來。衆王光明聖如來。佛華增上王如來。娑羅自在王如來。寶華成就德如來。無礙香象聖如來。無相音聲妙如來。德内豐嚴王如來。見若燈明王如來。無量德寶辯如來。喻如須彌勝如來。無悦界首寂如來。

歸命禮寶火如來。歸命禮多寶如來。歸命禮集音如來。離垢日月光如來。歸命禮弘等如來。歸命禮行盡如來。歸命禮地持如來。雷鳴音王妙如來。歸命禮音響如來。

歸命禮蓋鬘如來。歸命禮寶作如來。歸命禮息意如來。無礙音聲妙如來。無量德性勝如來。藥王無礙寶如來。衆寶普集大如來。南無無垢尊如來。南無證我尊如來。南無大雨尊如來。南無帝沙尊如來。南無善宿尊如來。南無網聚聖如來。南無惟衛勝如來。南無式棄妙如來。南無栴檀屋如來。不瞬普賢聖如來。善燈師子妙如來。所度無足尊如來。大通智勝妙如來。文殊師利聖如來。常善護持佛如來。龍自在王佛如來。

雷音光明王如來。虛空燈王佛如來。寶談妙德幢如來。南無普香佛如來。須彌幢寂靜如來。南無名相佛如來。天神界寶海如來。本草樹首佛如來。無憂具足王如來。寶蓮華樹王如來。雲陰界彌勒如來。壽無盡幢佛如來。無礙香光佛如來。增上雲聲王如來。一切諸刹豐如來。南無上精進如來。最清淨德寶如來。無量金最豐如來。功德精進發如來。發衆生信心如來。祕頭摩華身如來。無量界善眼如來。南無華慧王如來。慈英寂首佛如來。師子響作佛如來。南無身上佛如來。南無一蓋佛如來。南無蓋行佛如來。南無留油佛如來。普照一佛土如來。不舍樂精進如來。壞一切怖畏如來。

套數

【北南呂一枝花】歸命禮香春常德佛。普蓮華寶聚金仁佛。梵王推浄明寶刹佛。德王明寶蓋無邊佛。普放香佛。無量壽智佛。散華生得佛。除愛濁之曲

【梁州】稽首毘盧遮那報身佛。稽首最勝佛蓮華稱佛。稽首辯才莊嚴思惟佛。稽首浄月光稱相王佛。稽首無邊眼大權神王佛。稽首無礙眼佛。稽首彌樓嚴佛。稽首光明吉佛。稽首作日光佛。稽首無邊光明一蓋嚴佛。稽首帝釋光焰香自在佛。稽首千供養栴檀香佛。稽首寶多羅跋蹉德佛。稽首毘頭福最勝王佛。金幢光佛。善光無垢稱王佛。住諦法音稱佛。觀察無畏自在佛。無垢光明寶幢佛。顯五性之曲

【尾聲】稽首無上王多伽羅香佛。稽首普德象開敷華王佛。稽首無垢光明王摩尼藏佛。稽首大功德吉佛。稽首阿伽樓香佛。寶網手精進力無邊法自在佛。情聲聞之曲

【北南呂一枝花】歸命禮金華威德佛。極高王師子香勝佛。不虛嚴覺華生德佛。法空燈觀覺華生佛。寶娑羅佛。巨海香明佛。明輪寶藏佛。除愛濁之曲

【梁州】稽首平等德善導師佛。稽首極安隱蓮華勝佛。稽首平等見言無盡佛。稽首法

空燈寂滅幢佛。稽首普照明自在堅帝佛。稽首蓮華德佛。稽首蓮華生佛。稽首珊瑚海佛。稽首大寶幢佛。稽首大海山王月勝吉佛。稽首寶明白蓋法自在佛。稽首普放光無邊香佛。稽首無驚怖無邊嚴佛。稽首善行嚴掌越超佛。不虛德佛。百金光藏香流佛。寶蓮華奮迅佛。精進最高力王佛。想顛倒轉諸難佛。顯五性之曲

【尾聲】稽首奢摩他虛空嚴生佛。稽首善住意無邊德嚴佛。稽首無邊智自在普放香佛。稽首覆娑羅樹佛。稽首優波羅香佛。初發意離怖畏不虛自在力佛。悟聲聞之曲

【北南吕一枝花】歸命禮因王香窟佛。綱明相寶上光鬘佛。普放香涅槃梵德佛。善宿王大念大仁佛。不虛見佛。厚德無驚佛。來天上寶佛。除愛濁之曲

【梁州】稽首常照耀常樂德佛。稽首大金柱香彌樓佛。稽首三勇猛無憂吉佛。稽首無上光大施德佛。稽首常散華無相性空佛。稽首須彌力佛。稽首安立王佛。稽首栴檀吉佛。稽首微笑目佛。稽首寶意戒王普照一佛。稽首羨求普捨無相音佛。稽首虛空光虛空音佛。稽首栴檀又金輪王佛。稽首婆羅王漏盡謂佛。獨覺及佛。金華光幢妙肩佛。虛空性破疑佛。轉女相嚴香蓋佛。不虛力香積王佛。顯五性之曲

【尾聲】稽首栴檀肩海此岸明佛。稽首大龍德師子華德佛。稽首蓮華生王娑伽羅尊

佛。稽首是世善妙佛。稽首有能答如佛。無等辭華嚴光尼瞿嚧陀王佛。悟聲聞之曲

【北越調鬬鵪鶉】敬頂禮金上威佛。敬頂禮大尊上佛。敬頂禮如浄王佛。敬頂禮光中日佛。一切法常滿王佛。無垢慧深聲王佛。無量香光明佛。梵聲龍奮王佛。智慧勝佛。大乘導佛。求尊勝之曲

【紫花兒序】敬頂禮世德聞佛。蓮華人佛。敬頂禮月敬懷佛。廣莊嚴王佛。動山岳王佛。敬禮照一切衆生光明大遊步佛。普照積上功德王佛。決斷音佛。無火光佛。修妙門之曲

【東原樂】至心禮才光明佛。至心禮師子奮迅遊佛。摩善住山王堅才佛。廣名稱德上佛。大精進盛光佛。無上妙法月保間燈佛。滅宿業之曲

【尾聲】敬禮普觀海藏高山佛。等正覺人中月佛。住寂滅自在德藏佛。大重龍光威力佛。求多聞之曲

【北越調鬬鵪鶉】敬頂禮世主身佛。敬頂禮尊中上佛。敬頂禮喜廣稱佛。敬頂禮遊神足佛。真諦日無量天佛。雲普護名稱上佛。法行深勝月佛。無吾我熱意佛。無動覺

佛。正念海佛。求尊勝之曲

【紫花兒序】敬頂禮金色身佛。名稱仙佛。敬頂禮甘露成佛。慧威燈王佛。好顔色光佛。敬禮護一切無量火光不迷步佛。碎金剛曜蓮華光佛。忍辱燈佛。精進懷佛。修妙門之曲

【東原樂】至心禮無名稱佛。至心禮師子奮迅步佛。梵供養懷恩勝根佛。無唐雄欲樂佛。銀幢蓋不瞬佛。善覺步勝普照觀稱佛。滅宿業之曲

【尾聲】敬禮金剛密迹威身佛。法差别十方上佛。德勢力無量智敷佛。普照觀稱山勝佛。求多聞之曲

【北南吕一枝花】歸命禮普音聲如來。梵鳴音種種華如來。寶形光無邊德如來。樂莊嚴月相餤如來。作寶如來。寶最王如來。無邊寶如來。除愛濁之曲

【梁州】稽首常舉肩叫鎧如來。稽首善安住光圓如來。稽首甘露相光王如來。稽首日圓燈智聚如來。稽首寶生王示現雲如來。稽首雲名如來。稽首持炬如來。稽首香熏如來。稽首勝衆如來。稽首無礙名音普藏如來。稽首智生功德寶聚如來。稽首寶光形安住如來。稽首歡喜主圓光如來。稽首不空見網餤如來。寶華如來。大雲師子座

如來。寶蓋最上如來。帝幢王吉祥如來。願海光吉祥如來。顯五性之曲

【尾聲】稽首娑羅主自在王如來。稽首一寶藏無邊燄如來。稽首無邊彌留王梵音如來。稽首普燄光如來。稽首普光明如來。寶上燄最勝衆蓮華上王如來。悟聲聞之曲

【北南呂一枝花】歸命禮無邊聲如來。衆生賢善住王如來。寶娑羅須彌聚如來。智功德最上寶如來。普見如來。無量音如來。瞿那海如來。除愛濁之曲

【梁州】稽首虛空俗寂静如來。稽首不空説明圓如來。稽首無怖畏幢王如來。稽首勝彌留熾盛如來。稽首浄彌留震力王如來。稽首調柔如來。稽首慈者如來。稽首作燈如來。稽首宿院如來。稽首月瞿那王智德如來。稽首無障礙眼作寶如來。稽首勝牛王方上如來。稽首除怖畏香形如來。稽首佛牛王放燄如來。寶言如來。蓮華生功德如來。無邊智説如來。作光明彌留如來。娑〔三四〕伽婆功德如來。顯五性之曲

【尾聲】稽首虛空燈喜吉祥如來。稽首寶住佛號寶相如來。稽首毗盧遮那藏大雲如來。遊戲金剛王如來。念幢王吉祥如來。攝受無上能生愛樂歡喜如來。悟聲聞之曲

【北南呂一枝花】歸命禮虛空德如來。娑伽羅安隱王如來。甘露華賢功德如來。智功

德放光焰如來。仙聖如來。智安住如來。無邊覺如來。除愛濁之曲

【梁州】稽首彌留聚浄意如來。稽首無邊覺廣雲如來。稽首智功德散雲如來。稽首蓮華德利益如來。稽首須彌光叫力𨻷如來。稽首火燈如來。稽首燈炬如來。稽首智藏如來。稽首善住如來。稽首拔度一切怨仇如來。稽首發心即轉法輪如來。稽首薄伽梵宿院如來。稽首大雲空高響如來。稽首摩尼寶華藏如來。想音如來。大雲摩尼藏如來。香上功德如德最勝安住王如來。日光幢吉祥如來。顯五性之曲

【尾聲】稽首寶𨻷山王吉祥如來。稽首無量善住吉祥如來。稽首善住功德寶峰王如來。稽首上功德如來。稽首至無畏如來。恒河一切津口吉慶吉祥如來。悟聲聞之曲

【北南吕一枝花】歸命禮威功德如來。佛牛王普德首如來。難調將蓮華聚如來。諦視眼二相髻如來。帝釋如來。大愛道如來。成光明如來。除愛濁之曲

【梁州】稽首大主領浄目如來。稽首治地王相音如來。稽首將導御華相如來。稽首難優幢善眼如來。稽首香彌留無礙音如來。稽首光明相如來。稽首成利如來。稽首寶輪如來。稽首智光如來。稽首摩醯首羅吉祥如來。稽首樹王增長吉祥如來。稽首羅網光作勝如來。稽首名稱響作光如來。稽首名稱音智叫如來。法手如來。大優鉢羅

華如來。日上功德如來。虛空莊嚴音如來。不倦不轉願如來。顯五性之曲

【尾聲】稽首牽幢王曲躬眼如來。稽首最上行觀世音如來。稽首日光幢吉祥意因如來。稽首叫力王如來。稽首金剛利如來。無垢憶月分段香象光王如來。悟聲聞之曲

【北南呂一枝花】歸命禮叫力王如來。觀世音正觀鎧如來。月上燄虛空相如來。普香燄至無畏如來。多信如來。寶牛王如來。名稱友如來。除愛濁之曲

【梁州】無垢離垢解脱燈如來。除切怖畏毛竪如來。無邊光佛華所生如來。不動跡而速勇步如來。此佛所説覺智法門如來。無量莊嚴如來。無量聲光如來。無礙名聲如來。燄上功德如來。普徧照曜勝鬬戰吉祥如來。曜寂静香照曜吉祥如來。不倦不轉願上行如來。一切取作散不怯如來。一切魔境界爲地如來。值御如來。無邊所有鎧如來。智自在王如來。明蓮華燄寶如來。智藏功德大如來。顯五性之曲

【尾聲】妙徧稱贊名號吉祥如來。無數精進如住吉祥如來。栴檀華威德星光吉祥如來。智燄海吉祥如來。雷法海震鳴如來。歸依普明高顯吉祥峰王如來。悟聲聞之曲

【北南呂一枝花】虛空園清浄王如來。音聲支分吉祥如來。大願精進吉祥如來。法燈

功德彌樓如來。無怖如來。無垢上如來。智力叫如來。除愛濁之曲

【梁州】法神通幢進吉祥如來。不退轉寶處吉祥如來。甚深法光王吉祥如來。變化雲妙聲吉祥如來。衆生意樂寂静吉祥如來。光園威王如來。示現諸法如來。普智上王如來。最上功德如來。日輪照曜踴起吉祥如來。一寶莊嚴無比威德如來。薄伽梵不空成就如來。師子遊戲智燈王如來。無邊燄光兩幢相如來。除孕如來。金剛超勇王如來。善寶功德如來。清浄園王妙如來。最上威王大如來。顯五性之曲

【尾聲】最勝加尼蓮華上燄如來。十上燄光勝伽尼泥如來。無邊遊戲香上功德聖如來。普生功德大如來。顧視諸法寶如來。化生功德不倦回轉除憂如來。悟聲聞之曲

【北南呂一枝花】歸命禮作論議如來。無邊瞿那無形如來。蓮華莊嚴告王如來。種種寶華開敷如來。叫王如來。有功德如來。智力叫如來。除愛濁之曲

【梁州】稽首牛王醫師王如來。稽首不死佛華燄如來。稽首瞿那王光賢如來。稽首上賢功德寶如來。稽首莊嚴功德難行如來。喜王功德如來。寶生功德如來。娑羅呪王如來。諸趣閉塞如來。善散華相智阿黎耶如來。肩廣園滿南地斗宿如來。鈎召寂静吉祥勝如來。散壞非時雲雹大如來。鈎召吉慶吉祥寶如來。醫王如來。無邊瞿那妙

如來。娑羅王主如來。無邊莊嚴賢如來。迦陵伽王浄如來。顯五性之曲

【尾聲】智華所生月圓浄王如來。諸方名聞不空名稱如來。釋迦牟尼無邊牛王衆如來。金剛行步賢如來。無邊攀緣大如來。耆尸那日作無異鎧諸聖如來。悟聲聞之曲

【北南呂一枝花】慈瓔珞功德王如來。佛華直體功德如來。圓光威功德王如來。寶華真功德智如來。無礙虚空幢相王如來。聲功德如來。除愛濁之曲

【梁州】無慧燈明幢功德如來。世主最勝光明聲如來。法海駛流功德王如來。毘盧遮那形功德如來。普門智毘盧遮那聲如來。浄寶興豐如來。地力持踴如來。梵自在王如來。過出堅住如來。普照明勝鬭戰功德如來。一切利清浄瞿那幢如來。法海言説朗明王如來。一切法海震音王如來。放蓮華真體功德如來。世尊如來。無量香光明如來。壞諸怨賊如來。寶月光明諸如來。度七寶華界如來。顯五性之曲

【尾聲】法虚空最上功德王如來。衆生正信定體功德如來。金色燄法海光雷音王如來。不棄撲名稱如來。最勝師子高如來。天主髻摩尼珠耳璫胎藏如來。悟聲聞之曲

【北南呂一枝花】赤優鉢羅功德如來。無量上善行王如來。無畏真體功德如來。瓔珞

蓋震鳴王如來。念諸衆生功德王如來。難降日如來。除愛濁之曲

【梁州】諸法海最上波王如來。法月邊智光明王如來。普明功德胎藏王如來。翻轉方所光明王如來。普功德毘盧遮那幢如來。德行香華如來。散華生德如來。金寶光明如來。過諸魔界如來。諸法形像莊嚴功德如來。瑠璃胎藏最上功德如來。無邊明燄自在幢如來。廣波若智功德幢如來。因陀羅最勝意幢如來。世尊如來。瑠璃光最豐如來。過去未來如來。月英豐身尊如來。一切見在諸如來。顯五性之曲

【尾聲】阿僧祇行初發功德如來。因陀羅相幢王功德如來。無礙得名稱解脱光王如來。一切世燈明如來。一切鼓音王如來。普毘盧遮那功德彌留王如來。悟聲聞之曲

諸佛世尊如來菩薩尊者名稱歌曲序

諸佛世尊如來菩薩尊者，弘發誓願，濟度群生。凡發善心稱讚諸佛世尊如來菩薩尊者名號者，即得種種善報。輕薄侮慢不敬不信者，即得種種惡報。善惡之機，若影之隨形，響之應聲，不爽錙銖。所謂爲善者：忠於君上，孝於父母，敬天地，奉祖宗，尊三寶，敬神明，遵王法，謹言行，愛惜物命，廣行陰騭。如是則生享富貴，殁升天堂，受諸快樂。所謂爲惡者：不忠於君，不孝於親，不敬天地，不奉祖宗，不尊三寶，不敬神明，不遵王法，不謹

言行，殘害物命，不積陰騭。如是則生遭重譴，死墮地獄，受諸苦報。嘗觀諸佛世尊如來菩薩尊者，千經萬典，開導誘掖，作無量方便，勸人爲善，幽冥果報，明有徵應。間取佛經所載諸佛世尊如來菩薩尊者名號編成歌曲，歡喜讚諷，功德弘深，因以鋟梓，流通廣傳。善男子，善女人，能潔浄一心，至誠頂禮，依腔奉誦，即感人天證果，佛祖鑒臨，生則衣食豐足，壽延年永，罪業消釋，死則不墮九幽，脱離諸苦，延及先世皆得超度，凡有所求，吉祥如意。此無它，蓋由人心一念之善昭著感格，故其效驗之大有如此者。凡人平居終日不事檢束，放泆侈肆，惡言穢語，淫辭邪曲，觸汙天地，褻慢神明，皆足以招致罪戾。苟能改悔洗心滌慮，將此讚揚念念不忘，即得消災滅罪，增長福德有不可量。於戲，善惡之報皆由己作，故曰：爲善福隨，爲惡禍追。又曰：修一念善，遠偕覺道，起一念惡，長淪苦海。又曰：欲知前世因，今生受者是，欲知後世因，今生作者是。此皆勸人爲善去惡，誠金玉之格言也。雖然世之能勸人爲善者，往往皆獲福應。况人之躬行於善終始不懈，則獲福其可量哉。昔竇禹鈞修德行善，累積陰騭，其後名掛天曹，克臻壽考，子孫榮顯，流慶無窮。陳實居鄉，平心率物，化盜爲善，由是一邑蒙化，無復盜竊，其後壽祉繁夥，子孫榮貴，竝著高名，福澤綿永，延及後世。若此者昭著，簡册不可殫舉，今略述此以冠於編首，普勸善緣使人人同歸於善，以造夫佛地，以登夫仁壽之域，以樂夫太平之治，其懋之哉。永樂十五年四月十七日。

序二

世尊啓大慈悲弘大誓願，濟度歷劫生死沈淪俾皆成佛道，教臣以忠，教子以孝，教兄以友，教弟以恭，教朋友以信，教夫婦以順，教敬神明，教重三寶，所以維持世教陰翊皇度。其言曰：聖人之爲教也，勸臣以忠，勸子以孝，勸國以治，勸家以和，弘善示天堂之樂，懲非顯地獄之苦。立忠立孝，所以揚名於後代。行逆行乖，所以受報於來世。盡忠立孝，濟國治家，開生天浄路成第一福田。讒間君臣，誣毁善良，所造罪業無量無邊。五逆不孝順，天地容不得。王法鎮乾坤，犯了休不得。貪著世樂不信三寶，其後命終墮餓鬼中。怨讟天地，呵責鬼神，貶斥聖賢，如是罪業無量無邊。毁謗如來，壞正法輪於諸菩薩，訾辱傷害，不久當墮三惡道中。昔信相菩薩問佛言：今有受罪衆生，爲諸獄卒剉碓斬身，斬訖巧風吹活，而復斬之，何罪所致。佛言：以前世不信三尊，不忠君王，不孝父母，殺生害命，故獲斯罪。昔有人見道邊一死人，鬼神以杖鞭之，行人曰：此人以死何故鞭之。鬼神言：此人在生之日不忠君王，不孝父母，不敬三寶，不友兄弟，不信朋友，不誠夫婦，死受諸痛苦。又見一死人。天人來下散華屍上，以手摩挲之。問云：觀君似是天人，何故以手摩挲死屍。答云：此人在生之日忠以事君，孝事父母，敬奉三寶，友於兄弟，信於朋友，義於夫婦，故今得生天堂受諸快樂。凡此者不可盡數，姑略舉其槩耳。世尊愍念衆生，作種種方便超脱苦趣，無非欲人盡忠盡孝。人不忠孝，能改爲忠孝，即是忠孝。若執迷不改，必遭形戮。今王法所誅，皆不忠不孝之人。兇暴無賴，非化所遷，即佛所謂有罪不得不殺，有惡不得不形。殺可殺，形可形，所以滌拔惡類，扶植善良，顯揚三寶，永隆佛教，廣利一切。夫善惡兩塗，爲善則吉，爲惡則兇。其言曰：善惡有先後，禍福有遲速。爲善生天，爲惡入淵。作善得福，爲惡受殃。大善積而災消，深惡盈而福滅。行善感樂如影隨形，作惡招苦猶聲發響。莫輕小善以爲無福，小善不種難〔二五〕以成聖。莫輕小惡以爲無罪，小惡所積足以滅身。善心初發，上天之寶殿先成。惡念纔萌，下地之火城已具。發善心者於福有基，行善事者於福有報。發惡心者於罪有基，行惡事者於罪有報。福在積善，禍在積惡。善惡路分，禍福可休息。善惡相翻，罪禍皎然。所以惡名俯墜，善譽清昇。發善言者於福有因，發惡言者於罪有因。語善則人天勝趣，述惡則三途劇報。行善之人如春園之草，不見其長，日有所增。行惡之人如磨刀之石，不見其損，日有所虧。天網恢恢報應甚速，心念善法，受報亦善。心念惡法，受報亦惡。心動有逆順，故善惡之情生焉。善惡之情已發，故禍福之應至焉。情之有淺深，報之有輕重。好生之心善，好殺之心惡，善惡之感可不慎乎。常應親善人，遠離於惡友。以近善人，故能舍諸惡業。生殺有因果，善惡有報應。行惡得樂，爲惡未熟至，其惡熟自見受苦。修善遇苦，爲善未熟至，其善熟自見受樂。何者，爲福惟行善道，凡修萬福皆助菩提。善人行善，獲福益壽。善若不修，則人道絶。萬德種善，菩提資糧。宿造諸善緣，百刦而不朽。崇善建福，樹果修因。善助則跡彰，跡彰則譽集。修少善行，受福無量。卑聽善言，不墮三惡。片行之善，永爲身資。一念之福，終爲神用。一善染心，萬刦不朽。心中念善，福禄自隨。心中念惡，罪苦自追。愚人樂惡，至死不休。爲惡雖少，後苦無邊。如毒在身，終爲重患。若行邪道，身壞命終。墮於惡趣，罪積而天殃自至，罪成則地獄斯罰。罪貫若滿，天必戮之。惡口之罪，墮三惡道。心爲毒主，口爲禍器。因事成災，沿流惡道，惡口而兩舌好説它人過，如是不善。人無惡而不造毒害，雖甚惡惟能殺一身。妄語惡業者，百千身破壞。惡口如毒箭，著物則破傷。地獄開門待，投之以鑊湯。若以惡口令它鬬亂，則是兩舌得罪最深。起一念惡，獲無量罪。惡顯於事業，獲罪於幽冥。惡人行惡，命短苦長。爲惡於明顯者，人得而誅之。爲惡於幽暗者，鬼得而誅之，人心惡天不錯若。有人好生濟物，不期方寸，禀性方正，篤志履道，專心爲善，生享福壽康寧，死即爲神，蔭及子孫長遠富貴。昔有人殺生害命，損人利己，兇暴邪淫，姦盜詐僞，妄言綺語，專心爲惡，死入無間地獄，受諸苦報，永不出世，累及九玄七祖，及於後世子孫俱墮惡業。似此者不可勝計，姑以二事爲徵，大覺興慈悲之念。愍此惡趣，終於迷墮。發大哀憐，作善巧方。便令爲惡者，洗心懺悔，歸向善道，即得從前所作過惡悉皆消滅，一切寃對悉皆脱離，如王法赦過宥罪，嘉與維新。夫爲善必當廣行陰騭，不可暴戾兇虐。陰騭者善之源也，暴戾者惡之根也。故爲善者爲君子，必享福禄。爲惡者爲小人，必招禍殃。人生在世，必當爲善，不可爲惡。萌一善念，已有司善之神爲著丹録，使之身享富貴。年躋上壽，子孫昌盛，家門清吉。諸災消滅，延及祖先，皆得超升。舉一惡念，已有司過之神爲書墨籍，使之身遭困阨，年復永，子孫衰微，門户零替，諸災畢至，累及祖先，皆復墮落。昔有人好行陰騭，爲人除害，陰德陽報，德勝不祥，仁除百禍，上天眷之，使富貴壽考。有好行善政，興利除害，德及民物，著名天府，白日升天。有善濟物，獲明珠之報。有好行陰騭，治獄平恕，理直寃枉，不使受誣，後至子孫通顯，累世榮盛。有仁愛極物，見雀被困，懷而飼之，後獲玉環之報。有爲將忠於爲國，不妄殺人，功名蓋世，其後累世寵貴。有捐貲濟貧，舉未能葬者，位至顯官，享有封爵。有濟活物命，及第登朝，歷官顯要者。有拾遺不收，舉以還人，陰德及物，位至拜封者。有賑荒卹患，全活生民者，歷仕通顯，子孫蕃盛。若此者聖難以盡數，聊舉其略。是故諸佛世尊如來菩薩尊者勸人爲善，廣修陰騭，於五濁惡世，化導種種，衆生俾咸躋善塗，以登覺道。誓願弘深，愍念三界濟度迷誤。若人所積殺生害命之罪，稱念諸佛世尊如來菩薩尊者名號，即得此罪消釋，永絶殺害之報。若人纏繞貪嗔痴恚，稱念諸佛世尊如來菩薩尊者名號，即得遠離貪嗔痴恚之業。若人素造姦盜詐僞及種種罪業者，稱念諸佛世尊如來菩薩尊者名號，即令諸造種種罪業咸得解脱。若人起種種惡念欲回心向善，稱念諸佛世尊如來菩薩尊者名號，懺悔前愆，即得種種惡念消除，善根不滅。若有人渡江泛海，或遇惡風巨浪魚龍諸怪怖畏驚恐，稱念諸佛世尊如來菩薩尊者名號，即得風波頓息，魚龍諸怪悉皆伏藏。若人登山渡嶺，或逢猛虎毒蛇及諸惡獸蠆蟲爲害者，稱念諸佛世尊如來菩薩尊者名號，即得猛虎毒蛇，惡獸蠆蟲悉皆退避。若人猝遇刀兵，寇盜欲加殺害，稱念諸佛世尊如來菩薩尊者名號，即得刀兵寇盜悉皆解散，不復爲害。若人身罹刑[三七]獄，桎繫枷鎖，稱念諸佛世尊如來菩薩尊者名號，即得身出囚獄，枷鎖脱離。若人沽患病疾，沈綿痼瘵服藥無效，稱念諸佛世尊如來菩薩尊者名號，即得疾病安痊，平復如舊。若人見乏子息，稱念諸佛世尊如來菩薩尊者名號，即得産生貴子，紹繼宗嗣。若人見世貧窮，殘疾醜陋，得人憎惡，稱念諸佛世尊如來菩薩尊者名號，身没之後，即得托生富貴之家，體貌美好得人憐愛。若女人稱念諸佛世尊如來菩薩尊者名號，身没之後即得托生爲男子身。若人所作種種惡因，當受諸種種果報，悉皆消除，不墮三途六道，受地獄種種諸苦報。稱念諸佛世尊如來菩薩尊者，行深願重，愍濟衆生，誠能發心向善，廣布陰騭，至心頂禮無不立應。自然遠離諸罪，自然得歡喜心，自然成最上福田，自然得成佛道。佛法大無量，稱名多福得。爲善與爲惡，一切惟心造。爲善若登山，步步上高頂。爲惡如入壑，步步下深淵。又如種瓜果，善惡分甜苦，種甜還得甜，種苦受苦報。報應如影響，自然無争差。一毫善念萌，神明咸擁護。一毫惡念興，鬼神陰斬勘。世人廣善念，惡意甚勿萌。念念佛音聲，永證上乘果。十方佛如來，一切諸菩薩，爲語諸衆生，廣發慈悲念。諸惡切莫作，諸善必奉行。稱念佛如來，有緣登覺道。

按：永樂十五年（一四一七），明成祖朱棣欽命以南北曲調編諸佛名稱歌四百餘種，勒令各地生員習唱。據張掖大佛寺永樂佛曲目録記載，計有散曲二千六百餘隻。飲虹簃所收，不及「目録」三分之一，顯係殘本。足本難得，姑以盧本迻録之。

〔一〕此首疑奪三字一句。
〔二〕「是」下原衍一「等」字。
〔三〕「無」字原缺，兹補。
〔四〕以下疑有缺頁。
〔五〕「佛」字原缺，兹補。
〔六〕「奮」，原作「舊」。
〔七〕「南」字原缺，兹補。
〔八〕「稽」，原作「敬」。
〔九〕「提」字原缺，兹補。
〔一〇〕「礙」字原缺，兹補。
〔一一〕「舍」，原作「含」，兹改。下同，不另注。
〔一二〕「照」下原衍「無量」二字。
〔一三〕「睺」，原作「喉」。

〔一四〕「世」，原作「足」。
〔一五〕「身」字原缺，兹補。
〔一六〕「王」字原缺，兹補。
〔一七〕「南」，原作「無」。
〔一八〕「佛」，原作「南」。
〔一九〕「禮」，原作「誰」。
〔二〇〕「敬禮」，原作「佛體」。
〔二一〕「婆」，原作「娑」。
〔二二〕「首」，原作「尊」。
〔二三〕「善」，原作「喜」。
〔二四〕「娑」，原作「婆」。
〔二五〕「難」字原缺，兹補。
〔二六〕「善」，原作「殃」。
〔二七〕「刑」，原作「形」。

無名氏

新編太平時賽賽駐雲飛

小令

【南中吕駐雲飛】

詠太平

四海無虞。黎庶謳歌樂有餘。幸喜豐年遇。老少同完聚。嗏。處處得安居。望空虛。禱告神天。好把明香炷。男女歡欣眉目舒。

八面無征。海宇安然樂太平。蓋世乾坤定。萬里烟塵浄。嗏。處處聽絃鳴。瑞雲停。雨順風調。耕牧閑歌令。永遠恩波萬載興。

萬國來朝。洪福齊天過舜堯。正是邦存道。大小人歡樂。嗏。民物甚逍遥。覷荒郊。

麥壠兹青。草舍農喧笑。正遇三春花放嬌。
時遇良期。享賀豐年歌唱齊。幸長金臺地。曲調偏能會。嗏。賽賽駐雲飛。是新題。
莫惜囊錢。日月休虛廢。好把詞章看幾回。

題風花雪月

風

無影無踪。拂柳吹花春意濃。絃管因風送。鐵馬因風動。嗏。摇拽響簾籠。畫堂中。
驚覺佳人。醒後恩情重。無柰孤眠埋怨風。

花

積錦堆霞。萬紫千紅枝上發。長在湖山下。數朶都開罷。嗏。花影上窻紗。綉床榻。
引動佳人。心内情牽掛。無計孤眠埋怨花。

雪

飄絮飛蝶。玉甲銀鱗亂穰趧。有似瓊林葉。好像〔二〕梨花卸。嗏。放下翠簾遮。綉衾揭。凍損佳人。越惹情懷趄。無柰孤眠埋怨雪。

月

玉兔圓缺。四大神州光照徹。正遇良宵夜。碧漢銀河瀉。嗏。花影走龍蛇。下西斜。引動佳人。傷感無歡悅。無奈孤眠埋怨月。

題歌妓恨毒

□□□□。□□□中好意無。開下迷魂路。暗把（下缺）。（上缺）身難借。嗏。勝負□□□。□□□。□□□坑。捨命臨風月。躲不過伏兵半路截。

唱的情希。舌劍唇槍擺陣勢。鎧甲羅裙携。壯帽堆雲髻。嗏。義勇怎生敵。最難及。多少英雄。中了牢籠計。若不回頭都是痴。

唱的情虚。送舊迎新遞緘書。才送出張郎去。又與劉郎遇。嗏。粧點俏身軀。倚門閭。鞘裏藏刀。往往無人懼。殺盡愚夫不信誅。

詠蘇小卿題恨金山寺

蘇氏傷悲。無語低頭珠淚垂。拆散鴛鴦對。到與烏鴉配。嗏。美貌嫁馮魁。怎相陪。怕到黄昏。懶入羅幃内。埋怨親娘没見識。上的茶船。無語低頭珠淚漣。心内思雙漸。何日重相見。嗏。錯配好姻緣。這熬煎。甚日何時。得會才郎面。埋怨親娘忒愛錢。上得船來。無語低頭淚滿腮。水面行程快。交我心無奈。嗏。叫道把船開。越傷懷。往日恩情。一旦今何在。埋怨親娘忒愛財。行罷多時。舉目擡頭觀覷之。宫殿剛剛〔三〕至。牌上書金字。嗏。心内喜孜孜。莫推辭。攬住茶船。玩賞金山寺。此處堪題離恨詞。下的茶船。入的山門拜聖賢。轉過伽藍殿。來到回廊面。嗏。不用草花箋。粉墻邊。寫下言詞。拜上雙知縣。不是奴奴意不堅。拜上雙生。莫戀秋江即快行。來早重歡慶。遲了坑人命。嗏。逕到豫章城。莫消停。彎住船兒。久等多才性。也顯奴奴心志誠。囑付尊師。拔下金釵當布施。留下閒文字。訴我心間志。嗏。壁上有言詞。細尋思。

若見雙生。與我多傳示。顯的情人信有之。
出的山門。怎聽馮魁攛趲程。天意無情分。下水風又順。嗏。翻〔三〕浪滾流津。似雷
聲。聒耳難言。來把梢公問。遊翫秋江慢慢行。

詠雙漸趕蘇卿

雙漸還鄉。未會蘇卿心意忙。來把虔婆望。將我虛謙讓。嗏。俊俏在何方。入蘭房。
塵鎖粧臺。空掛紅羅帳。止不住腮〔四〕邊淚兩行。
上的驊騮。來到長江古渡頭。勒馬停時候。去把商舡就。嗏。雇隻小偏舟。浪波流。
正遇秋天。兩岸蘆花瘦。意急心忙不自由。
囑付艄〔五〕公。順水行舡趂好風。不覓張騫共。不戀遊仙夢。嗏。扯起五合篷〔六〕。望江
東。甚日何年。會了鸞和鳳。仔細思量愁更濃。
意不俄延。跳上張帆下水舡。恰似流星現。不若離弦箭。嗏。急遞馬加鞭。望江天。
舉目遥觀。見座琉璃殿。禮拜伽藍求聖籤。
拜罷金容。問有何人到寺中。法座僧人動。堦下忙陪奉。嗏。遊玩梵王宮。禮禪宗。
意急心忙。交我情尤重。無計支吾蕭寺空。

行者來迎。報與東君側耳聞。休的心中悶。與你通音信。嗏。見個俏佳人。淚紛紛。伴着茶商。對我閑評論。走向回廊書下文。

聽説心忙。急出僧房轉過廊。舉目睁睛望。離恨題墻上。嗏。怨恨兩三行。訴衷腸。無限相思。交我心不放。甚日登臨過大江。

看罷端的。唤艄公莫要遲。恨不得騰雲内。早到江南地。嗏。不避苦禁持。爲嬌媚。想像行容。留戀别無計。怎得青霄跨鳳飛。

水路難行。是等來人問好音。若有姻緣分。勝似權州印。嗏。來到豫章城。日西沉。玉兔東升。慢把舡兒趂。彩鳳求鸞何處尋。

意不稍(七)停。只聽江樓打二更。夜永人幽静。交我心不硬。嗏。辜負舊恩情。意無寧。膝上横琴。絃撥相思令。雁杳魚沉信不憑。

蘇氏心驚。走向船頭傾耳聽。恍惚心不定。月下尋芳逕。嗏。恰似俏書生。把絃鳴。這弄琴聲。正是雙縣令。句句分明音韻清。

會合江州。兩下相思一筆勾。展放眉尖皺。欣喜還依舊。嗏。急急上歸舟。意難留。匹配夫妻。休把風聲漏。撇下馮魁村野牛。

題王魁負桂英

薄倖王魁。應舉求官不見歸。恨毒無仁義。忘了言盟誓。嗏。何日會佳期。減香肌。倚徧欄杆。目斷秋雲際〔八〕。甚日何年鸞鳳棲。瘦損妖嬈。無限相思心内焦。自把幃屏靠。只聽家童報。嗏。不必用心勞。向前瞧。手執花箋。報有書來到。甚日相逢鸞鳳交。拆放封皮。半晌無言雙淚垂。看罷其中意。按不住心頭氣。嗏。薄倖有天知。好傷悲。辜負前音。來把〔九〕休書寄。則怕文齊壽不齊。扯碎花箋。跌脚搥胸珠淚漣。自把青天怨。似此無靈驗。嗏。翻做歹姻緣。廟堂前。訴盡衷腸。神目明如電。報應休辜義不全。

詠　惜花春起早　愛月夜眠遲　掬水月在手　弄花香滿衣

惜〔一〇〕

早起因花。一夜狂風不住刮。恐傷了薔薇架。怕損了荼蘼掛〔一一〕。嗏。推枕離床榻。自嗟呀。整起芳叢。不覺鷄鳴罷〔一二〕。露濕凌波涼更滑。

愛

愛月登樓。碾破銀河碧漢流。皎潔明如晝。光射紗窗透。嗏。萬里楚天秋。霧雲〔一三〕收。賞罷銀蟾〔一四〕。不覺三更後。斗轉星移猶未休。

掬

月色熒光。露滴梧桐秋夜涼。水濺〔一五〕銀波漾。高捧花臺放。嗏。盆内玉纖長。弄蟾光。十指纔拳。月滿金鐲上〔一六〕。恰似嫦娥對鏡粧。

弄〔一七〕

花木芳菲。萬紫千紅似錦堆。採了闌邊桂。又採籬邊瑞。嗏。竹籃手中提。喜忘歸。衣蕩花枝。惹得馨香氣。急至囬頭日墜西。

〔一〕「像」，原作「相」。

〔二〕「剛剛」，原作「堪堪」。

〔三〕「翻」，原作「番」。

〔四〕「腮」，原作「思」。

〔五〕「艄」，原作「稍」。

〔六〕「篷」，原作「蓬」。

〔七〕「稍」，原作「肖」。

〔八〕「際」，原作「察」。

〔九〕「把」，原作「罷」。

〔一〇〕以下四首亦見雍熙樂府。

〔一一〕「恐傷」二句，雍熙皆無「了」字。

〔一二〕「整起」二句，雍熙作「起整花叢。驚覺宿林雅」。

〔一三〕「雲」，雍熙作「浮」。

〔一四〕「賞罷」，雍熙作「賞翫」；「蟾」，原作「蟬」，兹從雍熙。下同，不另注。

〔一五〕「水濺」，雍熙作「淺淺」。

〔一六〕「十指」二句，雍熙作「十指才舒。實鑑來掌上」。此句以下缺頁，據雍熙樂府補之。

〔一七〕此首據雍熙樂府補録；雍熙題作「摘花香滿衣」。

無名氏

新編題西廂記詠十二月賽駐雲飛

小令

【南中呂駐雲飛】

題西廂記十詠

漢卿文能。編作西廂曲調精。燈下搜才性。静坐添餘興。嗏。廣覽聖群經。議皆明。
徵羽宫商。腔譜清新令。翰墨詞章未訴成。

王家增修。補足西廂音韻遒。後把詞章輳。意味都參透。嗏。風月至今留。號春秋。
詠月嘲風。湖海傳揚後。錦綉心胸世未休。

君瑞斯儒。遊藝中原普救居。懶往京師去。流落蒲東住。嗏。貪戀女嬌姝。不攻書。

夜月鳴琴。撥出求凰句。病染相思瘦損軀。

鄭恒無才。只爲鶯鶯撞死堦。不把功名愛。自己遭殘害。嗏。只爲女裙釵。惹非災。不期乎衙。惹的人人怪。也是書生命運乖。

飛虎賊人。圍困山門着火焚。强要求匹娉。不想難逃奔。嗏。喪了五千人。死相侵。舞劍揮戈。彼斬蒲州郡。爲爾貪淫纔〔一〕損身。

白馬將軍。要逞豪傑閑鬬狠。一字排開陣。兩下交兵刃。嗏。立甚好功勳〔二〕。害黎民。擅〔三〕舉兵戈。不顧元戎印。若是輸呵滅己身。

法聰無知。不理禪宗撞陣勢。鐵棒生殺氣。去把三軍退。嗏。光頂又無盔。染衣披。劍戟叢中。火速將書遞。取救來擒不義賊。

鄭氏夫人。幼女孤兒寺內存。失却閨門訓。險把賊兵順。嗏。無智老尊親。敗家門。怕掠强徒。既許無忠信。縱女閒遊失大倫。

崔氏鶯鶯。背母偷期月下行。酬和詩相應。拜月臨花逕。嗏。書舍去聽琴。動心情。躲離西厢。去探張生病。雲雨高唐〔四〕偶配成。

侍妾紅娘。勾引鶯鶯出繡房。迤逗人情狂。兩下裏都說上。嗏。舌唾潤寒窻。覷張郎。送暖偷寒。言語無的當。寄簡傳書魚雁忙。

題東牆記五詠

文輔書生。琴劍書箱去赴京。旅館人幽靜。憂慮心無定。嗏。搬至海棠亭。叙前情。指腹姻緣。舊約皆無應。先破偷期纔配成。

秀英胡爲。未合姻緣暗赴期。寫簡央梅遞。花月東墻配。嗏。猶自未通媒。自相偣。夜靜更深。吟詠無眠寐。廢寢忘飡病損肌。

梅香隨邪。忙裏偷閒遞簡帖。伺候到更深夜。搬弄的花殘卸。嗏。兩下裏送喉舌。巧言說。着甚來由。那討茶紅謝。只落的同房做侍妾。

夫人差錯。不把姻緣好配合。則爲個賠〔五〕錢貨。都做了尊堂過。嗏。識破結繫羅。自評說。失却閨門。泄漏風聲破。辱没家門莫奈何。〔六〕

醫者呼郎。攻治相思無較量。草藥無停當。標寫在招牌上。嗏。此病豈非常。用賓郎。愛寶貪財。險把人魂喪。不體先賢遺効方。

山壽倈兒。開蒙攻書去拜師。不讀先賢事。不習龍蛇字。嗏。隔壁討花枝。去巡私。雖順師言。損却甘羅志。虛負神童少小詩。

無名氏

詠十二月題情

正月元宵。萬盞花燈齊點着。車馬長街鬧。來往人歡笑。嗏。西江月兒高。好難熬。斜倚幃屏。一盞孤燈照。只聽的漏滴銅壺更鼓敲。

二月初春。萬物生芽都變新。風過催花信。露滴青苔潤。嗏。西江月兒沉。夢難成。悶倚粧臺。一盞孤燈映。滿腹愁腸無處伸。

三月寒食。雨細風微草色迷。柳影鶯聲細。花下蜂蝶戲。嗏。西江月兒遲。好孤凄。倚偏幃屏。一盞孤燈對。無限凄涼訴與誰。

四月之間。綠暗紅稀柳似綿。畫閣梁間燕。弄巧相呼喚。嗏。西江月兒圓。好熬煎。斜倚欄杆。一盞孤燈現。枕剩衾餘不待眠。

五月蕤賓。艾葉如旗插户庭。處處笙歌應。畫鼓清江慶。嗏。西江月兒明。好傷情。靠定紗窻。一盞孤燈並。心繫情懷睡不寧。

六月炎天。獨立槐陰兩淚漣。心内思量遍。意也難留戀。嗏。西江月兒懸。好心酸。懶上粧樓。一盞孤燈伴。只落的心内空思口内惦。

七月星河。織〔三〕女停機歇玉梭。今夜雙星賀。鵲渡銀河過。嗏。西江月兒嗟。是因何。偏我傷懷。獨對孤燈坐。無奈眉尖顰皺多。

八月中秋。驀聽長空雁過樓。葉落梧桐瘦。鐵馬檐前鬬。嗏。西江月兒遊。悶無休。靠損朱扉。一盞孤燈透。怎奈今宵一夜愁。

九月裏重陽。颯颯金風透户窻。滿目黄花放。秋夜濃霜降。嗏。西江月生光。好難當。手托香腮。一盞孤燈晃。兜上心來暗斷腸。

十月交冬。虎嘯龍吟刮地風。天冷溪河凍。邊塞寒衣送。嗏。西江月兒弓。繡幃空。倚定鮫綃。一盞孤燈共。獨枕孤眠愁越濃。

十一月天寒。瑞雪飄飄憔鬢斑。山嶺梅初綻。惟有青松伴。嗏。西江月兒彎。好難擔。守定紅爐。一盞孤燈燦。素女青娥真個難。

十二月嚴凝。雪滿長空蝶亂飛。片片梨花墜。滾滾鵝毛碎。嗏。西江月兒迷。自傷悲。冬夜難熬。一盞孤燈際。换歲交年愁不離。

題西厢記

生唱

跪落香閨。告姐姐今宵莫要推。好歹要同歡會。共枕同眠寐。嗏。休負這佳期。入羅幃。解了湘裙。成就了鴛鴦配。只願金鷄莫要啼。

訴與郎知。今夜難同往日期。老母猶未睡。怎配鴛鴦會。嗏。踏翻這消息。母親知。問我前因。交我無言對。你且在書齋我索歸。旦唱

跪倚幃屏。小姐心中莫要驚。但得肩相並。玉體相偎定。嗏。風月盡今生。雨雲情。我若空回。枉惹相思病。今日無成何日成。梅唱

聽說緣因。請起先生莫要禁。雖是心中順。又怕親娘問。嗏。倘若漏風聲。壞家門。說是〔八〕談非。更着傍人論。翌日天交好事臨。旦唱

扯起書生。姐姐今朝且順情。匹配了鴛鴦頸。怕甚麼萱堂命。嗏。吹滅絳臺燈。莫消停。共入羅幃。月朗人幽靜。你早早收拾休別情。梅唱

你欵欵輕輕。俺姐姐從來不慣經。你休要將他硬。你則可將他敬。嗏。枕上聽鐘鳴。便回程。莫等梅香來往相催並。誠恐夫人窻外聽。梅唱

你玉腕交加。殢雨尤雲入楚峽。準備着香羅帕。取喜在羅幃下。嗏。柔損絳裙紗。似嬌花。正遇三春。一刻千金價。我潤破窻兒視看咱。梅唱

上的牙床。枕上低低囑付郎。今日同羅帳。休把恩情忘。嗏。交罷鳳和凰。倚紅粧。展放香羅。燈下偷睛望。幾點新紅暗暗藏。旦唱

跪在庭堦。多謝嬌娥莫見責。交我心無柰。孤枕難擔待。嗏。魚水得和諧。可憎才。

斷送憂愁。還了相思債。是必今宵早早的來。生唱

不坐在庭前。心内沉吟女少年。這兩日形容變。不由我心中掂。嗏。仔細察其言。不中瞞。都是梅香。引起這針和綫。定與書生一處眠。夫人唱

叫過梅香。你對我從頭説短長。手拿着黄桑棒。閣在你皮膚上。嗏。我和你好商量。莫慌張。坐守行監。誰着你廝説上。迤逗鶯鶯出綉房。夫人唱

我急轉蘭堂。姐姐的營生我受殃。老母在前庭上。唤你相侵傍。嗏。言語要安詳。你思量。事不干休。先取咱招狀。常言道家醜何須向外揚。梅唱

去見夫人。緩蹴金蓮慢慢行。自把親娘問。有甚言詞訓。嗏。何必苦勞心。爲何因。惡恨無休。怒發如雷震。此處全無子母恩。旦唱

你是嬌羞。背母恩情自配偶。等的更深後。月下將生就。嗏。女大不中留。這情由。都是梅香。把你相迤逗。相國的芳名被你休。夫人唱

我跪在前頭。都是夫人事不周。想當日强兵鬭。也虧他除賊寇。嗏。何必苦追求。意相投。前夜聽琴。昨夜纔成就。既有夫人便索休。梅唱

不負前因。去唤張生配合親。你若心間順。與你求匹娉。嗏。不可失人倫。慶新婚。以女妻之。酬謝驅兵信。我乃知恩當報恩。夫人唱

今日成親。燕爾新婚不負恩。不失夫人信。纔顯文章分。嗏。才子配佳人。好名聲。俊俏風流。塞滿蒲東郡。也不辱咱家相府門。　梅唱

按：「唱的每婆娘」左十四隻曲内容已不是「題西廂記」，此處有缺頁。

唱的每婆娘。打扮了身軀坐店房。有鈔的同鴛帳。没鈔的不相傍。嗏。豆腐酒便商量。就成雙。問甚麽北奤南蠻。配合在牙床上。揔要了錢財也不甚香。

唱的每無知。不問村愚俊俏的。有錢的和他成雙對。無錢的緑豆皮兒退。嗏。勝似熱粘皮。不相離。問甚麽耕牧漁樵。便和他同歡會。揔要了錢財置甚麽頹。

唱的每如花。見個農夫去哄他。故意高擡價。共枕在紗窻下。嗏。摟着個磣莊家。怎睃他。村嘴村舌。那討句風流話。揔要了錢財不甚誇。

唱的每無才。愛的是銅錢和絹帛。有錢的和他同歡愛。没錢的把他心中恠。嗏。冷句子早趄來。就和諧。問甚麽老少村愚。便和他同相待。揔要了錢財也不甚乖。

唱的每情偏。不愛風流只愛錢。根本生來賤。坐向招商店。嗏。箏板一齊喧。向人前。嘲惹的郎君。到晚來成姻眷。若是無錢莫要纏。

唱的每是行家。把一個莊農捉弄殺。那個又將他駡。這個又胡説話。嗏。一個把帽

兒搗。眼睛花。推出門來。搡在房檐下。拿塊蘇磚在臉上擦。唱的每情雜。見了人人惜愛他。有錢的心牽掛。没錢的和他罷。嗏。村俏共床榻。意兒差。接了張三。又去迎劉大。問甚麽兵牌僧道家。唱的每風流。點首招人不識羞。口兒内將人鬬。眼兒又將人溜〔九〕。嗏。接了個老田頭。劾綢繆。土坑上無蓆。解開衫兒扣。拿塊泥磚做枕頭。唱的每標致。打扮的風流門外立。見一個當該吏。扯住他相調戲。嗏。土坑又無蓆。便胡爲。幹罷營生。各自尋活計。都落了一屁股精泥兩手灰。

無題

昨夜黄昏。倚定門兒等那一個人。這早晚無音信。越交我心中悶。嗏。不知甚時分。聽鐘聲。畫鼓三鼕。又早把行人禁。獨枕孤眠被怎温。跪落塵埃。我與多嬌脱綉鞋。你休要將咱怪。我其實心中愛。嗏。歡喜上床來。翠裙開。十指纖纖。解了香羅帶。軟玉温香抱滿懷。跪落庭前。扯住羅衣叫可憐。告姐姐行方便。小生也心中怨。嗏。匹配鳳和鸞。莫孤眠。共枕同衾。放下羅幃幔。只願今宵夜似年。

跪落堦基。扯住羅衣没話題。笑臉兒强央及。悄悄的言調戲。嗏。摟定小腰圍。厮謙推。按在牙床。鬢彈烏雲墜。意美情濃似酒迷。
跪落床邊。扯住香佩〔一〇〕羅帶纏。見姐姐多嬌艷。引的我心撩亂。嗏。不敢便當先。口難言。情急心忙。兩意相留戀。携手歸房共枕眠。

嘲莊家

鄉裏莊家。來到城中叫土巴。纔撇了犁和耙。便往勾欄裏爬〔一一〕。嗏。見個女嬌娃。貌如花。走向前來。將他忙跪下。把一個莊家險〔一二〕諕殺。
鄉裏莊家。來到勾欄賣弄他。綿襖寬又大。布衫長又窄〔一三〕。嗏。來到唱的家。自言夸。見個虔婆。諕的心裏怕。見〔一四〕了婦人叫媽媽。
鄉裏莊家。伴着個婆娘閑嗑牙。説的是農夫話。開口將巴骨駡。嗏。粃糓爛芝蔴。手中拿。穿對油靴。拘破無氈襪。兩腿黄泥一臉沙。
鄉裏婆娘。來到城中賣弄他强。口似合包樣。脚似傍牌像。嗏。牙齒賽金粧。比金黄。折朶荆花。插在額顱〔一五〕上。走動張狂手脚忙。
鄉裏婆娘。兩隻刀麻有四尺長。鞋替槽兒樣。裏脚量叁丈。嗏。恰似畫舡倉。唤梅香。脱下鞋來。放在床兒上。掇倒了梅香壓扁了箱。

村裏村人。村女村男村斷劬。村婦把村夫稱。村夫把村婦奔。嗏。村口搵村唇。會村親。村腿村腰。村魯村發狠。這是村中村漢村。

和尚每難熬。見個婆娘點手招。白日裏修行道。黑地裏沿墻跳。嗏。貪戀女多嬌。外人瞧。鎖上房門。連把諸佛叫。便有救苦難觀音也不饒。

寺裏尼姑。缺少孩兒没丈夫。每日持齋素。又没個神仙度。嗏。扯碎大衣服。變矩模。留起頭髮。走上烟花路。嫁個郎君不受孤。

昨夜黄昏。雨灑浮萍點點青。荷花葉兒圓如鏡。藕兒截截嫩。嗏。荷花滿池〔一六〕紅。水面上。鴛鴦賽過鸞和鳳。水底下金魚捉對兒行。

奴罵才郎。葉落歸秋在那厢。撇奴在銷金帳。閃的我身飄蕩。嗏。不住淚汪汪。倚定門兒。不住奴連連望。忽上心來痛斷腸。

夏有涼風。滿院榴花如火紅。金盞兒轉盃送。風擺的荷花動。嗏。高樓上聽蟬〔一七〕聲。水面上。鴛鴦賽過穿花鳳。水底下金魚捉對兒行。

家有銅錢。珠翠金銀在眼前。住的是高堂院。穿的是綾羅緞。嗏。逐日家喜團圓。鬧喧喧。象板銀箏。置酒在人前獻。喫醉了銷金帳裏眠。

你是銅錢。裏頭方來外面圓。住在銅山面。普天下銅錢遍。嗏。眼兒着繩穿。人人在手中掂。四字分明。通寶兒當中現。南北東西我向前。

題駐雲飛收尾

音韻新題。窻下燈前幸健筆。出落着西厢配。褒貶着東牆會。嗏。十二月緊相隨。四方知。俊俏村愚都寫入新腔内。時遇豐年歌唱齊。

〔一〕「纔」，原作「泰」。
〔二〕「動」，原作「薫」。
〔三〕「擅」，原作「贍」。
〔四〕「唐」，原作「堂」。
〔五〕「賠」，原作「倍」。
〔六〕以下疑有缺頁。
〔七〕「織」，原作「纖」。
〔八〕「是」，原作「事」。
〔九〕「溜」，原作「瞐」。

〔一〇〕「佩」，原作「茶」。
〔一一〕「爬」，原作「跐」。
〔一二〕「險」，原作「顯」。
〔一三〕「窄」，原作「乍」。
〔一四〕「見」，原作「叫」。
〔一五〕「顱」，原作「髏」。
〔一六〕「池」，原作「地」。
〔一七〕「蟬」，原作「蟾」。

無名氏

新編四季五更駐雲飛

小令

【南中呂駐雲飛】

詠道情

若説仙家。牢鎖心猿和意馬。心内無牽掛。黄庭看誦罷。嗏。仙酒共仙花。富豪誇。閑引仙童。共與猿猴耍。散誕逍遥誰似他。[二]

去赴瑶池。四對仙鶴慢慢飛。擺立成行對。藍采和閒遊戲。嗏。鐵拐李笑希希。王母生日。八個神仙。都赴蟠桃會。韓湘子鮮花籃内提。

紙襖麻衣。不惹人間閑是非。有塊閒田地。整日爲活計。嗏。便是俺仙機。不論興亡。納被蒙頭睡。自在逍遥更有誰。山澗裏修行。獨蓋茅庵發善心。養性修真定。並無閑愁悶。嗏。跳出虎狼叢。棄功名。日月巡還。有一神仙分。散誕逍遥獨自行。棄子拋妻。不惹人間閑是非。逃隱在深山内。散誕無活計。嗏。淡飯且充飢。少人知。紫陌紅塵。不戀名和利。丫髻環縧破衲衣。來到山溪。且躲人間閑是非。每日家醺醺醉。醉倒和衣睡。嗏。不用費心機。下一盤圍棋。我在山中。煉藥燒丹記。更有仙鶴左右隨。

詠題情

初鼓纔敲。正是黄昏人静悄。悶把欄杆靠。禱告靈神廟。嗏。心急好難熬。每夜燒香。只把青天告。早早團圓交我有下稍。[三]月下星前。拜罷燒香只靠天。但得重相見。稱了平生願。嗏。動歲又經年。淚漣漣。若得成雙。方稱于飛願。早早團圓答謝天。悶對銀釭。坐想行思只爲郎。寂寞銷金帳。懶把幃屏傍。嗏。交奴細思量。自參詳。便把情人望。一回尋思愁斷腸。

手撚花枝。悶悶無言自散思。又没閑傳示。訴不盡心間事。嗏。辜負少年姿。一時思。倘若來時。却説從前志。一任交他心上思。

詠聽琴

崔鶯鶯聽琴　董秀英聽琴　卓文君聽琴　蘇小卿聽琴

待月西厢。夜静聽琴暗斷腸。腹内添惆悵。愁鎖眉尖上。嗏。囑咐小紅娘。好商量。休負張生。匹配銷金帳。將他滅寇恩情莫要忘。

花月東墻。夜半聽琴感嘆傷。心内添悲愴。眉蹙何時放。嗏。央及小梅香。細思量。説合書生。雲雨高唐[三]上。我將你通問殷勤不肯忘。

賣酒當壚[四]。月下聽琴獨影疎。他把飄零訴。我把凄涼助。嗏。心内自然孤。枕邊無。自奔相如。休把青春負。今夜團圓莫要辜。

悶坐茶缸。忽聽琴聲到水邊。想起雙生面。何日重相見。嗏。側耳聽鳴絃。好音傳。報導蘇卿。我是雙知縣。撇下馮魁醉自眠。

詠題情

扯住郎君[五]。悄語低言問幾聲。你若心中順。我也情懷應。嗏。月下繫良姻。問冰人。怨女曠夫。今日交秦晉。人月團圓花遇春。
同赴羅幃。倒鳳顛凰玉體偎。繡枕偏雲髻。春透酥胸膩。嗏。檀口揾香肌。性情迷。
汗濕鮫綃。魚水同歡會。只願金鷄莫要啼。
重整金釵。雨歇雲收鸞鳳開。再結合歡帶。紅粉嬌無奈。嗏。今夜早些來。共和諧。
巴到黄昏。我倚定門兒待。你休似王魁音信乖。
月户雲窗。夢醒瑶臺夜未央。寂寞添惆悵。幔捲金鈎上。嗏。冷落象牙床。背銀缸。
縈損柔腸。離恨添凄愴。忍聽樵樓更漏長。
獨守香閨。落日簾櫳燕子飛。悶擁羅衾睡。夢繞巫山翠。嗏。忽聽杜鵑啼。意孤恓。
何處笛聲。吹得人心碎。背立東風珠淚垂。
心事愁煩。終日昏昏醉夢間。離恨誰曾慣。不住長嗟嘆。嗏。無語倚欄杆。晚風寒。
望斷雲山。常是將他盼。社燕歸來人未還。
兩淚盈腮。愁鎖〔六〕春山怎頓開。染病經年害。瘦損多嬌態。嗏。寂寞楚陽臺。恨喬
才。敢是前生。少欠相思債。何處飄篷不見來。
時遇新正。滿邸從容百事寧。又值元宵令。良夜多佳興。嗏。街市放花燈。世昇平。
歲久安居。邊境狼烟靜。勝賞良辰和氣生。

月轉晴光。數盞花燈錦繡張。燦爛金蓮放。席捲高堂上。嗏。翠袖舞紅粧。品笙簧。玉盞頻傳。痛飲葡萄釀。一任酕陶夜未央。

喜遇良宵。弛禁金吾勝賞饒。車馬街衢鬧。處處聞喧笑。嗏。絃管韻風飄。舞纖腰。縱爾嚴城。鼓打三更報。宴飲無辭樂醉陶。

好是新年。三五元宵景致鮮。燈火真堪羨。月色團圓現。嗏。天官降福緣。静三邊。午夜金蓮。萬斛都開遍。絶勝蓬瀛並洞天。

昨夜黃昏。點上銀燈獨自寢。黯罵他薄倖。交我成孤另。嗏。一旦冷清清。問東君。不與平安信。欲要相逢柰不關山近。一夜思量交我自傷心。

不論青春。有之人便做親。少年成何用。生的龐兒俊。嗏。辜負少年人。若有銀時。不與高人論。月裏姮娥嫁老君。

月裏嫦娥。只爲人間是非多。青天都蹉過。爲人休似我。嗏。怨恨我哥哥。但與商量。便把言來破。五十之人配尋我。

美貌當年。紅粉嬌娥只愛我。不信傍人勸。弟兄都錯見。嗏。媒婆又來纏。錯配姻緣。奴奴心裏怨。便做馮魁乾有錢。

若説吴詳。只爲鬭寶嫁楚王。怎和你同羅帳。彭祖一般樣。嗏。屈殺女娥皇。曉夜思量。把奴身屈喪。惱恨爺娘無主張。

若説佳人。辜負花枝不遇春。命主孤辰運。前生安排定。嗏。年老有金銀。買轉爺娘。教把情意順。奴奴姻緣錯配成。

每日沉沉。曉夜思量咂口唇。懶把身軀整。羞照菱花鏡。嗏。到老也無心。使盡金銀。奴奴心不順。愛盡諸般不稱心。

受盡榮華。紅粉嬌娥不順他。名聲天來大。説起家常話。嗏。把奴配與他。你有錢時。買求媒人話。空有珍珠都是假。

説起名聲。年少嬌娥不順情。閒人都來問。窮的窮乾净。嗏。辜負小書生。獨守空房。不把姻緣整。但有錢的便做親。

富貴榮華。奴奴身軀錯配他。有色金銀價。惹的傍人罵。嗏。紅粉牡丹花。緑葉青枝。又被嚴霜打。便做尼僧不嫁他。

詠酒色財氣

詠　酒

村釀新篘。要解愁腸須帶酒。壺内馨香透。盞内清光溜。嗏。何必恁多羞。且略沾口。勉意休推。展却眉兒皺。一醉能消心上愁。

盞落歸臺。却見兩朶桃花上臉來。深感君相待。深謝心相愛。嗏。擎樽捧多才。量如滄海。滿飲一杯。暫把情寬解。樂以忘憂須放懷。

瀲灧流霞。不比尋常賣酒家。村店多瀟灑。坐起極幽雅。嗏。何必論杯斝。試嘗酬價。愛飲神仙。玉珮曾留下。今後逢人吃甚茶。

悶可消除。只怕醉倒黄公舊酒壚。天曉催人去。好酒留人住。嗏。香醪豈尋俗。味若醍醐。曾向江頭。點滴在波深處。萬里搖舡捉醉魚。

詠　色

美貌傾城。欵蹴金蓮月下行。那更多丰韻。體態生來俊。嗏。可意俏佳人。携手肩相並。共効于飛。今日成秦晉。稱了風流年少心。

酒艷花濃。竊玉偷香一旦空。怎似天台洞。那討襄王夢。嗏。共枕繡幃中。美滿如鸞鳳。一片虚心。假意相陪奉。又阻巫山十二峰。

俊俏風流。倚翠偎紅不肯休。潘安眉頻皺。沈約腰肢瘦。嗏。多病更多愁。兩意相迤逗。海誓山盟。一旦成虚謬。棄捨了烟花斷送了愁。

紅粉嬌姿。正遇花開三月時。相如題橋志。宋玉多才思。嗏。休折出墻枝。莫要貪他。損却身心事。今後休攀墻外枝。

詠　財

買賣行商。宿水飡風路渺茫。那得清閒享。落得多勞攘。嗏。不覺鬢邊霜。賣犀求象。終了今朝。又算明朝帳。管取金銀千萬箱。

積玉堆金。自古榮華誰似您。都是前生定。不枉了今生命。嗏。金珠可通神。有錢無命。每日寬閑。享用何事盡。不稱心時須稱心。

得失由天。但願兒孫似我賢。幸喜身康健。落得行方便。嗏。滄海變桑田。遞傳如箭。翻手榮華。覆手身貧賤。休取人間不義錢。

富貴豪家。廣有錢財莫要誇。休得閒言大。惹的擔驚怕。嗏。不如種桑麻。似此奢華。暖閣紅爐。一刻千金價。若見人貧莫笑他。

詠　氣

秦併諸侯。六國英雄不肯留。事紫真堪究。更有强中手。嗏。咸陽焰煙收。兩家争鬭。誰信烏江。一旦無兵救。合放饒時須罷休。怒氣衝天。百萬軍中逞向先。楚漢相攻戰。講好何曾諫。嗏。興衰揔由天。幾多更變。獨向烏江。有力無由展。回首家鄉鎖暮煙。休論興亡。自是男兒當自强。莫學閑浮蕩。管取爲卿相。嗏。十年向螢窻。有功名望。一跳龍門。三月桃花浪。衣錦身榮歸故鄉。莫逞剛强。韓信功名遭禍殃。霸主烏江喪。孟德遭風浪。嗏。皆因氣中傷。且把心舒暢。奪利争名。揔是虚飄蕩。都不如歸山張子房。

詠五更離情

初鼓頻敲。門掩黄昏意攘勞。一盞孤燈照。幾扇幃屏靠。嗏。明月上花梢。宿鳥枝頭叫。聽罷東隣。絃撥相思調。越引奴奴心上焦。二鼓鼕鼕。斗轉星移夜色濃。錦帳無人共。繡被猶餘空。嗏。明月上簾櫳。交我離情重。聽罷西隣。宴賞琴三弄。翠袖殷勤揾淚重。三鼓頻喧。枕剩衾餘怎的眠。有酒和誰歡。閨閣無人伴。嗏。明月上窗前。無計相留戀。聽罷南隣。簫管真堪羡。交我淒涼悶轉添。

四鼓頻催。吹滅銀燈入繡幃。獨自和衣睡。孤枕强眠寤。嗏。明月上朱扉。簷下征鐵騎。聽罷北隣。板響音聲細。擱(七)不住恓惶珠淚垂。

五鼓聲揚。好夢難成暗斷腸。掛起銷金帳。倚枕推窗望。嗏。明月下西廂。銀漢迢迢。數點殘星像。聽徹隣家。報曉鷄三唱。無計支吾此夜長。

離榻披衣。不整烏雲懶畫眉。恰把青鸞對。黄犬門前吠。嗏。莫是負心賊。未歸期。不克傷懷。粉臉彈珠淚。交我無言心上疑。

側耳聽聲。却是郎君手打門。我這裏將言問。他那裏低低應。嗏。不由我笑欣欣。去相迎。準備着萬語千言。見了都無論。今日相逢可意人。

忽上心來。咬碎銀牙跌繡鞋。你那裏貪歡愛。我這愁無奈。嗏。罵你個謊喬才。不歸來。撇我空房。你却安何在。交我一夜愁眉不放開。

你跪在床前。巧語花言莫要纏。我更愁無限。你休閒作念。嗏。莫想共衾眠。過一邊。莫入蘭堂。還去花街串。我放下鮫綃各自眠。

仔細思量。舍不的將他惡語戧。我這裏强攔當。他故意將咱晃。嗏。不由我淚汪汪。又參想。扯起情人。共入銷金帳。再將這海誓山盟莫要忘。

詠四季悲歡離合

麗日初遲。春到人間草木知。粉蝶花前戲。紫燕成雙對。嗏。見了暗傷悲。有誰知。深掩閨門。錦帳孤眠寐。酩子裏偷將珠淚垂。春悲

玩賞名園。萬紫千紅爭鬬鮮。摇拽垂楊綫。牽惹桃花片。嗏。見了淚漣漣。悶懨懨。淚濕香羅。低首將娘怨。也是我寡宿孤辰前世緣。春悲

節近清明。懶刺紅綃針綫停。門掩人幽静。因此傷春病。嗏。終日淚盈盈。越傷情。獨枕孤眠。分淺因前定。仔細思量愁更增。春悲

緑暗紅稀。鶯老花殘春漸歸。水面鴛鴦戲。枝上黄鸝對。嗏。見了淚淋漓。覷溝溪。無限凄凉。紅葉憑誰寄。入户穿簾柳絮飛。春悲

夏日初長。江上龍舟競渡忙。堦下紅榴晃。池内青荷放。嗏。時值遇端陽。共才郎。携手相隨。玩賞高樓上。酒泛金巵〔八〕蒲艾香。夏歡

緑樹陰濃。拂面薰風熱更融。避暑亭前共。小扇郎陪奉。嗏。啼鳥噪青松。覷長空。紅日炎威。院宇無凉送。共入蘭堂畫閣中。夏歡

玩罷凉亭。並倚香肩携手行。笑臉將言問。今夜同眠睏。嗏。香醪再頻斟。俺歡欣。

沉李浮瓜。俏語閑評論。雲雨高唐入夢魂。夏歡
共枕同衾。月老將繩繫好姻。你我心中順。美滿相傒倖。嗏。才子配佳人。莫離分。
同効于飛。沙暖交鴛頸。多謝殷勤冰上人。夏歡
秋景瀟瀟。衰草齊迷萬物凋。聒耳蟬聲噪。北雁長空叫。嗏。車馬過溪橋。冷風飄。
斷送情人。一去無消耗。今日分携心内焦。秋離
正值秋天。針黹無心不持拈。美酒無人勸。只有梅香伴。嗏。明月更團圓。我孤眠。
獨入蘭房。自把青天怨。此夜更長勝似年。秋離
菊綻東籬。露結爲霜黄葉飛。花也無嬌媚。我也添憔悴。嗏。瘦損小腰圍。褪羅衣。
鐵馬叮噹。助我愁縈繫。作念情人何日歸。秋離
深鎖香閨。脂粉香消懶畫眉。悶把孤燈對。怕入羅幃内。嗏。屈指數歸期。幾時回。
畫損金釵。越越無消息。愁鎖眉尖意似痴。秋離
冬景嚴凝。凜冽寒風似箭急。塞上回征騎。準備重歡會。嗏。四野凍雲飛。放江梅。
仙女歌殘。玉樹瓊花墜。再整鮫綃携手隨。冬合
景色淒然。遠望山川似粉填。猛見情郎面。馬上將奴唤。嗏。天降並頭蓮。笑開顔。
去歲分離。今日重相見。正應了枝頭鵲噪喧。冬合

訴罷離別。對面相逢情更熱。今日團圓夜。錦帳同歡悅。嗏。柔損絳裙摺。莫推拽。
美愛幽歡。高照燈休滅。將往日相思枕上說。冬合
共入蘭堂。煖帳紅爐莫要忙。慢飲葡萄釀。拍手低低唱。嗏。昨日鳳求凰。効鴛鴦。
一對雙飛。共歇梧桐上。莫信傍人話短長。冬合

詠太平

五穀豐登。萬國來朝入鳳城。四海烟塵靜。八面干戈定。嗏。處處得安寧。瑞雲生。
清氣乾坤。蓋世都歡慶。黎庶謳歌樂太平。
此處瑶池。每樂朝歡稱好期。少者成佳配。老者同歡會。嗏。齊唱駐雲飛。共相陪。
雨順風調。共賞昇平世。喜享新聲永遠期。

〔一〕此首亦見雍熙樂府，即題爲「道院」之第一曲。第三、第四句雍熙做「黄庭看誦罷。悶把仙碁下」；末句作「散誕逍遥誰似咱」。「誕」，原作「但」。下同，不另注。

〔二〕「梢」，原作「稍」。下同，不另注。

〔三〕「唐」，原作「堂」。

〔四〕「壚」，原作「爐」。下同，不另注。

〔五〕「君」，原作「均」。下同，不另注。

〔六〕「鎖」，原作「銷」。

〔七〕「擱」，原作「閣」。

〔八〕「卮」，原作「梔」。

無名氏

新編寡婦烈女時曲

小令

【南仙吕鷓鴣天】

春月傷情淚滴漣。尊堂不與配姻緣。遊蜂對對穿花蓋。粉蝶雙雙戲牡丹。城外[二]景杏花天。正逢美女動心間。詩中已點流情淚。轉眼抛却難上難。

夏月傷情淚滴漣。薰風吹動好心酸。同年一會成婚配。偏我孤身獨自眠。流痛淚濕衣衫。思量才子有情堪。鴛鴦拆孤飛散了。兩下分離難上難。

秋月傷情淚滴漣。金風催趲減容顔。少年子弟無婚配。半枕空閒獨自眠。貪花色是前緣。今生不得早團圓。牛郎隔在天河岸。織女團圓難上難。

冬月傷情淚滴漣。寒風數九凍山川。晚夜月凉無心睡。怎得情人共枕眠。常憂慮把心牽。幾時能够得團圓。一心只想恩〔三〕情意。若要相逢難上難。
四季傷情淚滴漣。烏雲不整病來纏。凜凜寒風吹入户。片片鵝毛墜落天。　心慘凄
受孤單。自嗟自嘆數千番。何年日月重歡會。若要團圓難上難。
寡婦思情春月間。愁懷無語靠欄杆。鴛鴦枕伴生拆散。鸞鳳抛離不見踪。　添悲切
淚如傾。因他愁悶減精神。晚間獨對孤燈影。斜倚幃屏哭到明。
寡婦思情夏月間。金蓮舉步出庭欄。嬌花細雨殘蕋蕋。明月雲遮不見天。　觀看景
動心間。遊蜂採蕋燕呢喃。雌雄百鳥都成對。惟奴孤單獨自眠。
寡婦思情秋月間。離懷憔悴減朱顏。風吹葉落殘蟬噪。簾前鐵馬鬧聲喧。　傷感痛
話難傳。賓鴻空惹意情牽。風流自古遭磨難。錦被重重懶去眠。
寡婦思情冬月間。朔風似箭透窗寒。繡幃冷落梧桐葉。悲啼煩惱已千番。　鵝毛雪
擁欄杆。香房四季受孤單。燭殘香燼更深後。枕冷窗寒懶去眠。
春夏秋冬萬物先。真誠守分鎖心猿。梳妝慘淡香肌瘦。羅裙寬褪掩斜偏〔三〕。　無聲氣
怨神天。金爐焚降白檀香。何年再會綾綃帳。甚日何時一處眠。

套數

（上缺）孤恓。全無此〔三〕是□。這正是綫斷風箏無形無影。好交我難尋難覓。

【脱布衫】悶昏昏懶畫娥眉。瘦怯怯寬褪羅衣。亂烏雲無心梳洗。減香肌粉脂憔悴。

【小梁州】只爲咱年少多才死別離。恰新婚一命先虧。陽間辜負好佳期。你無情意。咱這裏淚淋漓。

【幺換頭】傷心埋怨天和地。夫婦每不得相徘。今世裏。無完備。定須前世。訴與老天知。

【上小樓】香車兒安排的整齊。近前來焚香頂禮。不爲錢財。不因貧窘。只爲夫妻。想奴家。這命裏。因甚的孤眠獨寐。怎生交夢兒中不得相會。

【幺】天呵想男兒當初在日。他和我同心可意。只道他是張敞描眉。何郎傅粉。誰想他到做了短命顔回。知他是我命裏。他命裏。姻緣錯配。天呵道不如俺一塔兒死了伶俐。

【紅繡鞋】對青天寸心不昧。對青天訴的真實。對青天今日告端的。對青天無虛謬。對青天淚雙垂。便死呵對青天無後悔。

【幺】不由人昏沉了一會。不由人淚似扒推。不由人心間纔放又在口中題。怎忘了恩和愛。怎忘了意相隨。怎忘了共鮫綃羅帳裏。

【滿庭芳】纔對着神天施禮。想起俺才郎模樣。好交我似醉如痴。我這裏單身獨步香閨内。怎不傷悲。心兒裏想像着他面皮。恰便似魂靈兒活現在傍僻。敢則是難調戲。一似那南柯夢裏。痴心兒盼佳期。

【耍孩兒】我爲他纖腰病損添憔悴。巧畫娥眉付與誰。想當時良媒說合求匹配。則想咱永遠休離。誰知我犯着孤辰寡宿亡夫主。你犯着命短先夭棄了妻。咱兩個無緣會。只落的煩煩惱惱。切切悲悲。

【五煞】我如今纔二八。他死呵恰二十。夫妻不到一百日。他三魂杳杳歸何處。我一體忙忙倚靠誰。長吁氣。越交我思前想後。不醒東西。

【四煞】簾兒下且耐[四]心。門兒傍斜靠倚。交人對景添愁意。你看那雙雙粉蝶飛還往。對對遊蜂去又歸。他和俺非同類更把花心戲採。惹的人慘慘凄凄。

【三煞】倚門兒面向東。轉回頭却向西。星眸錯認了咱夫婿。猛然覷見個郎君過。交我心癢難揉。怎忍的到面前全不理。這的是佳人有意。才子無知。

【二煞】引的人心上狂。不由人心上疑。猛擡頭見了思量意。似這等忘飡廢寢何時了。便做道鐵石心腸也暗悲。休道是賢良輩。便是蘭英守節。也則是造化低微。

【一煞】那媒人走入門。我問他說甚的。他道是我來與你成親事。好交我低頭不語沉吟想。一點芳心要自持。休中了他人計。回心守分。莫得胡爲。

【煞尾】休休休莫要題。罷罷罷説甚的。將俺這心猿意馬牢拴緊。將把那改嫁的心腸再莫要起。

按：此書卷首殘缺，散套北正宮端正好僅存〔脱布衫〕以下諸曲，開頭疑缺〔端正好〕、〔滚繡球〕二隻。

〔一〕「外」下原衍一「春」字。

〔二〕「恩」，原作「思」。

〔三〕「偏」，原作「徧」。

〔四〕「耐」，原作「奈」。